国家出版基金项目
NATIONAL PUBLICATION FOUNDATION

智能电网技术与装备丛书

区域能源互联网智能调控技术

Intelligent Dispatch and Control Technologies in Regional Energy Internet

艾 芊 刘育权 王 莉 李昭昱 著

科学出版社
北 京

内 容 简 介

本书全面分析综合能源系统各环节涉及的理论及技术。全书共 8 章，包括综合能源系统架构、成员与功能，综合能源系统动态建模理论、态势感知技术、多主体互动模式、优化调度方法、控制方法与策略，以及人工智能在智能调控中的应用、能源互联网未来发展趋势。

本书适合电力学科相关专业高校师生以及各级政府能源与电力主管部门、电力及能源企业有关部门的工作者参考使用，也可供对综合能源系统感兴趣的爱好者阅读。

图书在版编目（CIP）数据

区域能源互联网智能调控技术 = Intelligent Dispatch and Control Technologies in Regional Energy Internet / 艾芊等著. —北京：科学出版社，2023.1

（智能电网技术与装备丛书）

国家出版基金项目

ISBN 978-7-03-074873-7

Ⅰ. ①区… Ⅱ. ①艾… Ⅲ. ①互联网络-应用-区域-能源发展-综合调控-研究-中国 Ⅳ. ①F426.2-39

中国版本图书馆CIP数据核字（2023）第025997号

责任编辑：范运年 王楠楠 / 责任校对：王萌萌
责任印制：师艳茹 / 封面设计：赫 健

科 学 出 版 社 出版
北京东黄城根北街 16 号
邮政编码：100717
http://www.sciencep.com

三河市春园印刷有限公司 印刷
科学出版社发行 各地新华书店经销

*

2023 年 1 月第 一 版 开本：720 × 1000 1/16
2023 年 1 月第一次印刷 印张：25 1/4
字数：490 000
定价：116.00 元
（如有印装质量问题，我社负责调换）

"智能电网技术与装备丛书"序

国家重点研发计划由原来的"国家重点基础研究发展计划"（973 计划）、"国家高技术研究发展计划"（863 计划）、国家科技支撑计划、国际科技合作与交流专项、产业技术研究与开发基金和公益性行业科研专项等整合而成，是针对事关国计民生的重大社会公益性研究的计划。国家重点研发计划事关产业核心竞争力、整体自主创新能力和国家安全的战略性、基础性、前瞻性重大科学问题、重大共性关键技术和产品，为我国国民经济和社会发展主要领域提供持续性的支撑和引领。

"智能电网技术与装备"重点专项是国家重点研发计划第一批启动的重点专项，是国家创新驱动发展战略的重要组成部分。该专项通过各项目的实施和研究，持续推动智能电网领域技术创新，支撑能源结构清洁化转型和能源消费革命。该专项从基础研究、重大共性关键技术研究到典型应用示范，全链条创新设计、一体化组织实施，实现智能电网关键装备国产化。

"十三五"期间，智能电网专项重点研究大规模可再生能源并网消纳、大电网柔性互联、大规模用户供需互动用电、多能源互补的分布式供能与微网等关键技术，并对智能电网涉及的大规模长寿命低成本储能、高压大功率电力电子器件、先进电工材料以及能源互联网理论等基础理论与材料等开展基础研究，专项还部署了部分重大示范工程。"十三五"期间专项任务部署中基础理论研究项目占 24%；共性关键技术项目占 54%；应用示范任务项目占 22%。

"智能电网技术与装备"重点专项实施总体进展顺利，突破了一批事关产业核心竞争力的重大共性关键技术，研发了一批具有整体自主创新能力的装备，形成了一批应用示范带动和世界领先的技术成果。预期通过专项实施，可显著提升我国智能电网技术和装备的水平。

基于加强推广专项成果的良好愿景，工业和信息化部产业发展促进中心与科学出版社联合策划出版以智能电网专项优秀科技成果为基础的"智能电网技术与装备丛书"，丛书为承担重点专项的各位专家和工作人员提供一个展示的平台。出版著作是一个非常艰苦的过程，耗人、耗时，通常是几年磨一剑，在此感谢承担"智能电网技术与装备"重点专项的所有参与人员和为丛书出版做出贡献的作者和工作人员。我们期望将这套丛书做成智能电网领域权威的出版物！

　　我相信这套丛书的出版，将是我国智能电网领域技术发展的重要标志，不仅能供更多的电力行业从业人员学习和借鉴，也能促使更多的读者了解我国智能电网技术的发展和成就，共同推动我国智能电网领域的进步和发展。

2019 年 8 月 30 日

前　言

随着清洁能源的深入渗透，能源利用向着多能协调、多能互补的方向发展，以物联网、大数据、云计算、移动互联网等为代表的互联网技术深入发展，与传统工业相结合的理念备受关注。能源互联网成为解决分布式可再生能源就地消纳问题、实现多种能源网络紧密融合、提高系统整体能效的必然趋势，同时指导着多种能源网的集成发展方向。

传统的电力、热力和天然气网络相互独立的运行模式无法适应当前的能源生产和利用方式。因此近年来国家大力推动能源互联网建设。2015 年《国家发展改革委　国家能源局关于促进智能电网发展的指导意见》中明确提出"加强能源互联，促进多种能源优化互补"。2016 年，国家发展改革委和国家能源局公布了《关于推进多能互补集成优化示范工程建设的实施意见》，为我国综合能源系统的进一步发展指明了方向。2020 年，国家发展改革委、司法部联合印发的《关于加快建立绿色生产和消费法规政策体系的意见》中也强调加大对分布式能源、智能电网、多能互补等的政策支持力度。

开放互联作为能源互联网的核心特征之一，在架构上体现为物理互联和信息互联的融合，而从运行控制的角度考虑，则可分为横向互联与纵向互联两个层面。一方面，横向互联主要体现为多种能源的耦合互补。传统的能源系统是分散化的系统，电力系统、热力系统、天然气系统之间虽然在供能侧存在小范围的能源转化，但整体仍表现为各系统的独立规划、运行与控制；而能源互联网可通过供能与用能侧的多能转化装置搭建一个综合能源系统进行集成优化，从而提高能源的综合利用效率。另一方面，能源互联网的纵向互联体现在源-网-荷-储的协调运行控制上。传统能源系统中的负荷具有单一属性，能源单向流动利于集中管理；但在能源互联网中由于分布式可再生能源的大规模接入，用能环节将具有"源-荷"双重属性。针对能源互联网横向与纵向互联的特点，协调运行与控制问题成为限制其规模与融合深度的瓶颈之一。

区域作为一种集约型、混合型、功能型的现代聚集形态，其能源需求类型和需求负荷趋于多样化，能源消耗排放的不确定性增强，对能源的集成利用、综合利用和清洁利用要求愈加强烈，区域层面的能源系统调控面临着更大难度的挑战。此外，区域能源互联网作为新型智慧能源系统，具有数据驱动、元素互联的特征，将从数字化、网络化、智能化三个阶段和层级来实现能源电力体系的转型升级和业态创新。"能源+互联网"的发展模式使其具有极强的"数字化"属性，获取的海量数据为人工智能、云计算、区块链等新技术奠定了应用的基础，可有效促进区域能源互联网调控的精准化、智能化。在如今的"互联网+"时代，研究大数据背景下新兴技术在区域能源互联网中的应用也具有重要意义。因此，本书基于能源互联网理念，聚焦区域层面的智能调控技术，实现区域内产能、蓄能、用能和节能等一系列环节的协调，以期为能源系统的低碳化发展提供可借鉴的指导。

本书在全面总结虚拟电厂及其在工程技术、商业运营领域国内外研究进展的基础上，介绍作者承担的国家自然科学基金项目（U1866206、U1766207）、国家重点研发计划项目（2016YFB0901302）等有关课题所取得的最新研究成果。本书所涉及的内容包括上海交通大学博士研究生郝然、周晓倩、姜子卿、殷爽睿、张宇帆、李昭昱、李嘉媚、程浩原、陈旻昱，硕士研究生黄开艺、张冲、朱天怡、孙子茹、湛归、朱佳男、韩烨宸等刻苦研究的成果，在此一并向他们表示感谢。

本书共8章。第1章对综合能源系统的架构和形态特征、内部资源与主体、综合能量管理系统等进行基本介绍；第2、3章聚焦综合能源系统感知过程，探究综合能源系统的建模方法及基于大数据的态势感知技术；第4~6章侧重分析综合能源系统的调控过程，包括参与主体互动模式、优化调度方法及控制方法与策略；第7章详细阐述人工智能技术在智能调控中的应用；第8章结合现有示范工程及高新技术，对能源互联网未来的发展趋势进行展望。

需要说明的是，本书借鉴了国内外电力系统同行的大量经验与观点，参考了很多有关资料和文献，得到了很多启发，在此表示衷心的感谢。

本书完稿后，虽经多番详细审阅，但难免有不足之处，加之作者水平有限，只能抛砖引玉，恳请广大读者和同仁提出宝贵意见。

艾　芊　谨识

2022年9月于上海

目　　录

第1章 综合能源系统架构、成员与功能

综合能源系统是当今能源行业最具创新性的领域之一，也是目前很多能源互联网、智慧能源、"互联网+"等概念工程的实施对象。能源互联网在规模上可大致分为跨国或跨洲大型能源基地之间的能源互联网、国家级骨干能源互联网、智慧城市能源互联网和园区型能源互联网等[1]。其中跨国或跨洲大型能源基地之间的能源互联网、国家级骨干能源互联网隶属于广域型能源互联网范畴，该类型能源互联网有助于实现跨国、跨洲大型能源基地可再生能源生产、传输及交易，以输送大规模可再生能源为主要目的，具有广域资源配置与需求调节的能力，是解决可持续能源供应的重要手段之一。智慧城市能源互联网、园区型能源互联网则属于区域型能源互联网范畴。区域型能源互联网更关注能源系统的神经末梢[2]，一般是由供能侧电源、分布式能源、储能元件、负荷等构成的综合能源系统，具有高效、安全、可控的特点。

本章将重点关注综合能源系统的顶层设计，首先总结目前综合能源系统的典型架构和形态特征；其次介绍综合能源系统中主要的产能侧、用能侧和储能侧主体及设备，并阐述目前综合能源系统信息和物理建模及仿真的研究热点；最后分析综合能量管理系统的整体方案和主要功能。

1.1 基本架构和形态特征

1.1.1 基本架构

1. 系统运行架构

综合能源系统是基于能源互联网的大框架运行的，故本节将从顶层设计的角度简要介绍目前能源互联网领域的几种常见系统架构。

从能源互联网的构成来看，综合能源系统一般由四种分布式自治系统耦合而成，分别是电力系统、交通系统、天然气系统和信息互联网[3]。其中，电力系统承担着转换各种能源的任务，而且和天然气系统及交通系统有硬软件上的耦合。比如，在热电联供(combined heat and power，CHP)系统中，实施以热定电还是以电定热策略受电力系统和天然气系统用户的需求影响；再比如，交通系统中电动汽车充电桩的布局会对电动汽车行驶行为造成影响，反之亦然。

能源路由器作为能源互联网的核心设备之一，主要负责综合能源系统之间的

交互过程管理。其本身除了可以看作一个多级变换器系统外，还应和信息网络紧密耦合。能源路由器可以在输电网络内提供灵活的交直流端口，从而以此为基础，实现交直流电网互联，开发便于分布式电源（distributed generation，DG）、储能装置、电动汽车和汽车充电桩等设备"即插即用"的终端接口。同时，由于能源路由器和信息网络有紧密联系，所以还可以实时监测、采集和控制各端口的电气量，为整个系统提供完善的运行依据，以满足多种网络的管理与调度需求。图 1-1 所示结构重点体现了能源路由器的作用和能源局域网的宏观拓扑结构。

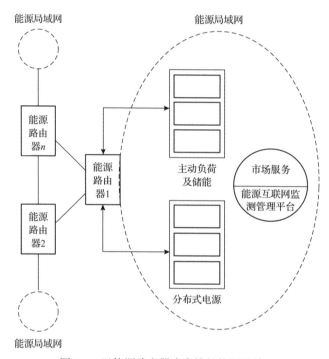

图 1-1　以能源路由器为支撑的能源局域网

在能源互联网中，能源路由器的功能具体分为以下几个方面[4]。

（1）能源控制。在能源互联网中，骨干网络仍将承担能源远距离传输的功能，分布式能源单元不仅是能源负荷，也是重要的能源供应来源，实现不同特征能源流融合是能源路由器必须具备的功能。第一，能源路由器必须保证流入能源的质量满足需求；第二，能源路由器应能够保证能源的合理流动，实现恰当数量的能源流向恰当的负荷；第三，能源路由器能够及时监控能源流的质量，实时调节保证能源流的安全流动。

（2）信息保障。信息是决定能源路由器控制策略恰当与否的关键，准确性和时效性尤为重要。一方面，要求所有策略的选择都能够受到最广泛信息的支持，避免片面信息引起决策失误；另一方面，要求所有信息必须被及时传送，避免过时信息的影响。兼容(或具备)信息通信和信息处理功能是能源路由器有效运行的必然要求，要求各能源路由器不仅能够分享其管理范围内所收集的实时信息，还能够对得到的信息进行处理和利用。

(3)定制化需求管理。支持用户个性化能源使用策略是能源互联网的主要功能之一，其实现基础在于支持用户和能源互联网的交互。一方面，用户可以根据当前的能源供应形势调整自己的能源使用策略，能源互联网根据所有用户能源策略制定能源供应模式满足用户需求；另一方面，能源互联网会搜集不同用户的能源使用数据，从中计算出相应的能源使用规律，制定合理的能源使用策略，并将其反馈给用户，供用户选择。因此，能源路由器应具有接收和处理所管理区域内用户请求的能力，并且能够及时准确地将能源价格等反映当前能源供应形势的信息反馈给用户。

(4)网络运行管理。网络运行管理对能源互联网来说同样重要，实时保持网络的可用性、可扩展性、可靠性、可生存性、安全性等是追求的目标。能源路由器为实施网络管理提供了天然介质，设置管理功能模块，开发针对性的管理协议对能源互联网的运营具有重要的意义。从功能角度看，管理功能应包括网络的接入识别、管理策略的远程部署、异常处理和修复以及日志文件的设定与管理等。

能源转换器(energy converter)和能源集线器(energy hub, EH)属于综合能源系统的核心部件。能源转换器(或能源开关)是基于信息技术的电力电子器件，它不仅可以改变电网电压水平，而且可以转换电力存在形式，从而实现电力隔离、输电、电能质量控制等。在结构上，能源转换器和能源路由器近似，皆可以进行交直流转换。能源集线器单元(或能量枢纽)实际上是不同能源基础设施和/或负荷之间的接口。在能源集线器内，能量可以通过热电联产设备、压缩机、变压器、电力电子设备等一系列设备进行转换，每个网络可利用其他能源网络来满足本能源系统的部分负荷。由此可知，能源集线器有利于解决网络拥塞问题，从而降低拥塞发生的概率，提高生产效率和能源利用率。能源集线器的另一大优点是，配电网中的配电公司(distribution system company，DISCO)可以只管理能源集线器所在配电网络的输入量，而不需要管理集线器的输出，而配电网的需求侧管理可以由能源集线器代理来支持，因此，管理程序将更加简化。

围绕能源路由器、能源转换器(或能源集线器)和能源接口设计能源互联网的广义与狭义架构，如图 1-2 所示。这种结构的侧重点也在于能源路由器，层次较为清晰，并且强调了交通网络、传统电网和传统一次能源的作用。

信息与能源融合的实现途径是形成具有广域感知、在线辨识、超实时仿真、滚动闭环控制功能的物理信息融合层，它并不以独立的物理形态存在，而是从功能上实现信息系统与物理系统的无缝衔接，控制单元之间的协同互动。信息与能源融合下能源互联网的运行架构[5]主要包括 4 个关键环节。

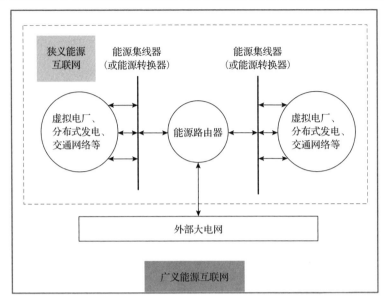

图 1-2　能源互联网的广义与狭义架构

（1）系统范围内装设海量信息采集和传感设备，采集基于同步时标，包括电压、电流、设备状态等在内的节点信息，具备全状态观测电网运行状态和设备运行工况的物理量信息，最大限度地降低系统状态和参数的不可观性和随机性。

（2）经由电力专网、互联网和工业控制网络，按照信息的不同内容和属性将信息传输至分布在全网各处的控制单元和控制中心，通信信息系统具有高可靠性和安全性，并对传输延时和数据丢失具有量化预测和建模能力。

（3）控制单元，如能源路由器，是能源互联网中进行能量控制的智能装置，兼具局部智能决策和闭环控制功能，通过大功率电力电子控制技术对功率方向、容量、质量进行实时控制，通过软件密集型嵌入式系统对控制策略进行实时更新和智能决策，软件系统和控制策略的灵活性将使控制单元对不同运行工况和需求场景具有自适应性。

（4）控制中心与控制单元共同构成分层式智能决策体系，控制中心以海量数据存储、云计算为基础，通过扩展状态估计、多尺度负荷-发电预测、扰动识别、超实时仿真、在线参数辨识等功能实现物理系统在数字环境下的同步镜像运行和控制决策生成。控制中心从全系统最优运行的角度为控制单元提供模型、参数和辅助决策依据。

2. 分层分布式控制架构[6]

综合能源系统在源-网-荷-储一体化纵向互联方面具有可再生能源发电渗透率较高、混合潮流双向流动、大规模分布式设备平等接入、即插即用等特点，采用传统的集中式调控方法需要建立一个非线性高维优化模型，并设计一个能够处理海量数据的集中控制器用于判断网络各节点的运行状况，计算时间较长，且通信延迟问题使其计算准确性无法保障。同时，大量分布式设备的即插即用使能源互联网的拓扑结构可能随时发生变化，集中式优化方案将难以适用。针对上述问题，分层分布式优化方法逐渐成为能源互联网协调运行与控制的研究热点，与多智能体系统的有机结合为能源互联网的智能调控提供了有效解决途径。

相较于分布式控制，分层控制策略研究起步较早并已在电力系统中获得了广泛应用。传统分层方式通常是根据网络的物理结构进行划分，如先按照电压等级分层，再考虑地域和网架结构等因素进一步分为若干区域。这样的分层方式在应对故障隔离、局部系统变更等情况时具有明显优势，有利于提高系统整体的可靠性、灵活性及可扩展性。然而，多区域多层次的协调控制会造成大量的通信延时问题，影响系统的整体运行效率。基于此，有学者提出按照功能进行分层的思路，将能源互联网视为由能源路由器层、能源交换机层和能量接口层组成的三层结构，分别实现区域能源互联网与传统电网的连接、能源子网与能源路由器的连接以及分布式设备与能源子网的连接。采用功能分层控制结构进行能量平衡控制、供能质量调节和经济优化调度，不仅提高了系统整体运行效率，而且易于实现能源互联网的标准化和模块化。

基于物理与功能分层优化调控策略的思想，图 1-3 中给出了能源互联网的基

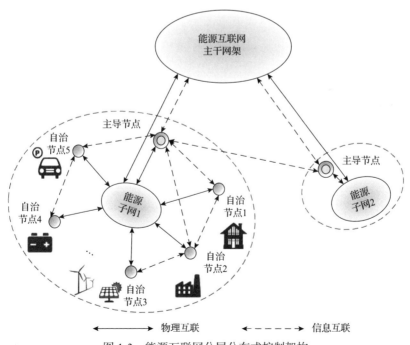

图 1-3 能源互联网分层分布式控制架构

本控制架构示意图。在该分层分布式控制架构下，能源互联网中的多个能源子网通过主干网架实现多种能源的功率交换，其控制方式与传统模式的不同主要体现在信息流的交互方面。每个能源子网都具有一个或少量主导节点和多个自治节点，其中，主导节点对整个网络的信息互联起到了关键作用。一方面，主导节点通过两种路径与外界相连，一种是与上级控制层直接互联，另一种是与相邻能源子网的主导节点相连。正常运行时，邻接主导节点间的信息交互即可实现广域的分布式调控；特殊或紧急情况下上级控制层可直接将控制指令下达给各个主导节点，实现集中与分布式控制的统一。另一方面，主导节点负责将从外界收集到的信息汇总整理，并转发给所在能源子网内相邻的自治节点，再由自治节点间的邻接信息通道将信息传递给其余自治节点，从而实现区域内的分布式调控。

分布式协同控制方法在处理能源互联网中大量分布式能源不确定性与波动性的底层控制问题上表现出巨大潜力。分布式调控手段无须建设复杂的通信网络，通过各分布式可控单元与其他邻近单元通信，结合收集到的有限状态信息进行迭代控制，取代了传统集中控制器的作用，并可在"激励-响应"模式下快速响应分布式设备的频繁状态波动。

实现分层分布式优化策略需要具有自治控制和响应调控指令能力的分布式可控单元的参与，而这些分布式可控单元就相当于不同的智能体，一同构成了多智能体系统(multi-agent system，MAS)。多智能体系统也称为多代理系统，广义来讲，多智能体系统可视为分布式人工智能技术的应用，其中的每个智能体能够充分发挥自主性并具有与系统中其他智能体交互、协调、达成一致的社会能力[7]。

在多智能体系统中，每个智能体(Agent)可依据图1-4中的工作流程按照不同

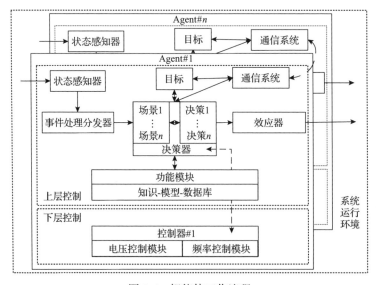

图1-4 智能体工作流程

功能设计成双层控制结构。在上层控制中，各智能体通过状态感知器接收所在代理区域的状态信息后交由事件处理分发器进行数据的分类和预处理，并映射到相应场景。在该场景下，各智能体利用通信系统与其他智能体进行协商与合作确立最优目标，并根据此目标在决策器中选择适当的决策，随后在功能模块已有知识或规则的支持下制定响应计划；最后通过效应器作用于系统运行环境。下层控制主要包含电压控制、频率控制等模块，以保证区域供需平衡和安全稳定运行，实现自律调控[8]。

在广义能源互联网中，智能体的概念可进一步扩展。基于分层分布式的优化调控结构，电力系统、热力系统、天然气系统和智能化交通系统可设计为顶层智能体；中间层智能体由综合能源系统或广义虚拟电厂(generalized virtual power plant，GVPP)构成，是整个多能源系统分层分布式架构中最关键、最复杂、最多样的环节；底层智能体则负责各种分布式设备的即插即用与协同控制，大多数设置在各分布式设备的能源接口处。其中，中间层智能体在能源互联网中处于决定性地位，是联系顶层智能体与底层智能体的纽带，主要包括能源集线器智能体、能源路由器智能体、微电网智能体等，通过分工合作完成接收顶层智能体综合调控指令、与邻接中间层智能体通信以及制定并下发模式切换策略和功率控制指令等功能，从而实现不同能源子网间的协调运行。中间层智能体与底层智能体的出现弱化了顶层智能体的调控功能，使能源互联网由传统电网的垂直结构向扁平化发展。

3. 智能交互架构[9]

区块链与能源互联网具有相似的网络拓扑形态，可从区块链与能源互联网的技术融合角度出发，将区块链架构与节点映射到能源互联网的层次架构模型和关键功能节点，构建具有"交易完全去中心化，调度部分去中心化"特点的基于区块链的能源互联网交互模型。

首先，针对区块链技术在运行方式、拓扑形态与能源互联网有天然相似之处，该模型借鉴了区块链技术明确能源互联网节点的功能与类型。区块链技术旨在确保网络中每一个节点都参与数据交互及记录管理等工作，以此实现去中心化的特点及节点间的相互信任。然而，节点之间不可避免地存在算力差异，不能要求所有节点都能提供等量的算力资源，故节点类型分为以下两类。

(1)全节点：传统意义上的区块链节点，包含完整的区块链数据，支持全部区块链节点的功能。

(2)轻型节点：依靠全节点而存在的节点，无须为区块链网络提供算力，仅需保留区块链的部分数据，参与对交易数据的验证。

因此，该模型参照区块链节点类型，并依据能源互联网中源-网-荷-储-调度等各节点的计算能力、交易特性、调度特性和数据重要性等特点，将能源互联网各节点做如下分类：①能源端节点、各类售电公司节点定位为交易类全节点，该类节点计算和存储能力最强，具有计费和结算、保存完整区块、路由、查询和验证等完整功能；②能源传输网络中各级调度、各级变电站、天然气调压站、石油泵站等定位为调度类全节点，该类节点在计算和存储能力上与交易类全节点类似，同样具有保存完整区块、计费和结算、路由、查询和验证等完整的区块链功能，此外该类节点又独有协同调度功能，因此与交易类全节点分开命名以示区分；③用户侧常规的用能节点，如居民用户、商业用户、工业用户、混合用能用户、加油站、液化气站、微电网节点、储能节点等定位为轻节点，该类节点算力输出十分有限，且存储空间不足以保留完整区块链，因此仅具有保存数个月内区块链、路由、查询及验证等基础功能。

其次，针对区块链作为一个分布式的数据库和去中心化的点对点对等网络的特点，该模型基于区块链技术实现交易的完全去中心化，并以智能合约的方式部署在区块链上，实现不依赖任何中心机构自动化地代表各签方执行合约进行交易，具有自治、去中心化等特点。目前，电力市场的中长期交易和日前交易属于非实时性交易操作，因此完全可通过区块链技术构建基于信任机制的能源互联网售电公司与源端间的完全去中心化的交易模式。交易完全去中心化有利于使源-售两端沟通协商更加便捷，提升交易时效性和需求匹配性。

最后，针对电能作为一种特殊的商品形式，必然要受到调度管控限制的特点，该模型基于分布式决策和协同自治模式，突破现有垂直多级集中式调度的约束，通过区块链技术实现源-网-荷-储等各类节点共同参与系统调度，使电力系统具备大规模分布式实时协同自治的能力，将从广域协同调度模式过渡到集群智能，有利于解决大规模分布式节点的实时调度优化问题。同时，考虑到电网安全性的保障是首要前提，因此在实践中尚不能完全放弃调度机构，不可仿照交易的完全去中心化模式，只能开放部分权限，实现调度部分去中心化。调度对于电网安全运行的保障主要体现为对物理条件的约束与阻塞管理，相对于石油和天然气而言，电能只能实时传输，尚不能实现大容量和高效存储，电能商品的生产和消费大多是以具有一定持续时间的能量块的形式进行。基于区块链的能源互联网在交易完全去中心化后，源-网-荷-储等各节点基于智能合约达成的中长期交易和日前交易的顺利执行必须满足能源传输网络的物理约束条件，方能避免能量流的阻塞。电力系统中物理约束条件有功率约束、商业收益约束、网损约束等，功率平衡在潮流方程中为电力系统运行的主要物理约束。因此，基于区块链的能源互联网在实现智能交易时，必须遵循源-网-荷-储-调度等各节点协同调度的物理约束条件，方能有效保证能量流的高效、合理、有序地路由传输与交换分配。

1.1.2　形态特征

1. 基于能源细胞-组织的构建形态

在综合能源系统的建设中，按照能源互联网的理念，采用先进的互联网及信息技术，实现能源生产和使用的智能化匹配及协同运行，以新形态参与电力市场，可以形成高效清洁的能源利用新载体[10]。综合能源系统一般涵盖区域集成的供电、供气、供暖、供冷、供氢和电气化交通等能源系统以及相关的通信和信息基础设施，可以通过能量存储和多能互补减弱分布式能源的波动性，在单一能源系统源-网-荷-储纵向优化的基础上，通过能源耦合关系对多种供能系统进行横向上的协调优化，其目的是实现能源的梯级利用和协同调度，因而得到了广泛的研究和应用。

基于能源细胞、组织的概念来描述区域能源网的构建形态，既体现能源分布式模块化的固有发展，也为后续能源网研究奠定理论基础。在能源互联网中，可以将拥有一定自给自足能力和自我管理能力的系统称为一个能源细胞[3]。因此，可以将未来的分布式能源配置定义为一群在用户侧的"细胞"；多个拥有不同新能源输出特征和不同地理位置的"细胞"，在利益驱动下便形成一个虚拟的"组织"[11]。能源细胞不仅可以作为能源消费者，还可以拥有分布式电源和储能设备，以参与电力市场和能源调度；在这样的情况下，"细胞"仅需少量的外界信息便可以完成自己所负责的工作，从而进一步简化了能源互联网的管理。

能源细胞一般由分布式发电机组、分布式储能和可控负载组成，且每个能源细胞都能够双向连接到信息网络中，能够完成多能互补、需求响应行为，使得能源互联在结构上向信息互联网靠近。"能量组织"可以作为一个整体运行，能够协调内部"细胞"的资源，从而追求全局优化，与外部环境进行能量交互，实现功能与结构的统一。综上可知，"细胞-组织"结构将成为区域能源网络的主导形式，且在"细胞-组织"视角下，认知、设计和规划能源互联网便具有了明显的优势，例如，利用血管（即能源网络）为区域提供多元化经济体能源服务，利用神经系统（信息网络）和消化系统（物流网络和交通网络等）进行信息和物质的双向互动等。

在"细胞-组织"视角下，可将微电网视为具有自治能力的"细胞"，其拥有相对独立的功能，例如，能改善电能质量，提高供电可靠性，实现负荷的主动调控等。多微电网集群能够形成具有完整功能的主动配电网，可作为综合能源系统的有机"组织"。图 1-5 展示了综合能源系统的信息、能量交互示意模型。

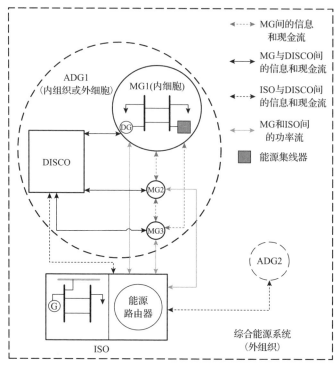

图 1-5 "细胞-组织"形态下的综合能源系统

MG 指微电网

从图 1-5 中可以看到,该区域能源网采用了双环"组织"嵌套结构,内环由"内组织"和"内细胞"组成,分别对应着一个主动配电网和小型微电网;外环由"外组织"和"外细胞"组成,分别对应区域能源网和主动配电网。其中,内环的"内组织"可以看作外环的"外细胞",而多个"内组织"和其对应的"外组织"便组成系统的系统(system of system,SOS)。在同一区域配电网的多微电网之间通过公共连接点(point of common coupling,PCC)存在直接的电气连接,能够互相提供电压和功率支持,并能够在存在故障时及时转入孤岛运行模式;配电网内部的 DISCO 对"内组织"中的微电网进行统一管理,例如,规定市场价格、记录区域负载特性和分布式电源成本特性曲线等。此外,不同地区的主动配电网可以通过独立系统运营商(independent system operator,ISO)和区域系统运营商(regional system operator,RSO)所管理的输电网络相连;配电网和外部电网有直接的电气联系,而 DISCO 可以通过信息网络和 ISO 进行信息交互(例如,ISO 和配电网的电力需求及其限制、迭代计算中的边界变量或伪变量等),从而更好地实现控制和管理。

2. 多能互补、集成优化的总体目标

从能源互联网的构建目的及系统设计层面来看,能源互联网主要是利用互联网技术实现广域内的分布式电源、储能设备与负荷的协调，实现由集中式化石能源利用向分布式可再生能源利用的转变。在能源互联网包含复杂网络的物理实体层面，能源互联网是以电力系统为核心，以互联网及其他前沿信息技术为主要手段，以分布式可再生能源为主要一次能源，与天然气网络、交通网络等其他系统紧密耦合而形成的复杂多能系统。在综合能源系统中，能量供应呈现多样性，不同能源形式之间相互耦合，为用户提供冷、热、电、气等多种形式的能源。利用不同能源的特性差异和相互转换可以促进可再生能源的消纳，如电制氢、风电供热等，同时，多能源的优化互补，还可以提高用户用能的可靠性，为电网运行提供更多柔性资源。

多能互补并非一个全新的概念，在能源领域中，长期存在着不同能源形式协同优化的情况，几乎每一种能源在其利用过程中，都需要借助多种能源的转换配合才能实现高效利用。在能源系统的规划、设计、建设和运行阶段，对不同供用能系统进行整体上的互补、协调和优化，可实现能源的梯级利用和协同优化，为解决上述问题提供了思路。不同能源供应系统的运行特性各异，通过彼此间协调，可降低或消除能源供应环节的不确定性，从而更有利于可再生能源的安全消纳。

随着分布式发电供能技术，能源系统监视、控制和管理技术，以及新的能源交易方式的快速发展和广泛应用，能源耦合紧密、互补互济。综合能源系统作为多能互补在区域供能系统中最广泛的实现形式，其多种能源的源-网-荷深度融合、紧密互动对系统分析、设计、运行提出了新的要求。传统的能源系统相互独立的运行模式无法适应综合能源系统多能互补的能源生产和利用方式，在能量生产、传输、存储和管理的各个方面，都需要考虑运用系统化、集成化和精细化的方法来分析整个能源系统，进而提高系统鲁棒性和用能效率，并显著降低用能价格。

为进一步提高用能效率，促进多种新能源的规模化利用，多种能源的源-网-荷深度融合、紧密互动是未来能量系统发展的必然趋势。近年来，多能互补、集成优化能源系统成为项目实践和理论研究的焦点，其中的关键问题可归纳为图 1-6，包括多能流混合建模、多能转化技术、多能系统综合评估、信息安全与通信、多能系统规划、多能系统协同优化、交易和运行模式几个方面[10]。

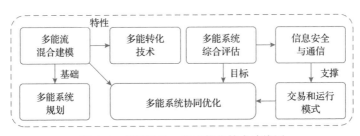

图 1-6　多能互补、集成优化技术路线图

其中，能源转化元件是多能互补的物理基础，本质上也属于一种局部的综合能源系统。传统多能互补系统中电力与天然气系统仅通过燃气轮机(gas turbine,

GT)将天然气转化为电能。随着设备实用性的增强，电转气(power-to-gas，P2G)可将电能实体化为天然气从而实现电力和天然气系统的双向互动，可利用天然气系统实现能量的消耗、储存和运输，获得多能源市场的新的均衡点，改善能源的总体利用效率进而缓解电力市场阻塞，基于能源转化元件特性，进一步建立多能系统的静、动态模型，支撑多能系统规划与协同调控。研究综合能源系统规划及运行策略，应采用合适的综合评估方法作为指导，构建综合考虑供能可靠性、新能源渗透率、用能费用和系统能效等的多目标优化模型。多能系统综合评估体系需满足以下几个条件：①适应高渗透新能源规模化利用的趋势，对新能源随机性建立概率模型并定量分析；②准确描述高低能源品质的差异；③评估算法必须与其运行模式有良好的适应性，做到准确模拟、快速评估。在进行综合能量管理时，系统的信息安全与通信问题不得忽视，同时还应考虑所处的能源市场环境，制定相应的市场结算与互动机制。

3. 能源互联网与信息互联网的优势融合

对能源互联网关键技术的研究和分类是构建能源互联网的重要步骤。能源互联网的设想取自于 20 世纪 80 年代和 90 年代计算机行业采用的信息互联网设想。在计算机行业的信息互联网中，有三项关键技术是至关重要的：信息路由器、即插即用接口(如 RJ45 以太网接口)和特定的开放标准[如传输控制协议/互联网协议(TCP/IP)和超文本标记语言(HTML)]。所以在类比之下(表 1-1)，能源互联网可

表 1-1　能源互联网和信息互联网对比

特点	能源互联网	信息互联网
互联性	广泛互联	广泛互联
主体与互动性	多种能源流与信息流	信息流
双向性	双向流通	双向流通
协议与接口	可定义标准协议和接口，支持即插即用	可定义标准协议和接口，支持即插即用
协同性	多能互补，高度耦合	信息流较为单一
市场性	破除价格和行业垄断壁垒，发挥市场的资源配置作用	潜在市场性，需要挖掘
服务性	服务领域极广，和信息互联网高度融合，和用户有广泛互动	服务领域极广，和能源互联网高度融合，和用户有广泛互动
物理特性	能源互联网中，在节点处需满足类似基尔霍夫电流定律的物理约束	无须考虑节点平衡
设备特性	需要路由器和集线器等，损耗大	需要路由器和集线器等，损耗低
发展速度	较为保守，活力不足，多能源的低综合能效阻碍协调发展	新兴商业模式发展极快，十分开放

以围绕能源路由器、即插即用功能和基于开放标准的操作系统这三个关键技术来开发。这表明，能源互联网本质是向信息网络渗透的多能源系统，其目标是追求资源的高利用率和能源供需平衡且能够更简单地扩展和缩小网络。从表 1-1 中可以看出，能源互联网和信息互联网最大的差别在于前者复杂的物理规律难以掌控，从而导致网络整体的互联程度远低于后者；但实际上，后者可以作为前者的一部分，信息互联网中成熟的互联网理念能够为能源互联网的建设和完善起到指导作用，从而能极大地推动能源的市场化、商业化。

互联网能够取得如此快速的发展并具有众多优点，离不开若干重要理念的支撑，如开放、互联、以用户为中心、分享、对等、透明、轻资产化等[12]。在众多互联网理念中，开放是其中最为核心的理念。开放使互联网能够打破诸多壁垒，实现各种异构系统的互联和所有源荷的平等接入，从而迅速发展形成全球互联的平台，进而产生巨大的互联价值，使信息的实时交互、分享和协同等成为可能，也使零边际成本成为趋势。同时，互联还使海量的用户成为主体，对等、透明和分布等理念也由此发展出来，在商业中进而产生以用户为中心的理念，用户体验至上，使互联网能够在与众多传统行业的融合中取得巨大成功，催生出许多新的业态和商业模式。此外，互联也产生了大数据，为数据驱动的分析和决策提供了基础。总之，开放促进了互联，互联创造了价值，价值缔造了互联网的成功。

相比之下，能源网的理念则显得相对保守和内向。传统的能源网理念是追求大系统、集中式的发展，不断提高机组容量、电压等级、网络规模等，在获得巨大规模效益的同时，也加强了垄断。同时，为了保证系统的可靠性，系统相对保守。此外，不同类型的能源网之间相互割裂，阻碍了综合能效的提高。但是，随着可再生能源和分布式发电技术的快速发展，规模效应在局部可能不再成立，在很多情形下分布式可能带来更高的能效和可靠性，用户正在成为数量巨大的能源生产者。与此同时，可再生能源的随机性给系统的安全运行带来了挑战，使需求侧响应和能源的分享显得前所未有的重要。此外，多类能源的互联可以有效提高综合能效，也有助于可再生能源的消纳。因此，迫切需要在能源网中解放思想，引入互联网的理念，弥补传统能源网开放性差、互联程度低的不足。

如图 1-7 所示，综合能源系统作为能源互联网的重要组成部分，同样能够实现能源网与互联网的优势融合，具体表现为六个方面。

（1）开放。开放是能源互联网的核心理念，内涵丰富，主要体现在以下几点：多类型能源的开放互联、各种设备与系统的开放对等接入、各种参与者和终端用户的开放参与、开放的能源市场和交易平台、开放的能源创新创业环境、开放的能源互联网生态圈、开放的数据与标准等。

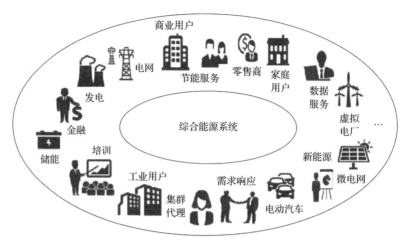

图 1-7　综合能源系统的开放互联

(2)互联。互联是开放的重要表现,为能源的共享和交易提供平台,连接供需,是能源互联网创造价值的基础。互联包括多种能源形式、多类能源系统、多异构设备、各类参与者等的互联。

(3)以用户为中心。以用户为中心是能源互联网在商业上取得成功的关键。只有用户认可和广泛参与,才能有效推动能源互联网在能源生产、运行、管理、消费、交易、服务等各环节创造价值。以用户为中心强调提供极致的用户体验,不但满足用户不同品位的便捷用能需求,还要满足用户便捷生产和交易能源的需求。

(4)分布式。分布式是推动能源互联网发展的重要动力。光伏等新能源适合分布式投建,用户也将成为分布式的能源产消者。在分布式条件下,为保证能源产消的即插即用和能量时时处处平衡,对分布式优化和控制提出了高要求。

(5)共享。共享是能源互联网的精神,物理设备的开放互联如果缺少了共享的机制,也就无法形成有效的能源市场和良好的创新创业环境。

(6)对等。对等是能源互联网的形态之一,能源互联网需要打破垄断,去中心化,不同参与者之间处于对等的位置,在此基础上进行对等的交易。能源的生产和消费也是对等的,不再是单向的生产跟踪消费模式,而是双向甚至多边的。

综合能源系统的关键特征是互联网理念和技术的深度融入,至少包含以下几点特征:支撑多类型能源的开放互联,提高能源综合使用效率;支撑高渗透可再生能源的接入和消纳;支撑能量自由传输和用户广泛接入的自由多边互联网架构;集中和分布相结合的自组织网络架构;支撑众筹众创的能源互联网市场和金融;支撑能源运行、维护、交易、金融等大数据分析。

1.2　内部资源与主体

1.2.1　主要资源及设备

综合能源系统的能源利用流程如图 1-8 所示[13]。一个综合能源系统，可以由许多不同类型的能源生产设备、能源转换设备、储能设备及终端负荷组成。终端负荷需求包括电需求、供热需求、热水需求和供冷需求。在系统的输入端，能源可以是天然气、液化石油气、柴油、太阳能、风能、生物质能以及地热能等。经过不同的能源转换设备，这些能源的能量最终转化成可以供用户使用的电、热和冷等形式。

图 1-8　综合能源系统的能源利用流程

综合能源系统的基本设备主要包括风力发电机组、太阳能利用设备等可再生能源利用设备，以及燃气轮机等常规可控发电设备、制热和制冷能源转换设备、储能设备等。

1. 可再生能源利用设备

1) 风力发电机组

风力发电的原理，是利用风力带动风车叶片旋转，再通过增速机将旋转的速度提升，来促使发电机发电。风力发电所需要的装置称作风力发电机组。常见的风力发电机组包括风轮、发电机。风轮中含叶片、轮毂、加固件等。风力发电电源由风力发电机组、支撑发电机组的塔架、蓄电池充电控制器、逆变器、卸荷器、并网控制器、蓄电池组等组成。

风力发电机组进行发电时，要保证输出电能的频率恒定。这对于风机并网发电、风光互补发电都非常必要。要保证风电的频率恒定，一种方式就是保证发电机的转速恒定，即恒速恒频的运行方式。由于发电机由风力机经过传动装置进行驱动运转，所以该方式下也需要保证风力机的转速恒定，显然会影响到风能的利用效率。另一种方式就是发电机转速随风速变化，通过其他的手段保证输出电能的频率恒定，即变速恒频运行。该方式下由于发电机转速能随着风速的变化而变化，可以保证机组在低风速区域获得最大的风能利用率，其效率比恒速恒频风力发电机组高很多。该类型机组主要分为双馈异步风力发电机组、永磁直驱风力发电机组和电励磁同步半直驱风力发电机组。目前，双馈异步风力发电机组为变速恒频风力发电机组中的主流机型。

2) 太阳能利用设备

太阳能资源丰富、分布广泛，已成为最常用的可再生能源之一。目前，太阳能利用方式主要有光伏发电技术、光热发电技术、太阳能锅炉、太阳能热泵等。

其中，光伏发电(photovoltaic，PV)的核心设备为光伏电池板。光伏电池板通常由半导体材料制作而成，通过在电池板表面发生的光生伏特效应，实现从光能到电能的能量转化。一个太阳能发电厂由多个光伏电池板串联、配合一些辅助设备组合而成。与传统的火力发电方式相对比，光伏发电有下面的几个特点：①太阳能资源丰富，可以在许多地方广泛使用光伏发电；②光伏电池板可模块化组装成大容量光伏发电装置，因此其安装容量的设置十分灵活；③光伏电池板的安装条件较宽松，适合在多种环境使用，包括地面、楼层建筑等；④光伏发电受天气影响大，具有很明显的间歇性、不确定性和不稳定性。

光热发电(photothermal power generation，PPG)是通过“光-热-电”形式进行能量转换的。太阳能光热电站一般由聚光集热环节、储热环节和发电环节三个子系统构成。通过聚集太阳光加热导热介质，然后导热介质进入发电环节产生过热蒸汽带动发电机发电。其中，导热介质也可以流入储热环节进行热交换实现热存储或者热释放。根据聚光方式的不同，光热发电可以分为两大类：一类是点聚焦系统，包括塔式光热发电系统、碟式光热发电系统；另一类是线聚焦系统，包括槽式光热发电系统、线性菲涅耳式光热发电系统。考虑到光热发电可以使用低成本的储热设备来存储热能，通常太阳能光热电站都会配置一个储热系统存储光热盈余时段的热量，从而满足光热不足时段的发电热需求，有效延长其运行时间，改善其电力供给的稳定性。

太阳能锅炉(solar heater，SH)是相对于民用太阳能热水器而言的太阳能中高温利用，属于一种新兴的锅炉装置。太阳能锅炉由太阳能集热器和锅炉组成，太阳能把生产的热水注入保温水箱，并储存起来。水箱和锅炉的管道系统连接，水箱内的热水顺利进入锅炉的管道系统，太阳能本身能产生较高温度的热水，相当于锅炉需要加热的热媒水的起始温度大大增高，锅炉不需要满负荷运行就能把水加热到额定温度，从而达到节能的效果。太阳能亦可以对油加温，实现中高温太阳能在工业中的利用。

太阳能热泵(solar assisted heat pump)是通过聚光型槽式集热器吸取太阳能来加热导热油，通过高温导热油驱动空气源吸收式热泵机组，以从空气中提取热量，实现太阳能、空气能的综合利用。太阳能热泵主要由三部分组成：能量采集区、能量转换区和能量利用区。能量采集区由槽式集热器和热力辅助设备组成。能量转换区由热水热泵主机、水箱组成。能量利用区即热水使用场所对应的室内部分，包括热水管道、水龙头等。常规太阳能热水器在与太阳能热泵获得等量热水的情况下，投资较高、占地面积较大，而太阳能热泵占地面积较小、效率更高。因此开发高效的太阳能热泵,对于开发太阳能的巨大潜力具有重大意义。

2. 常规可控发电设备

1) 燃气轮机

分布式天然气冷-热-电联供系统是目前应用最为广泛的综合能源系统,其系统组成包括原动机、制冷装置和制热装置,而燃气轮机便是系统的原动机之一。燃气轮机通过燃烧天然气,产生高温燃气进行膨胀做功,从而带动叶轮进行高速的旋转,而叶轮则带动发电机进行发电。与传统发电系统相比,燃气轮机具有功率密度大、启动速度快、体积小、能源利用率高、运行可靠性强、污染物排放量少和使用寿命长等优点。可以根据不同的需求,为天然气冷-热-电联供系统配置不同容量大小的燃气轮机及其他的制冷和制热等设备。目前,综合能源系统使用的燃气轮机的功率都比较小,基本处于 20kW～5MW 范围内。

2) 燃气内燃机

这里所说的燃气内燃机(gas engine, GE)指的是天然气内燃机发电机组,是另一种综合能源系统常用的能源生产设备。它的工作原理是通过天然气与空气在气缸内燃烧产生高温高压的燃气,其膨胀做功带动活塞运动,而活塞会进一步带动与之连接的曲柄连杆等装置产生机械能,最后发电机在机械能的推动下产生电能。

3. 能源转换设备

1) 制热设备

综合能源系统中常用的制热设备除太阳能利用设备外还有燃气锅炉、燃油锅炉、电锅炉等。其中,燃气锅炉(gas boiler, GB)包括燃气开水锅炉、燃气热水锅炉、燃气蒸汽锅炉等,顾名思义指的是以燃气为燃料的锅炉。燃气锅炉和燃油锅炉、电锅炉相比经济性最好,因而在蒸汽、采暖、洗浴等热需求场合应用得最为广泛。

燃油锅炉(oil-burning boiler, OB)燃料包括柴油、废油等油料,其总体布置与燃煤锅炉类似,只是燃油锅炉炉膛底部多做成向后墙倾斜 10°～30°的保温炉底,以获得良好的燃烧特性。燃油锅炉包括燃油开水锅炉、燃油热水锅炉、燃油采暖锅炉、燃油洗浴锅炉、燃油蒸汽锅炉等。和燃气锅炉、电锅炉相比,燃油锅炉比电锅炉运行经济,比燃气锅炉使用方便。随着经济的发展和社会的进步以及人们环保意识的提高,燃煤锅炉由于污染严重,逐渐远离人们的视线,取而代之的是新型环保数字锅炉,燃油锅炉就是其中的一种。

电锅炉也称电加热锅炉、电热锅炉,顾名思义,它是以电力为能源并将其转化成为热能,经过锅炉转换,向外输出具有一定热能的蒸汽、高温水或有机热载体的锅炉设备。电锅炉本体主要由电锅炉钢制壳体、计算机控制系统、低压电气系统、电加热管、进出水管及检测仪表等组成。电锅炉在结构上易于叠加组合，控制灵活，安全系数更高，维修更换方便，但同时价格也较为昂贵。此类锅炉广泛适用于宾馆、别墅、厂房、办公楼、政府机关、高等院校、医院、部队等对外观和安全性能要求较高的场所的生活热水和采暖。

2）制冷设备

制冷设备按照其输入能源的不同，主要有两大类：电制冷机和吸收式制冷机。其中，电制冷机（electric chiller，EC）以电能作为其输入能源，通过电机运转带动压缩机的活塞进行压缩，使压缩机内部的制冷工质受压液化，释放出热量到外界，而液化后的制冷工质又可以蒸发吸收热量，从而将热量进行转移。其制冷循环为压缩→冷凝→膨胀→蒸发。

在联供系统中，吸收式制冷机（absorption chiller，AC）是余热利用的主要元件，是联供系统中不可或缺的设备，也是提高能源综合利用效率最重要的设备之一。吸收式制冷机以热能作为输入能源，通过制冷工质在吸收器、蒸发器、冷凝器、发生器和换热器等装置中的蒸发吸热及冷凝放热过程，实现冷能的生产。按照制冷工质的不同进行划分，主要有氨水吸收式制冷机和溴化锂吸收式制冷机这两大类，其中溴化锂吸收式制冷机的应用最为广泛。

4. 储能设备

综合能源系统主要为终端用户供应电能、热能和冷能。因此，常用的储能设备主要有蓄电池、储热箱和储冷箱，分别对电、热和冷进行储存。

1）蓄电池

在综合能源系统中，风力发电和光伏发电等可再生能源发电都存在着间歇性和波动性的缺点，为了提高供电的质量和可靠性，需要配置相应的电能储存装置。而蓄电池是目前最广泛使用的电能储存设备，工作原理是通过化学反应实现化学能和电能之间的相互转换，其内部的化学工质可以完成可逆的化学反应，在存入电能时实现"电能→化学能"过程，在释放电能时实现"化学能→电能"过程。在实际生活中使用最多的蓄电池主要有铅酸蓄电池、镍氢电池、镍镉蓄电池和锂离子蓄电池等，而铅酸蓄电池因其较低廉的成本占据了目前市场的主要份额。

2）储热箱和储冷箱

在实际的终端能源供应系统中，热能和冷能的生产量与实际用户的冷热需求量总是会存在着不匹配的情况，目前剩余电能基本采用蓄电池进行存储，随后在适当时候进行释放使用。同样地，在综合能源系统中，可采用储热箱和储冷箱来对多余的热能和冷能进行存储，实现能量在时间尺度上的转移。

1.2.2　利益主体划分

1.2.1 节中介绍了综合能源系统中的主要资源及设备，属于物理实体。但在市场环境下，多种分布式能源是以经济实体为单位参与能源交易，该经济实体也就是 1.1.2 节中提到的能源细胞。能源细胞可以是仅由能源生产设备构成的能源生产者，可以是仅包含能源用户的能源消费者，也可以是具有生产和消费双重属性的能源产消者。能源细胞的规模也各不相同，小到家庭用户、储能电站等，大至微电网型工业园区、商业楼宇等。参与能源市场的利益主体除了大型能源细胞和各级市场运营机构外，还存在能源零售商、多微电网系统运营商、负荷聚合商、云储能运营商等第三方代理机构以及由多个能源细胞聚合而成的虚拟组织——虚拟电厂。其中，能源零售商和多微电网系统运营商的概念较容易理解，这里主要介绍其余三种利益主体，即负荷聚合商、云储能运营商和虚拟电厂。

1. 负荷聚合商[14]

需求响应是智能电网的最佳应用之一，相比发电侧而言，需求侧的负荷数量极为庞大。在综合能源系统中，需求响应由传统以电力负荷响应为主的管理方式向计及多能转换与多能用户响应的综合需求响应转变。但负荷聚合的基本概念仍然适用，即根据外界环境或运行目的，通过一定的数学技术手段将大量需求侧资源整合为一个可调容量大、控制简单的聚合体。从系统调度来看，负荷聚合是实施需求响应、调用负荷侧资源的必然要求，负荷聚合的目的主要体现在以下三个方面。

(1) 单个可控负荷功率较小，在系统中分散存在，各自工作具有随机性，无法直接被系统调用。因此，客观上需通过负荷聚合技术将数量庞大的用户侧可控负荷整合为一个或多个调度方式灵活、参与系统调度潜力巨大的聚合体，进而参与电网调度。

(2) 在电力市场改革的背景下，合理高效的负荷聚合技术已成为售电商及负荷聚合商的核心竞争力之一，挑选合适的用户及负荷作为聚合对象并与之签订合同，通过负荷聚合技术充分挖掘负荷侧响应潜力的同时为电力市场提供多种辅助服务，可最大化负荷资源的经济价值。

(3) 基于需求响应技术，用户侧可控负荷已在电力系统运行的各个方面得到了广泛的应用。针对调频、调峰等不同场景，需采取相应的负荷聚合技术以适应不同的系统需求。

传统的负荷聚合简单将某区域中所有的负荷资源进行聚合表达，获得代表该区域负荷资源的单一聚合模型，属于被动负荷聚合方式。由于被动负荷聚合不存在优化的概念，在某些场景中无法满足系统经济运行的要求，因此主动负荷聚合将是未来负荷聚合发展的重要方向，负荷聚合商的概念应运而生。主动负荷聚合是指在一定范围内，根据经济指标、性能参数等方面的特殊考虑，选取部分符合要求的负荷进行优化聚合，获得表征该区域负荷资源的一个或多个聚合模型。其聚合对象主要可分为可转移负荷、可中断负荷和可平移负荷。其中，可转移负荷能够在用电高峰期减少用电、在用电低谷期增加用电，一个调度周期内保持总的用电量不变，具体体现在用电量的转移，不要求保持原有的用电曲线，如冰蓄冷、储能等负荷。这两种负荷都是在用电低谷期增加用电，并在用电高峰期减少用电，所不同的是，冰蓄冷是将电能转化为冷量存储，而储能是直接以电能形式存储。这类负荷用电特性灵活，可灵活调节各时段用电量，可应用于系统削峰填谷。可中断负荷具备灵活调控能力，一般具有瞬间断电特性，但不要求具有能量存储特性，工作时间、功率需求具有一定的灵活性和可控性，能够根据系统需要改变其负荷需求，如电动汽车、空调负荷、热水器等。这类负荷调度灵活、响应快、聚合容量大，主要应用于系统调压、调频、调峰等多个场景。可平移负荷是指受工作流程约束，只能将用电曲线在不同时段间平移的负荷，具体体现在用电功率曲线的整体转移，如洗衣机、消毒柜等。这类负荷使用时间相对固定，且工作周期较短，能够应用于系统调峰。

　　市场环境下，负荷聚合商作为调用负荷资源的重要中间协调机构，可以是传统体制下的电力公司调度部门，也可以是市场环境下独立的第三方机构。其共同点是聚合商使大量的用户侧负荷资源参与电网调度，并实现电网公司、负荷聚合商和用户各方的既定目标。负荷聚合商作为一个重要的市场主体可以有选择地进入各种市场，负荷聚合技术是负荷聚合商的核心竞争力之一，其工作机制如图1-9所示。

图1-9　综合能源系统的能源利用流程

　　基于负荷聚合商的负荷聚合分为宏观层和微观层。

　　(1)宏观层。负荷聚合商根据自身收益、负荷资源容量等因素在日前向调度部门上报出力及报价，之后调度部门从供需、调度成本等角度出发给各个负荷聚合商分配指标。

　　(2)微观层。负荷聚合商接收调度部门下发的调控指令，综合考虑控制成本、负荷性能等方面，将所辖负荷资源聚合为能够满足不同层面的系统运行场景的聚合体，使得在自身利益最大化、用户满意度最高的同时完成系统分配的指标。

2. 云储能运营商[15,16]

云储能是一种基于已建成的现有电网的共享式储能技术，使用户可以随时、随地、按需使用由集中式或分布式的储能设施构成的共享储能资源，并按照使用需求而支付服务费。云储能依赖于共享资源而达到规模效益，用户可以更加方便地使用低价的电网电能和自建的分布式电源电能。云储能可以综合利用集中式或聚合分布式的储能资源来提供能量存储服务。云储能可将原本分散在用户侧的储能装置集中到云端，用云端的虚拟储能容量来代替用户侧的实体储能。云端的虚拟储能容量通过以大规模的储能设备为主、分布式储能资源为辅的形式，为大量用户提供储能服务。

云储能用户通过向云储能运营商购买服务的方式获得分布式储能服务。两者之间通过通信和金融系统进行信息和费用的双向传递，依靠电网实现能量上的相互联系。云储能用户可以购买一定时期内一定功率容量和能量容量的云储能使用权。取得云储能使用权之后，用户可以根据自己的实际需求，对云端电池进行充电和放电。云储能用户使用云端的虚拟储能如同使用实体储能，但与使用实体储能不同的是，云储能用户免去了安装和维护的麻烦，这一切也有赖于通信与控制技术的进步。云储能运营商则根据用户储能需求投资一定量的集中式储能设备，或通过租赁的方式获得各类分布式储能资源的代理控制权，并综合考虑用户的充电放电需求等信息产生优化决策的控制策略，进而去控制实际的储能设备进行相应的充放电。云储能运营商通过对储能资源的统一建设、统一调度、统一维护，可以以更小的成本为用户提供更好的储能服务。

云储能是基于共享经济的一种新型的储能商业模式，其内涵主要通过图 1-10

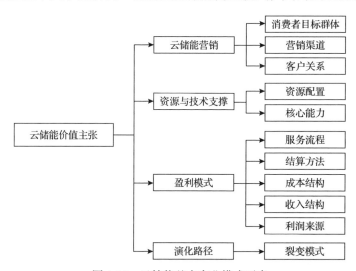

图 1-10　云储能基本商业模式要素

中的要素体现。具体阐述如下。

(1)云储能价值主张：云储能以"共享"为主要价值取向，通过用户共享储能资源而提高资源利用效率，进而实现综合成本的降低，并可以在此基础上进一步满足更多用户的储能使用需求。云储能致力于为用户提供与实体储能一致的服务，用户使用云端虚拟电池就如同使用实体的分布式储能。用户在云储能模式中的参与感大大增强，他们可以按照自己的意愿去控制云端电池的充电和放电，云储能运营商会做出相应的响应。云储能商业模式以服务用户为核心，全力为用户提供简便易用、质优价廉的储能服务。

(2)消费者目标群体：根据目前的研究，云储能所针对的细分市场为家庭用户和小商业用户。这类用户数量庞大，每个用户都有使用储能设备来降低用电费用的动力。然而这类用户中单一用户储能需求量较小，对于价格较为敏感，但是市面上难以买到恰好符合其容量需求的储能设备，这就为用户共享储能资源提供了可能性。此外，家庭用户之间以及小商业用户之间的用电行为存在着一定的互补性。因此，为了产生更大更可观的聚合效益，云储能服务应当大量吸收这类用户。

(3)营销渠道：云储能商业模式可以直接通过售电商或者节能服务公司来进行营销。随着售电侧市场的不断发展，云储能将作为能源增值服务中的一个品种，建立线上线下相结合的灵活营销渠道，同时结合大数据技术，能够根据用户用能习惯实现差异化精准营销。

(4)客户关系：云储能运营商与云储能用户之间是互惠互利的关系。云储能运营商能够提供储能服务，为用户降低用电成本，也能通过提供储能服务而盈利，此外，云储能运营商也通过提供云储能服务而改善了用户的负荷曲线，缓解了系统供需平衡压力。

(5)资源配置：云储能运营商的储能资源配置主要分为集中式的储能设施和分布式的储能资源。其中，集中式的储能设施由云储能运营商投资建设，方便调度控制，是提供云储能服务的主要储能实体。分布式的储能资源的所有者一般为用户或者电网，云储能运营商主要通过租赁的方式获得分布式储能资源的使用权。云储能运营商所聚集的这些分布式的储能资源是其集中式储能资源的重要补充。

(6)核心能力：云储能运营商成功的关键是要聚拢大量具有互补性的用户并实现规模效益。因此，它需要有数据分析、优化、通信、预测等多种技术作为支撑。

(7)服务流程：云储能运营商根据其所掌握的技术经济信息为用户设定云储能服务价格。用户根据云储能服务的价格和自己的用电情况决定购买多少云端电池容量。云储能运营商根据用户购买云端电池容量的情况和所模拟出的用户充放电需求投资建设集中式的储能设施和租赁分布式的储能资源。用户向云储能运营商购买储能容量使用权之后，在运行中根据自身储能使用需求向其所购买的云端电池发出充电和放电指令。云储能运营商通过合理地选择储能设施的充放电时机以及充放电功率，以期达到尽可能小的自身成本。在运行过程中，配电网为云储能充当备用，当储能设施中的电能不足以满足用户的放电需求时，云储能运营商从配电网直接购买电能供用户使用。

(8)结算方法：用户使用云储能服务需要向云储能运营商支付服务费从而获得云端电池容量的使用权。在实际运行中，用户控制云端电池充电所产生的充电电费按照运行时的实时电价结算，由云储能运营商代收。用户控制云端电池放电不产生直接费用。用户控制云端电池放电的功率超过用户负荷而产生的向电网反送电的收益将首先由云储能运营商代为支付。用户的负荷不能被云端电池放电所满足的部分将由用户直接与电网结算，支付相应的用电费用。云储能运营商向电网支付储能设施充电的电费、储能设施电量不能满足用户放电需求时从电网获得功率的电费。储能设施放电超过用户放电需求而产生的向电网反送电的收益将由电网支付给云储能运营商。因此，在实际运行中的结算次序首先是云储能运营商、用户与电网进行结算，然后是云储能运营商和用户之间进行结算。结算周期可视实际情况设定为每天、每周或每月。

(9)成本结构：云储能运营商的成本可分为投资成本和运行成本。投资成本包括云储能运营商建设集中式的储能设施的成本和租赁分布式的储能资源的成本。运行成本包括两项正成本和一项负成本。两项正成本分别是云储能运营商充电成本和用户发出放电需求但是储能资源中能量不足从而需要从电网直接购电的成本。负成本为用户因操作其云端电池充电而产生的充电成本。因此，云储能运营商的运行成本为上述两项正成本之和再扣除用户充电费用。其他类型的成本，如财务费用等，暂时未予以考虑。

(10)收入结构：在云储能商业模式开展的初期，云储能运营商的收入主要是用户支付的云储能服务费。用户支付给云储能运营商服务费从而获得未来一定时期内的一定容量的云端电池的使用权。值得指出的是，为了吸引用户使用云储能服务而不是自己投资分布式储能，云储能运营商为用户设定的云储能服务费单价应低于用户自建分布式储能的单位成本的年值。此外，由于云储能服务费单价与用户购买云端电池的容量的大小呈负相关关系，云储能运营商需要进行有策略的定价方式以追求利润的最大化。

(11)利润来源：云储能运营商可以充分利用用户的储能使用需求在时间上的互补性，其所投资的储能设施的容量可以显著低于所有用户购买的云端电池容量的加总。而用户购买云端电池容量使用权所缴纳的云储能服务费是云储能运营商的收入，这就给云储能运营商提供了利润空间。虽然云储能运营商实际投资储能容量低于用户购买云端电池容量会导致云储能运营商运行成本增加，即其需要在储能装置电量不足以满足用户放电需求时从电网购买高价的电能以供用户使用，但是这种情况不经常发生，并且这部分增加的运行成本可以被云储能运营商减少容量投资所带来的收益完全覆盖。云储能运营商通过权衡投资成本和运行成本实现总成本最小化。此外，由于云储能运营商可以投资建设集中式的储能装置，因此可利用规模效应降低单位容量投资成本，进一步扩大其利润。

(12)裂变模式：目前对于云储能的研究主要在于储存电能，随着未来商业模式的铺开以及相关研究的推进，云储能也可能会涵盖储热、储气等领域。

3. 虚拟电厂

在《虚拟电厂——能源互联网的终极组态》一书中给出的虚拟电厂(virtual power plant，VPP)定义为[17]：由可控机组、不可控机组(风、光等分布式能源)、储能设备、负荷、电动汽车、通信设备等聚合而成，并进一步考虑需求响应、不确定性等要素，通过与控制中心、云中心、电力交易中心等进行信息通信，实现与大电网的能量交互。总的来讲，虚拟电厂可以认为是分布式能源的聚合并参与电网运行的一种模式，其总体框架见图1-11。

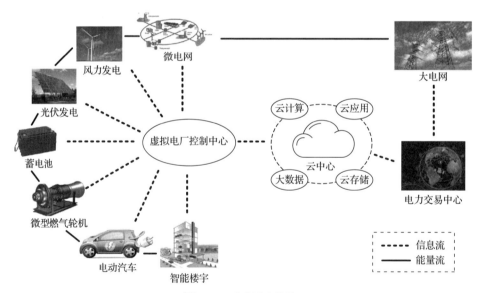

图 1-11 虚拟电厂框架

对于分布式能源来说，虚拟电厂既可以是中间商，也可以是聚合商。虚拟电厂既可以应用在用户侧，包括居民用户、工商业用户等；也可以应用在发电侧，包括冷热电联产、小型风场、小型水电站等。从外侧来看，虚拟电厂既可以像一个单独的发电设施或受控负荷，从远程站点进行优化，并发布运行计划，也可以像一个自平衡细胞，通过合理的调度管理，实现内部能量平衡。从内部来看，虚拟电厂可以利用复杂的规划、调度及竞价将丰富多样的自治资源整合进电网。与微电网以就地应用为控制目标不同,虚拟电厂赋予分布式电源更多的灵活性。分布式电源规模小、数量多,且发电特性差异大,直接参与电力交易的难度较大,不管是从整个电力系统安全经济运行的角度,还是从分布式电源参与市场交易的角度,虚拟电厂都是一种有效的解决方案。

虚拟电厂的外特性总结如下。

(1)出力伸缩性。虚拟电厂中含有大量的分布式能源,其中应用较为广泛的风力发电、光伏发电等分布式能源受天气、地理因素等外界环境的影响,呈现出较强的随机性,因此虚拟电厂的分布式电源出力表现出一定的不确定性。此外,虚拟电厂中除包含固定负荷外,还含有一定规模的可控负荷,通过针对电网运行实际情况对电力用户进行合理引导,使其改变电力消费模式,可以达到削峰填谷的效果。因此,虚拟电厂整体表现出一定的出力伸缩性,需配合合理的电网调度方法,实现与电网的安全交互。

(2)广域消纳性。虚拟电厂内部分布式能源均呈现出较强的随机性,但不同类型分布式能源的随机性具有不同的概率分布,且配备的储能设备可辅助消纳随机发电机组出力。因此通过电网的合理调动,不仅可以实现虚拟电厂内部各类资源之间的主动协调,还可实现广域范围内各虚拟电厂之间的互动调节,以消纳分布式电源较大的随机性。通过这种方式,虚拟电厂相较传统发电厂既保留了自身优势,又具有了一定的可调度性,有助于实现电网整体的效益最大化。

(3)源荷随机性。虚拟电厂在参与电网调度时,其特性随机呈现为电源和负荷两种状态,可将其视为一个正负变化的负荷。负荷的值即反映虚拟电厂的出力情况,负荷为正值表示虚拟电厂整体出力为负,虚拟电厂内部生产的电能无法满足内部连接负荷的需求,可视为一个负荷,需要从电网中吸收电能;负荷为负值表示虚拟电厂整体出力为正,虚拟电厂内部生产的电能不仅可以满足内部连接负荷的需求,而且有部分剩余,因而可视为一个电源,向电网输送电能。

(4)环境友好性。虚拟电厂内部资源中,各类分布式电源发电、储能设备的充放电过程以及可控负荷的调控过程,均可视为无污染气体排放。仅其中燃气轮机机组等构成的发电单元在运行时会产生污染气体,且通过合理调配,可有效减少该部分污染物的排放。与相同容量的传统机组相比,虚拟电厂发电组件的整体污染物排放量可近似忽略。

值得注意的是,虚拟电厂和微电网都是实现分布式能源接入电网的有效形式。虚拟电厂和微电网都是对分布式能源进行整合,但是两者在以下方面有着较大的区别。

(1)两者对分布式能源聚合的有效区域不同。微电网在进行分布式能源聚合时对地理位置的要求比较高,一般要求分布式能源处于同一区域内,就近进行组合。而虚拟电厂在进行分布式能源聚合时可以跨区域聚合。

(2)两者与配电网的连接点不同。由于虚拟电厂是跨区域的能源聚合,所以与配电网可能有多个公共连接点(point of common coupling,PCC)。而微电网是局部能源的聚合,一般只在某一公共连接点接入配电网。由于虚拟电厂与配电网的公共连接点较多,在同样的交互功率情况下,虚拟电厂更能够平滑联络线的功率波动。

(3)两者与电网的连接方式不同。虚拟电厂不改变聚合的分布式能源的并网形式,更侧重于通过量测、通信等技术聚合。而微电网在聚合分布式能源时需要对电网进行拓展,改变电网的物理结构。

(4)两者的运行方式不同。微电网可以孤岛运行,也可以并网运行。虚拟电厂通常只在并网模式下运行。

(5)两者侧重的功能不同。微电网侧重于分布式能源和负荷就地平衡,实现自治功能。虚拟电厂侧重于实现供应主体利益最大化,具有电力市场经营能力,以一个整体参与电力市场和辅助服务市场。

随着综合能源系统的发展,虚拟能源站(virtual energy station,VES)成为虚拟电厂在能源互联网中的广义概念,其通过通信、调度技术等将空间上无联系的多个能源细胞进行整合,以实现能源细胞集群的最优化组合运行为目标。虚拟能源站的产生使得空间上无直接联系但在产能、用能特性上存在互补性的能源细胞可以作为统一的组织来制定运行计划和参与能源交易,在一定程度上扩大各参与方的利益。虚拟能源站的聚合优越性主要体现在如下两方面。

(1)由于不同的能源细胞在地域、天气、自然资源、用户类型等方面存在差异,各成员细胞的产能、用能特性可能有较大的不同,可以进行源-源、源-荷及荷-荷等多种类型的优势互补。

(2)空间上无法长距离传输的能源(如热、冷)可通过其他形式的能源传输后,再通过能源转换技术进行转换,或在成本较低的情况下,由虚拟能源站购入较为便宜的能源类型,再转换成所需的能源类型。

充分考虑上述两方面的因素,并计及综合能源需求响应、分布式能源、储能等广义需求侧资源的互动特性,以综合运行成本最低或总收益最大化为目标,建立虚拟能源站的互动调度模型,可实现多个能源细胞的优势互补。

1.2.3 建模及仿真研究热点

综合能源系统多能互补、集成优化的特点给系统建模带来了巨大的挑战。基于能源集线器的概念,研究人员建立并完善了考虑储能设备、需求侧响应、电动汽车、新能源并网的综合能源系统静态数学模型。然而现有研究对综合能源系统中各元件的动态过程考虑较少,如未计及气热转化中的时延特性等,且缺乏对各环节中存在不确定性的考虑。另外,信息-物理融合系统(cyber-physical system,CPS)是支撑能源互联网发展的关键,其软硬件功能需进一步明确。此外,在能源市场化改革的推动下，综合能源系统参与市场的主体不断丰富，不同利益主体的商业模式以及多主体间的互动博弈问题同样是目前研究中关注的重点。本节主要针对多能流动态物理模型、信息-物理融合系统模型和市场环境下的互动博弈模型相对应的建模及仿真热点问题进行简要阐述。

　　1. 多能流动态物理模型

　　综合能源系统涉及多种能源环节，且形式、特性各异，既包含易于控制的能源环节，也包含具有间歇性和难以控制的能源环节；既包含难以大容量存储的能源，也包含易于存储和中转的能源；既包含元件级或设备级的动态，也包含单元级能源系统的动态，还包含更为复杂的区域级综合能源系统动态，因此，综合能源系统的模型极其复杂[18]。

　　在元件建模层面，由于针对单一供能系统相关设备的建模研究已较为成熟，对该类设备进行单一供能系统统一模型框架下的有效集成，同时不断丰富与可再生能源相关的新型设备模型库，是现阶段物理机理建模研究工作的重点。同时，应充分发挥能源集线器的理念优势，构建动态能源集线器和动态能源连接器模型。动态能源集线器在传统集线器模型的基础上，考虑能量转换机组在状态切换时的动态特性。动态能源连接器描述了电能、液态工质或气态燃料输送环节的静态特征和动态变化规律，研究两端传递环节和协调反馈环节，对多个能源输送环节进行统一和协调控制。此外，随着能源互联网中不同能源在转换、传输、分配、存储等各个环节的融合深度逐渐提高，能源集线器的数学模型可能难以用公式直接表达，可考虑利用数据挖掘技术识别和获取能源集线器的关键参数，对其中相应的输入输出量进行关联分析，这也是综合能源系统智能自动化建模的重要研究方向之一[6]。

　　在系统建模层面，现有研究多主要基于电-气-热系统的稳态能量流模型，未考虑天然气网和热力网的慢动态特性，可能导致计算结果脱离实际。因此，在能源互联网运行规划与实时调度中需要计及多能源系统传输过程存在的不同时间尺度的影响，引入天然气网与热力网的暂态能量流模型做进一步完善。对于天然气网，其暂态模型主要考虑能量守恒、质量守恒及牛顿第二定律在天然气管道流量方程中的偏微分表述形式，而在气体流量温度与环境温度相同时可忽略能量守恒公式[19]。而热力网的暂态模型主要考虑热流体温度在管网、换热器、散热器处的动态变化，如管网支路中的热流体温度可简单表示为关于时间和空间位置的函数。总的来说，天然气网和热力网的动态工况模型因系统连接方式、用户使用习惯及运行控制水平的不同而变化，在能源互联网多时间尺度混合潮流模型中可根据实际情况进行适当简化。此外，由于能源互联网中可再生能源的高渗透率以及高比例柔性负荷的参与，上述混合潮流模型中还需要考虑不确定因素在不同能源网络间的传播问题。但目前这方面的研究成果较少，如何类比电力系统随机潮流建立能源互联网随机混合功率流模型进行分析计算将是接下来的研究重点之一。

在系统仿真层面，考虑到电力系统的基础纽带作用，已有研究多采用直接在电力分析平台中增加热力、燃气、可再生能源设备模型的实现思路。由此形成了欧洲的 DIgSILENT，北美的 PSCAD 和 PSS/E，中国的 SSDG 和 TSDG 等以研究分析电力-热力-天然气机理模型为主的仿真软件。在泛在电力物联网的支持下，数字孪生(digital twin，DT)技术逐渐在电力系统领域兴起，并可进一步应用于综合能源系统。数字孪生是一个集成多学科、多物理量、多尺度、多概率的仿真过程，兼容了当前热门的智能传感器、5G 通信、云平台、大数据分析和人工智能等技术，旨在通过充分挖掘/发挥海量数据资源所带来的福利，在数字空间设计虚体模型并建立数字虚体与物理实体的映射关系进而镜像(mirror)实体[20]。相比于侧重实时操控实体的信息-物理融合系统或经典模型驱动的仿真软件，数字孪生更侧重于数据驱动的实时态势感知(real-time situation awareness)和超实时虚拟推演(ultra-real-time virtual test)，旨在为电力系统的运管调控决策提供参考。此外，数字孪生未来也会更系统地引入人的概念，最终在真实物理空间和虚拟数字空间搭建信息-物理-人交互的系统，这也是数字孪生的一个研究方向。

2. 信息-物理融合系统模型

信息-物理融合系统，简称信息物理系统(cyber physical system，CPS)，依托现实世界丰富的传感监测设备，以及完善可靠的通信网络，实现物理过程与其所涉及的内部数据、外部数据等信息的融合与应用，更好地反映现实对象，并对物理过程进行更加精确有效的控制，是集成了计算、通信、控制技术以实现稳定、可靠、高效物理系统运行的新一代工程系统[21]。由于 CPS 所包含范围大、涉及领域广，不同行业对其理解各不相同。从工业应用的角度出发，CPS 提出了对未来工业控制系统的要求，即受控物理设备与控制环节的紧密融合，以及信息流与物理过程的紧密融合。可以看出，能源互联网是 CPS 的典型应用。

建立信息过程与物理动态的融合模型是 CPS 的基础科学问题。图 1-12 给出了电力系统领域 CPS 的技术关系。其中，"物理系统与信息系统融合"以及"连续过程与离散过程融合"均针对电网一次系统和二次系统运行控制的相互作用关系，反映的是两个系统运行模式与结构上的不同，在应用上更多落实于实际控制和机理分析。信息数据模型集中反映"全景信息采集与灵活控制"的技术特征，研究电网全域的统一信息描述方式，并结合信息传递的实现架构完成应用部署。控制分析模型对应"物理系统与信息系统融合"以及"连续过程与离散过程融合"的技术特征，研究基于混合系统的电网模型以及异构系统融合机理，结合运行信息，应用于电网对象的协调控制。

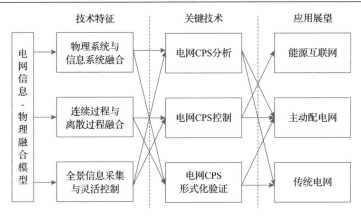

图 1-12　基于融合模型的电网 CPS 技术关系

综合能源系统内各种能源形式特性各异，且以电力为核心的各种能源子系统间存在复杂的耦合关系。考虑到未来的综合能源系统将面临更多的不确定性和多变的环境，智能的综合能源系统 CPS 需要具备的技术特性如下[22]。

(1) 设备的自省能力。使综合能源系统个体设备具备自省的能力，是综合能源系统处理不确定性问题的智能基础。与传统的设备状态监测不同的是，设备的自省能力主要用于发现设备的不确定性隐患，主要包括设备性能衰退、零漂、环境变化等带来的设备隐患。具有自省能力的设备，不仅可以自我调节设备的运行参数、修正误差，还可以提供设备当前的运行状况、剩余使用寿命等信息，用来帮助运维人员制定维修维护计划，及时有效地解决系统的异常状态。

(2) 设备的协同能力。设备对自身状态的评估离不开对基线状态的建模，当缺乏足够的运行数据时，可以将系统中运行工况类似的设备状态作为参照，从而建立基线状态模型。另外，设备的协同能力还有助于提高系统的健壮性，即当综合能源系统中某一设备的状态发生变化而不能正常工作时，系统中的其他设备能够暂时顶替该设备的功能，直至这个设备的状态恢复为止。

(3) 数据挖掘能力。综合能源系统数据挖掘的核心在于从系统历史运行数据中获取知识，实现知识的自成长。CPS 在知识管理方面的目的是通过人与机器的交互过程，使得人的智慧与机器的智能相互启发地增长。算法层面，主要涉及比较性学习、竞争性学习、逻辑性学习等。

实现上述技术功能对综合能源系统中信息-物理融合模型的构建提出了更高的要求。

3. 市场环境下的互动博弈模型

在能源细胞-组织架构中，能源细胞作为独立的利益主体，将拥有能源生产者、能源消费者、能源产消者等多重身份，而且随着能源市场的开放，多能用户将有更多的选择机会。在这一背景下，如何制定合理完善的市场化机制，保证能源市场运行的公平性；如何设计合理的市场结构，充分发挥能源多级市场的作用；如何进行合理的区域能源网系统规划，促进资源优化配置，在避免能源危机和环境污染的基础上，最大化市场效益都是能源细胞-组织体系理念具体实现过程中需要关注的问题。

其中，能源细胞作为综合能源系统的主要组成单元，应具备管理内部成员和适应外部环境变化等能力。利用数字孪生框架下能源细胞内部成员运行特性与交互特性的数字表征模型和基于态势感知技术的外部环境主动感知能力，最终实现能源细胞的最佳行为决策，符合未来综合能源系统数字化、智能化的演变趋势以及能源互联网多能互补、泛在物联的发展要求。能源细胞最佳行为决策问题的本质是在内部成员响应及外部环境变化等多种影响因素相互作用的情况下对内部可控灵活性资源工作状态的时序安排，可以转化为序列决策问题。深度强化学习（deep reinforcement learning，DRL）方法是解决序列决策问题的有效方法，且相比于以李雅普诺夫（Lyapunov）算法为代表的经典优化方法、以混合整数动态规划为代表的数学规划方法以及以遗传算法为代表的启发式算法等基于模型驱动的优化方法，深度强化学习方法不依赖于明确的目标函数表达，仅需利用奖惩函数对决策行为进行评价，同时具有处理数据量大、实时性好、鲁棒性强等优点，能够很好地适应能源细胞复杂多变的运行环境。

研究能源细胞的最佳行为决策问题，首先要明确能源细胞的种类及组织形式。其中，具有单利益主体性质的能源细胞可以是一个家庭用户，也可以是一个微能源网。这类能源细胞的特点是具有内部成员的绝对所有权，只需要考虑整体的运行效果，无须研究内部成员之间的成本分摊与利益分配问题。在分布式可再生能源发电占比较高、需求响应资源种类多样以及电、热、冷等多种能源相互耦合、梯级利用的环境下，单利益主体能源细胞的实时能量管理问题是一个需要进行高维数据处理的优化问题。目标函数主要考虑能源细胞运行的经济性和环保性，约束条件用于保障能源细胞运行的安全性、稳定性与可靠性。高维数据库主要包括关于内部成员的可再生能源发电、储能设备和柔性负荷的状态信息以及外部能源市场价格、环境温度等相关影响因素信息。要在能源细胞中训练深度强化学习模型，可将离线数据库作为初始点。首先，基于数字孪生框架构建虚拟场景，考虑能源细胞行为的多种可能性（即使它们在现实中没有发生），并对每种可能性的优化结果进行评估，如果它接近设置的优化目标，就给出积极的回应。反之，则分配给这种可能性一个消极的反馈。在学习开始的时候，有很多随机的选择，但随着时间的延续（迭代增加的过程），强化学习模型收敛，并将学会选择接近优化目标。采用深度强化学习的最终结果并不是优化现有离线数据库，而是得到实时更新的优化模型。通过对比基于值函数的 DRL 方法和基于策略梯度的 DRL 方法得到的运行结果，选取性能较好的方法作为能源细胞高维数据实时能量管理策略的基本算法，便于实际应用。

此外，随着配电零售市场进一步放开以及多种能源系统的横向融合，能源细胞内部用户与能源供应商的多样化逐渐凸显，多主体间的博弈过程对提升能源系统的综合效益至关重要。因此，有必要研究多利益主体间的互动博弈模型，实现可再生能源高渗透率场景下能源细胞的安全、稳定、经济、高效、绿色运行。由多个能源细胞组成的能源组织是多主体互动博弈的主要场所，如多微电网系统、虚拟能源站等。能源组织的运行目标是通过多个能源细胞的优势互补，达到总体收益大于局部简单相加、各成员细胞共赢的结果。

1.3 综合能量管理系统

能量管理系统(energy management system，EMS)是在电力系统调度控制中心应用的保障电力系统安全经济运行的计算机决策系统，被认为是电力系统运行的"大脑"。从 20 世纪前半叶至今，EMS 发展大致经历了三代，支撑着电力能源系统的变革[23]。

第一代 EMS 出现在 1969 年以前，可称为初期 EMS。随着电气化时代的到来，初期 EMS 实现了电力系统的可观可控，以监控与数据采集(supervisory control and data acquisition，SCADA)功能为主，属于经验型调度。第二代 EMS 出现在 20 世纪 70 年代初到 21 世纪初，可称为传统 EMS。随着电力系统互联规模日益扩大，靠经验型调度已难以驾驭大规模电力系统的运行，第二代 EMS 实现了电力系统的安全评估、优化、协同控制等高级功能。其奠基人是 Dy-Liacco 博士，他提出了电力系统安全控制的基本架构。传统 EMS 在 20 世纪 70 年代得到了迅速发展。中国于 1988 年引进了调度自动化系统，之后进行消化、吸收、再创新，开发出具有自主知识产权的 EMS。目前，国内 EMS 已经基本实现了全部国产化。这一代 EMS 属于分析型调度。第三代 EMS 出现在 21 世纪初，可称为智能电网 EMS。随着风力发电、光伏发电等可再生能源的快速发展，智能电网 EMS 针对其出力不可控、波动性强的特点，管理对象从电力系统的源-输侧转向荷-配侧，挖掘并利用大量分布式灵活性资源，实现源-网-荷协同。发展出分布自律-集中协同的 EMS 控制架构。EMS 覆盖到电力系统各个环节，如源侧的风电场、光伏电站 EMS，网侧的输电网、配电网、微电网 EMS，荷侧的电动汽车、楼宇、家庭 EMS 等。这些 EMS 自身实现自律，然后通过通信网络连接在一起进行协同，从而组成 EMS 家族。构成 EMS 家族的每个成员有共性也有个性，其中共性包括建模、感知、调度计划、安全评估、协调控制及与其他成员互动等，个性指根据所管辖对象运行需求和特性的不同，各 EMS 家族成员的上述共性结构功能具有一定的差异性，体现了第三代 EMS 的多样性特征。

前三代 EMS 的协同管理对象都是电力系统，尚未扩展到多能领域。近年来，为了支撑新一代电力能源系统——能源互联网的变革，急需将 EMS 协同管理的对象由纯电变革为电、热、冷、气、交通等综合能源系统，发展新一代综合能量管理系统(integrated energy management system, IEMS)。IEMS 是综合能源系统的"大脑"，统领信息流，调控能量流，实现多能系统的协同，可称为第四代 EMS。IEMS 的设计与研制，重点是要针对能源互联网多能流耦合、多时间尺度、多管理主体的核心科学挑战，实现一系列关键技术的突破。

1.3.1 系统框架建模及仿真研究热点

为满足能源互联网系统能量管理发展变化产生的新需求，并考虑同级能源互联网间优先于其公共上层节点或公用电网的能量交互次序，研究人员提出了基于分层递阶的能源互联网 IEMS 框架[24]。该架构面向城市级电能输配电网络、以电能为核心满足多能终端用能需求(冷、热、气等通过燃气轮机等实现能效转换、能源共享)，并根据纵向分层、横向分区以及分层分区后的网络架构进行统一调度、统一管理。

具体而言，分层递阶能源互联网系统能量管理总体架构自底向上分为局域供需管控层、区域集中调度层和广域需求匹配层 3 个层次，分别负责能源局域网内部、不同能源局域网之间和整个可调度区间内系统能量的优化调度与能量分配问题。局域供需管控层(服务半径不大于 100m)实现家庭、楼宇、厂房级能量经济分配及优化调度，并结合各自的业务需求面向实际应用创新，如考虑分时电价的生产资源灵活调度、各类楼宇的柔性负荷潜力挖掘、家庭智能能效管理等。区域集中调度层(覆盖范围在 10 万~50 万 m^2)实现不同街区、园区、社区级能量选调，即通过不同区域间多源异构信息集采/传输与双向互动，实现多能流互通互换与协同管控，建立健全不同区域间能源互补互济与开放共享机制。广域需求匹配层(供能服务范围在 100~500 km^2)实现对城市级能源设施统筹规划、数据综合利用、服务协同创新的总体指导，进而促进地区经济发展和环境改善、增强高可再生能源渗透率下的区域能源网络容灾抗扰动能力。

1.3.2 整体方案

分层递阶框架下综合能量管理系统整体方案对于数据采集、信息处理、网络通信、能量管控、安全防护等寻求突破与创新，以促进现有能源结构的转型升级、更新换代，以及加快整个能源互联网系统在局域、跨区、跨省、跨国界乃至在全球范围内建立健全、持续推进的步伐[23]。

1. 数据采集

考虑到分层递阶综合能量管理系统为信息资源与物理资源深度耦合的产物，其数据采集需要借助虚拟化技术对广泛分布、类型各异的物理资源进行虚拟映射，使其转变为便于监视、分析、管控的数据资源。同时，为了便于这些数据资源信息在不同通信节点间的传输、互动，需要建立健全与之匹配的终端接口、传感器组网、海量数据高速传输、信息汇集与指令派发等技术架构。

2. 信息处理

针对能量采集计量、转换传输和分配使用环节中将产生海量的多源异构数据，分层递阶综合能量管理系统首先根据不同的分类标准将采集到的数据分成不同的类别，然后给出适用于不同场景的计算形式以及不同阶段的数据处理与信息挖掘方式，实现原始数据信息向规则呈现的转变，最后通过数据可视化将状态信息、决策结果等形象生动地展现出来，避免低级重复分析、冗余决策。

3. 网络通信

考虑能源互联网系统能量管理过程中的各种典型应用场景及其需求，网络通信利用网络、总线等资源实现信息的上传下达：一方面将从各终端、接口获取的数据、信息分别上传至相应的数据库、服务器、处理器、管理器，通过加工处理形成便于随时调取的任务调度指令；另一方面根据业务逻辑关系、系统运况及应用需求将对应指令精准、通畅地下达至对应的操作系统或执行单元。网络通信贯穿于信息采集认知、逻辑判断和创新应用 3 个层面，尤其在集群态势感知与管理中发挥重要作用。

4. 能量管控

分层递阶综合能量管理系统能量管控解决方案按照能源局域网自调节/自平衡、区域级协调平衡、广域级最终平衡的思路及自底向上的顺序实现各层各区能量的经济调度与优化分配，具体分别介绍如下。

(1)局域分布式自调节/自平衡管控。首先通过传感、量测设施获取各能源局域网内产能端、用能端、储能端及调度端的信息并上传至对应的局域能量控制器。然后，对信息进行综合比对后，判断能否通过自协调的方式达到自身供需平衡：如果可以，则通过局域能量控制器(如能量路由器、配电/调度自动化管理系统)控制相应的执行机构进行能量供需分配与经济调度；否则，将能源局域网本级的总体供需富余或缺额信息进行汇总并上传至区域级能量控制器。

(2)区域联邦制协调平衡调度。区域能量控制器收集来自辖区内各个能源局域网的总体供需富余或缺额信息，然后以每个能源局域网为可调度节点，判断是否可以通过所辖节点间的同级调度实现区域级的供需平衡：若能够达到平衡，则将各能源局域网间的能量调配信息下达至对应的执行单元，实现不同能源局域网间的能量经济调配；否则，在对辖区内不同能源局域网间优先进行能量调配之后，将整个区域内的总体能量富余或缺额信息进行汇总、上传至广域能量控制器。

(3)广域集中式最终平衡匹配。广域能量控制器同时收集不同多能源局域网集群、大规模产能集群、大规模用能集群当前的运行情况及差额需求信息，并在进行信息综合比对后判断系统总体是否能够达到实时供需平衡。一般而言，直接达到供需平衡的状况很少，需要通过对大规模产能集群、大规模用能集群进行若干次的优化调节后，才可以实现广域范围内能量供需的最终平衡。同时，再次强调广域需求匹配层有足够的调节能力保证辖区内各个集群间实现最终的供需平衡。

5. 安全防护

分层递阶综合能量管理系统安全防护涉及面广、影响后果严重，不仅关系到用户个人隐私、企业及公共信息安全，还涉及工控系统、运维调度及移动互联等方面的安全。所以既要分门别类地建立相关防范体系，通过预演预练的方式及早发现安全隐患苗头、切断任何可能导致安全事故的隐患途径，防各种安全隐患于未然；又要对已经出现安全隐患的事件采取及时、有效的措施，防止危害蔓延、扩大，并有效预防次生危害事件的产生，如对信任链中某些可疑环节采取安全隔离措施。

1.3.3　功能模块

综合能量管理系统主要实现的功能模块包括：多能流数据采集与监视控制系统、实时模型与状态感知、多能流安全分析及预警控制、多能流优化调度控制、多能流节点能价等[24]。

1. 多能流数据采集与监视控制系统

多能流数据采集与监视控制系统是 IEMS 的最基本应用，主要用于实现完整、高性能的稳态 SCADA，是后续分析、调度和控制等功能的基础。多能流数据采集与监视控制系统可以看作综合能源管理系统的"感官系统"，它基于多能流传感网络，实现电、热/冷、气等多能系统的数据采集与监视控制系统功能，具体包括实时数据采集、处理、控制和调节、事件和告警处理、自动记录和打印、网络拓扑着色、事件追忆以及事件顺序记录(SOE)等功能。

2. 实时模型与状态感知

由于多能流传感网络测点分布广、量测种类多、数据质量低、维护难度大、成本敏感度高等特点，难免会出现采集数据不全、数据错误的情况。因此多能流网络需要状态估计技术提供实时、可靠、一致、完整的网络状态信息，为安全评估、运行调度控制等功能提供基础。实时模型与状态感知是在建立基于电力系统模型扩展的综合能源系统模型的基础上，通过补齐量测数据、剔除坏数据，提高基础数据及评估决策的可靠性。由于不同能流系统的动态响应特性差异显著，不同运行场景下起主导作用的过程根据系统类型、规模和时间尺度而变化，IEMS的多能流实时模型需要考虑适用于不同应用场合的多时间尺度综合模型，同时为了适应多管理主体的特征，模型需采用总体迭代-局部联立的求解策略。而状态感知功能需要兼顾热、气系统与电力系统在调节机制、响应速度上的差异，在稳态估计的基础上，采用差异化的测量周期，基于动态建模和滚动时域估计理论，建立多能流多时间尺度动态估计方法。该模块的功能主要包括状态与量测维护、网络拓扑分析、量测预过滤、可观性分析、伪量测自动生成与处理、状态估计与坏数据辨识、网络拓扑检错、参数辨识与估计等。

3. 多能流安全分析及预警控制

能源系统的安全性关乎国计民生，也是能源系统实现经济高效运行的前提和约束。多能系统相互作用机理复杂，综合安全问题突出。多能流安全分析及预警控制功能是确保综合能源系统安全运行的重要手段。一方面，需要建立类似于电网的 $N–1$ 安全准则概念，通过对涵盖多种能流的预想故障集进行仿真分析，寻找系统薄弱环节，并针对性地做出预案。另一方面，关注交易关口的安全控制，包括关口的容量配置和运行成本，在优化设备投资建设的基础上，确保关口设备处于安全运行范围内。

值得注意的是，在多能系统中，不同系统相互耦合并影响，某一部分的故障和扰动会影响到多能系统的其他部分，有可能造成连锁反应。例如，台湾地区发生的"8·15"大停电事故，就是热电厂的天然气管道阀门故障导致的。综合能量管理系统的安全分析功能，需要分析耦合系统发生扰动后，系统间相互作用而引发连锁故障的可能性，以及扰动或动作在综合能源系统不同时间尺度下表现出来的不同特征和影响主体，充分挖掘热、气等慢动态系统的灵活性，为消除快动态系统(电力系统)的安全隐患提供控制策略，做到协同安全控制。

4. 多能流优化调度控制

多能流优化调度控制是实现综合能源系统高效运行的核心功能，通过协同各种可调控资源，实现不同能源类型耦合互补与最优能流，达成可再生能源最大化消纳、降低运行成本、提高综合能效等目标，从而最大化经济效益，为综合能源服务商提供能源系统运行的整体解决方案。综合能量管理系统的多能流优化调度功能，需要将供热系统中的建筑热惯性、管道热储等特性纳入调控范围，建立相应的热力类储能模型，并结合消纳分布式可再生能源的需求，考虑其出力的不确定性，采用分布鲁棒优化等新方法进行优化求解。

多能流优化调度控制是面向系统运行全过程的动态调度控制，包括日前调度、日内调度和实时控制三个层次。日前调度主要根据可再生能源出力和负荷预测情况进行机组-最优启停计划及系统运行方式的制定；日内调度考虑可再生能源出力及负荷变化，调整机组出力和系统运行状态，维持最优出力与负荷平衡；实时控制以秒为单位，响应系统的网络安全、调频、调压等控制需求。在未来建设完善的能源市场和辅助服务市场的趋势下，多能流优化调度控制还需要在各过程中考虑纳入负荷侧需求响应。

5. 多能流节点能价

对于综合能源系统，建设完善的内部商业模式是必不可少的。综合能量管理系统中的多能流节点能价功能，就是针对综合能源系统商业模式而设置的。节点能价功能需要研究灵活的能源市场机制，考虑多能流耦合特征下不同能源市场价格间的耦合关系，通过联合成本函数计算实时电价和热价，激励用户合理用能，提高资源分配效率。

在节点能价模式下，首先通过计算确定系统内部各节点的用能成本，包括供能成本、传输损耗成本、网络阻塞成本、多能耦合转换成本，然后通过优化计算各节点能价，包括电、热、冷、气不同形式、不同时刻、不同地点的能源价格。通过精准计算，用价格信号引导用户用能行为从而通过柔性手段降低整体用能成本，有利于建立内部公平的市场机制。

参 考 文 献

[1] 田世明, 栾文鹏, 张东霞, 等. 能源互联网技术形态与关键技术[J]. 中国电机工程学报, 2015, 35(14): 3482-3494.

[2] 谭涛, 史佳琪, 刘阳, 等. 园区型能源互联网的特征及其能量管理平台关键技术[J]. 电力建设, 2017, 38(12): 20-30.

[3] 程浩原, 艾芊, 高扬, 等. 关于细胞-组织视角的能源互联网分布式自治系统形态特征的讨论[J]. 全球能源互联网, 2019, 2(5): 466-475.

[4] 赵峰, 张承慧, 孙波, 等. 冷热电联供系统的三级协同整体优化设计方法[J]. 中国电机工程学报, 2015, 35(15): 3785-3793.

[5] 杨方, 白翠粉, 张义斌. 能源互联网的价值与实现架构研究[J]. 中国电机工程学报, 2015, 35(14): 3495-3502.

[6] 殷爽睿, 艾芊, 曾顺奇, 等. 能源互联网多能分布式优化研究挑战与展望[J]. 电网技术, 2018, 42(5): 1359-1369.

[7] Molzahn D K, Dörfler F, Sandberg H, et al. A survey of distributed optimization and control algorithms for electric power systems[J]. IEEE Transactions on Smart Grid, 2017, 8(6): 2941-2962.

[8] 艾芊, 刘思源, 吴任博, 等. 能源互联网中多代理系统研究现状与前景分析[J]. 高电压技术, 2016, 42(9): 2697-2706.

[9] 龚钢军, 张桐, 魏沛芳, 等. 基于区块链的能源互联网智能交易与协同调度体系研究[J]. 中国电机工程学报, 2019, 39(5): 1278-1289.

[10] 艾芊, 郝然. 多能互补、集成优化能源系统关键技术及挑战[J]. 电力系统自动化, 2018, 42(4): 2-10, 46.

[11] Gao Y, Ai Q, Wang X, et al. Distributed cooperative economic optimization strategy of a regional energy network based on energy cell-tissue architecture[J]. IEEE Transactions on Industrial Informatics, 2019, 15(9): 5182-5193.

[12] 孙宏斌, 郭庆来, 潘昭光. 能源互联网: 理念、架构与前沿展望[J]. 电力系统自动化, 2015, 39(19): 1-8.

[13] 周灿煌. 区域综合能源系统的规划与运行优化研究[D]. 广州: 华南理工大学, 2018.

[14] 孙玲玲, 高赐威, 谈健, 等. 负荷聚合技术及其应用[J]. 电力系统自动化, 2017, 41(6): 159-166.

[15] 刘静琨, 张宁, 康重庆. 电力系统云储能研究框架与基础模型[J]. 中国电机工程学报, 2017, 37(12): 3361-3371.

[16] 康重庆, 刘静琨, 张宁. 未来电力系统储能的新形态: 云储能[J]. 电力系统自动化, 2017, 41(21): 8-14, 22.

[17] 艾芊. 虚拟电厂——能源互联网的终极组态[M]. 北京: 科学出版社, 2018.

[18] 贾宏杰, 王丹, 徐宪东, 等. 区域综合能源系统若干问题研究[J]. 电力系统自动化, 2015, 39(7): 198-207.

[19] 孙秋野, 赵美伊, 陈月, 等. 能源互联网多能源系统最优功率流[J]. 中国电机工程学报, 2017, 37(6): 1590-1598.

[20] 贺兴, 艾芊, 朱天怡, 等. 数字孪生在电力系统应用中的机遇和挑战[J]. 电网技术, 2020, 44(6): 2009-2019.

[21] 王云, 刘东, 陆一鸣. 电网信息物理系统的混合系统建模方法研究[J]. 中国电机工程学报, 2016, 36(6): 1464-1470, 1759.

[22] 杜炜, 张筱辰, 杨冬梅, 等. 面向综合能源的信息物理系统体系架构及应用[J]. 电力建设, 2020, 41(4): 90-99.

[23] 张福兴, 桂勇华, 张涛, 等. 基于分层递阶的能源互联网系统能量管理架构研究[J]. 电网技术, 2019, 43(9): 3161-3174.

[24] 孙宏斌, 郭庆来, 吴文传, 等. 面向能源互联网的多能流综合能量管理系统: 设计与应用[J]. 电力系统自动化, 2019, 43(12): 122-128, 171.

第2章 综合能源系统动态建模理论

2.1 建模基本理论

随着传统的不可再生的化石能源日益枯竭，新型可利用的能源需要加快开发速度，传统的化石能源需要提高利用效率。能源的开发和利用水平是社会技术和生活水平的重要标志。综合能源系统对于提高能源效率和促进可再生能源（renewable energy source，RES）的大规模开发非常重要，已经成为国际能源领域的一个重要研究课题[1]。随着能源市场的改革和能源智能技术的发展，综合能源系统作为能源系统发展的重要方向，正在能源供需响应方案中发挥重要作用[2]。未来，建立更加清洁、高效、稳定的综合能源供给系统，必将是主流发展方向。

综合能源系统是指在某一地区包含多样化能源的系统，如石油、电能等。系统中包含配电系统、配气系统等有机组合，共同满足区域中的用能需求。图 2-1 是区域配电系统的基本结构示意图，也是本章的研究对象。

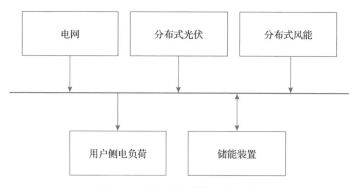

图 2-1　区域配电系统基本结构

近年来，基于多能互补的能源优化系统相关的理论研究及工程应用逐渐增多，其中，多能流混合建模作为不同能源系统的统一描述，是多能系统规划、调度、控制和互动的研究基础；多能流综合评估依据多能流模型特性为规划和运行优化提供目标集；多能流交易、商业运营模式作为系统的上层规则设计，为运行优化提供多元驱动力；而多能融合信息系统为多元定制化能源交易提供支撑平台，信息系统的安全问题也是评估系统可靠性和安全性的重要依据。

2.2　多能耦合元件建模

2.2.1　常规元件建模

1. 风力发电基本原理

1)风机的发电原理及其基本结构

风力涡轮机叶片带动转子旋转，轮毂将扭矩传到传动系统中去，这是风能变成机械能的过程；之后再通过发电机将机械能变成电能。

异步发电机的电机转速取决于电网的频率，变化的范围很小。变速箱的高速轴速度在风力增加后逐渐加快，直到与异步发电机的同步速度一致，这时该单元将集成到电网中，电力传输到电网。在风速达到额定风速前，功率会随着风速一直增加。当风速比额定值大时，转子速度保持不变，但输出功率会减小，发电机没有被烧毁的危险；利用变桨距的风力涡轮机可以调节气流的迎角，使输出功率维持在额定值上下。传统的异步发电机结构简单，但是效率比较低，损耗也很大。新型的变速双馈异步发电机克服了上述不足，得到了普遍的应用[3]。常见的风机由以下几部分组成。

(1)风力涡轮机。对其建模通常基于叶素理论[4]，但当关注风力涡轮机的电气特性时，可以用简化模型来描述。其中桨距角和叶尖速度比是可控的。

(2)传动机构。通常认为传动机构是刚性装置，并且一阶惯性系统可以代表该机构的特征[5]。

(3)双馈感应发电机。双馈感应发电机是普通的绕线异步电动机，需要坐标变换才能解耦需要控制的量[6]。

(4)桨距角控制系统。桨距角控制[6]在不同情况下有使用不同的方法：

当$v \leqslant v_n$时，桨距角控制用于优化风力涡轮机的功率，目标是使风力涡轮机在给定风速下产生尽可能多的电能，v为实际的风速，v_n为额定风速；

当$v > v_n$时，桨距角用于限制风力涡轮机的机械功率不超过其额定功率。这样还能起到保护作用，防止风力涡轮机损坏。

(5)发电机控制系统。用于控制转速和无功功率。

2)风能及风力发电功率的计算

(1)风能计算。风功率可以由式(2-1)得到：

$$P_v = \frac{1}{2}\rho S v^3 \tag{2-1}$$

式中，P_v为风功率；ρ为空气密度；S为风轮截面积。

令式(2-1)中的 $S=1$，可得

$$P_v = \frac{1}{2}\rho v^3 \tag{2-2}$$

式(2-2)计算得到的结果可以看作风能的密度 ω_p。

显然风轮不可能获得全部的风能，根据贝茨理论，有

$$P_w = P_v C_p = \frac{1}{2}\rho S v^3 C_p \leqslant \frac{1}{2}\rho S v^3 \times 0.593 \tag{2-3}$$

式中，P_w 为风力涡轮机实际获得的机械输出功率；C_p 为风能利用系数，即在单位时间内，风轮所吸收的风能与通过风轮旋转面的全部风能之比。

按照贝茨极限，C_p 最大值为 0.593[7]。这表示，即使风的所有能量被吸收而没有损失，风力涡轮机也只能使用 59.3%的能量。然而，在贝茨理论中没有考虑到不可避免的涡流损耗，因此实际风力涡轮机可以利用的风能百分比甚至更低。

(2)风力发电功率计算。额定风速是指能够让风机的功率最大化的风速值。风机开始运转的风速称为切入风速。当风速达到一定限度时，风力涡轮机存在损坏的风险并且必须停止，该风速称为切出风速[8]。

风电机组的发电功率与风速之间有如下关系：

$$P_M = \begin{cases} 0, & v < v_{\text{cut-in}}, \ v > v_{\text{cut-out}} \\ \dfrac{v - v_{\text{cut-in}}}{v_n - v_{\text{cut-in}}} P_n, & v_{\text{cut-in}} \leqslant v < v_n \\ P_n, & v_n \leqslant v \leqslant v_{\text{cut-out}} \end{cases} \tag{2-4}$$

式中，$v_{\text{cut-in}}$ 为切入风速；$v_{\text{cut-out}}$ 为切出风速；P_n 为风机额定输出功率。

(3)叶尖速比 λ。叶尖速比指叶片上的叶尖圆周速度与风速之比，可由式(2-5)计算：

$$\lambda = \frac{2\pi R n_w}{v} = \frac{\omega R}{v} \tag{2-5}$$

式中，n_w 为风轮的转速；ω 为风轮角速度；R 为风轮半径。

(4)风力涡轮机的风能利用系数 C_p。风能利用系数 C_p 是表征风力涡轮机效率的重要参数[9]，它不是一个定值。影响它的因素有很多，如风速、风力涡轮机叶片的相关参数等。当这些因素发生变化时，不仅 C_p 随之变化，风力涡轮机的效率也会受到影响，为了得到大的输出功率，应该让 C_p 尽可能大。C_p 可表示为

$$C_p(\lambda, \beta) = c_1 \left(\frac{c_2}{\lambda_1} - c_3 \beta - c_4 \right) e^{-\frac{c_5}{\lambda_1}} + c_6 \lambda \tag{2-6}$$

式中，β 为桨叶节距角；$c_1 \sim c_6$ 为常量，其取值视不同风机而有所不同。

$$\frac{1}{\lambda_1} = \frac{1}{\lambda + 0.008\beta} - \frac{0.035}{\beta^3 + 1} \tag{2-7}$$

(5)转矩系数 C_M:

$$C_M = \frac{M}{0.5\rho v^2 S} \tag{2-8}$$

式中，M 为转矩。

当风轮半径 R 固定时，在一定风速下，C_M 是一个反映转矩 M 大小的系数。

2. 光伏组件

1)物理数学模型

光伏电池发电的基本理论是光生伏特效应，将光伏电池串并联后形成光伏电池组件。本节采用光伏电池单二极管的等效物理模型，如图 2-2 所示，模型建立后基本可以将光伏电池等效为电流源。

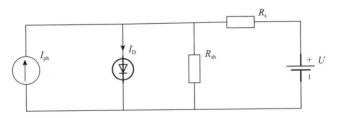

图 2-2　光伏元件等效电路模型

图 2-2 中，R_s 为串联电阻(电阻值一般较小，小于 1Ω)；R_{sh} 为并联电阻(电阻值一般是高数量级，大约为 1kΩ)；I_{ph} 为光生电流；I_D 为二极管电流；U 为输出电压。

肖特基二极管方程：

$$I_D = I_0 \left[\exp\frac{q(U + IR_s)}{nkT} - 1 \right] \tag{2-9}$$

式中，I_0 为反向饱和电流；I 为输出电流；q 为荷电量(1.6×10^{-19}C)；n 为二极管特性因子；k 为玻尔兹曼常量；T 为光伏电池热力学温度。

流经并联电阻的电流表达式：

$$I_{sh} = \frac{U + IR_s}{R_{sh}} \tag{2-10}$$

结合式(2-10)和式(2-9)，输出电流表达式为

$$I = I_{ph} - I_0 \left[\exp \frac{q(U + IR_s)}{nkT} - 1 \right] - \frac{U + IR_s}{R_{sh}} \tag{2-11}$$

由光伏电池原理基本表达式式(2-11)知，光伏电池的输出电流不仅与温度和光照强度有关，也与内部等效电路的几种电阻参数有关。本节采用光伏组件的一种典型技术参数，一般会提供在标准测试条件光谱 $AM = 1.5$、光照强度 $S_b = 1000 \ W/m^2$、环境温度 $T_b = 25℃$ 下的 4 个主要技术参数：U_{oc} 为开路电压；U_m 为最大功率点电压；I_{sc} 为短路电流；I_m 为最大功率点电流。

厂家给出的技术参数可以简化光伏基本表达式，并且技术参数便于得到，便于建立工程用数学模型。这里因为 R_{sh} 充分大，式(2-11)简化为

$$I = I_{ph} - I_0 \left[\exp \frac{q(U + IR_s)}{nkT} - 1 \right] \tag{2-12}$$

又因为二极管正向导通电阻远大于 R_s，又可以近似有 $I_{sc} = I_{ph}$。当模块输入温度为 T 时，设标准情况下的温度为 T_1，I_{ph} 可以写成如下形式：

$$I_{ph} = I_{ph(T_1)} \left[1 + K_0 (T - T_1) \right] \tag{2-13}$$

式中

$$K_0 = \frac{I_{sc(T)} - I_{sc(T_1)}}{T - T_1} \tag{2-14}$$

设 $I_{sc(T_1,norm)}$ 为标准测试参数下给出的短路电流，$S_{b(norm)}$ 为标况下的光照强度，$I_{ph(T_1)}$ 还可以表示为

$$I_{ph(T_1)} = \frac{S \times I_{sc(T_1,norm)}}{S_{b(norm)}} \tag{2-15}$$

式(2-12)中的 I_0 也可表示为

$$I_0 = I_{0(T_1)} \times \frac{T^{\frac{3}{n}}}{T_1} \times e^{-\frac{qU\left(\frac{1}{T} - \frac{1}{T_1}\right)}{nk}} \tag{2-16}$$

式(2-16)中各参数分别为

$$I_{0(T_1)} = \frac{I_{\text{sc}(T_1)}}{\text{e}^{\frac{qU_{\text{oc}(T_1)}}{nkT_1}-1}} \tag{2-17}$$

式 (2-12) 中的 R_s 为

$$R_s = -\frac{\text{d}U}{\text{d}I_{U_{\text{oc}}}} - \frac{1}{X_V} \tag{2-18}$$

$$X_V = I_{0(T_1)} \times \frac{q}{nkT_1} \times \text{e}^{\frac{qU_{\text{oc}(T_1)}}{nkT_1}} \tag{2-19}$$

式 (2-18) 和式 (2-19) 给出了 4 个主要技术参数与光伏电池组 R_s 之间的关系，在给定温度、光照强度和光伏电池电压输入后，就能得出光伏电池输出电流。

考虑更实际的情况，光伏输出电压不引入闭环控制，得出以下数学模型。将开路情况下 $I=0$、$U=U_{\text{oc}}$，以及最大功率点工作状态 $I=I_m$、$U=U_m$ 分别代入式 (2-12) 得

$$I = I_{\text{sc}} - K_1 I_{\text{sc}} \left[\exp\left(\frac{U_m}{K_2 U_{\text{oc}}}\right) - 1 \right] \tag{2-20}$$

式中

$$K_1 = \left(1 - \frac{I_m}{I_{\text{sc}}}\right) \exp\left(\frac{-U_m}{K_2 U_{\text{oc}}}\right) \tag{2-21}$$

$$K_2 = \left(\frac{U_m}{U_{\text{oc}}} - 1\right) \frac{1}{\ln\left(1 - \frac{I_m}{I_{\text{oc}}}\right)} \tag{2-22}$$

厂家给出的光伏电池参数 I_{sc}、I_m、U_{oc}、U_m 是在标准实验环境下得到的，实际情况中应该加入对其参数的修正，对于不同的光照强度和环境温度，可以根据标准情况重新估算 I_{sc}'、I_m'、U_{oc}'、U_m'。定义温度和光照偏差：

$$\Delta T = T - T_b \tag{2-23}$$

$$\Delta S = S - S_b \tag{2-24}$$

各个参数的修正表达式如下：

$$I_{\text{sc}}' = I_{\text{sc}}\left(\frac{S}{S_b}\right)(1 + a\Delta T) \tag{2-25}$$

$$I'_m = I_m \left(\frac{S}{S_b} \right)(1 + a\Delta T) \tag{2-26}$$

$$U'_{oc} = U_{oc}[(1 - c\Delta T)\ln(e + b\Delta S)] \tag{2-27}$$

$$U'_m = U_m[(1 - c\Delta T)\ln(e + b\Delta S)] \tag{2-28}$$

式中，$a = 0.0025/℃$；$b = 0.0005$；$c = 0.00288/℃$；$e \approx 2.718$。

将 I'_{sc}、I'_m、U'_{oc}、U'_m 代入式(2-20)~式(2-22)中，可以得到

$$I = I_{sc} \left(\frac{S}{S_b} \right)[1 + a(T - T_b)] \times \left[1 - \left(1 - \frac{I_m}{I_{sc}} \right) \left(1 - e^{-\frac{\ln\left(1 - \frac{I_m}{I_{sc}}\right)}{1 - \frac{U_{oc}}{U_m}}} \right) \right] \tag{2-29}$$

光伏组件的输入量仅为光照强度和 S 和环境温度 T，输出量为光伏电池的输出电流。由此可以得到光伏电池的伏安特性，代入式(2-18)、式(2-19)中可以得到相应的内阻值，而内阻值和重新估算的 4 个技术参数对于以后的建模没有用处，故封装在光伏的物理动态特性的模块中，一般不对其进行具体计算和数据传输通信，这样，在硬件特性不变的情况下，仅仅采集和传输光照强度和环境温度就可以在本地或异地获得光伏组件实时的运行状态。

2) 光伏发电系统等效模型及参数计算

将光伏发电系统看作一个整体，其对外部表现出的外部特性方程可以描述为

$$\begin{cases} P_{al} = \frac{3}{2}(U_d I_d + U_q I_q) \\ Q_{al} = \frac{3}{2}(U_q I_d + U_d I_q) \end{cases} \tag{2-30}$$

式中，U_d、U_q、I_d、I_q 为光伏发电系统并网处的电压 d、q 分量及电流 d、q 分量；P_{al}、Q_{al} 为光伏发电系统输出的有功功率、无功功率。

在模型中，取 d 轴为交流侧电压合成矢量方向则 q 轴方向电压分量为 0，即 $U_q = 0$。同时，为了使光伏发电系统以单位功率运行，设置电流 q 轴参考值为 0，即 $I_{qref} = 0$。而且因为控制系统的电流内环具有快速跟踪的能力，所以可以假设 $I_d = I_{dref}$、$I_q = I_{qref} = 0$，I_{dref} 为电流 d 轴的参考值；I_{qref} 为电流 q 轴的参考值。

所以，可以将式(2-30)化简为式(2-31)：

$$\begin{cases} P_{al} = \frac{3}{2}U_d I_{dref} \\ Q_{al} = 0 \end{cases} \tag{2-31}$$

在式(2-31)中，影响 U_d 的主要因素是电网电压，影响 I_{dref} 的主要因素是光伏发电系统的并网控制方式。在双闭环控制方式下，影响 I_{dref} 的主要因素是外环的控制电压。

逆变器的传递函数为

$$G(s) = \frac{K_{pv}}{T_p s + 1} \tag{2-32}$$

式中，T_p 为逆变器的惯性常数，值取采样周期的一半，即 $0.5T_s$；K_{pv} 为增益系数。

逆变器的直流侧电压和逆变器输出相电压之间的关系如式(2-33)所示：

$$U_{inv} = SU_{dc} \tag{2-33}$$

式中，U_{inv} 为逆变器的输出相电压；U_{dc} 为逆变器的直流侧电压；S 为逆变器的开关向量。

综上，电压外环的控制系统框图可以简化为图 2-3。

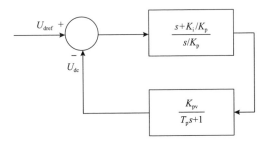

图 2-3　控制系统框图简化

图 2-3 中，K_p、K_i 为比例积分(PI)环节的调节系数；U_{dref} 为最大功率点跟踪(maximum power point tracking，MPPT)的输出电压参考值。

由于暂态时间很短，U_{dref} 可以认为基本不变。由图 2-3 可以得出 I_{dref} 的表达式如下：

$$I_{dref} = U_{dref} \frac{\dfrac{s + \dfrac{K_i}{K_p}}{\dfrac{s}{K_p}}}{1 + \dfrac{s + \dfrac{K_i}{K_p}}{\dfrac{s}{K_p}} \times \dfrac{K_{pv}}{T_p s + 1}} = U_{dref} \frac{T_p s^2 + \left(T_p \dfrac{K_i}{K_p} + 1\right)s + \dfrac{K_i}{K_p}}{\dfrac{T_p}{K_p} s^2 + K_{pv} + \dfrac{1}{K_p} s + K_{pv} \dfrac{K_i}{K_p}} \tag{2-34}$$

可以简化为

$$I_{\mathrm{dref}} = U_{\mathrm{dref}} \left(\cfrac{A}{s^2 + \cfrac{(K_{\mathrm{pv}}K_{\mathrm{p}}+1)s}{T_{\mathrm{p}}} + \cfrac{K_{\mathrm{pv}}K_{\mathrm{i}}}{T_{\mathrm{p}}}} + B \right) \tag{2-35}$$

式中，A、B 均为常数，代入式(2-31)中可得

$$P_{\mathrm{al}} = \frac{3}{2} U_{\mathrm{d}} I_{\mathrm{dref}} = \frac{3}{2} U_{\mathrm{d}} U_{\mathrm{dref}} \left(\cfrac{A}{s^2 + \cfrac{(K_{\mathrm{pv}}K_{\mathrm{p}}+1)s}{T_{\mathrm{p}}} + \cfrac{K_{\mathrm{pv}}K_{\mathrm{i}}}{T_{\mathrm{p}}}} + B \right) \tag{2-36}$$

可以看出，光伏发电系统有功外特性接近以电压为激励的典型二阶系统的响应。改变光照强度对电网电压的影响类似经典控制理论中的阶跃信号。基于以上分析可知，如果可以合理调节二阶系统的参数，其阶跃响应可以比较好地模拟光伏发电系统的动态特性。同时，为了补偿简化带来的暂态响应不足的问题，需要在模型中添加比例环节，简化后的模型如式(2-37)所示：

$$P_{\mathrm{out}} = P_{\mathrm{s0}} \left[\frac{\omega_{\mathrm{n}}^2}{s^2 + 2\zeta\omega_{\mathrm{n}}s + \omega_{\mathrm{n}}^2} U_{\mathrm{rms}} + K_{\mathrm{a}} \left(U_{\mathrm{rms}} - U_{\mathrm{s0}} \right) \right] \tag{2-37}$$

式中，P_{out} 为光伏发电系统的有功输出；P_{s0} 为光伏发电系统的稳态有功输出，取额定功率 P_{N}；U_{rms} 为光伏发电系统并网母线处的电压有效值；U_{s0} 为光伏发电系统并网母线处的电压稳态值，取额定电压 U_{N}。

此时，式(2-37)中的未知数为 ω_{n}（无阻尼自然角频率）、ζ（阻尼比）、K_{a}（放大倍数）三个参数，大大简化了参数计算的难度和复杂度。

2.2.2　区域能源互联网负荷模型结构

综合负荷特性指的是负荷的功率与运行参数的关系，包括电压、频率等。用于描述负荷特性的数学方程称为负荷模型。建立负荷模型的过程就是负荷建模[10]。传统的负荷模型主要分为两种：经典负荷模型(classic load model，CLM)以及综合负荷模型(synthetic load model，SLM)。本节在经典负荷模型的基础上进行了优化和完善，建立了考虑分布式电源接入的广义负荷模型。

大量研究表明，如果精度误差很大，负荷建模会影响瞬态稳定性、功角稳定性、电压稳定性和安全性分析。在有关电力系统的研究中，最基本的就是对负荷进行建模。由此可以看出，负荷建模理论意义重大，同时也具有非常重要的工程

实用价值。

　　有以下几种方法可以进行负荷建模。第一种方法的基本思想是将负荷视为一个集合，将每一个集合中的负荷进行分类，对每类负荷的平均特性进行研究，然后按照每类负荷的比例计算得到综合负荷模型，这种方法称为统计综合法，操作简单但是无法保证精确度。第二种是总体测辨法，基本思想是将所有的负荷视为一个系统。通过系统的输入输出数据，选择合适的模型进行参数辨识。大大减少了工作量但是在数据收集环节可能会比较困难。第三种是故障拟合法，基本原理就是建立故障状态下的仿真模型，不断地调试并根据调试结果修改仿真模型的参数，最终得到与实际测量得到的故障曲线相拟合的曲线。结果精确度较高但是操作比较麻烦。综上所述，统计综合法更适合宏观确定性，总体测辨法更适合于微观定量，故障拟合法更适合于最终验证，只靠一种方法是困难或不合适的。因此在实际应用中，应结合多种方法来全面解决问题[11]。

　　为了便于研究，本节采用总体测辨法进行负荷建模。其示意图如图 2-4 所示。

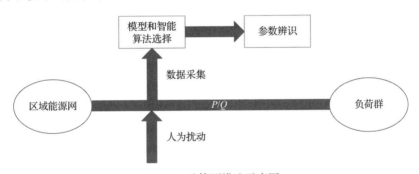

图 2-4　总体测辨法示意图

　　传统的负荷模型中，经典负荷模型是将配电网中的负荷以及线路整体阻抗等效为感应电动机动态负荷和静态负荷并联。它的优点是比较简洁、方便、容易计算。而综合负荷模型是将配电网的线路阻抗进行了全面而准确的描述，优点是准确性高，描述比较全面[12]。本节的研究对象区域能源互联网的特点就是规模小、输电距离短，所以为了简化模型，本章采用经典负荷模型对微电网进行描述。

　　本节在经典负荷模型的基础上，探究了经典负荷模型对于分布式电源接入电网后的区域能源互联网的描述能力。针对分布式电源占比过高时经典负荷模型描述能力不足的情况，提出了解决方案。

　　经典负荷模型是由动态负荷和静态负荷并联而成的，由于其结构简单以及对大多数配电网综合负荷特性都有良好的描述能力，所以在实际的电力运行调度仿真中被广泛应用。经典负荷模型的结构如图 2-5 所示，P 为负荷功率，P_m 为感应电动机功率，P_s 为静态负荷功率。其中静态负荷一般采用恒阻抗模型或者多项式模型(ZIP)[12]。

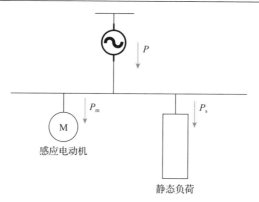

图 2-5　经典负荷模型基本结构

考虑分布式能源接入后，就在原有的经典负荷模型基础上添加分布式电源进行动态模型的仿真，其结构如图 2-6 所示，P_{DG} 为分布式电源的发电功率。

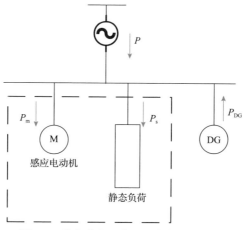

图 2-6　分布式电源接入的负荷模型结构

为了深入研究分布式电源接入的负荷特性，在 Simulink 中建立了如图 2-7 所示的动态仿真系统，得到仿真结果。

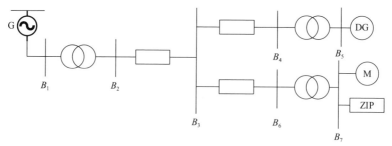

图 2-7　考虑分布式电源接入的动态模型结构

$B_1 \sim B_7$ 为母线

1. 感应电动机负荷模型

感应电动机负荷模型是负荷模型中重要的一个组成部分，在研究负荷建模的动态模型时，一般考虑元件的暂态特性[13]。常见的感应电动机负荷模型有一阶感应电动机模型和三阶感应电动机模型。一阶感应电动机模型比较简单，只考虑了转子转差在暂态过程中的影响；而三阶感应电动机模型在此基础上还考虑了转子的电磁暂态过程对稳态电路阻抗值的影响[14]。为了保证结果的精确性，选取计及机电暂态的三阶感应电动机模型。动态等效电路如图 2-8 所示。

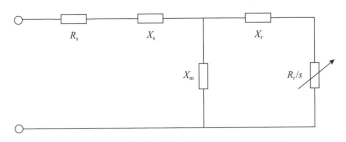

图 2-8　三阶感应电动机模型的动态等效电路

图 2-8 中，R_s、X_s 为定子绕组的电阻和电抗；R_r、X_r 为转子绕组的电阻和电抗；X_m 为励磁电抗；s 为转差率。

转子电压方程如下：

$$\begin{cases} \dfrac{\mathrm{d}E_d'}{\mathrm{d}t} = -\dfrac{1}{T_d'}\Big[E_d' + (X-X')I_q\Big] - \omega_b(\omega_r-1)E_q' \\[3mm] \dfrac{\mathrm{d}E_q'}{\mathrm{d}t} = -\dfrac{1}{T_d'}\Big[E_q' + (X-X')I_d\Big] - \omega_b(\omega_r-1)E_d' \end{cases} \tag{2-38}$$

$$T_d' = \frac{X_r + X_m}{R_r} \tag{2-39}$$

$$X = X_s + X_m \tag{2-40}$$

$$X' = X_s + \frac{X_m X_r}{X_m + X_r} \tag{2-41}$$

式中，E_d'、E_q' 为感应电动机 d 轴和 q 轴的暂态电势分量；ω_r、ω_b 为转子角速度、同步角速度；T_d' 为转子时间常数；X 为转子开路电抗；X' 为感应电动机暂态电抗。

定子电流方程如下：

$$\begin{cases} I_\mathrm{d} = -\dfrac{1}{R_\mathrm{s}^2 + X'^2}\left[R_\mathrm{s}(U_\mathrm{d} - E_\mathrm{d}') + X'(U_\mathrm{q} - E_\mathrm{q}') \right] \\[3mm] I_\mathrm{q} = -\dfrac{1}{R_\mathrm{s}^2 + X'^2}\left[R_\mathrm{s}(U_\mathrm{q} - E_\mathrm{q}') + X'(U_\mathrm{d} - E_\mathrm{d}') \right] \end{cases} \tag{2-42}$$

$$T_\mathrm{j} \frac{\mathrm{d}s}{\mathrm{d}t} = T_\mathrm{e} - T_\mathrm{m} \tag{2-43}$$

$$T_\mathrm{e} = E_\mathrm{d}' I_\mathrm{d} + E_\mathrm{q}' I_\mathrm{q} \tag{2-44}$$

$$T_\mathrm{m} = T_\mathrm{m0}(A\omega_t^2 + B\omega_t + C) \tag{2-45}$$

$$A + B + C = 1 \tag{2-46}$$

式中，T_j 为惯性时间常数；s 为转差率；T_e、T_m 分别为感应电动机的电磁力矩、机械力矩；T_m0 为电动机初始负载率；A、B、C 为常数；ω_t 为电动机转速。

2. 静态负荷模型

常用的静态负荷一般为恒阻抗负荷或者多项式模型即 ZIP，其特性方程如下：

$$P = P_0\left[a_\mathrm{p}\left(\frac{U}{U_0}\right)^2 + b_\mathrm{p}\frac{U}{U_0} + c_\mathrm{p} \right] \tag{2-47}$$

$$Q = Q_0\left[a_\mathrm{q}\left(\frac{U}{U_0}\right)^2 + b_\mathrm{q}\frac{U}{U_0} + c_\mathrm{q} \right] \tag{2-48}$$

$$a_\mathrm{p} + b_\mathrm{p} + c_\mathrm{p} = 1 \tag{2-49}$$

$$a_\mathrm{q} + b_\mathrm{q} + c_\mathrm{q} = 1 \tag{2-50}$$

式中，a_p、b_p、c_p、a_q、b_q、c_q 为各类负荷所占的比例；U、U_0 分别为实际电压、基准电压；P、Q 分别为负荷吸收的有功和无功；P_0、Q_0 分别为电压为基准电压时负荷吸收的有功和无功。

3. 灵活负荷

需求响应（demand response，DR）是需求侧管理（demand side management，DSM）在智能电网和电力市场中的最新发展，是指通过电价水平规制和激励措施的引导，使用户主动调整日常的用电模式，在电价较高或电力系统的可靠性受到威胁时，减少用电负荷，帮助电网的供求双方灵活地实现平衡的目的，解决电网短时供需不平衡的问题，提高系统运行经济性和稳定性。

激励电力用户参与电网调峰，减少电网安全运行压力，引导用户科学用电。通过价格杠杆，引导用户主动参与调峰，减轻电力系统的运行压力。不同的价格/激励手段，如峰谷分时电价、可中断负荷补偿等，为用户提供了对用电方式进行选择的机制，用户既可以选择支付较高的电价在用电高峰期继续用电，也可以选择在高峰期中断部分用电负荷，以获取电费支出的降低或经济补偿。因此，需求响应可以引导电力用户根据自身的生产特点和需求选择合理的用电方式，促进其更加科学合理地安排用电计划。

需求响应通过对电力用户的用电方式进行合理的引导，提高了电力系统资源的利用率，减少或推迟了电力设备资源的投资，实现整个电力系统资源的优化配置，能够促进电力工业的可持续发展。

需求响应通常分为价格型需求响应和激励型需求响应[15]，并在实际执行过程中互为补充。其中，价格型需求响应指用户响应电价的变化，并对用电需求相应调整，包括分时电价、实时电价和尖峰电价等。通过内部的决策过程，将高电价时段的用电负荷调整到较低电价的时段，以实现电费支出的减少。

激励型需求响应指实施机构通过制定与供需状况相关的政策，激励用户响应和削减负荷，并给予一定的经济补偿，包括可中断负荷控制、直接负荷控制、需求侧竞价、容量/辅助服务计划等。其中，用户获得的激励通常有两种形式，即独立于电价政策的直接经济补偿，以及在现有零售电价之上予以优惠折扣。参与响应的用户通常要提前与实施机构签订合同，并制定用户的基本负荷消费量、需求响应相关内容(如减少负荷量、响应持续时间、响应次数)、提前通知时间、补偿或电价折扣标准等。

传统电网具有单一的潮流流向和辐射状的分布，需求分析也具有很大的规律性和稳定性；但具有波动性、间歇性的分布式电源接入微电网给需求分析带来了新的挑战。微电网的特点是其中包含的电源和负荷都具有多样性，既有大电网接入，又含有风、光、储能电池等多种发电方式，负荷也具有多样性，包含可中断负荷和可转移负荷、不可转移负荷等，因此在调度方面具有更大的灵活性。除了与大电网相连的运行方式外，当大电网发生故障无法正常供电或者电能质量发生波动、质量不佳时，微电网也可以切除与电网的联系，以孤岛方式运行[16]。在微电网电源供电充足的情况下，可以满足电网中负荷持续的供电需求。若供电能力不足以满足区域能源互联网中的用户需求，可以选择性切断一些可中断负荷、调整负荷比例[17]。

基于微电网的需求响应主要涉及用户负荷侧、微电网侧和大电网侧，三者相互协调，共同作用，才能保证电网运行的效率最大化。基本的微电网系统需求响应框图如图 2-9 所示。

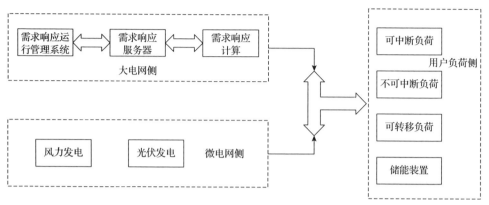

图 2-9　微电网需求响应框图

2.2.3　含有分布式电源的广义负荷模型

为了解决经典负荷模型对分布式电源接入的微电网描述能力不足的问题，本节提出了含分布式电源的广义负荷模型，如图 2-10 所示。将分布式电源与感应电动机相并联共同组成动态负荷，其功率参考方向在图中也已标明。

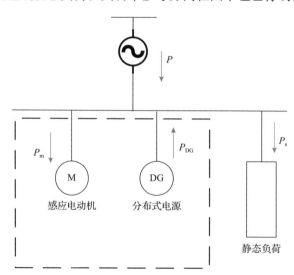

图 2-10　含有分布式电源的广义负荷模型

为了方便阐述此模型的出力情况，引入几个参数：

$$K_{DG} = \frac{P_{DG}}{P_m + P_s} \tag{2-51}$$

$$P_{dyn} = P_m - P_{DG} \tag{2-52}$$

$$K_M = \frac{P_m}{P_m + P_s} = \frac{P_m}{P + P_{DG}} \tag{2-53}$$

$$K_m = \frac{P_{dyn}}{P} = \frac{P_m - P_{DG}}{P} \tag{2-54}$$

配电网的出力情况分为以下三种。

(1) $P_{DG} < P_m$，分布式电源出力很少，甚至不足以满足感应电动机的负荷需求，此时 $P_{dyn} > 0$、$P > 0$，$0 < K_{DG} < 1$、$0 < K_M < 1$、$0 < K_m < 1$。

(2) $P_m \leqslant P_{DG} < P_m + P_s$，即分布式电源的出力不足以满足所有负荷的需求。此时 $P_{dyn} \leqslant 0$、$P > 0$，$0 < K_{DG} < 1$、$0 < K_M < 1$、$K_m \leqslant 0$。

(3) $P_{DG} \geqslant P_m + P_s$，即分布式电源出力可以满足整个网络的供电需求。此时 $K_{DG} \geqslant 1$、$0 < K_M < 1$、$K_m > 1$。

2.2.4　能量转化元件建模

1. 冷热电联供系统机组

冷热电联供系统(combined cooling, heating and power, CCHP)是冷热电联合网络中最主要的耦合元件。冷热电联供系统通常以天然气等燃气为主要燃料，通过燃气轮机或内燃机发电，并利用余热锅炉等余热回收设备向用户供热，通过溴化锂吸收热能制冷或电制冷方式实现供冷，满足用户电、热、冷三方面的需求。通过这种方式，CCHP 能源利用率可以达到 80%～90%，相比能源利用率仅为 45% 的传统发电厂显著提升，实现了能源的梯级利用，达到了节能高效的目标。

CCHP 机组实际应用中其组成结构复杂多样，供热装置常用的有余热锅炉、燃气锅炉等，余热锅炉获取燃烧产生的烟气中的热量，不足的热量通过天然气补燃或燃气锅炉提供。制冷机组主要分为电制冷机组和溴化锂吸收式制冷机组两种。过去我国电力较为紧张，耗电少的溴化锂吸收式制冷机组的利用较为广泛，但由于其投资、费用和转换效率均低于电制冷，在目前电力充足的背景下，经济效益更高的电制冷机组使用率稳步提升。

燃气轮机和往复式活塞内燃机的产热产电比为一个常数，具体为

$$c_{CCHP} = \frac{\Phi_{CCHP}}{P_{CCHP}} \tag{2-55}$$

式中，c_{CCHP} 为产热产电比，是一个常数；Φ_{CCHP} 为产热功率；P_{CCHP} 为产电功率。

燃气轮机与余热回收装置可组成 CCHP 机组，燃气轮机也可独立配置。燃气

轮机的能源转化过程可以表示为

$$P_{GT} = \gamma_{GT} \lambda_{gas} G_{GT} \tag{2-56}$$

式中，P_{GT} 为燃气轮机的产热量；G_{GT} 为燃气轮机消耗的天然气流量；λ_{gas} 为天然气热值；γ_{GT} 为燃气轮机的产热效率。

溴化锂吸收式制冷机组吸收部分多余的热能，将热能转化为冷，制冷量 C_{Libr} 和消耗的电功率 P_{Libr} 的静态转化关系设为

$$COP = \frac{C_{Libr}}{P_{Libr}} \tag{2-57}$$

式中，COP 为制冷比。

2. 循环泵

热网管道中液体流动需要循环泵的推动，循环泵消耗电网中的电能，在水管网络中各节点间产生压强差，推动液体在水管网络中的循环。循环泵推动液体循环所需电能为

$$P_p = \frac{m_p g H_p}{10^6 \eta_p} \tag{2-58}$$

式中，P_p 为循环泵消耗的电能；m_p 为循环泵送水量；H_p 为循环泵扬程；η_p 为循环泵效率；g 为重力加速度。

3. 电制冷机组

电制冷机组是以温差电现象为基础的制冷机组，是将电能转化为冷的一种能量转换装置，电能转换效率 η_{COP} 较高，一般 $\eta_{COP} \approx 4$，电制冷机组制冷量计算如下：

$$C_{AC} = \eta_{COP} P_{AC} \tag{2-59}$$

式中，P_{AC} 为电制冷机组消耗的电能。

4. 燃气锅炉

燃气锅炉的运行效率与负荷率有关，其最佳效率区在额定负荷的 85%～100%，其额定热效率一般在 0.92 左右，能源转化效率高并适合分布式布置，设燃气锅炉的能源转化效率为 η_h。燃气锅炉的产热量为

$$H_{GB} = \eta_h \lambda_{gas} G_{GB} \tag{2-60}$$

式中，G_{GB} 为燃气锅炉消耗的天然气流量；λ_{gas} 为天然气热值(取 9.9kW·h/m³)。

5. 电转气

电转气是将电能转化为具有高能量密度燃料气体的技术。P2G 技术主要包括 2 个过程，即通过电解反应将水分解成氧气和氢气，然后通过萨巴蒂埃(Sabatier)反应将氢气和二氧化碳合成甲烷。电转气技术首先将水电解生成氢气(H_2)，所产生的氢气可以被直接注入管道用于交通运输或其他工业领域；或者与大气、生物质废气和工业废气中产生的二氧化碳结合，通过甲烷化反应转化成甲烷(CH_4)，便于后续运输。如果电解水所使用的电力来自太阳能或风能，电转气技术可在所有应用领域形成一个可再生能源的综合利用体系。

电-氢气的转化效率一般为 57%～73%，转化为甲烷的效率较低，为 50%～64%，设其能量转化率为 η_{P2G}，电转气静态工作特性为

$$\eta_{P2G} = \frac{P_{P2G}}{G_{P2G}} \tag{2-61}$$

式中，P_{P2G} 为消耗的电能；G_{P2G} 为产生的气体一次能源。

2.2.5 冷热电联供型微电网模型

本节研究的冷热电联供型微电网提供冷、热、电和气 4 种能源形式。冷热电联供型微电网涉及的设备众多，主要包括光伏发电装置、风力发电装置、储能系统、微型燃气轮机、余热锅炉、蓄热装置、吸收式制冷机、电制冷机、燃气锅炉，该系统通过集中式电力母线与电网交换电功率。

燃气锅炉和微型燃气轮机主要用以满足热负荷需求，电制冷机和吸收式制冷机用以满足冷负荷需求，微型燃气轮机和大电网用以满足电负荷需求。微型燃气轮机排出的废热被余热回收装置回收后，被热交换机吸收来满足用户热需求或被吸收式制冷机吸收来满足用户冷需求。下文具体介绍核心联供设备的详细模型。

1. 微型燃气轮机

微型燃气轮机是实现冷热电联供型微电网的核心设备，微型燃气轮机的燃料耗量可以用一次函数近似表示为

$$F_{mt}^t = \alpha P_{mt}^t + \beta U_{mt}^t \tag{2-62}$$

式中，F_{mt}^t 为微型燃气轮机燃料耗量；P_{mt}^t 为微型燃气轮机在 t 时段产生的电功率；U_{mt}^t 为微型燃气轮机开停机标记位，为 0 时表示停机，为 1 表示开机；α 和 β 均为成本系数。

微型燃气轮机在冷热电联供型微电网优化运行时，把热能作为附加产品，可

以拟合建立微型燃气轮机排烟热能与发电量之间的函数关系，近似以二次函数表示，即

$$H(P_{mt}^t)=a_h(P_{mt}^t)^2+b_hP_{mt}^t+c_h \qquad (2\text{-}63)$$

式中，a_h、b_h、c_h 为系数。

式 (2-63) 构建的冷热电联供型微电网经济调度模型是典型的混合整数非线性规划 (mixed integer nonlinear programming，MINLP) 问题。对于混合整数非线性规划问题，一般多采用智能算法，但只能求得相对最优解或陷入局部最优，同时需要消耗大量的计算资源和较长的计算时间；如果采用常数效率曲线模型，虽然便于简化求解，但不能较为真实地模拟系统运行工况。因此，借鉴大电网分段线性化火电机组成本函数原理，对微型燃气轮机非线性热电耦合曲线采用分段线性化模型描述并优化，实现快速求解和在线应用。

微型燃气轮机电功率 P_{mt}^t 的定义为

$$P_{mt}^t=U_{mt}^tB_{mt}^1+\sum_{k=1}^{L_{mt}}D_{mt}^{t,k} \qquad (2\text{-}64)$$

式中，B_{mt}^1 为分段线性化电功率曲线参数；L_{mt} 为划分段数；$D_{mt}^{t,k}$ 为分段曲线第 k 段取值状态，满足约束

$$\sum_{j=k+1}^{L_{mt}}v_{mt}^{t,j}\leqslant\frac{D_{mt}^{t,k}}{B_{mt}^{k+1}-B_{mt}^k}\leqslant\sum_{j=k}^{L_{mt}}v_{mt}^{t,j} \qquad (2\text{-}65)$$

其中，$v_{mt}^{t,j}$ 为 t 时刻分段运行归属标记位，为 0-1 变量，满足约束

$$U_{mt}^t=\sum_{k=1}^{L_{mt}}v_{mt}^{t,k} \qquad (2\text{-}66)$$

相应的微型燃气轮机产生的热功率可以表示为

$$H_{mt}^t=U_{mt}^tA_{mt}^1+\sum_{k=1}^{L_{mt}}g_{mt}^kD_{mt}^{t,k} \qquad (2\text{-}67)$$

式中，g_{mt}^k 为第 k 段微型燃气轮机热功率-电功率曲线的斜率；A_{mt}^1 为分段线性化热功率曲线参数。

为了精确刻画微型燃气轮机在系统运行中的状态，本节同时考虑了微型燃气轮机的运行功率约束和爬坡约束：

$$U_{mt}^tP_{mt}^{min}\leqslant P_{mt}^t\leqslant U_{mt}^tP_{mt}^{max} \qquad (2\text{-}68)$$

$$U_{mt}^tP_{mt}^{down}\leqslant P_{mt}^t-P_{mt}^{t-1}\leqslant U_{mt}^tP_{mt}^{up} \qquad (2\text{-}69)$$

式中，P_{mt}^{min} 和 P_{mt}^{max} 为最小和最大电功率；P_{mt}^{up} 和 P_{mt}^{down} 为上、下爬坡功率约束。

2. 蓄电池储能系统

蓄电池储能系统方程为

$$\begin{cases} U_{bt,chr}^{t} P_{bt,chr}^{min} \leqslant P_{bt,chr}^{t} \leqslant U_{bt,chr}^{t} P_{bt,chr}^{max} \\ U_{bt,dis}^{t} P_{bt,dis}^{min} \leqslant P_{bt,dis}^{t} \leqslant U_{bt,dis}^{t} P_{bt,dis}^{max} \\ U_{bt,dis}^{t} + U_{bt,chr}^{t} \leqslant 1 \\ W_{bt}^{t} = W_{bt}^{t-1}(1-\sigma_{bt}) + \left(\eta_{bt,chr} P_{bt,chr}^{t} - \dfrac{P_{bt,dis}^{t}}{\eta_{bt,dis}} \right) \Delta t \\ W_{bt}^{min} \leqslant W_{bt}^{t+1} \leqslant W_{bt}^{max} \end{cases} \tag{2-70}$$

式中，W_{bt}^{t} 为蓄电池的存储电能；$P_{bt,chr}^{t}$ 和 $P_{bt,dis}^{t}$ 分别为蓄电池的充放电功率；$U_{bt,chr}^{t}$ 和 $U_{bt,dis}^{t}$ 分别为蓄电池充放电状态标记位，为 0-1 变量，1 表示充电，0 表示放电，且充放电状态满足互斥条件；Δt 为时间间隔；σ_{bt}、$\eta_{bt,chr}$ 和 $\eta_{bt,dis}$ 分别为蓄电池的自身能量损耗率、充电效率、放电效率；上标 max、min 表示最大值和最小值。

蓄电池充放电爬坡约束：

$$P_{bt,chr}^{down} \leqslant P_{bt,chr}^{t+1} - P_{bt,chr}^{t} \leqslant P_{bt,chr}^{up} \tag{2-71}$$

$$P_{bt,dis}^{down} \leqslant P_{bt,dis}^{t+1} - P_{bt,dis}^{t} \leqslant P_{bt,dis}^{up} \tag{2-72}$$

式中，$P_{bt,chr}^{up}$、$P_{bt,chr}^{down}$ 为充电上下爬坡约束；$P_{bt,dis}^{up}$、$P_{bt,dis}^{down}$ 为放电上下爬坡约束。

蓄电池的充放电标记位 $U_{bt,chr*}^{t}$、$U_{bt,dis*}^{t}$ 定义为

$$U_{bt,chr}^{t+1} - U_{bt,chr}^{t} \leqslant U_{bt,chr*}^{t} \tag{2-73}$$

$$U_{bt,dis}^{t+1} - U_{bt,dis}^{t} \leqslant U_{bt,dis*}^{t} \tag{2-74}$$

2.3　扩展的能源集线器模型及多能主体建模

2.3.1　能源集线器

在以多能互济与能源梯度利用为核心的综合能源系统中，能源集线器承担着平衡多种能源供需的能源分配、转换职责。能源集线器(energy hub，EH)最早在 2007 年由苏黎世联邦理工学院的 Geidl 和 Andersson 提出，是一个包含多种形式

能源转化、分配、存储的控制单元。它建立了区域网中多能输入输出耦合模型，描述多能相互作用与配合的复杂关系。作为不同能源设施与不同需求之间的枢纽接口，EH 成为微电网中实现多能协同的有力工具。

EH 作为一个实现多能互补、存储与转换的能源枢纽，在微电网综合能源系统中便于描述多种能流耦合以及相互作用关系。从一栋房屋到城市地区等都可以看成 EH[18]。微电网中的能源流动、转换关系可抽象为一个或多个 EH 模型，包括输入、输出、存储、转换多能源载体。

$$L = CP \tag{2-75}$$

式中，L 为各能源输出变量；P 为各能源输入变量；C 为能源间的耦合系数。

本节以电力、天然气与热能组成的微电网综合能源系统为例进行建模。图 2-11 是包含变压器、CCHP、锅炉和热交换器的 EH。电能、天然气和热能从 EH 输入端口进入，经过 EH 内部分配、转换过程，以供应电负荷与热负荷，如图 2-11 所示。

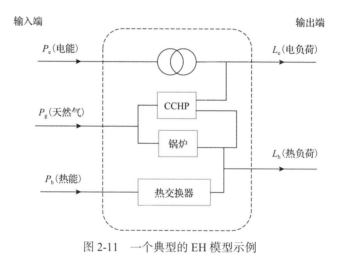

图 2-11 一个典型的 EH 模型示例

负荷与多能源的转换关系如式(2-76)和式(2-77)所示：

$$\begin{pmatrix} L_e \\ L_h \end{pmatrix} = \begin{pmatrix} \eta_{ee} & \theta\eta_{eg}^{CCHP} & 0 \\ 0 & \eta_{hg} & \eta_{hh}^{HE} \end{pmatrix} \begin{pmatrix} P_e \\ P_g \\ P_h \end{pmatrix} \tag{2-76}$$

$$\eta_{hg} = \theta\eta_{hg}^{CCHP} + (1-\theta)\eta_{hg}^{F} \tag{2-77}$$

式中，η 为输入能源到输出能源的转换效率，下标为不同能源；θ 为调配因子，介于 0 到 1 之间，其意义是能源在不同转换器中的调配比；上标 HE 为热交换器，

F 为锅炉。

为了更准确地描述综合能源系统的输入输出关系，为综合能源系统的优化运行和规划提供基础，考虑综合能源系统中各能源设备的变工况运行特性，对 EH 模型进行改进，并分别从输入输出端口建立储能的耦合模型，以适应不同储能设备类型，建立含储能的综合能源系统变工况耦合关系通用模型。本节针对一个包含光伏、天然气热电联供、热泵、燃气锅炉、电池储能、蓄热式电锅炉的综合能源系统进行实例建模，利用所建模型分析系统在不同运行点下的输入能源消耗。

对于储能设备，由于其只用于系统能源生产、利用的平衡，不直接参与能源输入输出，其能量接口位于 EH 模型的内部。在已有工作中储能设备的储能和释能通常被建立为通过同一转换装置实现，实际上在综合能源系统中储能设备的储能和释能可能涉及不同能源类型以及能源的转换，因此，本书将储能装置的储能和释能功率端口进行独立建模。

考虑一个含有光伏发电、配电变压器、天然气热电联供、热泵、电化学储能、燃气锅炉、蓄热式电锅炉的综合能源系统，上述设备分别用 PV、TR、CCHP、HP、BES、GB、EB 表示。该系统为本地用户提供电、热能源服务，系统输入能源包括太阳辐射(sr)、电网供电(el)和天然气输入(gas)；系统的输出为热(h)和电力(e)。

为获得耦合矩阵及储能的状态转移方程，本书将对各类设备的变工况特性建模，包括 PV 变工况特性模型、CCHP 变工况特性模型、电化学储能变工况特性模型、热泵变工况特性模型等。其中，本书研究的天然气热电联供系统由燃气内燃机和烟气吸收型溴化锂冷热水机组组成。CCHP 系统的发电功率和供热功率存在关联关系，烟气吸收型溴化锂冷热水机组吸收燃气内燃机产生烟气的余热，为用户提供热(冷)量。燃气内燃机的发电效率与发电功率呈非线性关系，可用多项式拟合燃气内燃机发电效率。烟气吸收型溴化锂冷热水机组效率取决于燃气内燃机的排烟温度和烟气流量。排烟温度、烟气流量为热电联供系统的中间产物，不出现在 EH 模型中，由发电功率与排烟温度、烟气流量的关系可以获得联供系统的制热功率。

能源集线器模型反映了能量系统间的静态转换环节。该模型是综合能源系统通用建模的一次有益尝试，大量的相关研究已用于含有冷、热、电、气系统的耦合关系描述，并被广泛应用于各类综合能源系统相关研究中，引入 EH 的概念以刻画综合能源系统中电、气、冷、热等不同形式能源的耦合关系。该模型反映了能源在传输和转换环节的静态关系，而无法描述能源系统内复杂的动态行为。

能源集线器可等效为某一区域的能源多输入多输出的转化结构，输入变量一般为能源向量 $P = [P_a, P_b, \cdots, P_n]^T$，表示所有输入该区域的能源，输出变量一般为负荷向量 $L = [L_a, L_b, \cdots, L_n]^T$，表示该区域所有终端的负荷，设其多输入多输出功率转换公式为

$$\begin{pmatrix} L_a \\ L_b \\ \vdots \\ L_n \end{pmatrix} = C \begin{pmatrix} P_a \\ P_b \\ \vdots \\ P_n \end{pmatrix} \tag{2-78}$$

式中

$$C = \begin{pmatrix} C_{aa} & C_{ba} & \cdots & C_{na} \\ C_{ab} & C_{bb} & \cdots & C_{nb} \\ \vdots & \vdots & & \vdots \\ C_{an} & C_{bn} & \cdots & C_{nn} \end{pmatrix} \tag{2-79}$$

其中，C_{ij} 为 i 种能源与 j 类负荷的耦合系数，其由能源转化机组特性和调度参数决定。可统一表达如下：

$$C_{ij} = \sum_{n=1}^{N} \left[v_{i,n}(t) \prod_{m=1}^{M} \eta_{n,m}^{j}(\Theta,t) \right] \tag{2-80}$$

式中，$v_{i,n}(t)$ 为调度参数，表示 i 能源在能源转化机组 n 中的分配系数；$\eta_{n,m}^{j}(\Theta,t)$ 为能源转化机组 n 在 m 环节生产负荷 j 的转化效率，其与机组运行参数集合 Θ 和时间 t 有关；N 为能源转化机组总数；M 为能源转化环节总数。

冷/热/电/气综合能源系统建模可用 EH 模型简化处理，内部具体通过燃气轮机、余热锅炉、储电/热设备等进行多能流的转换与耦合。EH 最关键的部分就是对转化元件建模，稳态耦合模型需要对转化元件的能流流向和工作特性进行分析。

1. EH 约束

在上述的 EH 输入输出功率关系条件之外，EH 输入端口的能源功率也受到上下界的限制，如式(2-81)和式(2-82)所示，其中式(2-81)为所有输入能源需满足约束的矩阵形式。所有的分布式发电设备都可以看成转换器。

$$P^{\min} \leqslant P(t) \leqslant P^{\max} \tag{2-81}$$

$$\omega_k(t) P_{\alpha,k}^{\min} \leqslant P_{\alpha,k}(t) = \theta_{\alpha,k} P_\alpha(t) \leqslant \omega_k(t) P_{\alpha,k}^{\max} \tag{2-82}$$

式中，$P_{\alpha,k}$ 为能源 α 经转换器 k 的输入功率，即等于 $\theta_{\alpha,k}$(能源 α 经转换器 k 的调配因子)与 P_α(能源 α 的输入功率)的乘积；$\omega_k(t)$ 表示转换器 k 的启动与否，分别用 1 或 0 表示；$P_{\alpha,k}^{\min}$ 和 $P_{\alpha,k}^{\max}$ 分别为能源 α 经转换器 k 的最小/最大输入功率。

2. 热发电机组约束

热发电机组的运行与停运需遵循最小运转时限与最小停运时限, 其启停时间限制如下:

$$\left[t_k^{\mathrm{on}}(t-1) - T_k^{\mathrm{MUT}} \right]\left(\omega_k(t-1) - \omega_k(t)\right) \geqslant 0 \tag{2-83}$$

$$\left(t_k^{\mathrm{off}}(t-1) - T_k^{\mathrm{MDT}} \right)\left(\omega_k(t) - \omega_k(t-1)\right) \geqslant 0 \tag{2-84}$$

式中, $t_k^{\mathrm{on}}(t-1)$ 为截至 $t\text{--}1$ 时刻转换器 k 保持运行状态的持续时间; $t_k^{\mathrm{off}}(t-1)$ 为截至 $t\text{--}1$ 时刻转换器 k 保持停运状态的持续时间; T_k^{MUT} 为转换器 k 的最短运行时长; T_k^{MDT} 为转换器 k 的最短停运时长。

3. 储能设备约束

作为能源管理中的重要组成部分, 储能设备需要满足储存能量及充放电效率约束。

忽略能量的损耗, t 时刻下的储能设备的存储能量可以用式 (2-85) 和式 (2-86) 计算:

$$E(t) = \begin{cases} E(t-1) + \left[\eta_{\mathrm{ch}} \times P_{\mathrm{ch}}(t) \right] \times \Delta t \\ E(t-1) - \left[\dfrac{1}{\eta_{\mathrm{dch}}} \times P_{\mathrm{dch}}(t) \right] \times \Delta t \end{cases} \tag{2-85}$$

$$E^{\mathrm{min}} \leqslant E(t) \leqslant E^{\mathrm{max}} \tag{2-86}$$

式中, $E(t)$ 为 t 时刻储能设备的存储能量; η_{ch} 和 η_{dch} 分别为充放电效率; P_{ch} 和 P_{dch} 分别为充放电功率; Δt 为时间间隔; E^{min} 和 E^{max} 分别为储能设备的最小/最大容量。

根据储能设备的特性, 储能设备有最大充放电功率限制, 并且充放电过程不能同时发生, 如式 (2-87) ~ 式 (2-89) 所示:

$$0 \leqslant P_{\mathrm{ch}}(t) \leqslant u(t) P_{\mathrm{ch}}^{\mathrm{max}} \tag{2-87}$$

$$0 \leqslant P_{\mathrm{dch}}(t) \leqslant v(t) P_{\mathrm{dch}}^{\mathrm{max}} \tag{2-88}$$

$$u(t) + v(t) \leqslant 1 \tag{2-89}$$

式中, $u(t)$ 和 $v(t)$ 分别为 t 时刻的充放电状态, 用 1/0 表示; $P_{\mathrm{ch}}^{\mathrm{max}}$ 和 $P_{\mathrm{dch}}^{\mathrm{max}}$ 分别为允许的最大充放电功率。

4. 光伏电池特性约束

光伏电池板依照光照强度产生光能，产生的可利用功率与光照强度的关系可用式(2-90)表示：

$$P_{\mathrm{pv}}(t) = \eta S_{\mathrm{pv}} I(t) \tag{2-90}$$

式中，$P_{\mathrm{pv}}(t)$ 为 t 时刻光伏电池板产生的可利用功率；η 为转换效率；S_{pv} 为光伏电池板面积；$I(t)$ 为 t 时刻光照强度。

5. 与电网交易能量约束

EH 与上层电网之间存在交易，故买入(卖出)功率存在最大最小值的限制：

$$P_{\alpha}^{\min} \leqslant P_{\alpha}^{\mathrm{buy}}(t)(P_{\alpha}^{\mathrm{sell}}(t)) \leqslant P_{\alpha}^{\max} \tag{2-91}$$

式中，$P_{\alpha}^{\min}$ 和 $P_{\alpha}^{\max}$ 分别为与电网交易能源 α 的最小最大功率；$P_{\alpha}^{\mathrm{buy}}(t)(P_{\alpha}^{\mathrm{sell}}(t))$ 为买入(卖出)功率。

2.3.2 不确定性的来源及分析

综合能源系统多能微电网中存在较多不确定性，主要来源有分布式电源出力的不确定性与电/热负荷的波动性。2.3.1 节所构建的冷/热/电/气综合能源系统模型的一些约束条件也不具有确定性，多能微电网的总运行费用也是具有不确定性的随机量。所以，采取上述确定性建模的方式可能会导致较大的误差。因此，2.3.3 节采取随机规划的方式处理多能微电网中的不确定性，以确保结果的实际性。

2.3.3 基于机会约束规划的多能微电网模型

一般地，不确定性在随机规划中通常以概率形式表示，本节选择随机规划中的机会约束规划处理模型。机会约束规划[19]通过概率上的随机模拟描述和处理不确定性。机会约束规划允许不满足约束条件的事件发生，但必须在某一特定的置信水平内，因此可以模拟随机量在一定范围内的波动，以此来处理太阳能以及负荷的不确定性。其一般描述形式如下：

$$\max(\min) f(x,\xi) \tag{2-92}$$

$$\mathrm{s.t.} \begin{cases} \mathrm{Prob}\left\{ f(x,\xi) \geqslant (\leqslant) \overline{f} \right\} \geqslant B_{\mathrm{pr}} \\ \mathrm{Prob}\left\{ g_i(x,\xi) \leqslant 0, i = 1,2,\cdots,p \right\} \geqslant A_{\mathrm{pr}} \end{cases} \tag{2-93}$$

式中，A_{pr} 和 B_{pr} 为置信水平；$\overline{f}$ 为保证目标函数 $f(x,\xi)$ 概率水平不低于 B_{pr} 的最大/

最小值；x 为决策向量；ξ 为随机变量组成的向量；$g_i(x,\xi)$ 为第 i 个约束条件，共有 p 个约束条件，且 $g_i(x,\xi) \leqslant 0$ 的概率水平不低于 A_{pr}；$\mathrm{Prob}\{\cdot\}$ 表示满足"·"的概率。

在综合能源系统中，将负荷波动与光伏出力波动视为相互独立的随机变量，且都服从正态分布。对于任一时刻 t，需满足

$$\mathrm{Prob}\left\{L_e - P_{pv} \leqslant 0\right\} \geqslant 1 - \varepsilon_{\mathrm{LOLP}} \tag{2-94}$$

$$L_e - P_{pv} \sim N(L_e^0 - P_{pv}^0, \sigma_e^2 + \sigma_{pv}^2) \tag{2-95}$$

式中，$\varepsilon_{\mathrm{LOLP}}$ 为失负荷率；L_e^0 和 P_{pv}^0 分别为负荷和太阳能出力的期望值；σ_e^2 和 σ_{pv}^2 分别为负荷方差和太阳能出力波动方差。

由于机会约束式中随机变量数目少，因此可以通过式(2-96)和式(2-97)将其转为确定性公式[19]，再依据常规方法求解。

$$\mathrm{Prob}\left\{g(x,\xi) \leqslant 0\right\} \geqslant A_{pr} \Leftrightarrow \sum_{i=1}^{n} \mathrm{Mean}(a_i)x_i + \Psi^{-1}(A_{pr})\sqrt{\sum_{i=1}^{n}V(a_i)x_i^2 + V(b)} \leqslant \mathrm{Mean}(b)$$

$$\tag{2-96}$$

$$g(x,\xi) = a_1 x_1 + a_2 x_2 + \cdots + a_n x_n - b \tag{2-97}$$

式中，$g(\cdot)$ 为约束条件；a_i、b 为相互独立的随机变量($i=1,2,\cdots,n$)，服从概率分布 Ψ 函数；$\mathrm{Mean}(a_i)$ 和 $V(a_i)$ 分别为 a_i 的期望与方差；Ψ^{-1} 为 Ψ 的反函数。

2.3.4　多能微电网日前两阶段随机规划方法

1. 多能微电网日前调度分析

两阶段都以微电网总运行成本最小为目标，此处总运行成本包括能量交易成本与 EH 中转换器的启动成本，如式(2-98)～式(2-100)所示：

$$\min F_{\mathrm{cost}} = \sum_{t \in T}\left[\sum_{\alpha \in \Omega}D_\alpha(t) + \sum_{k \in K}M_k^{\mathrm{SU}}(t)\right] \tag{2-98}$$

$$D_\alpha(t) = \left[\pi_\alpha^{\mathrm{buy}}(t)P_\alpha^{\mathrm{buy}}(t) - \pi_\alpha^{\mathrm{sell}}(t)P_\alpha^{\mathrm{sell}}\right]\Delta t \tag{2-99}$$

$$M_k^{\mathrm{SU}}(t) = \left[\omega_k(t) - \omega_k(t-1)\right]S_k \tag{2-100}$$

式中，F_{cost} 为目标函数，即微电网总运行成本；t 为时间；D_α 为能源 α 的交易成本，由买入能量费用与卖出能量费用的差值组成；M_k^{SU} 为转换器 k 的启动成本，

由启动次数与单次启动费用的乘积决定；T 为时间集合，这里为一天 24h；Ω 为所有能源种类集合；K 为所有转换器集合；π_α^{buy}、π_α^{sell} 分别为买入、卖出能源 α 的价格；P_α^{buy}、P_α^{sell} 分别为买入、卖出能源 α 的功率；Δt 为时间间隔；S_k 为转换器 k 的启动费用。

本部分以微电网总运行成本最低为目标，提出基于 EH 的微电网日前两阶段随机规划调度优化模型，以应对实际调度中的随机因素。在两阶段模型中，一些预先决策必须在第一阶段实施，即不确定信息发布之前，另一些决策推迟至第二阶段，此阶段某些不确定参数可被感知[20]。第一阶段根据日前获得的确定性数据信息对微电网的各能源调度进行优化，通过与主网交易的能量、EH 各接口能量输入和储能设备的配合，以保证微电网内多能供需平衡和经济最优；第二阶段考虑负荷与新能源出力的不确定性信息，对第一阶段的优化结果进行调整，以保证结果的可靠性。第二阶段的目标函数与第一阶段一致，并采用机会约束规划方法处理不确定因素，更新可调的变量。

2. 基于两阶段随机规划的多能微电网调度

在综合能源系统中，基于 EH 运用日前两阶段随机规划处理调度问题。第一阶段以经济最优为目标(不考虑不确定因素)，确定第二天 24h 买入的能量、EH 各能源载体的输入、储能充放电能量。

第二阶段考虑不确定因素，对模型进行考虑不确定性的日前调度以修正调度决策。第二阶段同样以经济最优为目标，在第一阶段的基础上，考虑负荷与光伏的实际波动性，运用上述的机会约束规划处理不确定性。其中对于不确定性的补偿措施体现在电能和天然气购买量、储热充放量、EH 输入量的调整上。

3. 算例系统概述

选取居民区作为研究对象。如图 2-12 所示，EH 中包含变压器、微型燃气轮

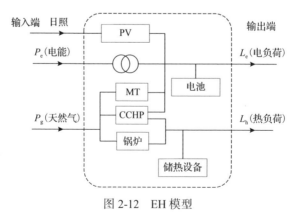

图 2-12　EH 模型

机(MT)、CCHP、锅炉、电池、储热设备、光伏设备(PV)。能源输入端包括电能和天然气，输出端包括电负荷和热负荷。具体参数及光能、负荷预测值可参考文献[20]和[21]。微电网可依市场价买入/卖出电量，只能买入天然气。同时，天然气的价格是恒定的，为 0.018 美元/m^3。

4. 冷/热/电/气综合能源系统能量优化

首先分析两阶段随机规划优化调度下各能源输入、与主网交易量、储能等特性，接着对比未考虑不确定性与考虑不确定性调度的效果，最后对算例进行总结。

优化后的电能、天然气与主网的交易量如图 2-13 所示，其中正值表示买入，负值表示卖出。在 12～18h，EH 将微电网中过剩的电能售给主网。此时段的电价是一天当中的高峰时段，如图 2-14 所示。为了达到经济最优的目的，在高电价时段向主网买入大量天然气，同时向主网售电。从图 2-15 看出燃气轮机在高峰电价(12～18h)时段的输入功率增大，从而说明了该时段天然气的需求增大的主要原因是满足电力需求。高电价时段通过 EH 气转电设备以及向主网售电的行为实现微电网的总运行成本的减少。而相反地，在低电价时段(0～5h、22～24h)买入电能，

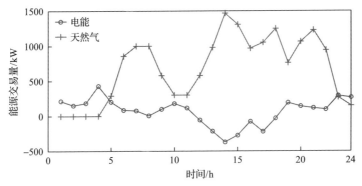

图 2-13　优化后的电能、天然气与主网的交易量

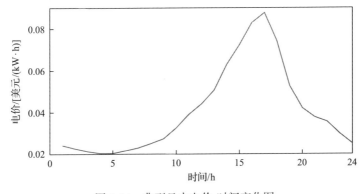

图 2-14　典型日内电价-时间变化图

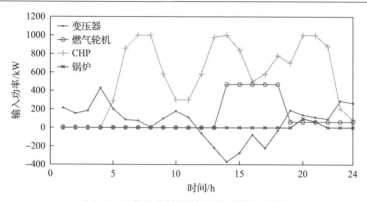

图 2-15　能源集线器输入端口输入功率

减少天然气的买入量。CCHP 主要保证了热负荷的需求，在热负荷需求高峰(18～22h)，锅炉也一同参与微电网的供能。

　　图 2-16 中，电池在低电价时段充电，在高电价时段放电以保证供需平衡或者向主网售电；而由于储热设备没有直接参与主网的能量交易，所以以保证用户的热能需求为目的，充放电较为灵活。

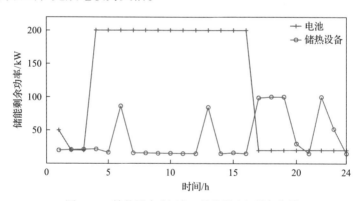

图 2-16　储能设备(电池、储热设备)剩余能量

5. 优化调度结果的不同阶段对比

　　下面对比未考虑不确定因素(即只有第一阶段)与考虑不确定因素(经过两阶段)的待调整量(即买入电能和天然气、储热、EH 能量输入)。

　　由于考虑不确定性的第二阶段同样是以经济性最优为目的，是为第一阶段的优化提供修正策略，因此二者的区别主要集中于下午和晚间负荷需求量较大的时段。图 2-17 展示了购入电能和天然气量的变化：在负荷需求量较大的晚高峰(16～22h)，第二阶段相比于第一阶段购入的天然气量增加，同时卖出的电能增加。由于天然气价格恒定，且此时段交易电价较高，因此能够降低微电网成本。从图 2-18

可以看出，第二阶段考虑了负荷与光伏的不确定性，因而需要储能装置来减弱或弥补其不确定性。经过第二阶段优化调度后，相比于第一阶段，储热充放电的次数增加，并且在用电高峰时段(19～22h)，更早地通过放电参与到高峰期的供需平衡中。

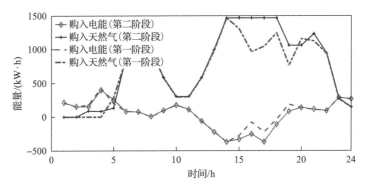

图 2-17 电能、天然气与主网的交易量前后对比

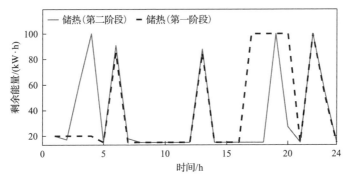

图 2-18 储热设备剩余能量前后对比

图 2-19 挑选对比只经过第一阶段(前)和经过两阶段(后)的变压器、CCHP 和锅炉输入功率。可看出，变压器的输入功率与购入电能量基本相等，因为由图 2-12

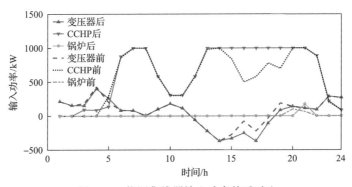

图 2-19 能源集线器输入功率前后对比

可知买卖电能需经过变压器环节；CCHP 的输入功率在 14～20h 大幅增加，是因为 CCHP 同时承担电负荷与热负荷的供应，因此在负荷晚高峰需有更大的供应量抵消其不确定性；锅炉的曲线向时间轴后平移，并且最大值增加了，这是由于锅炉出力占热负荷需求的比例小，因而受负荷需求的波动影响较大，体现在图中较为明显。

对比只经过第一阶段(确定性方法)与经过两阶段(随机规划方法)的微电网总运行成本，如表 2-1 所示。经过两阶段随机规划方法，微电网总运行成本下降了 3.848%，这是由于考虑光伏和负荷的不确定性，在影响大的时段提前留出较大的裕度(如提前买入更多的天然气)，或者通过变换能源的选择(高峰时段卖出更多电能)，达到了降低成本的效果。

表 2-1　微电网总运行成本对比

经过阶段	总运行成本/美元	增幅/%
第一阶段	289.800	—
两阶段	278.649	−3.848

由上述算例分析，基于两阶段随机规划方法，考虑负荷与光能的波动，建立多能微电网系统能源优化调度模型，更符合实际运行，且达到了经济性最优的效果。

本节针对新能源出力和负荷波动的不确定性问题，结合 EH，提出了适用于含太阳能分布式电源、储能等的微电网综合能源系统的日前两阶段随机优化调度策略，以处理优化调度中确定因素与不确定因素的配合问题。在第一阶段优化调度中，EH 可预先做出成本最低的优化调度决策；在两阶段随机规划中，运用机会约束规划，将光伏出力和负荷不确定性转为确定性约束求解。算例设计未考虑不确定性与考虑不确定性的对照组，经分析可知，计及不确定性时，EH 能够在第一阶段的基础上及时做出调整，更加细致地描绘系统调度的动态特性，结果符合实际情况，对调度优化策略有参考意义。同时两阶段优化调度模型有助于使微电网成本最低。

本节所建立的基于 EH 的模型有利于多能互补，优化能源转换、调度以及储能的参与，满足多种负荷的需求，同时具有可拓展性，适用于冷/热/电/气等多能系统。

基于前述所给能源集线器模型，完成对冷/热/电/气综合能源系统综合潮流的建模，电网和气网是多能流的能量来源，综合能源系统多能流潮流模型可描述为

$$\begin{cases} 0 = F(x_e, x_g, x_{eh}) \\ 0 = G(x_e, x_g, x_{eh}) \\ 0 = EH(x_e, x_g, x_{eh}) \end{cases} \tag{2-101}$$

式中，F 为电力系统方程；G 为天然气系统方程；EH 为能源集线器方程；x_e 为电气系统变量，包括电压和相角、负荷及发电有功和无功等；x_g 为天然气系统变量，包括压力、流量和压缩机压缩比等；x_{eh} 为 CCHP 系统变量，包括所带的冷/热/电负荷以及交换功率等。

2.4 多能流建模与计算

有效能源的获取、转换、控制和利用是现代人类文明的核心，能源互联网作为能源系统的新一步革新，将分布式能量转化、存储装置和各类型负荷构成的冷、热、电、气等能源节点连接起来，以实现多种能量的双向互补与集成优化。

在能源消费终端，多能市场是相互联系的各类市场的有机整体，具有信息反馈、资源配置、多元化用能服务和利益均衡的功能。为分析基于政策的能源市场设计和市场分析，达到能源的供需均衡，能源市场应是以物理系统为建模基础、以最大经济性为驱动的动态线性能源模型，可对多能互补系统中多种能源的生产、传输、转换、消费及收益均衡环节进行描述。博弈论模型[22]、系统动力学模型[23]、多代理仿真模型[24]等被广泛应用于能源市场分析。

为进一步提高用能效率，促进多种新能源的规模化利用，多种能源的源、网、荷深度融合、紧密互动又是未来能量系统发展的必然趋势，据此，多能互补协同优化研究具有前瞻性和巨大的工程应用价值。

1. 静态 EH 模型

EH 模型反映了能量系统间的静态转化关系。大量相关研究已用于含有冷、热、电、气系统的耦合关系描述，并被广泛应用于各类综合能源系统的相关研究中，如文献[25]和[26]引入 EH 的概念以刻画综合能源系统中电、气、冷、热等不同形式能源的耦合关系，该模型反映了能源在传输和转换环节的静态关系，而无法描述能源系统内复杂的动态行为。EH 对不同能流载体之间的功率转换关系建立了相应的耦合矩阵，从协同理论的角度看，冗余的能流路径为协同优化提供了空间，系统优化的目的是在系统约束下搜索最优的耦合矩阵。

2. 多能稳态混合潮流模型

无论是在规划还是调度运行中，能流计算作为静态能源传输模型，一直是多能系统的静态分析的一个关键问题。一般采用改进的 EH 模型，考虑耦合单元作为平衡节点对于电力网络和天然气网络潮流的影响，形成该系统适用的潮流求解算法。

相应的研究可分为统一求解法和解耦求解法两类。采用统一求解法时，需要建立多能源潮流系统的混合模型，在统一的框架下建立多个能网状态的潮流方程，最后对系统混合潮流进行求解，在算法求解方面要求较高。文献[27]考虑不同能源之间的复杂耦合关系，建立多能系统综合潮流模型。文献[28]在混合潮流模型的基础上设计了扩展牛顿-拉弗森(Newton-Raphson)算法。而解耦求解法需分析不同模式下多个系统的耦合关系，将电力潮流与天然气及热力系统解耦计算，因此可以在原有独立的潮流计算模块上增加电/气/热耦合分析模块来实现，计算难度较小。结合静态 EH 和稳态混合潮流模型，多能系统建模方案如图 2-20 所示。

综上，在多能互补静态转化和潮流建模方面的研究较为成熟，部分研究考虑了多能流网络约束，但是，多能流、多时间尺度动态特性的研究较为薄弱[29]，缺乏对传输和转化过程的动态描述，有待研究更为成熟的建模方法。

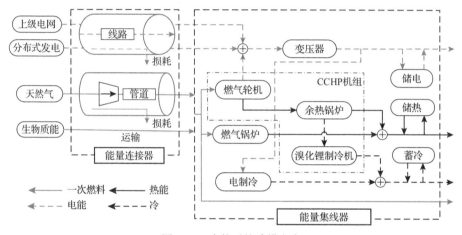

图 2-20　多能系统建模方案

2.4.1　冷系统建模

区域冷系统中，冷冻水二次泵将区域供冷站生产的冷冻水通过冷冻水二次管网输送至二级冷量交换站板式换热器一次侧，与板式换热器二次侧的冷冻水进行冷量交换；二级冷量交换站的建筑物内冷冻水循环泵将冷冻水输送到各空调末端设备；空气与冷冻水在空调末端设备中进行冷量交换，对空气进行热湿处理，实现空调房间的温度与湿度调节。与常规中央空调的冷冻水系统相比，区域建筑群空调的冷冻水输配系统具有输送距离长、用冷用户多、冷冻水循环时间长、结构复杂等特点。

建筑内二级冷量交换站板式换热器二次侧到各空调末端设备冷量输送过程的时滞与区域供冷站到各二级冷量交换站板式换热器一次侧的冷量输送过程的时滞特性与计算方法相同。量调节方式下，其时滞可忽略；而质调节方式下，它是建筑物内管网长度、各空调末端设备冷负荷等参数的函数[30]。

某一时刻，建筑 i 满足供冷需要的冷冻水流量按式(2-102)计算：

$$L_i = \frac{Q_{c,i}}{C_w \cdot \rho_w \cdot \Delta t} \tag{2-102}$$

式中，L_i 为某时刻建筑 i 满足供冷需要的冷冻水流量；$Q_{c,i}$ 为建筑 i 在该时刻的冷负荷；C_w 为水的比定压热容；ρ_w 为水的密度；Δt 为冷冻水供、回水温差。

冷冻水输配系统中供水管各管段在某一时刻的流速，可依据该时刻各管段内冷冻水流量与管径按式(2-103)计算：

$$v_i = \frac{4L_{pipe,i}}{\pi \cdot d_i^2} \tag{2-103}$$

式中，v_i 为某一时刻供水管中的管段 i(即建筑 $i-1$ 与建筑 i 之间的管段)的冷冻水流速；$L_{pipe,i}$ 为管段 i 在该时刻的冷冻水流量，等于管段 i 负担的所有建筑在该时刻满足供冷需要的冷冻水流量之和；d_i 为管段 i 的内径。

2.4.2　热力系统建模

1. 流量连续性方程

热水在网络中流动应满足网络基本定律：各管道的流量在各节点处应满足流量连续性方程，即节点处注入的流量等于流出的流量；在一个由管道组成的闭合回路中，水在各管道中流动的压力损失之和为 0，即

$$\begin{cases} A_s m = m_q \\ B_h h_f = 0 \end{cases} \tag{2-104}$$

式中，A_s 为供热网络的节点-支路关联矩阵；m 为各管道流量；m_q 为各节点流出的流量；B_h 供热管网的回路-支路关联矩阵；h_f 为压力损失向量。

2. 压力损失方程

压力损失 h_f 的具体计算方法为

$$h_f = Km|m| \tag{2-105}$$

式中，K 为管道的阻力系数矩阵。

3. 热功率计算方程

对于每一个热负荷节点，供热温度 T_{sh} 表示热水注入负荷节点之前的温度，输

出温度 T_{oh} 表示热水流出负荷节点时的温度。热功率计算方程为

$$\Phi = C_p m_q (T_{sh} - T_{oh}) \tag{2-106}$$

式中，Φ 为热力网络的节点热功率；C_p 为水的比热容。

4. 节点温度混合方程

假设从节点流出的水流温度等于该节点的温度，根据能量守恒定律，当节点不消耗热量时，来自不同管道的水流在同一节点混合后，流入、流出该节点的各管道的温度满足以下方程：

$$C_p \left(\sum m_{out} \right) T_{h,out} = C_p \sum (m_{in} T_{e,in}) - \Phi \tag{2-107}$$

式中，m_{out} 为流出节点的流量；m_{in} 为流入节点的流量；$T_{h,out}$ 为流出节点的管道的首端温度；$T_{e,in}$ 为流入节点的管道的末端温度。

5. 管道热损耗方程

当热水通过管道时，由于和环境存在温度差，其会向环境传热导致管道中热水热量损失。假设管道单位长度的导热率为 λ，管道首端温度为 T_h，管道所在环境温度为 T_a，距离管道首端 x 处的管道水温为 T，m 为管道流量，则管道温度分布的微分方程如下：

$$C_p m \mathrm{d}T = (T - T_a) \lambda \mathrm{d}x \tag{2-108}$$

求解以上微分方程，得到管道温度 T 和至管道首端的距离 x 的关系如下：

$$T - T_a = (T_h - T_a) \mathrm{e}^{-\frac{\lambda x}{C_p m}} \tag{2-109}$$

设管道长度为 L_{pip}，代入式(2-109)即得到管道首端温度和末端温度(T_e)的关系式，即管道热损耗方程：

$$T_e - T_a = (T_h - T_a) \mathrm{e}^{-\frac{\lambda L_{pip}}{C_p m}} \tag{2-110}$$

2.4.3　电力网络建模

设 n 节点系统有 m 个 PQ 节点、$n-m-1$ 个 PV 节点和一个平衡节点。电力系

统潮流方程可写为如下极坐标形式：

$$
\begin{cases}
\Delta P_i(x) = P_{\mathrm{G}i} - P_{\mathrm{L}i} - U_i \sum_{j \in i} U_j (G_{ij} \cos \theta_{ij} + B_{ij} \sin \theta_{ij}) = 0, & i = 1, 2, \cdots, n-1 \\
\Delta Q_i(x) = Q_{\mathrm{G}i} - Q_{\mathrm{L}i} - U_i \sum_{j \in i} U_j (G_{ij} \sin \theta_{ij} - B_{ij} \cos \theta_{ij}) = 0, & i = 1, 2, \cdots, m
\end{cases}
\tag{2-111}
$$

式中，$P_{\mathrm{G}i}$ 为节点 i 的发电机有功功率；$P_{\mathrm{L}i}$ 为节点 i 的负荷有功功率；$Q_{\mathrm{G}i}$ 为节点 i 的发电机无功功率；$Q_{\mathrm{L}i}$ 为节点 i 的负荷无功功率；U_i 和 U_j 为节点 i 和节点 j 的电压；G_{ij} 和 B_{ij} 为支路 ij 的电导和电纳；θ_{ij} 为节点 ij 的电压相角差。

一般应用多变量非线性方程组的牛顿法中的方法和迭代公式进行计算，潮流模型可以描述为

$$
\begin{bmatrix} \Delta P \\ \Delta Q \end{bmatrix} = -\begin{bmatrix} H & N \\ M & L \end{bmatrix} \begin{bmatrix} \Delta \theta \\ \Delta U' \end{bmatrix} = -J \begin{bmatrix} \Delta \theta \\ \Delta U' \end{bmatrix}
\tag{2-112}
$$

式中，H、M、N、L 为雅可比矩阵的分块矩阵；$\Delta \theta$ 为相角差；$\Delta U'$ 为电压差；J 为雅可比矩阵，其节点功率的简化表达式如下：

$$
\begin{cases}
P = \mathrm{Re}\{\dot{U}(Y\dot{U})^*\} \\
Q = \mathrm{Im}\{\dot{U}(Y\dot{U})^*\}
\end{cases}
\tag{2-113}
$$

式中，P、Q 为节点的有功功率和无功功率；Y 为节点导纳矩阵；$\dot{U}$ 为节点电压相量。

2.4.4　天然气网络建模

天然气系统与电力系统的主要差异是：前者具有大规模储存特性且对气质有特殊要求，对这种差异性的分析往往是提高综合能源系统供能质量的关键。天然气本身是由多种气体成分构成的，其气质在系统引入其他种类天然气或出现新的注气点后会发生一定变化；此外，由于经济调度与需求侧管理等，天然气系统的负荷调节也会引起网络状态发生变化。

天然气节点 i 和节点 j 间管道的稳态流速 f_{ij} 可表示为

$$
f_{ij} = \phi(h_i - h_j) = \frac{s_{ij}}{\sqrt{K_{ij}}} \frac{h_i - h_j}{\sqrt{|h_i - h_j|}}
\tag{2-114}
$$

式中，K_{ij} 为管道常数；ϕ 为函数符号；$h_i - h_j$ 定义为管道的压力降；s_{ij} 用于表征天然气的流动方向，当 $h_i > h_j$ 时取 1，否则取 –1。

天然气网络的流量连续性方程为

$$A_{\mathrm{g}}f = L \tag{2-115}$$

式中，A_{g} 为去掉含压缩机管道的天然气网络的节点–支路关联矩阵；f 为各管道天然气流量；L 为各节点流出的流量。

含燃气轮机驱动的压缩机的管道如图 2-21 所示，其中，f_{com} 为流过压缩机的流速，f_{cp} 为压缩机消耗的天然气量，f_{mi} 为压缩机入口管道的流速，f_{on} 为出口管道的流速。

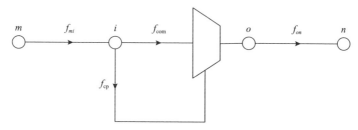

图 2-21　含燃气轮机驱动的压缩机的管道

设压缩机出口处为节点 o，入口处为节点 i，则含压缩机的管道的数学模型可表示为

$$\begin{cases} f_{\mathrm{com}} = f_{on} = \dfrac{s_{on}}{\sqrt{K_{on}}} \dfrac{h_o - h_n}{\sqrt{|h_o - h_n|}} \\[3mm] f_{\mathrm{cp}} = \dfrac{k_{\mathrm{cp}} f_{\mathrm{com}} T_{\mathrm{gas}}}{q_{\mathrm{gas}}} (k_{\mathrm{cp}}^{\frac{\alpha_{\mathrm{v}}-1}{\alpha_{\mathrm{v}}}} - 1) \\[3mm] f_{mi} = f_{\mathrm{com}} + f_{\mathrm{cp}} \\[3mm] f_{mi} = \dfrac{s_{mi}}{\sqrt{K_{mi}}} \dfrac{h_m - h_i}{\sqrt{|h_m - h_i|}} \end{cases} \tag{2-116}$$

式中，k_{cp} 为压缩比；K_{mi}、K_{on} 为入口管道和出口管道的管道常数；h_m、h_n、h_i、h_o 为图 2-21 中各节点的压力；q_{gas} 为天然气热值；T_{gas} 为天然气温度；α_{v} 为多变指数；s_{on}、s_{mi} 分别为出入口处的气体流动方向参数。

天然气压缩机一般控制出口压力，即 h_o 已知，利用 h_o、h_n 及式 (2-116) 中第一行计算 f_{on}，将其作为 f_{mi} 的初值，结合 h_m 计算 h_i 和 k_{cp}，利用第 2 行计算 f_{cp}，从而得到 f_{mi} 的新值，反复计算至 f_{mi} 变化量的绝对值 $|\Delta f_{mi}|$ 小于给定值 ε，其详细计算流程如图 2-22 所示，p_o 和 p_i 为出入口处的气体压强。

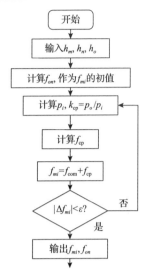

图 2-22　含压缩机的管道流量的计算流程

2.4.5　其他建模方法

　　经典认知方法往往从物理系统与运行机理结合的层面出发，针对具体配电网场景基于假设、简化建立起配电网运行机理推演的物理模型，继而通过低维变换（如时域到频域的一维傅里叶变换，abc 到 dq0 的三维派克（Park）变换）等手段将相关数据代入模型计算以得到特征。这类方法以物理模型为主要驱动力，即采用物理模型驱动模式，无法避免物理模型驱动范式的固有弊端：首先，对于复杂的系统及其行为难以建立起满足求解速度和精度约束的物理模型；其次，数据的利用以及认知的效果均受制于所建物理模型维度所限制的变量利用数目，模型的精度会影响认知结果的准确性，模型的个性化会造成信息甄选的困难；最后，物理模型难以分析不确定性，特别是对于复杂系统，各个子物理模型之间的误差传递机制和误差累积效应难以描述和评估，致使最终所提取的系统表征特征的精准度无法保证。

　　上述背景下，开展高维数据驱动（data-driven）模式的电力系统特征提取方法研究，即基于电网数据集的统计信息（主要是高维特征）来认知电网当前的运行状态及属性，如系统是否存在异常事件及异常事件的发生时间、位置、类型等。数据驱动范式的核心思想是将数据视为研究对象的表象，通过挖掘数据来认知对象继而分析出所关注的对象属性。其主要特征是减少对物理模型的依赖度甚至实现免物理模型的建模与分析，且数据模型的建模与分析可独立于工程系统，即利用数据集和统计工具即可实现。此外，物理模型也可视为对象的固有属性，其信息也会体现在观测数据中，即物理现象和机理规律可由数据模型来表述，如潮流倒送

可表示为 P(有功功率) <0。从这个角度说，数据驱动范式在一定程度上包含了物理模型驱动范式。

数据驱动模式的配电网认知在一定程度上规避了配电网系统和运行机理难以建模、大量数据难以利用等问题，并可采用统计工具分析各个环节和数据模型的特征（包括最后的高维特征）的统计性质（收敛性、置信度、精度、训练/测试误差），所得的高维特征为配电网认知提供了新的依据。

对于高维数据驱动模式的配电网认知，借助高维分析工具得到高维特征是其优越性的主要体现。高维特征相比于低维特征更适用于认知判据设计：高维特征的构建涉及多个量测数据，包含更多的统计信息（从信息量的角度考虑，高维特征包含低维特征），且对原始数据丢失、异常等瑕疵有较强的鲁棒性。更重要的是，原始数据及其对象本身就是高维的，高维特征在构建过程中考虑了噪声空间（不确定性、数据质量、干扰、误差等）与信号空间（对象属性）的高维统计规律（如时空联合相关性，其仅体现在高维空间中），并可依此分离两者，从而提高所建特征对信号的表征能力。可见高维特征的统计性质往往更加稳定（如收敛性好、方差小）。

大数据挖掘体系包含高维数据建模与分析所涉及的基础理论、数学工具和处理算法等，其实现的难点在于高维度，高维度（而非数据量大）也是大数据的最主要特征。高维度（即多量测点）开辟了数据集的空间维度，从而得以通过高维统计分析计算出多个变量间的相关性，即得到高维统计信息。高维度与高密度（即高采样率）的融合即构成了高维时空数据结构，数据维度 N 和样本数 T_s 均较大且相当（$N/T_s=c>0$，c 为常数）。对于这种结构，绝大部分的工具往往无法从中提取到有效的统计信息。传统的物理模型和分析算法往往是低维的，如前文所述的三维 Park 变换，低维工具往往通过分而治之的方式处理高维数据集，即进行多次独立分析，每次分析仅处理低维数据。这种方式割裂了时空数据集的时空联合相关性（spatio-temporal correlation），丢失了最主要的统计信息。更重要的是，从统计学角度来说，传统意义上的大数定律和中心极限定理不再适用，采用以经典极限理论为基础的参数/非参数统计方法来处理时空大数据其结果可能产生严重偏差[31]。

随机矩阵理论（random matrix theory，RMT）和深度学习则是两种有力的高维数据处理工具，两者在高维空间中均具有独到的优越性：前者具备灵活严格的数学分析能力，后者具备优越的数据建模能力。随机矩阵理论是一种普适的数学框架，而不仅仅是一种算法，正如大数定律和中心极限定理是低维统计的基础，随机矩阵理论在高维统计中扮演类似的角色[32]，以谱分析为主要手段处理时空大数据，通过高维数据建模和模型分析过程提取数据集的高维统计信息[33]；深度学习则是当前数据科学中最具潜力的方法，含有多个隐层是其主要特点，通过组合浅层特征形成深层特征，各层网络参数基于梯度下降和反向传播算法依据标签数据集自行调整。这种多隐层的网络结构与自适应的训练方式高度契合了高维数据的建模与学习场景。

随机矩阵理论与深度学习的融合是当前数据科学的研究前沿，这种融合充分发挥了两者各自的优越性：利用随机矩阵理论严格的分析能力探究深度学习的数据建模机理，进而优化深度网络模型的训练过程以提升其性能；深度学习是一种"黑箱"方法，其网络的训练是一个高维非凸优化问题，超参数的设置往往基于经验，而将随机矩阵理论用来解释和分析深度学习的工作机理是非常自然的。

2.4.6　综合能源系统混合模型求解

由于在实际工程中冷系统配置在负荷终端，没有权限也没有需要感知用户内部的空调系统，因此本书主要考虑热电气混合模型。根据对各个系统和系统耦合关系的分析，有

$$F(x) = \begin{pmatrix} \Delta P \\ \Delta Q \\ \Delta \Phi \\ \Delta p \\ \Delta T_s \\ \Delta T_r \\ \Delta f \end{pmatrix} = \begin{cases} P^{SP} - \mathrm{Re}\{\dot{U}(Y\dot{U})^*\} = 0 \\ Q^{SP} - \mathrm{Im}\{\dot{U}(Y\dot{U})^*\} = 0 \\ C_p A_{sl} m(T_s - T_o) - \Phi^{SP} = 0 \\ B_h K m|m| = 0 \\ C_s T_{s,\mathrm{load}} - b_s = 0 \\ C_r T_{r,\mathrm{load}} - b_r = 0 \\ A_{gl}\phi(-A_g^T \Pi) - L^{SP} = 0 \end{cases} \tag{2-117}$$

式中，ΔP、ΔQ 分别表示电力系统的有功偏差和无功偏差，$\Delta \Phi$、Δp、ΔT_s、ΔT_r 分别表示热力系统的节点热功率偏差、供热网络回路压力降偏差、供热温度偏差和回热温度偏差，Δf 表示天然气系统节点流量偏差；P^{SP}、Q^{SP}、Φ^{SP} 和 L^{SP} 为系统给定的有功功率、无功功率、热功率和天然气负荷；A_{sl}、A_{gl} 分别为供热网络和天然气网络去掉压缩机支路后形成的降阶的关联矩阵；C_s、C_r 为分别与供热网络、回热网络的结构和流量有关的矩阵；T_s、T_o 为输入、输出温度；$T_{s,\mathrm{load}}$、$T_{r,\mathrm{load}}$ 为负荷侧输入温度和混合温度；b_s、b_r 为分别与供热温度、输出温度有关的列向量；$x = [\theta, U, m, T_{s,\mathrm{load}}, T_{r,\mathrm{load}}, \Pi]^T$ 为系统状态量。

令 $\Delta F_e = [\Delta P, \Delta Q]^T$，$\Delta F_h = [(\Delta \Phi, \Delta h), (\Delta T_s, \Delta T_r)]^T$、$\Delta F_g = \Delta f$ 分别表示与电、热、气有关的偏差量，$x_e = [\theta, U]^T$、$x_h = [m, (T_{s,\mathrm{load}}, T_{r,\mathrm{load}})]^T$、$x_g = \Pi$ 分别表示与电、热、气有关的状态量，则雅可比矩阵的分块矩阵 H 可表示为

$$H = \begin{pmatrix} H_{ee} & H_{eh} & H_{eg} \\ H_{he} & H_{hh} & H_{hg} \\ H_{ge} & H_{gh} & H_{gg} \end{pmatrix} = \begin{pmatrix} \dfrac{\partial \Delta F_e}{\partial x_e^T} & \dfrac{\partial \Delta F_e}{\partial x_h^T} & \dfrac{\partial \Delta F_e}{\partial x_g^T} \\ \dfrac{\partial \Delta F_h}{\partial x_e^T} & \dfrac{\partial \Delta F_h}{\partial x_h^T} & \dfrac{\partial \Delta F_h}{\partial x_g^T} \\ \dfrac{\partial \Delta F_g}{\partial x_e^T} & \dfrac{\partial \Delta F_g}{\partial x_h^T} & \dfrac{\partial \Delta F_g}{\partial x_g^T} \end{pmatrix} \tag{2-118}$$

式中，对角块 H_{ee}、H_{hh}、H_{gg} 分别表示单独的电、热、气系统自身潮流与自身状态量之间的关系，其具体表达式与传统的电力潮流、热力流和天然气流的计算所用的表达式相同；非对角块表示不同能源之间的耦合关系。电力系统雅可比矩阵的计算公式已有若干文献介绍，雅可比矩阵热力系统子块的计算方法如下：

$$H_{hh} = \begin{pmatrix} \dfrac{\partial \Delta [\Phi, P]^T}{\partial m^T} & \dfrac{\partial \Delta [\Phi, P]^T}{\partial [T_{s,load}^T, T_{r,load}^T]^T} \\ \dfrac{\partial \Delta [T_s, T_r]^T}{\partial m^T} & \dfrac{\partial \Delta [T_s, T_r]^T}{\partial [T_{s,load}^T, T_{r,load}^T]^T} \end{pmatrix} = \begin{pmatrix} H_{h11} & H_{h12} \\ H_{h21} & H_{h22} \end{pmatrix} \tag{2-119}$$

式中，Φ 为每个节点汇合的热功率；P 为每个节点汇合的电功率。

对各子块的推导结果如下：

$$H_{h11} = \begin{pmatrix} \dfrac{\partial \Delta \Phi}{\partial m^T} \\ \dfrac{\partial \Delta P}{\partial m^T} \end{pmatrix} = \begin{pmatrix} C_p \operatorname{diag}\{(T_s - T_o)\} A_{sl} \\ 2BK|m| \end{pmatrix} \tag{2-120}$$

$$H_{h12} = \begin{pmatrix} \dfrac{\partial \Delta \Phi}{\partial T_{s,load}^T} & \dfrac{\partial \Delta \Phi}{\partial T_{r,load}^T} \\ \dfrac{\partial \Delta P}{\partial T_{s,load}^T} & \dfrac{\partial \Delta P}{\partial T_{r,load}^T} \end{pmatrix} = \begin{pmatrix} C_p \operatorname{diag}\{A_{sl} m\} & 0 \\ 0 & 0 \end{pmatrix} \tag{2-121}$$

$$H_{h21} = \begin{pmatrix} \dfrac{\partial \Delta T_s}{\partial m^T} \\ \dfrac{\partial \Delta T_r}{\partial m^T} \end{pmatrix} = -\begin{pmatrix} \dfrac{\partial b_s}{\partial m^T} \\ \dfrac{\partial b_r}{\partial m^T} \end{pmatrix} \tag{2-122}$$

$$H_{h22} = \begin{pmatrix} \dfrac{\partial \Delta T_{s}}{\partial T_{s,load}^{T}} & \dfrac{\partial \Delta T_{s}}{\partial T_{r,load}^{T}} \\[3mm] \dfrac{\partial \Delta T_{r}}{\partial T_{s,load}^{T}} & \dfrac{\partial \Delta T_{r}}{\partial T_{r,load}^{T}} \end{pmatrix} \tag{2-123}$$

式中，H_{h21} 表示供热管网和回热管网的节点处混合温度对管道水流量的偏导数，一般情况下比其他雅可比子块元素的值小得多，故计算时可认为 $H_{h21} = 0$。雅可比矩阵天然气系统子块 H_{gg} 的计算方法如下。

结合式(2-57)~式(2-59)，利用式(2-57)给出的推导方法可得[34]

$$H_{gg} = A_{gl} D A_{gl}^{T} \tag{2-124}$$

式中，D 为对角阵，其对角元素的计算方法如下：

$$d_{ii} = \frac{f_{i}}{2\Delta \Pi_{i}}, \quad i = 1, 2, \cdots, n_{gpipe} \tag{2-125}$$

式中，n_{gpipe} 为天然气网络的管道数量。

天然气网络中，由于平衡节点连接气源，天然气系统内部的状态发生变化时，其供需波动会由平衡节点供气量的变化来承担，不会对热力系统和电力系统产生影响，故式(2-118)中 H_{eg}、H_{hg} 均为 0。

热力系统平衡节点处的热功率由工作于以热定电(following the thermal load，FTL)模式的 CCHP 机组提供，当热力系统中的状态量发生变化时，平衡节点处热功率的波动会同时使该机组所发出的电功率和天然气耗量发生变化，故式(2-118)中 H_{eh}、H_{gh} 均为非零项。CCHP 机组 i 的热功率 $\Phi_{source,i}$、电功率 $P_{source,i}$ 和燃气耗量 $F_{source,i}$ 表示为

$$\begin{cases} \Phi_{source,i} = C_{p} A_{source,i} m (T_{s} - T_{o}) \\[2mm] P_{source,i} = \dfrac{\Phi_{source,i}}{c_{m}} \\[2mm] F_{source,i} = \dfrac{\Phi_{source,i}}{c_{m} \eta_{e}} \end{cases} \tag{2-126}$$

式中，$A_{source,i}$ 为热力系统的节点关联矩阵中与该热源有关的行；c_{m} 为 CCHP 的热电比；η_{e} 为天然气的发电效率。

考虑两种运行模式：①并网模式，当电力系统与外部大电网相连时，系统内电功率的波动由大电网来平衡，此时 H_{he}、H_{ge} 均为 0；②孤岛模式，当电力系统工作于孤岛模式时，考虑将电力系统平衡节点设在某一工作于以电定热(FEL)模式的 CCHP 机组处，此时电力系统状态变化所导致的平衡节点处功率的波动会使该 CCHP 机组的热功率和天然气消耗量均发生变化，故 H_{he}、H_{ge} 均不为 0。孤岛模式电力系统平衡节点 p 处的 CCHP 机组出力和燃气耗量表示为

$$\begin{cases} P_{\text{source},p} = \text{Re}\{\dot{U}_{\text{source},p} \sum_{k=1}^{n} (Y_{pk}\dot{U}_k)^*\} \\ \varPhi_{\text{source},p} = c_{\text{m}} P_{\text{source},p} \\ F_{\text{source},p} = \dfrac{P_{\text{source},p}}{\eta_{\text{e}}} \end{cases} \tag{2-127}$$

雅可比矩阵的分块矩阵 H 的非对角块表达式如表 2-2 所示。

表 2-2　雅可比矩阵的分块矩阵 H 的非对角块的表达式

非对角块	并网模式	孤岛模式
H_{eh}	$\text{diag}\{(T_{\text{s}} - T_{\text{o}})\}A_{\text{source},i}/c_{\text{m}}$	$\text{diag}\{(T_{\text{s}} - T_{\text{o}})\}A_{\text{source},i}/c_{\text{m}}$
H_{eg}	0	0
H_{hg}	0	0
H_{he}	0	$c_{\text{m}}[\text{Re}\{j\dot{U}_p Y_{pk}^* \dot{U}_k^*\}, \text{Re}\{-j\dot{U}_p Y_{pk}^*(\cos\theta_{pk} - j\sin\theta_{pk})\}]$
H_{ge}	0	$-c_{\text{m}}[\text{Re}\{j\dot{U}_p Y_{pk}^* \dot{U}_k^*\}, \text{Re}\{-j\dot{U}_p Y_{pk}^*(\cos\theta_{pk} - j\sin\theta_{pk})\}]/\eta_{\text{e}}$
H_{gh}	—	$-\text{diag}\{(T_{\text{s}} - T_{\text{o}})\}A_{\text{source},i}/(c_{\text{m}}\eta_{\text{e}})$

注：θ_{pk} 表示节点 p 和节点 k 的相角差。

2.4.7　多能流状态估计量测冗余扩展

在综合能源系统中，多个能源系统的耦合可以将不同能源系统的量测通过耦合关系式扩展到多个能源系统中，因而增加综合能源系统量测冗余度。例如，在某热电耦合系统中，电网部分状态量为 n 个，热网部分状态量共 m 个，包含 a 个状态耦合，而通过耦合关系形成的热电联合网络状态量共 $n+m-a$ 个，多能流混合感知与多个能源系统单独进行感知在量测个数相同的水平下，状态量减少了 a 个。因此，多能耦合态势感知可以使整个热电联合网络增加冗余度。在多能流网络中，

热电联合状态估计增加的冗余度与该网络中耦合元件的个数相同，即耦合元件越多，综合能源系统增加的冗余度越多。

对于一个综合能源系统而言，电网、热网和气网通过 CCHP、循环泵等元件相耦合，多个网络的潮流计算互相联系、互相影响。具体地，静态热力系统模型的状态量包括各节点压强 p_i、支路流量 f_i、供应温度 T_{si}、返回温度 T_{ri}。

实际电力系统状态估计中的量测量主要包括节点电压幅值 U_i；支路有功和无功潮流量测 P_{ij}、Q_{ij}；节点注入有功和无功量测 P_i、Q_i；支路电流量测 I_{ij} 和节点注入电流 I_i；变压器分接头位置变化幅度 t_{ij}。天然气传输系统状态估计中的量测量主要包括节点压强 h_i；支路流量量测 g_{ij}；节点注入流量 g_i。

2.4.8　综合能源系统状态估计设计

状态估计是态势感知的基本内容之一，综合能源系统的量测量方程可表示为

$$z = h(x) + v \tag{2-128}$$

式中，z 为量测量矢量；$h(x)$ 为量测量的计算值矢量；v 为量测误差矢量。设量测量共 m 个，则上述矢量均为 m 维；x 为状态量，设系统节点数为 n，则 x 为 n 维。

相对于量测值 z，理想情况下，确定一组使测量残差为极小的状态量 x，测量残差表示为

$$r(x) = z - h(x) \tag{2-129}$$

给定量测量矢量 z 以后，状态估计矢量 x 满足如下的目标函数：

$$J(x) = \left[z - h(x)\right]^{\mathrm{T}} R^{-1} \left[z - h(x)\right] = \sum_{i=1}^{n} (r_i l \sigma_i)^2 \rightarrow \min \tag{2-130}$$

式中，R^{-1} 作为权重，是对角元素为 σ_i^2 的 $m \times m$ 维对角阵；r_i 为元素 i 的残差。为了求状态估计值 x，采用的迭代算法为

$$\Delta x^{(l)} = [H^{\mathrm{T}}(x^{(l)}) R^{-1} H^{\mathrm{T}}(x^l)]^{-1} H^{\mathrm{T}}(x^{(l)}) R^{-1} [z - h(x^{(l)})] \tag{2-131}$$

$$x^{(l+1)} = x^{(l)} + \Delta x^{(l)} \tag{2-132}$$

式中，$H(x) = \partial h(x) / \partial x$ 为量测方程的雅可比矩阵；l 为迭代序号。

对于一般的综合能源系统，参与态势感知的对象为冷热电气系统。基于上述模型分析可知，测量值和模型计算值可以按表 2-3 来取。

表 2-3　综合能源系统态势感知设计依据

子系统	量测对象	状态方程
冷系统	建筑 i 冷冻水流量 L_i、流速 v_i 建筑 i 冷负荷 $Q_{c,i}$ 建筑 i 冷冻水供回温差 Δt	管道流量计算方程 流速流量换算方程
热力系统	线路流量 $f_{ij,h}$ 节点压力 $h_{i,h}$ 线路端口温度 T_{in}、T_{out}	流量连续性方程，压力损失方程，热功率计算方程， 节点温度混合方程
电力系统	线路有功、无功 P_{ij}、Q_{ij} 节点电压 U_i	电力潮流方程
天然气系统	线路流量 $f_{ij,g}$ 节点压力 $h_{i,g}$	稳态流速方程，天然气流量连续性方程，天然气压缩机方程

2.5　多能流状态估计算例分析

2.5.1　热电气耦合系统安全运行算例分析

根据综合园区两台 CCHP 实际情况，为应对今后系统扩建需要，本节构造了一个较为复杂的系统进行研究，如图 2-23 所示，并设所有天然气管道特性相同 $K_{ij}=657.46\ \text{kPa}\cdot\text{s}^2/\text{m}^6$，同样，所有热力系统管道特性也相同，室外温度为 25℃。以潮流计算结果为真值，在真值基础上叠加高斯白噪声作为量测值，再进行状态估计。系统量测值见表 2-4～表 2-6。

表 2-4　天然气系统量测

天然气节点	压强 h_i /kPa	天然气管道	流量 m_{ij} /(m³/s)
G1	196.0040	LG1	0.1114
G2	194.0389	LG2	0.0576
G3	193.5453	LG3	0.0558
G4	193.5267	LG4	0.0164
G5	193.0055	LG5	0.0177
G6	194.0413	LG6	0.0309
G7	192.0169	LG7	0.0285

表 2-5 热力系统量测(节点 1 为参考系节点)

热力节点	压强 h_i /kPa	热力管道	流量 m_{ij}/(m³/s)	负荷节点	负荷供出温差/℃
H2	109.1209	LH1	0.5146	H2	50
H3	109.1447	LH2	0.0861	H4	50
H4	109.0497	LH3	0.1754	H5	50
H5	108.8932	LH4	0.2564	H7	50
H6	108.9398	LH5	0.1234	H8	50
H7	108.8790	LH6	0.1378	H10	50
H8	108.8628	LH7	0.0036		
H9	108.9398	LH8	0.1549		
H10	108.9056	LH9	0.1034		
H11	109.1536	LH10	0.2603		

表 2-6 CCHP 机组参数与量测

编号	CCHP#1	CCHP#2
热电比 c_{CCHP}	1.5	1.3
发热效率 η_h /%	20	20
发电功率/kW	602.1	299.5

应用上述方法, 状态估计结果如表 2-7 和表 2-8 所示。

表 2-7 天然气系统估计量测

天然气节点	压强 h_i /kPa	天然气管道	流量 m_{ij} /(m³/s)
G1	195.7111	LG1	0.1111
G2	194.0730	LG2	0.0561
G3	193.8578	LG3	0.0556
G4	193.8351	LG4	0.0159
G5	193.3982	LG5	0.0171
G6	194.0477	LG6	0.0303
G7	192.7867	LG7	0.0281

表 2-8 热力系统估计量测(节点 1 为参考系节点)

热力节点	压强 h_i /kPa	热力管道	流量 m_{ij} /(m³/s)	负荷节点	负荷供出温差/℃
H2	109.1203	LH1	0.5142	H2	49.7431
H3	109.1443	LH2	0.0857	H4	49.0806
H4	109.0448	LH3	0.1714	H5	48.6150
H5	108.8825	LH4	0.2517	H7	49.7603
H6	108.9317	LH5	0.1200	H8	49.8218
H7	108.8703	LH6	0.1371	H10	49.3846
H8	108.8541	LH7	0		
H9	108.9317	LH8	0.1543		
H10	108.8971	LH9	0.1028		
H11	109.1508	LH10	0.2571		

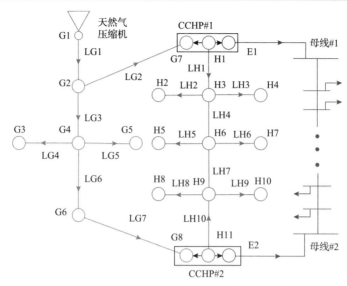

图 2-23　热电气耦合综合能源系统状态估计算例

设置 G1 节点压力测量值为 197kPa,同样,设置 H1 节点参考值为 109.1709kPa,在较大量测偏差情况下,再次进行状态估计的结果如表 2-9 和表 2-10 所示。

表 2-9　异常量测天然气系统状态估计结果

天然气节点	压强 h_i /kPa	天然气管道	流量 m_{ij} /(m³/s)
G1	196.3457	LG1	0.1128
G2	193.8603	LG2	0.0594
G3	193.6068	LG3	0.0593
G4	193.6044	LG4	0.0151
G5	193.1950	LG5	0.0177
G6	193.8523	LG6	0.0290
G7	192.5199	LG7	0.0307

表 2-10　异常量测热力系统状态估计结果(节点 1 为参考系节点)

热力节点	压强 h_i /kPa	热力管道	流量 m_{ij} /(m³/s)	负荷节点	负荷供出温差/℃
H2	109.1174	LH1	0.5147	H2	47.4168
H3	109.1438	LH2	0.0904	H4	49.7281
H4	109.0478	LH3	0.1723	H5	49.7370
H5	108.8870	LH4	0.2530	H7	49.1264
H6	108.9367	LH5	0.1240	H8	49.3665
H7	108.8737	LH6	0.1395	H10	49.9638
H8	108.8577	LH7	0.0038		
H9	108.9366	LH8	0.1563		
H10	108.9016	LH9	0.1042		
H11	109.1509	LH10	0.2573		

由结果可知，天然气节点 G1 的误差虽然不大，但是考虑到压强的基数大，其误差与其他情况相比更为严重，设置合适的阈值即可辨识出异常量测。同理，热力系统节点 2 的压强值相对较大，为异常数据，也使得流量和温差的相关数据误差随之增大。通过算例分析可知，状态估计方法可准确辨识异常量测，有效地发现系统状态异常或量测异常。

2.5.2　明珠工业园综合能源系统故障分析

为简单分析明珠工业园综合能源系统的安全状态，采用简化的明珠工业园区拓扑结构，分析设备出力异常或设备退出场景下综合能源系统的运行情况。简化拓扑结构和相关参数如图 2-24 和表 2-11 所示。

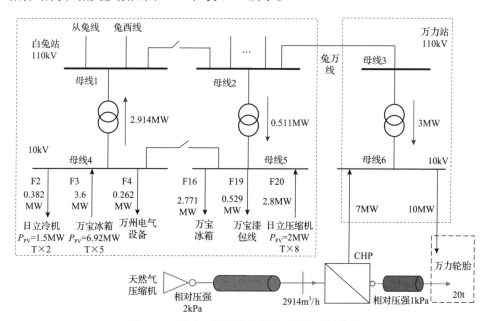

图 2-24　明珠工业园综合能源系统拓扑结构图

表 2-11　管道参数

管道	标准相对压力/kPa	管道系数
天然气管道	2	15.26
热力管道	1	1.62×10^5

万力站内采用幂函数模型表示负荷静态电压特性，其模型如式 (2-133) 所示：

$$\begin{cases} P = P_{10} U^{\alpha_c} \\ Q = Q_{10} U^{\beta_c} \end{cases} \tag{2-133}$$

式中，α_c、β_c 分别为负荷有功、无功电压特征系数；P_{10}、Q_{10} 分别为负荷在额定电压时的有功功率、无功功率。

文献[34]给定了不同负荷情况下有功、无功电压特征系数的参考值，如表 2-12 所示。

表 2-12　电压特征系数参考值

特征系数	居民负荷	商业负荷	工业负荷	恒功率型负荷	恒电流型负荷	恒阻抗型负荷
α_c	0.72~1.30	0.99~1.51	0.18	0	1	2
β_c	2.96~4.38	3.15~3.95	6.00	0	1	2

选取典型工业负荷的负荷特性作为万力轮胎负荷特性，进行计算。

针对明珠工业园区可能出现的故障场景分别进行分析，如表 2-13 所示。

表 2-13　不同场景下压力和电压特征系数参考值

参考值	场景 1：兔万线故障，CCHP 正常运行	场景 2：CCHP 在 50%功率运行	场景 3：CCHP 退出运行	场景 4：日立压缩机光伏机组退出
天然气管道始端压力/kPa	2	2	2	—
天然气管道末端压力/kPa	1.9	1.975	2	—
热力管道始端压力/kPa	1	1	1	—
热力管道末端压力/kPa	0.95	0.9875	1	—
母线电压下降/%	86.21	0.528	2.11	—
兔万线电功率增加/MW	—	3.51	7.04	—
母线 2 至母线 5 功率增加/MW	—	—	—	2.87
母线 5 电压下降/%	—	—	—	1.52

由以上分析可知，对于电力系统，四个场景中只有场景 1 会使万力站内母线电压急剧跌落，其他故障情况对电力系统的影响较小。而对于热力系统，由于只有 CCHP 一个热源，场景 2、3 都会产生热负荷的缺额。而其对于热力和电力系统的影响有限。同样，电力系统的故障(场景 1)对热力系统的影响有限。

2.6　小　　结

本章首先介绍了综合能源系统中常规元件、能量转化元件、微电网等详细模型，之后建立了扩展的能源集线器模型并对多能主体建模，实现了不确定情况下的多能微电网优化调度，接着建立了综合能源系统中各能源网络的稳态与动态模型，介绍了其计算方法与多网络交互机制，最后通过算例验证了综合能源系统动态建模理论的有效性。

参 考 文 献

[1] Chen Y, Jia K, Liu B, et al. Energy management method applying in integrated energy system[C]//2015 5th International Conference on Electric Utility Deregulation and Restructuring and Power Technologies (DRPT), Changsha, 2015: 1565-1569.

[2] Wang Y, Wang Y, Huang Y, et al. Optimal scheduling of the regional integrated energy system considering economy and environment[J]. IEEE Transactions on Sustainable Energy, 2018, 10(4): 1939-1949.

[3] 王莉. 风电并网对电力系统电压稳定性影响的研究[D]. 北京: 华北电力大学, 2017.

[4] 潘明九, 王颖, 孙黎滢. 变速恒频风力发电系统并网控制及仿真[J]. 价值工程, 2018, 37(23): 114-115.

[5] Djoudi A, Chekireb H, Bacha S. On-line identification of DFIG parameters with rotor current reconstitution[C]//2014 Ninth International Conference on Ecological Vehicles and Renewable Energies (EVER), Monaco, 2014: 1-6.

[6] 朱文广, 李映雪, 杨为群, 等. 面向区域配电网的分布式电源接入运行方式优化研究[J]. 电测与仪表, 2020, 57(13): 84-90.

[7] 王明伟. 风电场短期风速预测研究[D]. 兰州: 兰州理工大学, 2009.

[8] 苏珂. 风力发电机切入切出控制及台风下风电的开机策略研究[D]. 长沙: 长沙理工大学, 2017.

[9] 李争荣, 王理峰, 黄昕玥, 等. 大型风电场风能资源及其利用状况评估[J]. 电子制作, 2018(18): 15-16, 46.

[10] 李国庆, 徐凤阁, 戢宏, 等. 一种新的负荷动态电压模型及参数辨识[J]. 东北电力学院学报, 1998(1): 4-11.

[11] 鞠平, 马大强. 电力系统负荷建模[M]. 2 版. 北京: 中国电力出版社, 2010.

[12] 翰林, 赵峰. 基于测量的电力系统静态负荷模型辨识方法[J]. 测试科学与仪器(英文版), 2016, 7(3): 214-220.

[13] 马亚辉, 李欣然. 含分布式电源的综合负荷建模方法研究[D]. 长沙: 湖南大学, 2013.

[14] 程玮. 光伏和风力发电系统的动态建模[D]. 杭州: 浙江大学, 2012.

[15] Vale Z, Morais H, Ramos S, et al. Using data mining techniques to support DR programs definition in smart grids[C]//2011 IEEE Power and Energy Society General Meeting, Detroit, 2011: 1-8.

[16] 陈冉, 杨越, 沈冰, 等. 基于微电网的需求响应优化策略[J]. 电力系统保护与控制, 2018, 46(11): 124-130.

[17] 王鹏, 刘敏. 需求响应技术原理及建模综述[J]. 新型工业化, 2018, 8(7): 115-118, 125.

[18] 卜凡鹏, 田世明, 方芳, 等. 基于能源集线器模型的园区混合能源系统日前优化调度方法[J]. 电力系统及其自动化学报, 2017, 29(10): 123-129.

[19] 李彦威. 基于机会约束规划的风电优化调度[D]. 北京: 华北电力大学, 2016.

[20] Ghasemi A, Banejad M, Rahimiyan M. Integrated energy scheduling under uncertainty in a micro energy grid[J]. IET Generation, Transmission & Distribution, 2018, 12(12): 2887-2896.

[21] Saber A Y, Venayagamoorthy G K. Resource scheduling under uncertainty in a smart grid with renewables and plug-in vehicles[J]. IEEE Systems Journal, 2012, 6(1): 103-109.

[22] Song H, Liu C C, Lawarrée J. Nash equilibrium bidding strategies in a bilateral electricity market[J]. IEEE Transactions on Power Systems, 2002, 17(1): 73-79.

[23] Olsina F, Garcés F, Haubrich H J. Modeling long-term dynamics of electricity markets[J]. Energy Policy, 2006, 34(12): 1411-1433.

[24] Arifovic J, Karaivanov A. Learning by doing vs. learning from others in a principal-agent model[J]. Journal of Economic Dynamics and Control, 2010, 34(10): 1967-1992.

[25] Koeppel G, Andersson G. The influence of combined power, gas, and thermal networks on the reliability of supply[C]//Proceedings of The Sixth World Energy System Conference, Torino, 2006, 10-12.

[26] Koeppel G A. Reliability considerations of future energy systems: Multi-carrier systems and the effect of energy storage[D]. Zurich: Swiss Federal Institute of Technology Zurich, 2007.

[27] 徐宪东, 贾宏杰, 靳小龙, 等. 区域综合能源系统电/气/热混合潮流算法研究[J]. 中国电机工程学报, 2015, 35(14): 3634-3642.

[28] 王英瑞, 曾博, 郭经, 等. 电-热-气综合能源系统多能流计算方法[J]. 电网技术, 2016, 40(10): 2942-2950.

[29] 孙宏斌, 潘昭光, 郭庆来. 多能流能量管理研究: 挑战与展望[J]. 电力系统自动化, 2016, 40(15): 1-8.

[30] 闫军威. 区域供冷系统节能优化运行与控制方法研究及系统实现[D]. 广州: 华南理工大学, 2012.

[31] 李华, 白志东, 肖玉山. 大维随机矩阵的渐进特征[J]. 东北师大学报(自然科学版), 2014, 46(4): 1-8.

[32] Qiu R C, Antonik P. Smart Grid Using Big Data Analytics: A Random Matrix Theory Approach[M]. New York: John Wiley & Sons, 2017.

[33] He X, Ai Q, Qiu R C, et al. A big data architecture design for smart grids based on random matrix theory[J]. IEEE Transactions on Smart Grid, 2015, 8(2): 674-686.

[34] 江茂泽, 徐羽镗, 王寿喜, 等. 输配气管网的模拟与分析[M]. 北京: 石油工业出版社, 1995.

[35] Price W W, Taylor C W, Rogers G J. Standard load models for power flow and dynamic performance simulation[J]. IEEE Transactions on Power Systems, 1995, 10(2): 1302-1313.

第3章 综合能源系统态势感知技术

随着"互联网+"概念的不断推广,通信信息基础设施的全面覆盖为深度融合能源网络与信息网络、提高能源利用率、实现能源互济互补、推动能源利用模式变革、促进社会可持续发展提供了新思路。电力系统作为复杂的人工信息物理系统,其稳定运行离不开人们的监视和控制。近年来,世界各国在电力系统的运行控制过程中,因态势感知不足而发生的大规模停电事故日益增多,电力系统广域态势感知得到越来越多的关注。电力系统广域态势感知通过采集广域电网稳态和动态、电量和非电量信息,包括设备状态信息、电网稳态数据信息、电网动态数据信息、电网暂态故障信息、电网运行环境信息等,采用广域动态安全监测、数据挖掘、动态参数辨识、超实时仿真、可视化等手段,进行分析、理解和评估,进而对电网发展态势进行预测。态势感知技术在电力系统中的应用尚处于起步阶段。美国联邦能源管理委员会(FERC)、美国国家标准和技术学会(NIST)等机构已将态势感知列为智能电网优先支持的技术领域之一。

综合能源系统作为能源互联网中的关键成分,也是直接面向用户的重要一环,其重要性不言而喻。相较于传统电网,综合能源系统的能源供给与负荷间的耦合更紧密,能源供应端和能源消费端具有双向不确定性,且负荷种类多样化,同时能涵盖电能、热能等多种能源,其耦合更为复杂。另外,在能源互联网发展趋势下,系统采集和处理的数据呈海量增长,并且受用户随机需求响应、客户多样化需求、应急减灾等因素影响,综合能源系统运行趋于复杂多样化,对电网管理的要求日趋提高。现有的配电运行态势感知体系在计算速度、安全性评估、可视化、通信网络等诸多环节上均难以满足智能配电网的发展需求。构建有效的综合能源系统态势感知体系,增强对综合能源系统的态势感知能力已成为当前的一个研究热点。通过态势感知可实现对系统运行态势的全面准确掌控,为在态势感知基础上进行态势控制,以提高复杂综合能源系统的调度控制水平提供了有力支撑。

3.1 数据挖掘技术

3.1.1 数据驱动的综合能源系统态势感知方案

大数据分析(big data analytics)已经作为一门科学引起了全世界专家学者的关注,*Nature* 和 *Science* 分别于 2008 年和 2011 年以特刊的形式对大数据的相关研究做了系统性报道。对于复杂系统，当数据量足够大时，通过统计分析能够得到足够精确的信息。人工智能(artificial intelligence)是计算机科学的重要分支，是研究机器(计算机)能否以及如何具有人类智能的学科。自 1956 年诞生以来，经过几十年的发展，人工智能在逻辑推理、自然语言理解、博弈、专家系统等方面取得了一定的研究成果，具有不同程度人工智能的计算机系统相继问世。近年来人工智能的发展进入新阶段。经过 60 多年的演进，特别是在移动互联网、大数据、超级计算、脑科学等新理论新技术以及经济社会发展强烈需求的共同驱动下，人工智能加速发展，呈现出深度学习、跨界融合、人机协同、群智开放、自主操控等新特征。为抢抓人工智能发展的重大战略机遇，构筑我国人工智能发展的先发优势，国务院于 2017 年 7 月印发了《新一代人工智能发展规划》，要求以加快人工智能与经济、社会、国防深度融合为主线，以提升新一代人工智能科技创新能力为主攻方向，发展智能经济，建设智能社会，维护国家安全。因此数据驱动的态势感知技术在综合能源系统有广阔的运用前景。数据驱动的核心思想是将数据视为客观对象的表象，通过对数据的分析来认知对象继而挖掘出所关注的对象属性，免机理模型是其主要特征，主要表现为基于历史数据集来实时感知综合能源系统。高密度和高维度是标签数据集的显著特征：采样率的提升使得数据集得以精细化描述综合能源系统的运行及演变；量测点的激增则使得数据集具备了空间维度，得以通过联合统计分析计算出多个变量间的相关性，两者结合即呈现一种特殊的数据结构——高维时空数据结构，对数学工具提出新的挑战：测量参数维度 N 和采样数据样本数 T_s 均较大且相当($N/T_s=c>0$)，甚至可能出现维数灾的情况。高维度是此类数据进行价值萃取的核心难点：人类自身对于高维空间的认知存在局限性，难以依据多个维度的统计量直观地把握全局；更重要的是，从统计学角度来说，传统意义上的大数定律和中心极限定理不再适用——面对高维时空数据时，如果仍然采用以经典极限理论为基础的参数/非参数统计方法来进行数据处理，其结果可能是严重错误的。幸运的是，随机矩阵理论为此类数据的研究提供了支撑。随机矩阵是元素为随机变量的一类矩阵。随机矩阵理论(random matrix theory，RMT)主要研究随机矩阵的特征值与特征向量的一些统计特性，如对于威沙特(Wishart)矩阵，其极限谱分布服从 M-P 律(Marchenko-Pastur law)，其线性特征值统计量(linear eigenvalue statistic，LES)严格服从大数定律和中心极限定理等。正如大数定律和中心极限定理是低维统计的基础，随机矩阵理论在高维统计中扮演了类似的角色。深度学习具备强大的高维数据建模能力，是当前数据科学中最具潜力的方法。深度学习源于人工神经网络，含有多个隐层是其显著特征。传统的数据挖掘方法在原始数据特征提取环节对于高维数据的处理能力和复杂函数的表征能力非常有限，模型的泛化效果难以保证。而深度学习则通过组合低层特征形成高层特征，这种多隐层结构尤其适合高维数据的学习与建模。因此，下面将重点围绕深度学习和随机矩阵两种方法进行重点介绍。

3.1.2　随机矩阵模型及其基础理论

随机矩阵理论[1]是对复杂系统进行统计分析的重要数学工具之一。它通过对复杂系统的能谱和本征态进行统计分析，得出实际数据的随机程度，并揭示实际数据中整体关联的行为特征，从而在宏观上对复杂系统的网络结构和性质进行研究和分析。

随机矩阵是连接高维统计理论和实际工程问题的纽带。对于工程大数据，其空间维度 N 和时间维度 T 往往并不相同，因此需要研究该类数据的 Wishart 矩阵及其线性特征值统计量的大数定律、中心极限定理等。基于上述研究，先验地得到 LES 的极限值并评估数据矩阵的经验谱密度收敛速度。它们可作为实验数据的对比参考和分析依据，为实现数据驱动的对象认知提供切入点。

1. Wishart 矩阵及其性质

定义 3-1　若 $S = \{s_{ij}\}_{1 \leqslant i, j \leqslant N}$ 为 Wishart 矩阵（又称拉盖尔酉矩阵（LUE）），则 S 满足：

（1）元素 s_{ij} 是独立同分布（independent identically distribution, i.i.d）的高斯变量。

（2）期望 $\mathbb{E}(s_{ij}) = 0$。

（3）$\mathbb{E}(s_{ij}^2) = \dfrac{1}{2}(1 + \delta_{ij})$，$\delta_{ij}$ 为标准差。

按照上述定义，可以构建典型的 Wishart 矩阵 $S = \dfrac{1}{T} RR^{\mathrm{H}}$，其中 R 为满足 $N \leqslant T$ 的标准高斯随机矩阵，则其元素 R_{ij} 服从 i.i.d，且均值为 $\mu = 0$。

Wishart 矩阵的概率密度分布为

$$\rho_{\mathrm{LUE}}(x) = \frac{\pi^{-N(N-1)/2}}{\det \sum \prod\limits_{i=1}^{N} (T-i)!} \exp\left[-\mathrm{Tr}\{S\}\right] \det S^{T-N} \tag{3-1}$$

2. 随机矩阵基础理论

（1）M-P 律：对于 $N \times T$ 矩阵构成的 LUE，当 $N, T \to \infty$ 且 $c_{\mathrm{LUE}} = N/T$ 时，其谱密度函数满足

$$\lim_{N \to \infty} \rho_{\mathrm{MP}}(x) = \frac{1}{2\pi c_{\mathrm{LUE}} x} \sqrt{(x - a_{\mathrm{LUE}})(b - x_{\mathrm{LUE}})}, \quad x \in \left[a_{\mathrm{LUE}}, b_{\mathrm{LUE}}\right] \tag{3-2}$$

式中，$a_{\text{LUE}}=\left(1-\sqrt{c_{\text{LUE}}}\right)^2$；$b_{\text{LUE}}=\left(1+\sqrt{c_{\text{LUE}}}\right)^2$。

（2）圆环律：考虑 L 个独立随机矩阵的奇异值等价矩阵累乘 $Z=\prod\limits_{i=1}^{L}X_{\text{u},i}$，式中 $X_{\text{u},i}\in\mathbb{R}^{N\times T}$。进一步，可将 Z 归一化为 $\tilde{Z}$，则当 $N,T\to\infty$ 且 $N/T=c\in(0,1]$ 时，$\tilde{Z}$ 的经验谱密度函数几乎一定（almost surely）收敛于

$$\rho_{\text{ring}}(\lambda)=\begin{cases}\dfrac{1}{\pi cL}|\lambda|^{(2/L-2)}, & (1-c)^{L/2}\leqslant|\lambda|\leqslant1\\0, & \text{其余}\end{cases}. \tag{3-3}$$

式中，λ 为特征值。

3. 实际电网数据的高维建模及意义

对于标签数据集，可以将其看成在一张抽象随机图上的时空采样，配电网用电行为与故障及其演变的不确定性和采样时空断面选取的不确定性共同构成了数据集的随机特性。实际工程数据虽然并不满足独立同分布，但是通过处理多种仿真/真实的系统/设备数据，其结果表明圆环律和 M-P 律均得以满足，其理论支撑正是大数据普适法则。

结合移动窗口法将标签数据集建立成随机矩阵模型，而对随机矩阵模型的分析基础为非渐近概率不等式。这意味着得到某个参数的极限分布并不是最终目的，最终目的是在高维空间上准确捕捉多个有关变量的相关性。

这种基于非渐近概率不等式的分析模式非常契合实际电网，对于一个互联大型系统，多个参数之间往往异源且难以找到某种机理模型或规律来精准描述。而纯数据驱动的随机矩阵建模则提供了一种有力的分析途径，可提供一批定量的统计指标来描述电网，为电网分析提供依据，甚至可为机理的反推提供一定线索和支撑。

4. 随机过程自回归移动平均模型

时间序列模型主要关注数据时间上的相关性，即下一时刻的量测值与前若干个时刻的量测值以及一个 i.i.d.向量的元素有关。单个时间序列可由自回归移动平均（autoregressive moving average，ARMA）进行建模：

$$X_t+\phi_1X_{t-1}+\cdots+\phi_pX_{t-p}=Z_t+\theta_1Z_{t-1}+\cdots+\theta_qZ_{t-q} \tag{3-4}$$

式中，X_t 为时刻 t 的观测值；Z_t 为独立同分布的单维向量；p、q 为模型阶数，由最小信息准则（AIC）选取；ϕ、θ 为模型系数。

对于单个量测量，在一段时间 T 上，其量测值具有时间上的强相关性；在同

一段时间内，N 个相似的量测量往往会因受到某固定外因的影响而出现较为统一的变化。从这个角度出发，可将 $N \times T$ 的时空矩阵建模成每行同阶数的 ARMA 模型，计算其极限谱分布(LSD)和经验谱分布(ESD)，从而进行异常值检测和稳定性分析。

5. 因子模型及其残差检测

因子模型(factor model)作为一种有效的数学工具，被用于统计学和经济学分析。它将观测数据建模为

$$R_{it} = \sum_{j=1}^{p} L_{ij} F_{jt} + U_{it} \tag{3-5}$$

式中，R_{it} 为时刻 t 的观测矩阵的元素；p 为因子个数；F_{jt} 为时刻 t 的第 j 个因子；L_{ij} 为 F_{jt} 的系数；U_{it} 为观测矩阵的残差(residual)。

残差矩阵可用自回归模型 AR(1)建模，即

$$U_{it} = b U_{i,t-1} + \xi_{it} \tag{3-6}$$

式中，b 为 AR(1)模型系数；ξ_{it} 为高斯随机变量。

实际电网中，同一段时间内多个录波数据形成 $N \times T$ 时空矩阵。由詹森-香农(Jensen-Shannon)散度估计出因子个数和残差系数，将观测矩阵进行分解，从而根据因子的变化捕捉电网运行状态的变化。

同理，对于 ARMA 模型也可进行残差检测。首先对时空矩阵进行 ARMA 模型拟合，用原矩阵减去拟合矩阵得到残差。相比于原数据，残差具备更好的平稳特性，可有效地放大待检测信号的信噪比以捕捉到更精细的信号，适用于故障诊断。

6. 基于自由概率的数据融合

自由概率主要研究各种变换，以此得到矩阵谱的统计量。类比于傅里叶变换研究数据的频域性质，斯蒂尔切斯(Stieltjes)变换 G 研究矩阵的谱概率密度 ρ。

G 变换定义为 $G(z) = \int \dfrac{\rho(t)}{z-t} \mathrm{d}t$，其反 Stieltjes 变换为 $\rho(\lambda) = -\dfrac{1}{\pi} \lim_{z \to 0} \mathrm{Im}\, G(z)$。

进一步，两个或多个矩阵的和、积可分别通过 R 变换和 S 变换得到。

R 变换定义：$R(G(z)) = z - \dfrac{1}{G(z)}$，满足 $R_{A+B} = R_A + R_B$，A、B 为两个矩阵。

S 变换定义：$S(z) = \dfrac{1}{R(zS(z))}$，满足 $S_{AB}(z) = S_A(z) S_B(z)$。

在矩阵相加与相乘的谱分布理论基础上,研究任意矩阵多项式的极限谱分布,进而逼近任意函数的极限谱分布。

7. 电力系统高维时空数据视角

潮流方程是电力系统运行的基本规律,也是系统分析的起点。

$$\begin{bmatrix} \Delta P \\ \Delta Q \end{bmatrix} = \begin{bmatrix} \dfrac{\partial P}{\partial \theta} & \dfrac{\partial P}{\partial U} \\ \dfrac{\partial Q}{\partial \theta} & \dfrac{\partial Q}{\partial U} \end{bmatrix} \begin{bmatrix} \Delta \theta \\ \Delta Q \end{bmatrix} \tag{3-7}$$

将节点消耗/产生的功率 P_i、Q_i 视为系统的输入量 W,线路阻抗 B_{ij}、G_{ij} 视为网络参数 Y,电压量幅值和相角 U_i、θ_i 视为状态量 X。

系统当前所处的平衡态即可描述为 $W_0 = f(X_0, Y_0)$,而系统将受到的扰动/动作将被描述为

$$W_0 + \Delta W = f(X_0 + \Delta X, Y_0 + \Delta Y) \tag{3-8}$$

进一步将式(3-8)进行泰勒展开,当系统状态变化量 ΔX 不大时,忽略 $(\Delta X)^2$ 及其更高次项,得到系统状态变化量 ΔX 随系统运行的表达式:

$$\Delta X = (f'_X(X_0, Y_0) + f''_{XY}(X_0, Y_0)\Delta Y)^{-1}(\Delta W - f'_Y(X_0, Y_0)\Delta Y) \tag{3-9}$$

式(3-9)的推导并不基于具体参数,描述了量测数据间的内在规律。

8. 电力量测数据集的数据模型

系统实际运行状态的改变可分为以下两种情况讨论:①仅节点功率扰动引发的系统变化,即 $\Delta Y = 0$;②仅网络拓扑结构扰动引发的系统变化,即 $\Delta W = 0$。

第一种情况下,式(3-9)变为

$$\Delta X = (f'_X(X_0, Y_0))^{-1}(\Delta W) = J_0^{-1}\Delta W = S_0\Delta W \tag{3-10}$$

式中,$f'_X(X_0, Y_0) = \dfrac{\partial f(X, Y)}{\partial X}\bigg|_{X=X_0, Y=Y_0} = J_0$ 为系统当前运行的雅可比矩阵;S_0 为 J_0 的逆矩阵。J_0(或 S_0)与系统稳定性有一定关系。

第二种情况主要研究网络拓扑结构变化(如断线、短路等)对系统运行的影响,可被等值为第一种情况,变换具体如下:

$$\begin{aligned} \Delta X &= (f'_X(X_0, Y_0) + f''_{XY}(X_0, Y_0)\Delta Y)^{-1}(-f'_Y(X_0, Y_0)\Delta Y) \\ &= S_0(I + f''_{XY}(X_0, Y_0)\Delta Y(f'_X(X_0, Y_0))^{-1})^{-1}(-f'_Y(X_0, Y_0)\Delta Y) \\ &= S_0\Delta W_Y \end{aligned} \tag{3-11}$$

在这两种状态下，电力系统参量的变化规律均通过一个(可能未知)决定性矩阵(S_0)乘以一个随机矩阵(ΔW 或 ΔW_Y)得到，通过随机矩阵理论的建模和分析技术即可建立系统运行的随机矩阵模型并加以分析。

3.1.3　随机矩阵模型分析技术

1. 线性特征值统计量

本部分介绍线性特征值统计量的定义及其统计特性，并给出 LES 的大数定律和中心极限定理。

1) 线性特征值统计量定义

具体如下：

$$\mathcal{N}_N[\varphi] = \sum_{i=1}^{N} \varphi(\lambda_i) \tag{3-12}$$

式中，$\varphi: \mathbb{R} \to \mathbb{C}$ 为连续测试函数(testing function)；λ_i 为矩阵特征值。

2) LES 的大数定律

$N^{-1}\mathcal{N}_N[\varphi]$ 依概率收敛(converges in probability)于

$$\lim_{N \to \infty} \frac{1}{N} \mathcal{N}_N[\varphi] = \int \varphi(\lambda)\rho(\lambda)\mathrm{d}\lambda \tag{3-13}$$

式中，$\rho(\lambda)$ 为矩阵特征值的概率密度函数(probability density function，PDF)。

3) LES 的中心极限定理

给定一个非埃尔米特(Hermitian)的 $N \times T$ 矩形随机矩阵 X，其元素为 X_{ij} 满足标准正态独立同分布(i.i.d.)；X 的协方差矩阵 M 满足 $M = \dfrac{1}{N}XX^{\mathrm{T}}$。令实测试函数 φ 满足 $\|\varphi\|_{3/2+\varepsilon} < +\infty (\varepsilon > 0)$，则 $N, T \to +\infty$ 且 $c = N/T \leqslant 1$ 时，构造 $\mathcal{N}_N^\circ[\varphi]$ ($\mathcal{N}_N^\circ[\varphi] = \mathcal{N}_N[\varphi] - \mathbb{E}(\mathcal{N}_N[\varphi])$)，其值分布收敛于均值为 0、方差如下的高斯随机变量：

$$
\begin{aligned}
V_{\mathrm{SC}}[\varphi] = {} & \frac{2}{c\pi^2} \iint_{-\frac{\pi}{2} < \theta_1, \theta_2 < \frac{\pi}{2}} \psi^2(\theta_1, \theta_2)(1 - \sin\theta_1 \sin\theta_2)\mathrm{d}\theta_1\mathrm{d}\theta_2 \\
& + \frac{\kappa_4}{\pi^2}\left(\int_{-\frac{\pi}{2}}^{\frac{\pi}{2}} \varphi(\zeta(\theta))\sin\theta\mathrm{d}\theta \right)^2
\end{aligned}
\tag{3-14}
$$

式中，$\psi(\theta_1,\theta_2) = \dfrac{[\varphi(\zeta(\theta))]_{\theta=\theta_2}^{\theta=\theta_1}}{[\zeta(\theta)]_{\theta=\theta_2}^{\theta=\theta_1}}$ ；$\kappa_4 = \mathbb{E}(X^4)-3$ 是 X 元素的 4 阶累计量；$\zeta(\theta) = 1+1/c+2/\sqrt{c}\sin\theta$。

LES 的期望均值和期望方差可分别按照上述大数定律和中心极限定理计算。期望值与理论值的偏差为 $\Delta_{均值} = O(N^{-1})$ ，$\Delta_{方差} = O(N^{-2})$ 。

2. 基于 LES 的信号检测模型与优化

1）假设检验

稳定运行的配电网的异常信号检测可通过构造假设检验来实现：

$$\begin{vmatrix} \mathcal{H}_0: Y = T_d X \\ \mathcal{H}_1: Y \neq T_d X \end{vmatrix} \tag{3-15}$$

式中，T_d 为决定性矩阵(可能未知)；$\mathcal{H}_0$、$\mathcal{H}_1$ 分别为假设 0 和假设 1。

2）测试函数 φ 的设计

测试函数 φ 的设计是优化 LES 性能的核心环节，LES 满足足够连续即可。常见的测试函数如下。

二阶切比雪夫多项式(Chebyshev polynomials)：$2x^2-1$。

行列式(determinant，DET)：$\ln x$。

似然函数(likelihood function，LF)：$x-\ln x-1$。

从某方面说，φ 类似于滤波器，根据工程需求的不同其感知效果也不同；可以结合深度学习网络优化测试函数 φ ，进而构建一种新的判据，具体见下文。

3. 拼接矩阵及基于拼接矩阵的敏感性分析

系统状态取决于多个影响因素。假设某电网的状态是一个 N 维参数的变量而有 M 个潜在的影响因素，通过在某一时间段 t_i $(i=1,2,\cdots,T)$ 的测量，电网状态相关的 N 维向量可自然地组成基本状态矩阵 $B \in \mathbb{C}^{N \times T}$，而各个影响因素亦可得到该时间断面的值，即因素向量 $c_j \in \mathbb{C}^{1 \times T}$ $(j=1,2,\cdots,M)$。

具有相同长度的两个矩阵(向量)可通过拼接操作形成一个新的矩阵。基于这个常识，可以将基本状态矩阵 B 和因素向量 c_j 拼接成合成矩阵 A_j。

为了便于分析其影响因子对基本状态的影响力，需要放大影响因子的影响力。选定因素向量 c_j，通过一定的方式复制该因素向量 K 次(K 可取 $0.4 \times N$)以形成一个与状态矩阵规模匹配的矩阵 D_j：

$$D_j = \begin{bmatrix} c_j^H & c_j^H & \cdots & c_j^H \end{bmatrix}^H \in \mathbb{C}^{K \times T} \tag{3-16}$$

下一步，在 D_j 中引入白噪声以消除内部的相关性，如式(3-17)所示：

$$C_j = D_j + \eta_j R, \quad j = 1, 2, \cdots, M \tag{3-17}$$

式中，R 为标准高斯随机矩阵；η_j 与信噪比(signal-to-noise ratio，SNR) ρ_j 相关：

$$\rho_j = \frac{\mathrm{Tr}(D_j D_j^H)}{\mathrm{Tr}(RR^H) \times \eta_j^2}, \quad j = 1, 2, \cdots, M \tag{3-18}$$

这样，就可以并行地对每个因素向量 c_j 通过矩阵拼接形成合成矩阵 A_j：

$$A_j = \begin{bmatrix} B \\ C_j \end{bmatrix}, \quad j = 1, 2, \cdots, M \tag{3-19}$$

对比各 A_j 的统计指标 LES 即可找出影响状态的敏感因素。

3.1.4 深度学习技术

深度学习是当前机器学习领域应用非常广泛的一种学习方法，存在多种类型的深度网络，本书着重研究卷积神经网络和长短期记忆网络，前者可很好地挖掘大数据的空间维度上的信息，而后者在时间序列数据预测方面具有较强的优势。

1. 卷积神经网络

卷积神经网络(convolutional neural network，CNN)的基本框架如图 3-1 所示。每个神经元接收到输入信号后，将其与神经元的权值进行卷积运算，最后经一个非线性的激活函数实现信号输出。随着电力系统规模的扩大，全连接神经网络模型不能适应研究大型电网的需要，因为大型电网往往具备成百上千个节点，从而导致输入全连接神经网络模型的每个样本列向量非常长。而 CNN 模型参数较少，因此引入 CNN 来分析和捕获电网的数据特性。

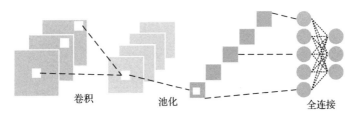

卷积　　　　　　　池化　　　　　　　全连接

图 3-1 卷积神经网络的基本架构

2. 循环神经网络

在普通的全连接神经网络中，每层神经元的信号仅可向上一层传播，样本的处理在各个时刻独立。而在循环神经网络(recurrent neural network，RNN)中，神经元的输出可以在下一个时间戳直接作用到自身，即第 i 层神经元在 m 时刻的输入，除了包括 $i-1$ 层神经元在该时刻的输出外，还包括其自身在 $m-1$ 时刻的输出，如图 3-2 所示。

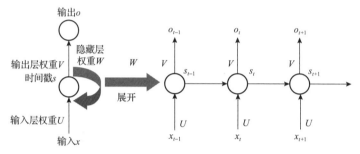

图 3-2　循环神经网络的基本架构

3. 长短期记忆网络

长短期记忆(long short-term memory，LSTM)网络在 RNN 模型结构基础上重新设计了计算节点，基本架构如图 3-3 所示，网络的基本架构由输入层、记忆模

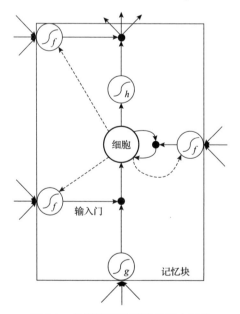

图 3-3　长短期记忆网络的基本架构

块和输出层组成。图 3-3 展示了具有一个细胞的长短期记忆网络中的记忆块。图中，三个门是从块的内部与外部接收激励的非线性求和单元，并通过乘法(图中的黑色圆点)计算来控制输入细胞状态的激励。输入门和输出门分别与输入和输出相乘，而遗忘门则与细胞的前一状态相乘。在细胞状态自身的内部是没有激活函数的。每个门的激活函数通常是逻辑函数，使得门的激励在 0(门完全关闭)和 1(门完全开启)之间。细胞状态的输入和输出激活函数(图中的 g 和 f)通常为 tanh 或逻辑函数，h 有时为恒等函数。虚线表示从细胞状态到门的加权连接。块内的其他连接均未加权，即权重固定为 1。块的输出门发出的输出是从块到网络其余部分的唯一输出。深度长短期记忆网络通过这种特殊的模块实现对长时间电网数据的理解和认知。

遗忘门：决定从细胞状态中丢弃什么信息，输出一个 0~1 的数值给细胞状态 C_{t-1} 中的每个数字。1 表示"完全保留"，0 表示"完全舍弃"。

$$f_t = \sigma(W_f \cdot [h_{t-1}, x_t] + b_f) \tag{3-20}$$

式中，h_{t-1} 为 $t-1$ 时刻的输出；x_t 为 t 时刻的输入；W_f 为遗忘门权重；b_f 为遗忘门偏差；f_t 为 t 时刻遗忘门输出。

输入门：决定将要更新什么值。

$$i_t = \sigma(W_i \cdot [h_{t-1}, x_t] + b_i) \tag{3-21}$$

式中，W_i 为输入门权重；b_i 为输入门偏差；i_t 为 t 时刻输入门输出。

输出门：决定将要输出什么值。

$$o_t = \sigma(W_o \cdot [h_{t-1}, x_t] + b_o) \tag{3-22}$$

式中，W_o 为输出门权重；b_o 为输出门偏差；o_t 为 t 时刻输出门输出。

细胞状态：

$$C_t = f_t \cdot C_{t-1} + i_t \cdot \tilde{C}_t$$
$$\tilde{C}_t = \tanh(W_C \cdot [h_{t-1}, x_t] + b_C) \tag{3-23}$$

$$h_t = o_t \cdot \tanh(C_t) \tag{3-24}$$

式中，W_C 为细胞状态权重；b_C 为细胞状态偏差；C_t 为 t 时刻细胞状态输出。

这种架构下，输出层的灵敏度可以通过输出门的开启和关闭来控制，并且不会影响到细胞状态。

4. 自编码器

自编码器由编码器和解码器组成，网络结构如图 3-4 所示，其中 φ 为微调函数；ω 为权重；τ 为偏差值。自编码器是通过反向传播算法实现的一种无监督学

习过程，其目标函数为

$$J_{\mathrm{DAE}} = \frac{1}{N}\sum_{i=1}^{N}\frac{1}{2}\left\|s_i^0 - \tilde{s}_i\right\|_2^2 + \beta \mathrm{KL}(\hat{\rho}\,\|\,\rho)$$

$$\mathrm{KL}(\hat{\rho}\,\|\,\rho) = \sum_{j=1}^{|\hat{\rho}|}\rho\lg\frac{\rho}{\hat{\rho}_j} + (1-\rho)\lg\frac{1-\rho}{1-\hat{\rho}_j}$$

(3-25)

式中，s_i^0 和 $\tilde{s}_i$ 分别为初始输入变量和经重构后的变量；$\mathrm{KL}(\hat{\rho}\,\|\,\rho)$ 是以 ρ 和 $\hat{\rho}$ 为均值的两个伯努利随机变量间的相对熵，可以用来比较两个变量的相似度，通过设置稀疏度参数 ρ 避免出现网络过拟合的现象；β 为可按需设定的参数。

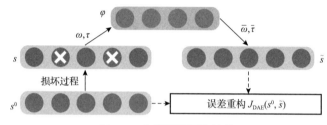

图 3-4　自编码器网络结构

$\tilde{s}$ 自编码器的学习过程主要分为两步：逐层预训练和微调。首先，未标记样本用于对自编码器的分层训练进行降噪，其中原始数据用于第一层自编码器的无监督训练，然后将第一个隐藏层参数 $W_{(1)}$ 保存作为第二个隐藏层的输入。在每个后续步骤中，前面 $k{-}1$ 层训练好的参数作为输入用于训练第 k 层并获得参数 $W_{(k)}$。将每层训练的权值参数作为最终深度网络初始化的权值参数。其次，对整个网络的参数通过误差反向传播进行微调，使得参数收敛到全局最优或接近全局最优。

自编码器的反向传播算法主要包括：网络参数初始化、前向计算、反向传播和参数更新，伪代码如下。

(1)网络参数初始化：

λ、ε、$\Delta W^{(l)} = 0$，$\Delta b^{(l)} = 0$

(2)前向计算：

$\delta(n_l) = -(X - a^{(n_l)}) \cdot f'(z^{(n)})$

for $l = n_l - 1, n_l - 2, \cdots, 2$

$\delta^{(l)} = ((W^{(l)})^{\mathrm{T}}\delta^{l+1}) \cdot f'(z^{(l)})$

$\nabla_{W^{(l)}} J(W,b;X) = \delta^{l+1}(a^{(l)})^{\mathrm{T}}$

$\nabla_{b^{(l)}} J(W,b;X) = \delta^{l+1}$

$\mathrm{if}(\nabla_{W^{(l)}}J(W,b;X))<\varepsilon \text{ and } \nabla_{b^{(l)}}J(W,b;X)<\varepsilon$, stop;

（3）反向传播：

for $i=1$ to m

通过步骤（2）计算 $\nabla_{W^{(l)}}J(W,b;X)$ 和 $\nabla_{b^{(l)}}J(W,b;X)$

$\nabla W^{(l)}:=\nabla W^{(l)}+\nabla_{W^{(l)}}J(W,b;X)$

$\nabla b^{(l)}:=\nabla b^{(l)}+\nabla_{b^{(l)}}J(W,b;X)$

（4）参数更新：

$$W^{(l)}:=W^{(l)}-a\left[\left(\frac{1}{m}\Delta W^{(l)}\right)+\lambda W^{(l)}\right]$$

$$b^{(l)}:=b^{(l)}-a\left[\frac{1}{m}\Delta b^{(l)}\right]$$

上述各式中，λ 为常系数，ε 为设定误差，W 为权重向量，b 为偏移向量，X 为输入变量，a 为常系数，m 为反向传播步数。

通过以上训练步骤可求得多层降噪自编码器的权值和偏差。将原始输入数据与多层自编码器的权值相乘后即可求得提取后的数据，即为所求。

3.2　基于大数据分析的态势感知

态势感知是指在特定的时空范围内，觉察、理解环境因素，并预测未来的发展趋势。电力系统态势感知采集、理解各类涉及电网运行状态的因素，对电网发展趋势进行预测，通过高效的大数据统计分析能力、丰富的可视化技术和强大的决策支持能力，及时掌控电力系统运行态势，准确预判电力系统安全运行趋势，主动采取系统安全措施，保障系统稳定运行。

目前，电力系统态势感知的研究还处于起步阶段[2]，主要应用于广域数据采集、运行调度和输配电自动化等领域。美国较早开始研究电力系统态势感知，一些科研机构已有一定应用成果。美国联邦能源管理委员会、美国国家标准和技术委员会率先将态势感知列入有限发展技术领域[3,4]。美国太平洋西北国家实验室（PNNL）根据指标制定了一种构建态势感知的方法，与传统态势感知方法相比，不仅涉及可视化展示，而且存在潜在的"目标导向"行为，更注重用户的目标、假设、期望和偏差。近年来，国内学者对态势感知技术的重视程度也越来越高，主要涉及电力系统广域安全防御体系、电网调度可视化、电网运行轨迹表征方法等领域[5]。

常见的态势感知模型[6]有感知循环模型[7]、活动理论模型[8]和三层次模型[9]。感知循环模型认为态势感知既不属于环境，也不属于用户，而是人与环境之间的动态互动，因人与环境的相互作用而存在，通常用于解释态势感知的动态过程，如解释态势信息的实时更新过程。活动理论模型认为态势感知是用户对态势的有意识的动态反应，模型包含 8 个功能模块，每个模块各自具有特定的任务，通过前馈和反馈回路相连，通常用于解释底层模块的相互作用。三层次模型是电力系统中最为常用的态势感知模型，将态势感知分为三个层次：感知层（perception）、理解层（comprehension）、预测层（projection），如图 3-5 所示。每一层是下一层的必要前提。感知层感知环境中的元素，仅包含数据的接收，不对数据进行整合。理解层整合与分析数据，衡量环境因素的重要程度，并通过一定技术方法理解当前环境因素，明确当前态势。预测层是态势感知的最高层次，高度依赖于感知层和理解层的结果，通过预测未来的状态，增加处理问题的时间，更好地维持环境的稳定性。相应地，电力系统态势感知也分为态势要素采集、态势理解、态势预测三个阶段。

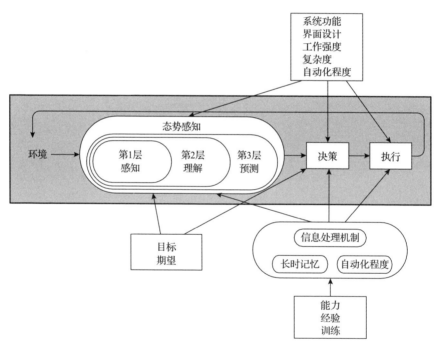

图 3-5　三层次态势感知理论模型

1. 态势要素采集

态势要素采集作为态势感知的基础，通过量测和控制系统完成多元数据的采集，为态势理解和预测做准备。目前，配电网规模庞大、结构复杂，数据采集和监控设备的全面覆盖难以实现，配电网相较于输电网量测严重不足。因此，如何合理利用有限的资源实现最优的量测配置，以尽可能提高系统的可观性，为配电网的状态估计打下坚实的基础，就显得尤为重要。因此，配电网态势觉察技术的核心就是根据不同的实际需求，兼顾配电网实际运行情况，综合考虑状态估计精度、可观性、可靠性、经济性、鲁棒性和信息安全等多影响因素，实现量测和控制终端的优化配置和规划，通过多类设备的混合配置，实现量测的灵活配置和方便部署，为搭建强健有效的控制系统提供数据支撑。

目前，考虑配电网经济性、可观性、可靠性、状态估计精度因素的量测配置优化规划方法已取得一些进展。文献[10]在考虑分布式电源出力不确定性的基础上，建立了兼顾经济性和多种网络结构估计精度的多目标量测配置模型，采用贪婪算法确定主动配电网的量测配置方案；文献[11]将 DG 的出力作为伪量测，忽略了 DG 出力不确定性的影响；文献[12]采用高斯混合模型(GMM)模拟 DG 出力的不确定性，但未考虑 DG 间出力的相关性；文献[13]基于动态规划理论，确定了兼顾多种网络结构的量测配置方案，同时指出了主动配电网量测配置兼顾多种网络结构的必要性。文献[14]提出了包括多种网络结构的数据模型，设计了基于子模块饱和算法的量测配置方法。文献[15]通过挖掘配电网运行状态之间的时空关联特性，提高量测冗余度，保证配电网的可观测性。文献[16]从投入产出角度对配电网终端的最佳配置数量进行了研究。文献[17]基于机器学习方法获取各设备的电能质量特征传播特性，并利用熵理论和贝叶斯模型提出一种电能质量量测配置方法。

2. 态势理解

态势理解通过融合分析多元数据，实现对配电网稳定性、供电能力、负荷接入能力、分布式能源消纳能力等指标的评估分析。配电网层态势理解技术主要包括：①含分布式能源的配电网三相潮流计算技术；②含分布式能源的配电网三相状态估计技术；③配电网静态电压稳定裕度评估技术；④配电网供电能力及风险评估技术；⑤配电网安全域评估技术。

针对以上技术，文献[18]基于态势感知技术，提出含高占比可再生能源的水平年电网规划方法，其中在态势理解阶段，利用考虑爬坡约束的多时段直流最优潮流对电网态势进行运行模拟。文献[19]首先利用压降方程和回归分析方法实现低压侧线路参数辨识，其次采用配电网状态估计感知配电网当前运行状态，最后，通过三维可视化技术呈现配电网态势感知结果。文献[20]采用状态估计方法对量测数据进行预处理，减少量测误差和量测坏数据对配电网实时运行态势评估结果的影响。文献[21]利用态势感知技术，在广域时空范围内，对涉及配电网电能质量变化的各类信息元素进行采集、理解与预测，实现对电能质量变化态势的准确掌握。文献[22]从输配协同的角度，提出一种态势感知方法，在态势理解阶段，将戴维南等值后的输电网接入配电网感知配电网负荷变化后的配电网静态电压稳定裕度。文献[23]综合考虑主动配电系统的供电能力、系统运行的脆弱性环节、间歇性分布式电源和电动汽车充放电特性等因素，在效用风险理论的基础上，提出并建立适用于主动配电系统的安全态势感知的指标体系。文献[24]将态势感知问题抽象为分类问题，提出基于量子遗传算法的球向量机分类器，提高了电网态势感知的精度，但计算较为复杂，在线应用存在一定困难。文献[25]基于模型预测控制(MPC)理论，在考虑经济性、不确定性和安全性的前提下动态感知多微电网与配电网间的可交换容量。文献[26]基于马尔可夫链构建了多状态转移模型，该模型用于计算在态势感知不充分条件下系统出现异常事件的概率。文献[27]利用 N–1 近似方法求得配电网安全域边界，该结果为实现运行点安全裕度量化评估提供了可靠保障。文献[28]通过考虑牵手变电站的 N–1 安全校核条件，给出了配电网安全域定义和计算模型，最终以运行点至安全域边界的距离评估配电网安全水平。文献[29]提出一种静态电压安全域计算方法，实现了含风电场电网的运行安全态势感知。

3. 态势预测

态势预测是对配电系统中的各种变化因素，如用户负荷、分布式电源、电动汽车等的变化进行趋势预测，实现对系统运行态势的提前感知和预测预警。态势预测技术主要包括：用户用电行为预测；计及不确定性的分布式电源出力预测；计及时空分布的电动汽车充电负荷预测；配电网的安全分析与风险预测预警。

负荷态势反映了负荷状态的变化趋势，代表了负荷消纳(削减)电能量的潜力[30]。基于负荷状态的时间序列信息推演用户用电行为将有利于各类负荷参与需求响应市场，提高系统可调控能力。文献[31]选取低功率电器的频域谐波幅值作为特征量，利用模糊聚类分析方法实现电器负荷数量及种类的聚类识别。文献[32]利用互信息量与相关系数作为特征有效性和关联性判据获取优选特征，在此基础上利用 K 均值方法实现用户用电行为聚类分析。文献[33]结合云计算技术提出一种电力用户侧大数据分析处理平台，将智能电表、数据采集与监视控制系统和各种传感器中采集的数据整合，并利用并行化计算模型 MapReduce 与内存并行化计算框架 Spark 对电力用户侧的大数据进行分析，实现负荷短期预测。

分布式电源预测大致可以分为两类：确定性的点值预测和计及不确定性的概率预测。目前由于电源发电量受气象因素影响，确定性的点值预测很难达到理想的精度。相反，概率预测方法能够提供所有可能的光伏发电量的数值以及出现的概率。文献[34]通过综合考虑光伏出力时间序列的季节特性、日特性、天气特性与波动特性，构建了改进的马尔可夫链模型。该模型可用于模拟光伏出力时间序列。文献[35]依据温度和光照强度信息对光伏出力点进行聚类，在此基础上利用高阶马尔可夫链模型模拟光伏出力模式，实现光伏超短期概率预测。文献[36]通过构建光伏出力时空关联模型提高了光伏短期预测精度。

电动汽车接入电网不仅增加了电网的用电负荷，更重要的是电动汽车作为一种分布式储能单元，可参与电网需求响应向电网反向馈电。由于电动汽车充电负荷在时间、空间分布上具有较大的随机性，故预测难度较大。研究人员主要通过模拟电动汽车出行特性对充电负荷进行预测。文献[37]提出一种考虑电动汽车驾驶、停放特性的电动汽车充电负荷预测方法，通过仿真大规模电动汽车不同时间、不同空间的停放、驾驶以及充电行为预测电动汽车充电负荷的时空分布特性。文献[38]建立了出行链模型和充电负荷模型，在此基础上利用用户历史出行数据和地理信息数据获取了电动汽车充电负荷概率模型，同时在地理信息图上进行了可视化展示。

3.2.1 针对窃电监测的态势要素采集

1. 基于分类的反窃电模型

1) 分类算法基本原理

数据挖掘分类算法应用非常广泛，现在已涉及经济、商业以及工业等领域。目前分类算法主要用法是基于一定的分类指标建立相应算法模型，并用于预测数据的未来结果，通过从各种历史数据中演化出对分类指标的相应描述，从而实现预测未来数据的发展趋势或结果。

2) 分类算法一般过程

数据分类操作通常有以下两个步骤。

(1) 第一步是通过学习建立分类算法模型。该模型是通过对数据库中各数据进行内容的分析而获得的。分类学习方法所使用的数据集称为训练样本集合，训练样本中包括分类属性和目标属性。从已知的训练数据中"学习"，分析得到分类算法，建立分类规则。以 C 为目标属性表示分类结果，X 为分类属性进行学习，这个过程可以归结为寻找一个合适的映射 $H:f(X) \rightarrow C$，该映射可以分类规则、决策树或数学公式形式提供。

(2) 第二步基于上一步训练完成的函数模型，选取测试样本预测该样本的类别，同时确定该模型的分类规则。利用一组带有类别的样本(测试样本)对由训练样本所构造出来的模型的准确率进行测试。

3) 分类算法属性确定

一个待建模系统的输入-输出就是分类算法的输入输出变量。一般来讲，输出量代表系统要实现的功能目标，其选择确定相对容易一些，如系统的性能指标、分类问题的类别归属或非线性映射的函数值等。对于输入量来说，必须选择那些对输出影响大且能够检测或提取的变量，同时要求各输入变量之间互不相关或相关性很小。

确定目标属性：目标属性，即输出属性。它的确定相对简单，主要目的是通过数据挖掘技术来判断窃电嫌疑用户是否窃电。是窃电嫌疑用户则目标属性为1，不是窃电嫌疑用户则目标属性为0。

确定分类属性：分类属性，即输入属性。它的确定就相对复杂了。分类属性既要能较全面地反映出样本的特征，各属性间又需要具有一定的不相关性，因此确定以下4个分类属性。

(1)冬夏季是否存在单月过低用电情况。这是一个离散指标。判定标准为在6月、7月、8月、12月、1月、2月这6个月中是否存在单月用电量小于$5kW \cdot h$的情况，如果存在这一情况，则该项指标为1；反之，如果不存在，该项指标为0。

(2)是否存在连续多月持续低用电情况。这是一个离散指标。判定标准为是否出现连续3个月用电量情况均小于$15kW \cdot h$。如果存在这一情况，则该项指标为1；反之，如果不存在，该项指标为0。

(3)冬春用电比。这是一个连续指标，其值是冬季(12月、1月、2月)三个月总用电量与春季(3月、4月、5月)三个月总用电量之比。

(4)夏秋用电比。这是一个连续指标，其值是夏季(6月、7月、8月)三个月总用电量与秋季(9月、10月、11月)三个月总用电量之比。

前面两个指标继承了第4章对窃电嫌疑用户进行窃电与否判断的指标。后两个指标均是季度间的用电比：正常的用电用户，其用电特性会随着季节的变化呈现出一定的规律，若用户在某个季度窃电，容易在这几个指标中显现出来。

目标属性及分类属性确定后，同时应用决策树和支持向量机两种方法，使用相同的训练样本和测试样本得出挖掘结果。

2. 基于决策树算法的反窃电模型研究

1)决策树算法简介

决策树算法是一种学习的过程。使用者不需要了解许多理论和背景知识，只需要拥有属性和结论就可以使用它。它能够对未知数据进行分类或预测，是数据挖掘分类方法中的一种算法。决策树模型效率高，对训练集数据量较大的情况较为适合，同时该算法具有较高的分类精确度。

目前主要使用以下几个指标来评判决策树的优秀性：预测准确性、模型强健性、描述的简洁性、计算复杂性、处理规模性。

2)几种常见的决策树算法

(1)ID3算法。ID3是昆兰(Quinlan)于1986年提出的，是机器学习中一个典型的算法，该算法不仅是决策树算法的先驱者，而且是全世界最具影响力的决策树方法。该算法中引入了信息论中熵的概念，而这也是该算法的核心，利用分割前后的熵来计算信息增益，进而确定出每个节点应该采用的分类规则。

(2) C4.5 算法。C4.5 算法是 Quinlan 在 1993 年提出的。ID3 算法最初的定义是假设属性值是离散值，但在实际环境中，有很多属性是连续的，不能够用一个确定的标准来对其进行划分。而 C4.5 算法弥补了这一不足，它能够使用一系列算法将连续的属性划分成离散的属性，进而达到能够建立决策树的目的。

(3) CART 算法。CART(classification and regression trees，分类回归树)算法是由布雷曼(Breman)等几位统计学家提出的，也属于数据挖掘分类算法。与前面 Quinlan 提出的 ID 系列算法和 C4.5 算法不同的是，它使用的属性度量标准是 Gini 指标，它和后面将要介绍的算法的共同点也在于都是利用了相同的属性度量标准 Gini 指标。

3) 基于决策树算法的反窃电模型建立

应用决策树算法进行反窃电模型建立的基本思路是：首先计算出所有样本中的分类属性和目标属性，其次应用决策树函数训练样本得到反窃电模型，计算模型的分类误差率，最后对测试样本进行结果预测，判断模型准确率。其实现过程分为以下四步。

(1) 基于数据预处理后的数据集将样本数据分为两个部分：训练样本和测试样本。计算出所有样本的四种分类属性，即冬夏季是否存在单月过低用电情况、是否存在连续多月持续低用电情况、冬春用电比、夏秋用电比，以及目标属性，即窃电与否。

(2) 通过决策树训练函数对样本进行训练后得到决策树模型，通过决策树显示函数显示建立好的模型，并从中提取分类规则。

(3) 应用建立的模型对训练样本进行结果预测。计算决策树的分类误差率，并用以评价分类效果。

(4) 应用建立的模型对测试样本进行结果预测，将预测结果与测试样本实际窃电情况相比便可得到决策树算法预测的准确率。

其中，分类误差率的定义如下：针对全部训练样本，计算训练前的目标属性与测试结果的目标属性不同的样本总数，这一数值与总训练样本个数的比值为分类误差率，它很好地体现出决策树构建过程中的分类准确性，从而体现出分类效果的优劣。同时，为保证训练质量，训练样本的数量在总样本数量中应该有较高的比例，相应的测试样本数量比例就较低。

模型实现流程如图 3-6 所示。

3. 基于支持向量机方法的反窃电模型研究

1) 支持向量机模型简介

支持向量机(SVM)方法是通过一个非线性映射 p，把样本空间映射到一个高

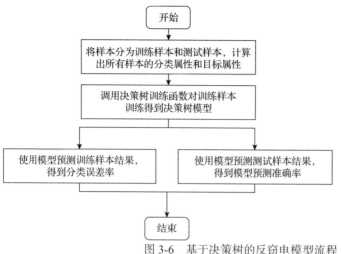

图 3-6　基于决策树的反窃电模型流程

维乃至无穷维的特征空间中(希尔伯特(Hilbert)空间)，使得在原来的样本空间中非线性可分的问题转化为在特征空间中的线性可分的问题。选择不同的核函数，可以生成不同的 SVM，常用的核函数有以下 4 种：

(1)线性核函数 $K(x,y) = x \cdot y$。

(2)多项式核函数 $K(x,y) = ((x \cdot y) + 1)^d$，$d$ 为多项式次数。

(3)径向基核函数 $K(x,y) = e^{\frac{-|x-y|^2}{d^2}}$。

(4)二层神经网络核函数 $K(x,y) = \tanh(a(x \cdot y) + b)$，$a$、$b$ 为常系数。

2)基于支持向量机方法的反窃电模型

支持向量机是从线性可分的最优分类面发展而来的，并且 SVM 学习的目的是寻找一个最优超平面，将两类模式正确地分类(训练错误率为 0)，同时使两类样本点到它的最小距离之和(间隔)最大。本章主要目的是通过数据挖掘技术来判断窃电嫌疑用户是否窃电，正好是适合于支持向量机处理的二分类问题。建立支持向量机模型的基本思路和决策树思路非常相似，其实现过程分为以下几步：

(1)基于支持向量机的方法同样基于数据预处理后的数据集将样本数据分为两个部分：训练样本和测试样本；样本的分类属性及目标属性设定与前述基于决策树的算法相同。

(2)确定映射核函数及超平面分类函数，确定最合适的核函数，利用拉格朗日法计算超平面分类函数，为网络训练做准备。

(3)通过 SVM 对样本进行训练，得到训练模型。

(4)将测试样本应用于建立的模型，通过对比预测结果与样本实际的窃电情况，可以计算得到采用支持向量机方法预测的准确率。

模型实现流程如图 3-7 所示。

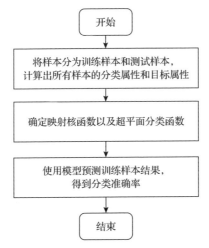

图 3-7　基于支持向量机方法的反窃电模型流程

4. 基于随机矩阵理论的反窃电模型

应用随机矩阵理论实时监测窃电行为的基本思路如下。

(1)采用增广矩阵法将电压量测值与有功功率量测值结合，构造增广数据源。

(2)在每一个采样时刻，采用实时分离窗技术从增广数据源中获取实时数据矩阵，应用随机矩阵理论分析实时数据矩阵的统计特性，计算平均谱半径。

(3)分析平均谱半径随采样时刻的变化情况判断是否存在窃电行为以及实施窃电的起始和终止时刻。

为实现分层分区监测窃电行为，基于随机矩阵理论的反窃电模型分为以下三步。

(1)从数据预处理后的数据集中得到两类数据：全网各用户电能表的电压量测值和有功功率量测值。将全网所有用户电能表的电压量测值构成全网电压矩阵；将各用户电能表的有功功率量测值分别构成用户负荷向量。根据台区划分情况，将各台区内所有用户电能表的电压测量值分别构成台区电压矩阵；计算各台区内所有用户电能表的有功功率量测值之和分别构成台区负荷向量。

(2)针对每个台区，采用增广矩阵法将全网电压矩阵和台区负荷向量结合，构造增广数据源，然后应用随机矩阵理论实时监测窃电行为。

(3)若发现某台区内存在窃电行为，则针对该台区内的每个用户，将台区电压矩阵和用户负荷向量结合来构造增广数据源，同样应用随机矩阵理论针对用户的实时数据进行窃电行为监测。

模型实现流程如图 3-8 所示。

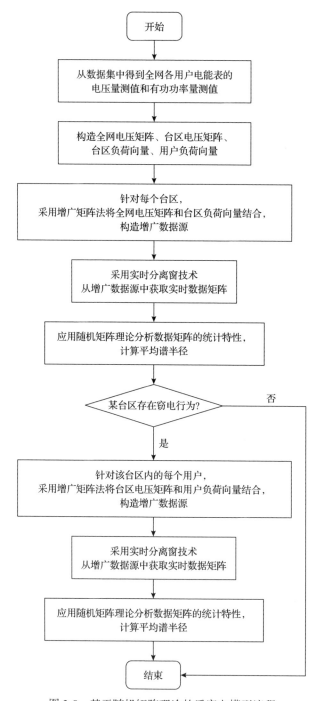

图 3-8 基于随机矩阵理论的反窃电模型流程

采用 IEEE33 节点配电网络作为仿真系统，每个节点的用户的日负荷曲线满足其负荷类型对应的典型行业日负荷曲线，如图 3-9 所示。选取两个节点的用户分别设置了两种类型的窃电行为，如表 3-1 所示。依照目前用电信息采样系统的采样周期(15min)，获得一日(24h)的仿真数据。应用本章建立的基于随机矩阵理论的反窃电模型对仿真数据进行处理分析，得出结论指出反窃电模型的有效性和可行性。

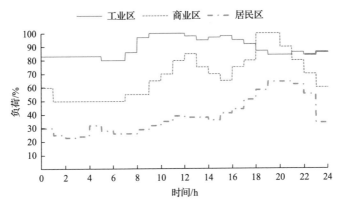

图 3-9　典型行业的日负荷曲线

表 3-1　窃电场景设置

线路	时间	窃电率/%
32	00:00~11:00	0
	11:00~18:00	5
	18:00~24:00	0
18	00:00~06:00	0
	06:00~13:00	100
	13:00~24:00	0
其他	00:00~24:00	0

分别对每个节点的用户监测窃电行为，以用户 32、用户 18 和用户 5 为例给出检测结果，如图 3-10~图 3-12 所示。

从图 3-10 中可以看出，用户 32 的平均谱半径差在 11:00 出现尖峰，称为窃电起始标志；平均谱半径差再次在 18:00 出现尖峰，称为窃电终止标志。由此可以判断，用户 32 在 11:00~18:00 存在窃电行为。同理，从图 3-11 中可以看出，用户 18 在 6:00~13:00 存在窃电行为。而图 3-12 中，用户 5 的平均谱半径差在 24h 之内均未出现尖峰，说明用户 5 无窃电行为。

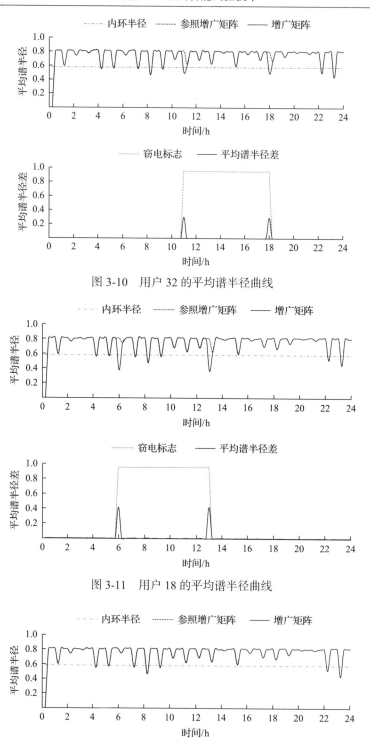

图 3-10　用户 32 的平均谱半径曲线

图 3-11　用户 18 的平均谱半径曲线

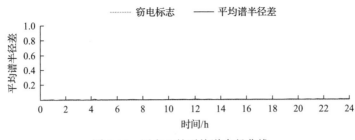

图 3-12 用户 5 的平均谱半径曲线

以上分析结果与算例设置的窃电行为一致，证明了方法的可行性和有效性。

3.2.2 针对即插即用能量组织日前负荷预测的态势预测

1. 研究现状

随着环境问题的日益严峻，电网作为碳排放的主要源头之一[39]，开发新能源已成为促进社会节能减排的必然选择。然而新能源主要受自然条件的影响，其出力的随机性、间歇性对电网的安全稳定运行造成影响。微电网作为新能源消纳的主要形式，综合分布式发电装置及储能，并具有相应控制、监控、保护装置和能量管理系统，可实现小范围内的能量自治与管理[40]。微电网作为分布在用户侧的能量细胞是区域能源网的重要组成部分[41]。

然而，微电网由于以下原因难以孤岛稳定运行[42-44]：发电容量不足、缺乏旋转设备造成系统低惯性。因此，受到安全稳定的需求或利益的驱动，多个相邻的微电网可形成多微电网群[44,45]，即能量组织。能量组织的形态较为灵活，分布式模型预测控制等算法的分布式计算方式天然地为即插即用带来无限可能[46]。目前，关于即插即用能量组织的研究主要集中在运行调度层面，文献[47]针对各子微电网的孤岛运行、并网运行状态的切换提出能量组织双层分布式调度策略，文献[48]在一致性和模型预测控制理论的基础上，提出了分布式调度框架，证明了即插即用功能的有效性。

负荷预测是能量组织进行运行调度的基础，然而由于子微电网孤岛、并网状态的切换，能量组织的形态不断变化。刚刚形成的能量组织存在历史运行数据较少等问题。日前负荷预测作为能量组织中能量管理系统的重要组成部分，可为日前调度计划的制定提供重要依据。随着人工智能技术在负荷预测上的成功应用[49,50]，以深度长短期记忆(long short term memory，LSTM)网络、深度置信网络等为代表的预测方法常常需要依赖于大量历史数据，在训练数据量较少的情况下，会导致预测模型泛化能力低、容易出现过拟合等问题。因此，需要针对新形成的能量组织中历史负荷数据较少的问题，提出合理的解决方案。

目前，对于数据量较少的问题主要有特征筛选[51-53]、正则化[54]以及数据增强[55]三种解决方法。其中，特征筛选通过对数据进行预处理以降低预测模型需要处理的数据维度，常用的方法主要有小波分析、傅里叶分解，以及经验模态变换三种。特征筛选方法往往局限于对负荷序列中的常规分量进行提取，忽视了对不确定因素的处理。正则化方法通过对模型参数进行约束，提高了模型的泛化能力，但一定程度上也限制了模型的学习能力。数据增强方法通过借助与待研究数据具有较强相关关系的其他数据来增加样本数量，以使得模型更好地理解不确定因素。在负荷预测中主要通过借助空间上邻近的负荷数据来弥补数据量在时间层面上的不足。文献[55]为了防止深度 LSTM 网络过度拟合，基于来自不同居民的负荷数据对深度学习网络进行训练，从而实现了泛化性能和预测准确度的提高。

目前有关人工智能方法在负荷预测方面的应用主要围绕确定性负荷预测展开，然而为处理负荷具有的不确定性，常用的调度手段如鲁棒优化[56]、随机优化[57,58]等需要预测算法提供置信区间或分位点等信息，因此有必要研究基于人工智能技术的概率预测方法。概率预测方法通常围绕负荷的概率密度[59-61]、分位点[62]以及置信区间三个方面进行研究。文献[59]提出了一种基于高斯过程的负荷概率密度预测方法。文献[60]针对长期负荷预测，提出了非参数组合回归模型实现对负荷分位点的预测。文献[61]采用基于 Pinball 损失函数的深度 LSTM 网络进行超短期负荷预测，该方法与其他基于机器学习的方法相比，可取得更好的预测效果。针对分位点进行预测可以建立概率预测与确定性预测之间的联系，并且提供置信区间等信息。

2. 问题建立

日前负荷所服从的联合概率分布是高维空间中的一个函数，本书采用数据驱动的方法，通过训练基于 Pinball 损失函数的 LSTM 网络学习输入数据与对应概率分位点之间的非线性映射关系，通过对多组分位点进行求取，得到日前负荷的概率特征：

$$P(p_1 < q_1^{\alpha_i}, p_2 < q_2^{\alpha_i}, \cdots, p_{24} < q_{24}^{\alpha_i}) = \alpha_i, \quad i = 1, \cdots, n_q$$

式中，$q_1^{\alpha_i}, q_2^{\alpha_i}, \cdots, q_{24}^{\alpha_i}$ 为日前负荷的分位点，$\alpha_i \in [0,1]$；n_q 为待研究分位点的个数；P 为负荷值 $p_1, p_2, \cdots, p_{24}$ 低于分位点 $q_1^{\alpha_i}, q_2^{\alpha_i}, \cdots, q_{24}^{\alpha_i}$ 的概率。

提出的针对能源细胞-组织架构下日前负荷概率预测问题的流程如图 3-13 所示，该流程由三个阶段组成：

（1）分别在各自的能量组织中进行负荷数据清洗，并将数据划分成为训练集、验证集以及测试集。针对训练集中的负荷数据形成层次聚类方法的输入特征。

（2）针对研究范围内所有能量组织提供的负荷特征进行层次聚类，根据提供的相似度阈值，确定集群的划分。

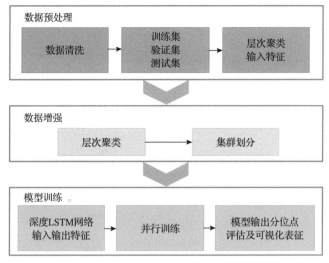

图 3-13　日前负荷概率预测流程

(3) 合并各个集群中的负荷数据，针对每个集群，形成深度 LSTM 网络输入输出特征，并构建 n_q 个基于 Pinball 损失函数的深度 LSTM 网络。针对深度 LSTM 网络进行并行训练，并对模型输出分位点进行评估以及可视化表征。

3. 模型构建

1) 层次聚类

与 K 均值聚类方法不同，层次聚类方法可以提供不同能量组织间负荷相似性结构化的度量，其可以灵活适应所需的相似程度阈值，从而选择合适的能量组织集群作为训练 LSTM 网络的数据集。采用自底向上的层次化聚类方法，并用每个能量组织负荷的周平均值 $L_m \in \mathbb{R}^{168}(m = 1, \cdots, N_{cell})$ 作为该集群的典型负荷特征，并归一化至[0,1]区间内，其中 N_{cell} 为所研究的能量组织个数，该方法主要由以下三步组成。

(1) 初始化：每个能量组织负荷作为单独的一个集群。

(2) 计算各集群之间的邻近度矩阵，并将最小矩阵元素对应的两类合并。

(3) 重复步骤(2)，直到全部能量组织负荷合并为 1 个集群。

采用欧几里得距离作为相似程度的度量，初始化中邻近度矩阵 $D_{N_{cell} \times N_{cell}}$ 中的元素可计算如下：

$$D_{m,n} = \left(\sum_{t=1}^{T_W} (L_{m,t} - L_{n,t})^2 \right)^{\frac{1}{2}} \tag{3-26}$$

式中，T_W 为一周包含的小时数。

随着能量组织间的合并，每一个集群中将会包含有多个能量组织，基于沃德 (Ward) 方法[25]定义集群之间的距离，新集群与其他集群之间的距离可表示为

$$d(C_i \bigcup C_j, C_k) = \frac{n_i + n_k}{n_i + n_j + n_k} d(C_i, C_k) + \frac{n_j + n_k}{n_i + n_j + n_k} d(C_j, C_k)$$
$$- \frac{n_k}{n_i + n_j + n_k} d(C_i, C_j) \tag{3-27}$$

式中，C_i、C_j、C_k 分别为原始的三个集群；$C_i \bigcup C_j$ 为合并生成的新集群；$d(C_i, C_j)$、$d(C_i, C_k)$、$d(C_j, C_k)$ 分别为集群 C_i、C_j、C_k 各自之间的距离；n_i、n_j、n_k 分别为集群中含有的能量组织个数。

2) 基于 Pinball 损失函数的深度 LSTM 网络

本书提出的并行深度 LSTM 网络架构如图 3-14 所示，按照待研究的分位点的个数，形成 n_q 个深度 LSTM 网络，并行训练后每个深度 LSTM 网络的输出即为特定分位点对应的概率负荷预测值。

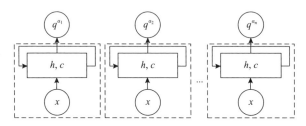

图 3-14　并行深度 LSTM 网络架构

深度 LSTM 网络由于其独特的网络架构，适合处理与时间序列有关的问题。深度 LSTM 网络主要由 LSTM 层堆叠组成，而 LSTM 层则由多个 LSTM 单元串联组成。LSTM 单元具有独特的门结构以及记忆单元，其表达式如下：

针对确定性日前负荷预测，均方误差 (mean squared error，MSE) 以及平均绝对误差 (mean absolute error，MAE) 常被用作损失函数：

$$L_{\text{MSE}} = \frac{1}{N_s} \cdot \frac{1}{T_p} \cdot \sum_{i=1}^{N_s} \sum_{t=1}^{T_p} (y_{i,t} - \hat{y}_{i,t})^2 \tag{3-28}$$

$$L_{\text{MAE}} = \frac{1}{N_s} \cdot \frac{1}{T_p} \cdot \sum_{i=1}^{N_s} \sum_{t=1}^{T_p} |y_{i,t} - \hat{y}_{i,t}| \tag{3-29}$$

式中，$y_{i,t}$ 和 $\hat{y}_{i,t}$ 分别为负荷的实际值和预测值；N_s 为样本个数；T_p 为日前预测

的输出长度，本书中为 24h。确定性预测通过将均方误差和平均绝对误差作为统计指标，可以得到负荷不同的统计特征，即均方误差得到待预测负荷的期望值，而平均绝对误差得到待预测负荷的中位数。

为得到描述负荷波动不确定性的更多信息，采用 Pinball 损失函数来获得日前负荷所满足的累积概率分布对应的分位点信息。Pinball 损失函数可定义为

$$L_{\text{Pinball}}^{\alpha_q} = \frac{1}{N_s} \cdot \frac{1}{T_p} \cdot \sum_{i=1}^{N_s} \sum_{t=1}^{T_p} (1 - \alpha_q)(\widehat{y}_{i,t}^{\alpha_q} - y_{i,t}) I_{\left\{\widehat{y}_{i,t}^{\alpha_q} - y_{i,t} > 0\right\}} + \alpha_q (y_{i,t} - \widehat{y}_{i,t}^{\alpha_q}) I_{\left\{\widehat{y}_{i,t}^{\alpha_q} - y_{i,t} < 0\right\}}$$

(3-30)

式中，I 为指示函数；α_q 为分位点对应的概率；$\widehat{y}_{i,t}^{\alpha_q}$ 为所求分位点。特别地，当 $\alpha_q = 0.5$ 时，$L_{\text{Pinball}}^{0.5}$ 即等价为 MAE，所求得的分位点为中位数。因此，对深度 LSTM 网络进行训练，即求解如下无约束优化问题，使得目标函数的值达到最小：

$$\widehat{\omega}^{\alpha_q} \in \arg\min L_{\text{Pinball}}^{\alpha_q} (y - \langle x, \omega \rangle)$$

(3-31)

式中，$\widehat{\omega}^{\alpha_q}$ 为 LSTM 网络需要通过训练学习到的参数；y 为输出；x 为输入；ω 为权重。

与每个分位点对应的深度 LSTM 网络架构由输入层、LSTM 层，以及全连接层 (fully connected layer，FC) 组成。在输入层中，由于负荷序列具有内在周期性，待预测负荷与一周前负荷的相关性较大，因此选择待预测日前一周的负荷值作为深度 LSTM 网络的输入；而对于特殊节假日等信息，则采用 0-1 变量的形式进行编码，和历史负荷一起，共同作为深度 LSTM 网络的输入特征。

网络的 LSTM 层旨在从输入负荷时间序列中挖掘数据中存在的规律，如相关性、周期性等特征。通过训练，LSTM 单元所具有的独特记忆结构使得网络可以有选择地对历史数据与待预测数据之间的相关关系进行存储；此外，由于输入数据中除含有负荷的时间信息外，空间上负荷之间的相关性也包含其中，LSTM 层通过隐藏层向量，可以逐层提取负荷数据中的抽象特征并传递给输出层。

3.2.3 针对风险评估的态势理解

能源互联网中存在的高比例风光等清洁能源发电的输出波动、负荷预测误差及机组故障停运等风险，将引起电网突发大规模停电等事故风险增大。需对其波动特性进行模拟，首先建立这些指标的风险评估模型。在对各类风险指标的分析上，构建多层次的风险评估体系。

含高比例可再生能源的能源互联网由于含有大量分布式清洁能源，与传统配电系统评价指标有一定区别，具体体现在以下两方面。

(1)经济性方面。能源互联网采用不同能量形式联供的能源梯级利用技术，有效提高了能源的利用率。而且，区域能源网中分布式单元所使用的能源大多数都是可再生能源，如风能、太阳能等，对环境影响极小，有效减少了传统电网中的碳排放。通过能源互联网中多种能源之间的相互配合，可以有效减少可再生能源出力不确定性为电网运行带来的风险。

(2)可靠性方面。可再生能源的接入改变了传统配电网中潮流的流向，配电系统的角色由原来的单一的消费者变为集可再生能源以及终端用户为一体的电能产消者，同时改变了传统的电力市场格局。在开放的市场环境中，分属于不同经济实体的各发电商，在系统运行中，对系统可靠性的考虑与传统观念存在巨大差别。市场环境下，传统可靠性指标旨在在电价固定不变的基础上求得某段时间内的期望值，并未考虑到上述问题。市场解除管制后，发电商独立运营，若出现因为电价过低而不供电的情况，则会对系统可靠性造成负面影响，导致原有的可靠性指标失去应有的意义，带来一定的运行风险。

1. 系统中风险来源

建立含高比例可再生能源的能源网的电网风险综合评价体系，是促进能源互联网发电、缓解我国能源利用与环境保护之间矛盾的现实需要。

1)风电出力不确定性模型

在过去 10 年中，全球风电装机容量快速增长，预计在 2030 年，我国在基本情景下风电装机将达到 4 亿 kW、积极情景下风电装机 12 亿 kW。且风电在发电总量中的比重也不断提高。相比常规能源，风电清洁无污染，但也有随机性、间歇性和难预测的不足。

风电出力受到风速变化的影响，呈现出明显的随机性，并表现出持续性高幅度扰动的特征，这给系统可靠性带来了隐患。从可调度性上看，常认为风电是非可调度资源。需要依赖大量常规机组来平抑风电的不确定性。但研究表明[6]，在一定的区域内，地域分散的分布式风能资源在时空尺度下具有良好的互补性。因此从广域上看，可以利用多种分布式能源的互补性消纳风电。一般通过模拟风速符合的概率分布从而对其进行模拟分析，其中两参数的韦布尔(Weibull)分布模型在目前的研究中最为常用。

2)光伏发电不确定性模型

太阳能是最容易得到的清洁能源。太阳能发电可以分为热发电和光伏发电两类，其中光伏发电的研究更为成熟，应用也更多。然而，考虑到光照强度、温度，以及湿度变化等因素的影响，光伏发电不可避免会具有很大的随机性与间断性。

与风力发电相比，光伏发电在晴天、正午时段出现功率输出的顶峰，夜间不具备发电能力，表现在日功率变化曲线上，即光伏发电只有白天时段的功率值大于 0，通过研究，将光伏发电与风力发电进行互补可以平抑波动性。与风力发电相似，光伏发电的输出功率由于受到光照强度以及温度等因素的影响，也具有随机性的特点。

3) 负荷预测不确定性模型

对于负荷预测，采用人工神经网络方法，将相似日历史数据及当天前 2h、前 1h 负荷及温度数据作为训练对象引入数据库，得到下一时刻的负荷预测数据。设负荷波动由均值为零的正态分布刻画，即

$$\delta_L^t \sim N(0,\sigma_{L,t}^2) \tag{3-32}$$

式中，δ_L^t 为 t 时刻的负荷波动；$\sigma_{L,t}^2$ 为方差。

分布函数可以表示为

$$F(\delta_L^t)=\frac{1}{\sigma_{L,t}\sqrt{2\pi}}\int_{-\infty}^{\delta_L^t}\exp\left(-\frac{\delta_L^t}{2\sigma_{L,t}^2}\right)d\delta_L^t \tag{3-33}$$

2. 风险分析相关理论

1) 风险评估体系构建原则

指标评价体系建立中，要考虑到各指标之间的独立性和指标的多样性，结合实际应用中的主观和客观因素，建立具有一定逻辑的评价指标体系。这里引入广泛应用于国内外政府部门和组织的评价工作遵循的 SMART 准则，具体包括以下五个方面。

特定的评价对象(specific)：评价指标的建立需依据待评价对象的本质以及特征确定。

可测量的指标(measurable)：该准则体现了评价指标的标准性。指标概念需客观有效、尽量避免主观因素的干扰。

可得到的指标(attainable)：指标体系设计时，应当考虑相应数据的可获得性。在进行评价时需要考虑如何获得准确的数据。

关联的指标(relevant)：评价指标需形成一定的逻辑体系。需考虑各指标之间存在的相关性。

可跟踪的指标(trackable)：评价指标体系的建立是为了对项目进行评判和监督，对相应阶段的评价应当便于跟踪和再评价。也就是说，能够动态反映出项目实施前后的差别及实施的效果，以便于相关人员及时调整和改进。

依据这些准则，结合考虑含高比例可再生能源的能源网的运行特点和测评的

要求，提出风险指标评价体系的基本原则：实用性、客观性、典型性、全面性、求同存异原则等。

2) 条件风险价值理论

条件风险价值(CVaR)理论源于经济学中对于风险的评价。设 x 为 n 维决策变量(投资组合)，y 为随机变量(市场价格、成本等)。随机变量 y 服从概率密度函数为 $p(y)$ 的分布，定义 $f(x,y) \in \mathbb{R}^{n \times m}$ 为损失函数。若 y 的分布已知，且概率密度函数 $p(y)$ 连续，则损失函数 $f(x,y)$ 不超过临界值 α 的概率(累积分布函数)为 $\psi(x,\alpha) = \int_{f(x,y)} P(y)\mathrm{d}y$。

由此可以得到在一定置信水平 $\beta \in (0,1)$ 下的风险价值(VaR)和CVaR计算公式：

$$\mathrm{VaR}_\beta(x) = \min\{\alpha \in \mathbb{R}; \psi(x,\alpha) \geqslant \beta\}$$

$$\begin{aligned}\mathrm{CVaR}_\beta(x) &= \mathrm{VaR}_\beta(x) + E[f(x,y) - \mathrm{VaR}_\beta(x) \mid f(x,y) \geqslant \mathrm{VaR}_\beta(x)] \\ &= E[f(x,y) \mid f(x,y) \geqslant \mathrm{VaR}_\beta(x)] \\ &= \frac{1}{1-\beta} \int_{f(x,y) \geqslant \mathrm{VaR}_\beta(x)} f(x,y)p(y)\mathrm{d}y\end{aligned} \quad (3\text{-}34)$$

离散型CVaR可以由历史数据或蒙特卡罗模拟计算获得：

$$\begin{aligned}\mathrm{CVaR}_\beta(x) &= \mathrm{VaR}_\beta(x) + E[f(x,y) - \mathrm{VaR}_\beta(x) \mid f(x,y) \geqslant \mathrm{VaR}_\beta(x)] \\ &= \mathrm{VaR}_\beta(x) + \frac{1}{q(1-\beta)} \sum_{k=1}^{q} [f(x,y^k) - \mathrm{VaR}_\beta(x)]^+\end{aligned} \quad (3\text{-}35)$$

式中，q 为数据总量；上标中的"+"表示仅在括号中值为正数时有意义。

式(3-35)可以用来衡量组合的风险。

基于CVaR的运行风险能够综合考虑可再生能源出力、负荷波动及常规机组停运等因素，能够反映随机因素影响下的经济性风险损失，符合实际系统调度运行的要求。

风险评估是为了获得评价系统风险的指标，进而对系统可能遭受风险的危险程度进行量化的评判，从而指导系统规划和运行。为了合理反映系统的风险水平，所建立的风险评估指标一般包含故障发生概率和故障后果影响程度两个方面的内容。根据系统状态分析性质的不同，风险评估指标可以分为系统安全性指标与系统充裕性指标两大类。目前关于电网可靠性与风险评估的方法主要可以归纳为解析法、模拟法以及将解析法和模拟法相结合的混合法三类。

根据以上原则，综合考虑能源互联网中存在的高比例风光等清洁能源发电不确定性、负荷预测误差及机组故障停运等风险，构建高比例可再生能源网络风险评估体系时，主要从可再生能源侧风险、负荷侧风险、网络侧风险三方面的指标对系统运行风险进行评估。在每个一级指标下，根据实际需求细分二级指标，可以包括失负荷概率、功率越限概率、可再生能源弃电风险等。风险评估体系架构如图 3-15 所示。

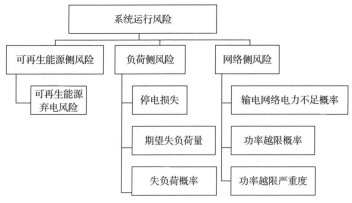

图 3-15　风险评估体系架构

风险评估体系数据来源为电力系统中各个设备与企业产生的日常统计量。为便于评估的开展，各个指标之间的权重应充分考虑专家经验与各种客观因素进行确定，并逐步建立专家库和专家问卷调查的机制。

3. 风险评估指标

1) 可再生能源弃电风险

含高比例可再生能源网络中出现可再生能源弃电现象的原因可能包括：①负荷负向波动幅度较大，电源侧不能及时减出力导致电能盈余；②可再生能源发电正向波动幅度较大，负旋转容量不足。当带负荷的发电机组出现随机停运故障时，可能导致失负荷现象，但这增大了系统调峰容量裕度，且能够减小可再生能源弃电风险，也是弃电风险指标中应该计及的一种影响因素。

在 t 时段，系统的弃电电力可表示为

$$P_{\mathrm{WRP},t} = \left[\sum_{i=1}^{\mathrm{NG}} P_{i,\min} I_{it} - P_{\mathrm{D},t}^{\mathrm{f}} + P_{\mathrm{R},t}^{\mathrm{f}} - P_{\mathrm{D},t}^{\Delta} + P_{\mathrm{R},t}^{\Delta} \right]^{+} \tag{3-36}$$

式中，$P_{i,\min}$ 为常规机组 i 的发电下限；$P_{\mathrm{D},t}^{\Delta}$ 为负荷波动量；$P_{\mathrm{R},t}^{\Delta}$ 为可再生能源出力波动量；NG 为发电机数量；I_{it} 为电流；$P_{\mathrm{D},t}^{\mathrm{f}}$ 为负荷量；$P_{\mathrm{R},t}^{\mathrm{f}}$ 为可再生能源出力。通常来讲，含高比例可再生能源网络的优化调度中，风光等可再生能源机组尽可能并网运行，以尽量减少弃电运行的工况。当计及随机变量时，系统可能的弃电

损失为

$$f_{\text{WRP},t}(P_{\text{WRP},t}) = K_{\text{WRP}}P_{\text{WRP},t} \tag{3-37}$$

式中，K_{WRP} 为出现弃电情况时支付给可再生能源电站的弃电单位赔付价值系数。

可以引入条件风险价值指标，来衡量高比例可再生能源接入时的运行风险。记 n_{WRP} 为 t 时段场景总数，经蒙特卡罗方法模拟出多场景的弃电损失 $[f_{\text{WRP},t}(1), f_{\text{WRP},t}(2), \cdots, f_{\text{WRP},t}(n_{\text{WRP}})]$，则弃电风险表达式为

$$\text{CVaR}_{\text{WRP},t} = \text{VaR}_{\text{WRP},t} + \frac{1}{n_{\text{WRP}}(1-\beta)}\sum_{k=1}^{n_{\text{WRP}}}[f_{\text{WRP},t}(k) - \text{VaR}_{\text{WRP},t}]^{+} \tag{3-38}$$

调度周期综合弃电损失为各时段的弃电损失条件风险价值之和，即

$$\text{CVaR}_{\text{WRP},t} = \sum_{t=1}^{\text{NT}}\text{CVaR}_{\text{WRP},t} \tag{3-39}$$

式中，NT 为时间段总数。

2) 期望失负荷电量

期望失负荷电量(expected energy not supplied，EENS)指标计算步骤如下，多场景情况可以由蒙特卡罗模拟生成。

(1) 置计数器 $N'=0$。

(2) 根据随机变量的概率分布产生随机变量 ε。

(3) 计算该抽样场景下系统失负荷量 $\text{EENS}(t)_i$ (表征 t 时段第 i 次随机抽样所对应的失负荷量)，若供电量大于需求量，则置 $\text{EENS}(t)_i = 0$。

(4) 更新抽样次数，$N'=N'+1$。

(5) 重复步骤 (2) ~ (4) 共 N 次，其中 N 为随机抽样总次数。

(6) 计算 t 时刻期望失负荷电量 $\overline{\text{EENS}(t)}$：

$$\overline{\text{EENS}(t)} = \frac{\sum\limits_{i=1}^{N}\text{EENS}(t)_i}{N} \tag{3-40}$$

3) 失负荷概率

与 EENS 的计算类似，记 $p_{t,i}$ 为 t 时段第 i 次随机抽样所对应的标记值，为 1 对应系统失负荷情况：

$$p_{t,i} = \begin{cases} 1, & \text{EENS}(t)_i > 0 \\ 0, & \text{EENS}(t)_i = 0 \end{cases} \tag{3-41}$$

计算 t 时刻失负荷概率(loss of load probability,LOLP) LOLP(t):

$$\text{LOLP}(t) = \frac{\sum\limits_{i=1}^{N} p_{t,i}}{N} \tag{3-42}$$

3.3　云-边计算

3.3.1　研究现状

1. 用户电力物联终端的组成形态与功能配置研究

边缘计算(edge computing,EC)作为一种分散式运算的架构,将应用程序、数据资料与服务的运算,从网络中心节点转移至网络逻辑的边缘节点进行处理,从而大大提升数据的处理效率,减轻云端承担的工作负荷。这项技术最早可以追溯至 1998 年 Akamai 公司提出的内容分发网络(content delivery network,CDN),通过将云服务器的功能下行至边缘服务器,提高用户的访问响应速度和命中率。但是随着万物互联的高速发展,边缘数据迎来爆发性增长,为了解决计算负载和数据传输带宽的问题,国外研究者开始探索万物互联服务的上行,即数据处理功能,并于 2016 年 5 月由美国韦恩州立大学的施巍松教授给出边缘计算的正式定义——包括云服务功能的下行和万物互联服务功能的上行。

边缘计算作为物联网以及工业互联网发展的关键技术,对万物互联时代的发展进程具有重要的影响。目前国外对边缘计算的研究主要集中于应用架构建设和实现技术方案两个方面,在电力方面的研究尚处于起步阶段。对于边缘计算的应用架构,思科公司早先创建的 OpenFog 雾计算架构被广泛认可,包括云服务器、核心网络、边缘节点、无线信号接收设备以及终端设备。之后,欧洲电信标准化协会(ETSI)将移动边缘计算拓展为多接入边缘计算,其结构包括移动边缘主机(移动边缘平台、移动边缘应用、虚拟化基础架构)、移动边缘系统层管理、移动边缘主机层管理以及外部相关实体。对于边缘计算的组成及配置技术方案,各大软件计算服务商均有自建的平台和部署方案,但因需求的多样性以及设备的多样性,不同方案之间差别巨大,目前还未有一个较为统一的标准。

2. 基于边缘计算的用户用电精细化建模研究技术

基于边缘计算的用户用电精细化建模研究技术是指以智能电表等边缘计算网关作为需求侧资源协同优化与智能调节系统的交互终端,通过网关中集合的传感测量技术、网络通信技术、边缘计算技术等技术采集并处理用户的用电数据,利用用电数据的实时变化提取所需特征,与已录入的用户设备负荷特征进行比对分析,实现精细化动态辨识用户设备进而精细化获取用户设备级用电数据,再将精细化用电数据上报给系统用于用户用电行为分析等。用电数据包括用户用电设备的启停状态和用电量。对基于边缘计算的用户用电精细化建模研究受制于终端设备的技术及普及,最初采用的是侵入式负荷监测手段,在用户每个用电设备上加装传感器和信息采集装置,配置复杂、成本较高。之后基于对电力量测技术的发展判断,Hart 提出非侵入式用电监测这一概念实现用户用电精细化建模,以固定频率采样可直接获取的有功、无功电气量特征,以前后采样电气量的差值监测是否有阶跃信号的出现来判断监测网络内有无用电设备发生状态变化,之后利用 Viterbi 算法对当前用电设备特征与聚类用电设备进行最大概率情况下的匹配,完成用电设备状态辨识;而该监测和辨识方法缺少对同一采样时刻下多用电设备同时发生状态改变情况的考虑[63]。在此基础上,Bijker 提出了仅通过有功的监测,建立一个利用状态量,考虑同一时刻用电设备多状态的有功分析模型,最终得到计算有功值与测量有功值误差最小的用电设备状态组合,且利用先进先出(first-in-first-out)的记录用电设备状态的处理方法,解决了多用电设备同时发生状态改变以及用电设备多状态的辨识问题;除利用测量的功率特征,非侵入式用电监测手段还包括电压、电流信号的监测[64]。Cox 等提出基于电压扰动的辨识方法,对有暂态扰动的采样电压信号预处理得到频谱包络并估计得到频谱系数,软件对比分析具有相近频谱系数的负荷进行匹配进而完成用电设备状态辨识,其实质是对暂态电压信号的分解[65]。国外学者对用户用电精细化建模的研究集中于利用负荷特征的分析再聚类辨识用电设备,从最初仅利用与功率相关的特征,如稳态功率阶跃特征等,到已开始更多地关注用电设备非基波特征,如高次谐波特征、稳态 3 次谐波功率阶跃特征、稳态电流高次谐波特征等。

国外对用户用电精细化建模的研究侧重应用层面,所以受限于采样计量装置的采样频率或模/数转换器的处理能力,信号采样一般在较低频率下进行,导致关于用电设备稳态特征的研究居多而关于暂态特征的研究较为缺乏,且一些暂态特征的定义不明确。而单纯利用稳态特征进行用电设备辨识,存在功率差异较大时低功率用电设备难以区分,且功率接近的纯电阻用电设备辨识困难等问题。

随着电力物联网建设的不断推进与识别技术的发展,用户用电精细化建模研究进入新阶段,而且随着硬件技术的发展,对信号的高频采样和处理也可做到低成本实现,用电设备状态变化时表现出的暂态特征为用电设备状态辨识提供了更多有效信息,是未来用户用电精细化建模的一个重要发展方向。

3. 终端用户用电在线优化调控

终端用户用电在线优化调控的概念起源于 20 世纪 90 年代末期,随着需求响应研究的深入与智能家电的普及，家庭能源管理系统得到了广泛的关注。Mohsenian-Rad 以减少电费支出为目标，根据价格预测对家庭负荷的有序用电进行了研究，实现了家庭负荷的规划与安排[66]；Adika 提出了基于聚类分析的方法，对用户的用电行为进行预测，考虑了不同用户类型的用电行为差异性，并开发了具有互动能力的能源管理系统[67]；Althaher S 在能量管理系统的研究中考虑了用户舒适度与用电转移量的约束条件，通过惩罚函数避免用户用电量过度转移到低谷时段导致的峰值逆转情况，加强了用电在线优化调控的实用性[68]。Pedrasa 进一步考虑了针对拥有分布式发电能力用户的负荷调控，在决策中首先考虑了分布式能源的消纳，同时考虑对分布式能源资源与用户负荷进行调度，从而使用户获得更高的净效益[69]。

3.3.2　基于物联网的用户用电信息动态感知与在线优化调控研究

首先，分析用户电力物联终端作为边缘计算中边缘节点的布局可能性、不同应用场景的软硬件配置，如智能电表作为边缘计算网关的应用层功能实现，以及边缘计算网络范围大小规划和满足泛在电力物联网统一规范的前提下的组成形态。其次，利用边缘计算网关采集监控的数据，建立用户用电精细化模型，实现设备用电精细化辨识，为上级调节系统提供用户用电精细化数据。最后，基于用电设备特性和边缘节点历史的用电数据，建立用电计划及在线优化调控模型。

1. 用户电力物联终端的组成形态与功能配置研究

首先，利用边缘网关采集用电设备的实时用电数据，并将其提交至边缘节点，然后，本地边缘计算层根据智能网关上交的数据完成对用电设备的特征提取、特征选择以及状态辨识，将有效信息传递给上级云平台的调节系统进行进一步处理；当调节系统完成需求响应效益评估后，下发边际用电效益信号，由边缘节点将该信号下达给用电设备，实现边缘计算与云计算的协调控制。

边缘计算在物理架构上主要分为四个部分：①设备域，由智能网关(如智能电表)等数据获取终端组成，主要负责从用电设备获得实时用电数据，并且可以进行边缘互联；②网络域，主要承担设备域与数据域的互联，保证数据的安全传输；③数据域，包含数据处理、数据存储等功能，是整个边缘计算的核心环节，根据嵌入的负荷特征提取算法，对用电数据进行初步处理，提取负荷的有效特征，向上提交至应用域；④应用域，作为边缘计算的最顶层，是运行在云平台上的应用的集合，可以根据不同场景需求对提交的数据进行研究，并且可以向边缘节点下发相关信号。

2. 基于边缘计算的用户用电精细化模型构建

首先，采集监控边缘计算节点的电气量，对电气量数据进行数据处理，提取特征，包括所表现的稳态和暂态特征，通过不同特征表现用电设备之间的差异性。其次，对提取计算出的特征进行特征筛选，包括特征重要性排序以及特征冗余度去除，基于对边缘节点计算能力的衡量，考虑模型运作效率，从初始特征集中选择精简且有效的特征子集。再次，选用模式识别算法，将筛选后的负荷特征量作为输入，实现设备用电精细化辨识。最后，根据用电精细化模型得到用电设备辨识结果，将不同用电设备的用电数据分类打包，打包后的数据存储至边缘节点的本地容器，同时上传数据至上级调节系统中。

3. 终端用户用电在线优化调控

首先，建立用户用电计划模型，基于用电设备特性和边缘节点用户用电数据，以用户电费最小化与满意度最大化为目标，采用人工智能优化算法求解该模型的帕累托(Pareto)最优解，向终端用户提供精确到设备级的用电优化计划。其次，建立用电在线优化调控模型，在接收到调节系统的边际用电效益信号后，根据该信号结合当前边缘节点的用电设备状态，并考虑用户用电实际需求与用电调度计划，实现各用电设备的用电调控，采用模糊评价函数法评估用电设备的实时用电重要程度。最后，根据用电在线优化调控结果，向用户提供设备级的用电实时调整建议，为用户决策实时用电行为提供依据，并将用户的实际响应数据作为调节响应信号反馈于调节系统。

3.4　小　　结

本章讨论了综合能源系统的态势感知技术，解决了态势觉察、态势理解、态势预测、风险分析等问题，感知结果为优化调度和智能调控提供技术支撑。首先介绍了用于态势感知的大数据挖掘和分析技术，进而对基于大数据分析的态势感知进行详述，最后介绍了基于云计算、边缘计算的运行状态精准感知技术。

参 考 文 献

[1] 贺兴. 基于随机矩阵理论的电力系统认知框架的研究与设计[D]. 上海: 上海交通大学, 2017.

[2] Panteli M, Kirschen D S. Situation awareness in power systems: Theory, challenges and applications[J]. Electric Power Systems Research, 2015, 122: 140-151.

[3] National-Institute of Standards and Technology. NIST framework and roadmap for smart grid interoperability standards, release 1.0[Z]. U.S. Department of Commerce, 2010.

[4] Sergel R, Michael R J, Cook D N, et al. Smart grid policy[R]. Washington: Federal Energy Regulatory Commission, 2009.

[5] 杨菁, 张鹏飞, 徐晓伟, 等. 电网态势感知技术国内外研究现状初探[J]. 华东电力, 2013, 41(8): 1575-1581.

[6] Stanton N A, Chambers P R G, Piggott J. Situational awareness and safety[J]. Safety Science, 2001, 39(3): 189-204.

[7] Smith K, Hancock P A. Situation awareness is adaptive, externally directed consciousness[J]. Human Factors the Journal of the Human Factors & Ergonomics Society, 1995, 37(1): 137-148.

[8] Bedny G, Meister D. Theory of activity and situation awareness[J]. International Journal of Cognitive Ergonomics, 1999, 3(1): 63-72.

[9] Endsley M R. Toward a theory of situation awareness in dynamic systems[J]. Human Factors, 1995, 37(1): 32-64.

[10] 王红, 张文, 刘玉田. 考虑分布式电源出力不确定性的主动配电网量测配置[J]. 电力系统自动化, 2016, 40(12): 9-14.

[11] Liu J, Tang J J, Ponci F, et al. Trade-offs in PMU deployment for state estimation in active distribution grids[J]. IEEE Transactions on Smart Grid, 2012, 3(2): 915-924.

[12] Liu J, Ponci F, Monti A, et al. Optimal meter placement for robust measurement systems in active distribution grids[J]. IEEE Transactions on Instrumentation and Measurement, 2014, 63(5): 1096-1105.

[13] Muscas C, Pilo F, Pisano G, et al. Optimal location of measurement devices in active distribution networks [C]//Proceedings of the 10th International Conference on Probablistic Methods Applied to Power Systems, Rincon, 2008: 1-8.

[14] Damavandi M G, Krishnamurthy V, Martí J R. Robust meter placement for state estimation in active distribution systems[J]. IEEE Transactions on Smart Grid, 2015, 6(4): 1972-1982.

[15] 黄蔓云, 卫志农, 孙国强, 等. 基于历史数据挖掘的配电网态势感知方法[J]. 电网技术, 2017, 41(4): 1139-1145.

[16] 刘健, 程红丽, 张志华. 配电自动化系统中配电终端配置数量规划[J]. 电力系统自动化, 2013, 37(12): 44-50.

[17] Ali S, Wu K, Weston K, et al. A machine learning approach to meter placement for power quality estimation in smart grid[J]. IEEE Transactions on Smart Grid, 2016, 7(3): 1552-1561.

[18] 史智萍, 王智敏, 吴玮坪, 等. 基于态势感知的电网消纳可再生能源发电评估与扩展规划方法[J]. 电网技术, 2017, 41(7): 2180-2186.

[19] Peppanen J, Reno M J, Thakkar M, et al. Leveraging AMI data for distribution system model calibration and situational awareness[J]. IEEE Transactions on Smart Grid, 2017, 6(4): 2050-2059.

[20] 吴争荣, 俞小勇, 董旭柱, 等. 基于状态估计的配电网实时态势感知与评估[J]. 电力系统及其自动化学报, 2018, 30(3): 140-145.

[21] 段斌, 陈明杰, 李辉, 等. 基于电能质量态势感知的分布式发电主动运行决策方法[J]. 电力系统自动化, 2016, 40(21): 176-181.

[22] 丰颖, 贠志皓, 孙景文, 等. 输配协同的配电网态势快速感知方法[J]. 电力系统自动化, 2016, 40(12): 37-44.

[23] 黄伟, 刘琦, 杨舒文, 等. 基于主动配电系统供电能力的安全态势感知方法[J]. 电力自动化设备, 2017, 37(8): 74-80.

[24] 徐茹枝, 王宇飞. 面向电力信息网络的安全态势感知研究[J]. 电网技术, 2013, 37(1): 53-57.

[25] Xiao F, Ai Q. New modeling framework considering economy, uncertainty, and security for estimating the dynamic interchange capability of multi-microgrids[J]. Electric Power Systems Research, 2017, 152: 237-248.

[26] Panteli M, Crossley P A, Kirschen D S, et al. Assessing the impact of insufficient situation awareness on power system operation[J]. IEEE Transactions on Power Systems, 2013, 28(3): 2967-2977.

[27] Xiao J, Zu G, Gong X, et al. Observation of security region boundary for smart distribution grid[J]. IEEE Transactions on Smart Grid, 2017, 8(4): 1731-1738.

[28] Xiao J, Gu W, Wang C, et al. Distribution system security region: Definition, model and security assessment[J]. IET Generation, Transmission & Distribution, 2012, 6(10): 1029-1035.

[29] Xiao F, Jiang Z Q, Ai Q, et al. Situation awareness of power system based on static voltage security region[J]. The Journal of Engineering, 2017, 2017(13): 2423-2427.

[30] 许鹏, 孙毅, 石墨, 等. 负荷态势感知: 概念、架构及关键技术[J]. 中国电机工程学报, 2018, 38(10): 2918-2926.

[31] 孙毅, 崔灿, 陆俊, 等. 基于差量特征提取与模糊聚类的非侵入式负荷监测方法[J]. 电力系统自动化, 2017, 41(4): 86-91.

[32] 陆俊, 朱炎平, 彭文昊, 等. 智能用电用户行为分析特征优选策略[J]. 电力系统自动化, 2017, 41(5): 58-63.

[33] 王德文, 孙志伟. 电力用户侧大数据分析与并行负荷预测[J]. 中国电机工程学报, 2015, 35(3): 527-537.

[34] 丁明, 鲍玉莹, 毕锐. 应用改进马尔科夫链的光伏出力时间序列模拟[J]. 电网技术, 2016, 40(2): 459-464.

[35] Sanjari M J, Gooi H B. Probabilistic forecast of PV power generation based on higher order Markov chain[J]. IEEE Transactions on Power Systems, 2016, 32(4): 2942-2952.

[36] Agoua X G, Girard R, Kariniotakis G. Short-term spatio-temporal forecasting of photovoltaic power production[J]. IEEE Transactions on Sustainable Energy, 2017, 9(2): 538-546.

[37] 张洪财, 胡泽春, 宋永华, 等. 考虑时空分布的电动汽车充电负荷预测方法[J]. 电力系统自动化, 2014, 38(1): 13-20.

[38] Li M, Lenzen M, Keck F, et al. GIS-based probabilistic modeling of BEV charging load for Australia[J]. IEEE Transactions on Smart Grid, 2018, 10(4): 3525-3534.

[39] Zhang N, Hu Z, Dai D, et al. Unit commitment model in smart grid environment considering carbon emissions trading[J]. IEEE Transactions on Smart Grid, 2016, 7(1): 420-427.

[40] Patrao I, Figueres E, Garcerá G, et al. Microgrid architectures for low voltage distributed generation[J]. Renewable and Sustainable Energy Reviews, 2015, 43: 415-424.

[41] 茆美琴, 丁勇, 王杨洋, 等. 微网——未来能源互联网系统中的"有机细胞"[J]. 电力系统自动化, 2017, 41(19): 1-11.

[42] Magdy G, Mohamed E A, Shabib G, et al. Microgrid dynamic security considering high penetration of renewable energy[J]. Protection and Control of Modern Power Systems, 2018, 3(1): 23.

[43] Hu B, Wang H, Yao S. Optimal economic operation of isolated community microgrid incorporating temperature controlling devices[J]. Protection and Control of Modern Power Systems, 2017, 2(1): 1-11.

[44] 王皓, 艾芊, 吴俊宏, 等. 基于交替方向乘子法的微电网群双层分布式调度方法[J]. 电网技术, 2018, 42(6): 1718-1725.

[45] Jie Y U, Ming N I, Yiping J, et al. Plug-in and plug-out dispatch optimization in microgrid clusters based on flexible communication[J]. Journal of Modern Power Systems and Clean Energy, 2017, 5(4): 663-670.

[46] 江海啸, 郑毅, 李少远, 等. 微网优化控制研究现状及智能化即插即用趋势与策略[J]. 上海交通大学学报, 2017, 51(9): 1097-1103.

[47] 周晓倩, 艾芊, 王皓. 即插即用微电网集群分布式优化调度[J]. 电力系统自动化, 2018(1): 106-113.

[48] Shi H, Xu M, Li R. Deep learning for household load forecasting-A novel pooling deep RNN[J]. IEEE Transactions on Smart Grid, 2018, 9(5): 5271-5280.

[49] 史佳琪, 谭涛, 郭经, 等. 基于深度结构多任务学习的园区型综合能源系统多元负荷预测[J]. 电网技术, 2018, 42(3): 698-706.

[50] Chen Y, Luh P B, Guan C, et al. Short-term load forecasting: Similar day-based wavelet neural networks[J]. IEEE Transactions on Power Systems, 2010, 25(1): 322-330.

[51] Al-Otaibi R, Jin N, Wilcox T, et al. Feature construction and calibration for clustering daily load curves from smart-meter data[J]. IEEE Transactions on Industrial Informatics, 2016, 12(2): 645-654.

[52] Shi D, Li R, Shi R, et al. Analysis of the relationship between load profile and weather condition[C]//2014 IEEE PES General Meeting| Conference & Exposition, National Harbor, 2014: 1-5.

[53] Osowski S, Siwek K. Regularisation of neural networks for improved load forecasting in the power system[J]. IET Generation, Transmission and Distribution, 2002, 149(3): 340-344.

[54] Zhang Y, Luo G. Short term power load prediction with knowledge transfer[J]. Information Systems, 2015, 53: 161-169.

[55] 蒋宇, 陈星莺, 余昆, 等. 考虑风电功率预测不确定性的日前发电计划鲁棒优化方法[J]. 电力系统自动化, 2018, 42(19): 57-63.

[56] 张宇帆, 艾芊, 郝然, 等. 基于机会约束规划的楼宇综合能源系统经济调度[J]. 电网技术, 2019, 43(1): 108-115.

[57] 范松丽, 艾芊, 贺兴. 基于机会约束规划的虚拟电厂调度风险分析[J]. 中国电机工程学报, 2015, 35(16): 4025-4034.

[58] 何耀耀, 闻才喜, 许启发. 基于 Epanechnikov 核与最优窗宽组合的中期电力负荷概率密度预测方法[J]. 电力自动化设备, 2016, 11(18): 120-126.

[59] Yang Y, Li S, Li W, et al. Power load probability density forecasting using Gaussian process quantile regression[J]. Applied Energy, 2018, 213(1): 499-509.

[60] 彭虹桥, 顾洁, 宋柄兵, 等. 基于多维变量筛选-非参数组合回归的长期负荷概率预测模型[J]. 电网技术, 2018, 42(6): 1768-1775.

[61] Wang Y, Gan D, Sun M, et al. Probabilistic individual load forecasting using Pinball loss guided LSTM[J]. Applied Energy, 2019, 235: 10-20.

[62] 彭虹桥, 顾洁, 胡玉, 等. 基于混沌粒子群—高斯过程回归的饱和负荷概率预测模型[J]. 电力系统自动化, 2017, 41(21): 25-32.

[63] Hart G W. Nonintrusive appliance load monitoring[C]//Proceedings of the IEEE, 1992: 1870-1891.

[64] Bijker A J, Xia X, Zhang J. Active power residential non-intrusive appliance load monitoring system[C]//IEEE AFRICON, Nairobi, Kenya, 2009: 1-6.

[65] Cox R, Leeb S B, Shaw S R, et al. Transient event detection for nonintrusive load monitoring and demand side management using voltage distortion[C]//Twenty-First Annual IEEE Applied Power Electronics Conference and Exposition, Dallas, TX, USA, 2006: 1-7.

[66] Mohsenian-Rad A H, Leon-Garcia A. Optimal residential load control with price prediction in real-time electricity pricing environments[J]. IEEE Transactions on Smart Grid, 2010, 1(2): 120-133.

[67] Adika C O, Wang L. Autonomous appliance scheduling for household energy management[J]. IEEE Transactions on Smart Grid, 2013, 5(2): 673-682.

[68] Althaher S, Mancarella P, Mutale J. Automated demand response from home energy management system under dynamic pricing and power and comfort constraints[J]. IEEE Transactions on Smart Grid, 2015, 6(4): 1874-1883.

[69] Pedrasa M A A, Spooner T D, MacGill I F. Coordinated scheduling of residential distributed energy resources to optimize smart home energy services[J]. IEEE Transactions on Smart Grid, 2010, 1(2): 134-143.

第4章 综合能源系统多主体互动模式

4.1 多主体分析

对于综合能源系统内的多主体定义可以分为两类，一是综合能源系统的投资运营过程中，涉及多种市场主体，根据综合能源系统内部分布式能源投资所有权之间的差异，可将其分为单利益主体模式综合能源系统和多主体模式综合能源系统；二是综合能源系统内部可由多个产消者构成，产消者具备产能装置并可将多余的能量出售给综合能源系统内的其他产消者。由于产消者的利益是具有不同所有权主体利益的组合，因此本章主要对按所有权划分的多主体利益进行讨论。

4.1.1 多主体模式

多主体模式指的是综合能源系统内部的分布式能源各自归属于不同的独立运营商，具有产权独立性。综合能源系统仅作为获得市场准入的第三方，即采取合作投资的方式。综合能源系统通过与独立运营商签订合同，以协商的价格从独立运营商购买能源，将购得分布式能源的电能、热能、冷能统一集中调度，不再掌握分布式能源的技术指标及发电成本等信息，其基本模式如图4-1所示。

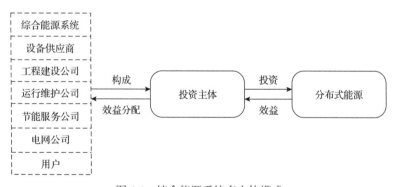

图 4-1 综合能源系统多主体模式

综合能源系统多主体模式不再关注分布式能源内部的技术信息，仅着眼于市场运营，聚合分布式能源参与电力市场运营，独立运营商则通过合同价格与供能成本之间的差价盈利。在该模式下，各个分布式能源着眼于自身，强调自身利益最大。通过与不同类别投资主体间的互补运行，可使不同类别的投资主体充分发挥各自的优势，共同实现分布式能源的有效利用。但是，此种投资模式下，综合能源系统需设立恰当的内部市场机制，为保证整体供能的效率与质量，也应在不同投资主体间实现有效的协调安排。

4.1.2　多主体内部市场机制

为了对内部成员进行更有效的管理，对于多主体综合能源系统，需设立恰当的内部市场机制，即在综合能源系统内构建一个虚拟市场。该虚拟市场是向综合能源系统内部成员提供服务的第三方。本章针对多主体的综合能源系统，构建了一个可实现组合、竞标及互动调整的虚拟市场。其主要功能如下。

1. 市场准入

区域内的所有成员(分布式能源、负荷用户)向综合能源系统内部的虚拟市场进行注册，并确定成员注册类型，如不可控电源、可控电源、可中断负荷、价格型需求响应负荷、激励型需求响应负荷等。

2. 资源整合

根据区域内的所有成员的注册类型，虚拟市场按照预定的目标，为成员找到提供特定服务的合作者，组成综合能源系统。

3. 信息交互

根据成员类型进行归类，成员向虚拟市场提交日前投标信息，综合能源系统从虚拟市场中获取所有成员信息，进行日前竞标价格和出力计划优化；成员向虚拟市场提交可调整信息，包括可调整时段、可调整容量、调整成本等。

4. 日前交易

综合能源系统确定日前计划后，下发给区域内所有成员，区域内成员按照日前计划执行。

5. 日内调整

综合能源系统从虚拟市场中获取所有成员的可调整信息，根据电网需求，确定日内调整计划。

6. 利益分配

在交易日结束后,综合能源系统对交易日内的各分布式单元的利益进行结算，并按照相应的利益分配策略进行合理分配。

4.2 多主体组合优化

综合能源系统作为一个虚拟的聚合整体，允许不同产权分布式能源根据各自的优化目标合理选择联盟伙伴，在结构和控制上相对拥有更大的自由性和宽容度。因此，作为综合能源系统协同运行的前提，研究多主体的组合优化机制具有重要意义。目前研究中已有少许文献着眼于将综合能源系统视为分布式电源的联盟体，探究分布式电源间的联盟聚合问题[1-5]。

综合能源系统组合优化过程中，需重点解决三个子问题：①如何最大化联盟的支付函数；②如何将联盟总收益分配给子成员；③如何寻找最优联盟结构。其中，第一个子问题涉及不同联盟组合的虚拟运行模拟问题，是综合能源系统优化组合过程中的重点与难点。第二个子问题实质为利润分配问题，联盟组合过程中需要选取合理的收益分配机制保证分配结果的公平性与合理性，这也是联盟组合是否稳定可靠的重要先决条件。第三个子问题则是各成员根据虚拟预测的多种联盟分配结果选取最优联盟伙伴的问题。本节从两个角度讨论多主体组合优化问题，一是分布式产能设备与负荷组合，二是倾向于以可再生能源为主来确定联盟最优结构。

4.2.1 基于合作博弈的组合优化模型

本节主要介绍分布式产能设备与负荷组合的优化模型。在综合能源系统的管控区域内，可能有大量的小型分布式产能设备与小型负荷用户。若直接对小型的成员进行组合，则可能需要遍历的次数增多，效率较低。所以可以先通过基本组合来实现初步聚集和简化，提高组合效率。综合能源系统的组合通过基本组合和优化组合两步实现，其示意图如图 4-2 所示。

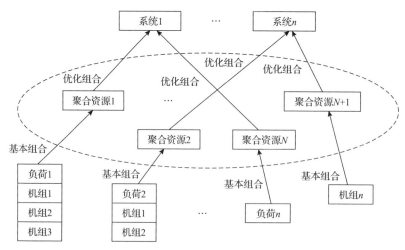

图 4-2　综合能源系统组合机制示意图

其中，基本组合将区域内的负荷进行由大到小排序，负荷大者优先选择分布式产能设备，形成分组资源。在基本组合完成后，进行优化组合，将分组资源进行归类，分为买方和卖方。在不同时刻，分组资源的类型可能不同。将区域内所有分组资源进行优化，形成联盟，得到最优的综合能源系统结构。

1. 组合优化模型

在综合能源系统的管控区域内，可能存在多种出力特性的分布式机组以及多个负荷节点。综合能源系统根据负荷节点每日不同的负荷预测曲线，将分布式机组的出力特性与负荷特性按照一定目标进行匹配。例如，可再生能源与负荷互补性可用可再生能源机组的时序出力曲线与时序负荷曲线距离来衡量。可再生能源机组的时序出力曲线与时序负荷曲线距离越小，可认为两者的互补性越强。同时，需要考虑聚合负荷和分布式机组时所导致的通信成本。

在本章中，设定基本组合确定准则如下。

(1)首先将在综合能源系统管控区域内的负荷用户与分布式机组进行组合，初步形成聚合资源。

(2)将综合能源系统管控区域内的节点按照负荷大小进行排序，负荷大的节点优先满足，满足前一节点后更新待选分布式机组组合。

(3)以此类推，确定该区域内各个负荷用户与分布式机组的组合匹配方案，得到区域内所有初步聚合资源，形成聚合资源集合，以进行下一步的优化组合。

因此，对于分组资源，其确定基本组合的目标函数可以定义为

$$\min F = \alpha_0 \sqrt{\sum_{t \in T} (\sum_{j \in N_G} x_j P_{j,t} - \mathrm{LD}_{k,t})^2} + \beta_0 \sum_{j \in N_G} l_{ij} C_1 \tag{4-1}$$

式中，N_G 为综合能源系统内所有可组合的分布式机组集合；T 为调度周期；$P_{j,t}$ 为 t 时刻机组 j 的出力值；$\mathrm{LD}_{k,t}$ 为 t 时刻负荷用户 k 的预测值；x_j 为 0-1 变量，为 0 时表示机组 j 不参与该基本组合，为 1 时表示机组 j 参与该基本组合；C_1 为单位通信成本；l_{ij} 为机组 i 与 j 之间的距离；α_0、β_0 为权重系数。

在基本组合确定后，区域内分散的、不同类型、不同容量的分布式机组和负荷用户已进行初步组合，形成了新的资源集合 N。对于每一个资源 i，根据其对外表现的特性，将集合 N 进行划分，分为买方资源集合 N_b 和卖方资源集合 N_s。

对于每一个资源 i，其策略为单元 i 与 j 之间的交易能量 P_{ij} 及单元 i 与能源商之间的交易能量 P_{i0} 最小。

对于资源集合 N 中的联盟 S，将其分为买方资源集合 S_b 和卖方资源集合 S_s。若给定每一个资源 i 的策略，则联盟 S 的效益函数可以定义联盟的成本，具体计算公式为

$$U(S) = \mathrm{COST}_{\mathrm{pur}} + \mathrm{COST}_{\mathrm{com}} + \mathrm{COST}_{\mathrm{pen}} \tag{4-2}$$

$$\mathrm{COST}_{\mathrm{pur}} = \sum_{i \in S_{\mathrm{b}}} \left(\sum_{j \in S_{\mathrm{s}}} C_{ij} P_{ij} + C_{\mathrm{b}} P_{i0} \right) - \sum_{i \in S_{\mathrm{s}}} \left(\sum_{j \in S_{\mathrm{b}}} C_{ij} P_{ij} + C_{\mathrm{s}} P_{i0} \right) \tag{4-3}$$

$$\mathrm{COST}_{\mathrm{com}} = \sum_{i \in S} \sum_{j \in S, j \neq i} l_{ij} C_1 \tag{4-4}$$

$$\mathrm{COST}_{\mathrm{pen}} = C_{\mathrm{pen}} \left(\sum_{i \in S} P_{i0} - P_{\max} \right) \tag{4-5}$$

式中，$\mathrm{COST}_{\mathrm{pur}}$ 为联盟 S 中的买方资源集合 S_{b} 向卖方资源集合 S_{s} 的购能成本以及联盟 S 中的卖方资源集合 S_{s} 向买方资源集合 S_{b} 的售能收益，负号是为了将收益表示为成本；$\mathrm{COST}_{\mathrm{com}}$ 为联盟中单元 i 与 j 之间的通信成本；$\mathrm{COST}_{\mathrm{pen}}$ 为联络线交易功率限制导致的弃能或弃负荷惩罚成本；C_{ij} 为单元 i 与 j 之间的交易价格；C_{b} 为聚合资源向能源商的购能价格；C_{s} 为聚合资源向能源商的售能价格；C_{pen} 为惩罚成本系数。

因此，基于合作博弈的综合能源系统的组合优化模型可以定义为

$$v(S) = \min U(S) \tag{4-6}$$

2. 模型求解流程

本小节提出多主体模式下综合能源系统组合优化模型的求解方法。其中，离散二进制粒子群算法求解出基本组合，合并分裂算法求解出优化组合，从而得出综合能源系统的最优组合形式。

在基本组合模型中，其决策变量为机组参与基本组合的 0-1 表征变量。因此，基本组合模型属于离散非线性规划问题。本小节采用改进的离散二进制粒子群算法对基本组合进行求解。

在离散二进制粒子群算法中，基本组合模型中的待求解变量，即区域内各个用能单元或产能单元的状态变量，均为 1 或 0。也就是说，粒子的位置、个体极值和全局极值均不再是连续变量，而是离散二进制变量。具体包括以下几个步骤。

(1) 利用二进制编码初始化粒子种群，包括随机速度、位置及其适应度。

(2) 根据式 (4-7) 对粒子速度进行更新：

$$v_{\mathrm{id}}^{*} = \omega_0 v_{\mathrm{id}} + c_1 \mathrm{rand}() \cdot (p_{\mathrm{id}} - x_{\mathrm{id}}) + c_2 \mathrm{rand}() \cdot (p_{\mathrm{gd}} - x_{\mathrm{id}}) \tag{4-7}$$

式中，ω_0 为惯性权重；c_1、c_2 为学习因子；$\mathrm{rand}()$ 为区间 [0,1] 上均匀分布的随机

数；p_{id}、p_{gd} 分别为粒子的个体最优解 pbest 和全局最优解 gbest；x_{id} 为粒子群的位置；v_{id} 为粒子群的速度。

(3) 根据式(4-8)、式(4-9)对粒子位置进行更新：

$$s(v_{id}) = \begin{cases} 1 - \dfrac{2}{1 + e^{-v_{id}}}, & v_{id} \leqslant 0 \\ \dfrac{2}{1 + e^{-v_{id}}} - 1, & v_{id} > 0 \end{cases} \tag{4-8}$$

$$x_{id} = \begin{cases} 0, & \text{rand}() \leqslant s(v_{id}), v_{id} < 0 \\ 1, & \text{rand}() \leqslant s(v_{id}), v_{id} > 0 \\ x_{id}, & \text{其他} \end{cases} \tag{4-9}$$

式中，$s(v_{id})$ 为变量，是粒子群的速度的函数。

(4) 评价粒子适应度，并对最优值进行更新。

(5) 判断是否达到迭代终止条件。若未达到，则转步骤(2)。

为了更好地衡量聚合资源是否形成最优联盟，引入帕累托(Pareto)优的定义[6]。

联盟 S 有两种不同划分，$A = \{A_1, A_2, \cdots, A_p\}$ 和 $B = \{B_1, B_2, \cdots, B_q\}$，对于 A、B 中任一成员 i，其效用函数定义为 $U_i(A) = U(A)$、$U_i(B) = U(B)$，则 A Pareto 优于 B，即 $A \triangleright B$，可表示为

$$A \triangleright B \Leftrightarrow \{U_i(A) \geqslant U_i(B), \forall i \in A, B\} \tag{4-10}$$

若满足 Pareto 优的条件，联盟划分 A 相较于划分 B 是一个更好的联盟结构。

基于合并分裂算法，进行资源的组合优化，以形成最优的综合能源系统结构。合并规则和分裂规则定义如下[7]。

1) 合并规则

对于包含任意多个联盟的集合 $\{S_1, S_2, \cdots, S_l\}$，若满足

$$\bigcup_{i=1}^{l} S_i \triangleright \{S_1, S_2, \cdots, S_l\} \tag{4-11}$$

则将联盟 $\{S_1, S_2, \cdots, S_l\}$ 合并为 $\bigcup_{i=1}^{l} S_i$。

2) 分裂规则

对于联盟 $\bigcup_{i=1}^{l} S_i$，若满足

$$\{S_1, S_2, \cdots, S_l\} \triangleright \bigcup_{i=1}^{l} S_i \tag{4-12}$$

则将联盟 $\bigcup_{i=1}^{l} S_i$ 分裂为 $\{S_1, S_2, \cdots, S_l\}$。

利用上述两个规则,当不同联盟合并后的联盟 Pareto 优于合并之前的联盟分割,即联盟中至少有一个参与者的个人效用严格增加的同时其他所有参与者的个人效用都没有减少,那么这些联盟便可以达成协议相互合作,合并成一个大联盟。同理,一个已经存在的联盟也可能分裂成若干个小联盟,这些小联盟构成的划分 Pareto 优于分裂之前的联盟,通过一系列有序的合并分裂过程不断重复迭代,最终收敛于一个稳定的联盟结构。具体的算法过程见图 4-3。

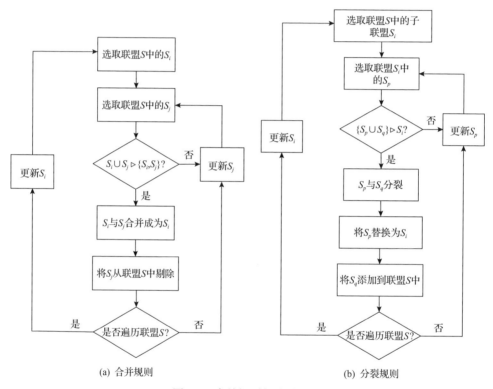

图 4-3　合并规则与分裂规则

4.2.2　算例 1 分析

考虑区域内存在 20 个分布式电源(DG)、5 个负荷用户(LD)。对区域内的资源进行基本组合,形成集合资源。为了简化模型,认为向配电网的售电电价和购电电价分别为 0.6 元/(kW·h) 和 1 元/(kW·h)。分布式单元之间的单位通信成本为 2.0 元/km。系统与配电网交互功率的上限定为 1000kW。分布式电源及负荷用户的位置信息见表 4-1。20 个分布式电源的发电预测信息见表 4-2。5 个负荷用户的用电预测曲线如图 4-4 所示。

表 4-1　分布式电源及负荷用户的位置信息

编号	位置	编号	位置	编号	位置	编号	位置
DG1	(−1.75,−1.5)	DG8	(3.5,1.0)	DG15	(−1.0,−3.2)	LD2	(0,0)
DG2	(3.55,1.0)	DG9	(1.4,−1.0)	DG16	(−1.75,1.55)	LD3	(−2,−2)
DG3	(1.45,−0.95)	DG10	(−3.9,−2.25)	DG17	(−1.3,−1.3)	LD4	(−2,2)
DG4	(2.9,−0.9)	DG11	(2.35,−1.05)	DG18	(−1.9,3.25)	LD5	(2,−2)
DG5	(−2.3,1.8)	DG12	(−1.8,−1.55)	DG19	(3.55,−1.0)		
DG6	(−1.0,3.2)	DG13	(3.55,1.05)	DG20	(−3.5,−1.3)		
DG7	(−1.75,−1.55)	DG14	(1.5,−0.95)	LD1	(2,2)		

表 4-2　分布式电源发电预测信息　　　　　　　（单位：kW）

时段	0	1	2	3	4	5	6	7
DG1	0	0	0	0	0	0	3.15	11.55
DG2	0	0	0	0	0	0	6.30	23.10
DG3	0	0	0	9.45	34.65	62.70	73.80	96.30
DG4	86.26	78.24	87.20	95.74	86.02	73.24	60.58	50.00
DG5	103.68	90.12	80.64	85.0	90.87	95.74	86.02	78.24
DG6	129.39	117.36	130.80	114.89	103.22	105.17	100.58	104.64
DG7	0	0	0	0	0	0	3.15	11.55
DG8	0	0	0	0	0	0	6.30	23.10
DG9	0	0	0	9.45	34.65	62.70	73.80	96.30
DG10	86.26	78.24	87.20	95.74	86.02	73.24	60.58	50.00
DG11	103.68	90.12	80.64	85.00	90.87	95.74	86.02	78.24
DG12	0	0	0	0	0	0	3.15	11.55
DG13	0	0	0	0	0	0	6.30	23.10
DG14	0	0	0	9.45	34.65	62.70	73.80	96.30
DG15	86.26	78.24	87.20	95.74	86.02	73.24	60.58	50.00
DG16	103.68	90.12	80.64	85.00	90.87	95.74	86.02	78.24
DG17	86.26	78.24	87.20	95.74	86.02	73.24	60.58	50.00
DG18	103.68	90.12	80.64	85.00	90.87	95.74	86.02	78.24
DG19	129.39	117.36	130.80	114.89	103.22	105.17	100.58	104.64
DG20	129.39	117.36	130.80	114.89	103.22	105.17	100.58	104.64

续表

时段	8	9	10	11	12	13	14	15
DG1	20.90	24.60	32.10	40.90	38.05	38.85	34.50	27.05
DG2	41.80	49.20	64.20	81.80	76.10	77.70	69.00	54.10
DG3	122.70	114.15	116.55	103.50	81.15	60.45	44.40	20.25
DG4	53.76	56.02	60.08	65.22	64.02	69.12	69.42	69.26
DG5	73.24	76.48	77.86	65.80	80.96	86.26	83.82	87.64
DG6	87.888	60.58	50.00	53.76	56.02	60.08	65.22	64.02
DG7	20.90	24.60	32.10	40.90	38.05	38.85	34.50	27.05
DG8	41.80	49.20	64.20	81.80	76.10	77.70	69.00	54.10
DG9	122.70	114.15	116.55	103.50	81.15	60.45	44.40	20.25
DG10	53.76	56.02	60.08	65.22	64.02	69.12	69.42	69.26
DG11	73.24	76.48	77.86	65.80	80.96	86.26	83.82	87.64
DG12	20.90	24.60	32.10	40.90	38.05	38.85	34.50	27.05
DG13	41.80	49.20	64.20	81.80	76.10	77.70	69.00	54.10
DG14	122.70	114.15	116.55	103.50	81.15	60.45	44.40	20.25
DG15	53.76	56.02	60.08	65.22	64.02	69.12	69.42	69.26
DG16	73.24	76.48	77.86	65.80	80.96	86.26	83.82	87.64
DG17	53.76	56.02	60.08	65.22	64.02	69.12	69.42	69.26
DG18	73.24	76.48	77.86	65.80	80.96	86.26	83.82	87.64
DG19	87.888	60.58	50.00	53.76	56.02	60.08	65.22	64.02
DG20	87.888	60.58	50.00	53.76	56.02	60.08	65.22	64.02

时段	16	17	18	19	20	21	22	23
DG1	20.15	14.80	6.75	0	0	0	0	0
DG2	40.30	29.60	13.50	0	0	0	0	0
DG3	0	0	0	0	0	0	0	0
DG4	62.72	65.80	77.86	80.96	76.48	92.06	87.64	83.82
DG5	92.06	87.20	94.08	103.89	104.13	94.03	96.03	97.83
DG6	86.26	110.47	112.90	155.84	156.20	141.05	144.05	146.75
DG7	20.15	14.80	6.75	0	0	0	0	0
DG8	40.30	29.60	13.50	0	0	0	0	0
DG9	0	0	0	0	0	0	0	0
DG10	62.72	65.80	77.86	80.96	76.48	92.06	87.64	83.82
DG11	92.06	87.20	94.08	103.89	104.13	94.03	96.03	97.83
DG12	20.15	14.80	6.75	0	0	0	0	0
DG13	40.30	29.60	13.50	0	0	0	0	0
DG14	0	0	0	0	0	0	0	0
DG15	62.72	65.80	77.86	80.96	76.48	92.06	87.64	83.82
DG16	92.06	87.20	94.08	103.89	104.13	94.03	96.03	97.83
DG17	62.72	65.80	77.86	80.96	76.48	92.06	87.64	83.82
DG18	92.06	87.20	94.08	103.89	104.13	94.03	96.03	97.83
DG19	86.26	110.47	112.90	155.84	156.20	141.05	144.05	146.75
DG20	86.26	110.47	112.90	155.84	156.20	141.05	144.05	146.75

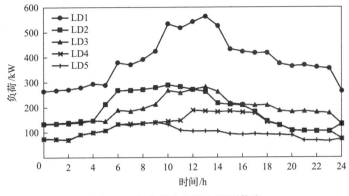

图 4-4   负荷用户的用电预测信息

基于 4.2.1 节所提出的多主体模式下的组合优化模型,采用离散二进制粒子群算法和合并分裂算法进行求解。经过基本组合阶段,区域内的 20 个分布式电源和 5 个负荷用户组成了 7 个聚合资源。表 4-3 给出了基本组合结果,其中第二列展示了对应聚合资源内部包含的 DG 编号。

表 4-3   基本组合结果

聚合资源编号	DG 编号
1	DG2,DG4,DG8,DG11,DG13,DG14,DG19
2	DG3,DG5,DG15
3	DG1,DG7,DG16,DG18
4	DG9,DG10
5	DG12,DG17
6	DG6
7	DG20

在基本组合的基础上,将所得到的聚合资源进一步组合,得到了优化组合的结果。表 4-4 给出了优化组合结果。表 4-4 中的全组合表示区域内所有的分布式单元,不进行优化组合。表 4-4 中的单独运行表示区域内各个分布式电源单独并网,只与配电网发生交易,不与区域内其他分布式电源发生交易。

由表 4-3 及表 4-4 可以看出,采用本节所提出的组合优化模型,区域内的 20 个分布式电源及 5 个负荷用户最终将会组成四个系统,收益分别为 272.1 元、491.3 元、−84.4 元、−24.2 元,其中,通信成本分别为 97.9 元、34.9 元、14.3 元、16.4 元,则区域内的分布式电源及负荷用户的总收益为 654.8 元,总通信成本为 163.5 元。若不采用组合优化,所有的分布式电源和负荷用户共同组成系统,其收益为 −3510.6 元,即需要支出成本,其中,通信成本为 696.7 元。

表 4-4　优化组合结果

系统	聚合资源编号	包括的成员	通信成本/元	总收益/元
1	1,5,6	{DG2,DG4,DG6,DG8,DG11,DG12, DG13,DG14,DG17,DG19}	97.9	272.1
2	4,7	{DG9,DG10,DG20}	34.9	491.3
3	2	{DG3,DG5,DG15}	14.3	−84.4
4	3	{DG1,DG7,DG16,DG18}	16.4	−24.2
全组合	1,2,3,4,5,6,7	{DG1,DG2,DG3,DG4,DG5,DG6,DG7,DG8,DG9, DG10,DG11,DG12,DG13,DG14,DG15,DG16, DG17,DG18,DG19,DG20,LD1,LD2,LD3,LD4,LD5}	696.7	−3510.6
单独运行	—	—	0	−3310.4

　　若改变单位通信成本，可以得到不同单位通信成本下的组合优化结果，如表 4-5 和表 4-6 所示。由表 4-5 可以看出，若按照全组合的形式，随着单位通信成本的增大，全组合亏损值逐渐上升。同时，由于与电网的交互功率存在限制，组成全组合可能会导致很高的惩罚成本。若采取本节所提出的组合优化模型，不同组合的总收益远远大于全组合形式下的总收益。由表 4-6 可以看出，由于单位通信成本增加，区域内的分布式单元会改变其组合形式，以取得最大收益。

表 4-5　不同单位通信成本下的收益及通信成本

单位通信成本/(元/km)	全组合收益/元	全组合通信成本/元	组合优化总收益/元	组合优化通信成本/元
0	−2813.9	0	1001.0	0
1.0	−2982.3	168.4	597.4	80.7
1.5	−3066.5	252.6	546.3	131.8
2.0	−3510.6	696.7	654.8	165.3

表 4-6　不同单位通信成本下的组合优化结果

单位通信成本/(元/km)	组合形式
0	{DG1,DG2,DG3,DG5,DG7,DG8,DG9,DG10,DG11, DG12,DG13,DG15,DG16,DG17,DG19} {DG4,DG14,DG18} {DG6} {DG20}
1.0	{DG2,DG4,DG6,DG8,DG10,DG11,DG13,DG14,DG19} {DG1,DG7,DG9,DG16,DG17,DG18} {DG3,DG5,DG12,DG15} {DG20}
1.5	{DG2,DG4,DG6,DG8,DG10,DG11,DG13,DG14,DG19} {DG1,DG7,DG9,DG16,DG17,DG18} {DG3,DG5,DG12,DG15} {DG20}
2.0	{DG2,DG4,DG6,DG8,DG11,DG12,DG13,DG14,DG17,DG19} {DG9,DG10,DG20} {DG3,DG5,DG15} {DG1,DG7,DG16,DG18}

图 4-5 给出了当交互功率限制改变时，最优组合形式下的收益。由图 4-5 可以看出，当交互功率限制增大时，最优组合收益逐渐增加。这是由于向电网售电的功率增大，售电收益增大，惩罚成本相对减少。当交互功率限制增大到一定程度时(如图 4-5 中的 20000kW)，最优组合收益基本保持不变。这是由于在该交互功率限制下总容量小于此交互功率，内部的分布式电源与电网的交互均不再受限。此时，惩罚成本为 0，购售电收益保持不变。

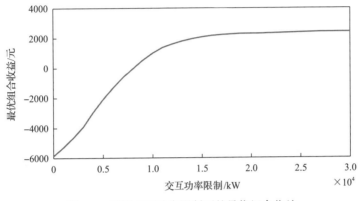

图 4-5　不同交互功率限制下的最优组合收益

4.2.3　基于模糊联盟的组合优化机制

由于出力波动性，风电、光伏等可再生能源机组通常需要与储能、可控机组等相配合，来降低其市场参与过程中的波动风险。可再生能源作为综合能源系统的常见组成成员，其主体的优化组合过程中亦涉及不确定因素的处理。数学理论中常用概率理论和模糊理论描述不确定性。概率理论是用于描述随机变量分布特性的一种数理统计理论，适用范围广，理论体系相对成熟。模糊理论用于对事物模糊属性的判断和分析，从数学角度量化模糊概念之间的比较。随机规划中的期望值模型虽能够提供较为精确的预期结果，然而由于计算负担问题，在分布式电源联盟组合过程中适用性较差。特别地，联盟组合阶段，分布式电源成员通常需要对所有可能的组合结构进行模拟，导致其对计算的简洁性具有一定要求。鲁棒规划主要用于计算最坏场景的保守最优解，相对来说，提供给联盟成员的信息较为有限，无法充分反映系统的不确定信息。同时，由于分布式电源成员的心理偏好不同，并非所有联盟成员只想单纯地获得保守最优解。此外，鲁棒模型中各约束所需的合理指标值通常需要决策者综合考虑客观因素而做出判断，过程较为繁琐。区间模型由于只需已知变量的区间波动信息，而无须知晓变量在可行域内的分布信息，建模简单，所需历史数据较少。与此同时，区间解可以表达更多不确定信息，包括乐观解、悲观解及相关波动区间等。分布式电源联盟组合过程中，决策者通常需要较多的信息，以便于其根据自身偏好权衡风险与收益。因此，多主体组合优化过程中，对不确定因素进行区间刻画更为实用。

由于区间规划的特点，联盟组合的预期收益解通常也为一个区间值，这导致了联盟预期支付函数的模糊性。相应地，分布式电源之间的联盟实质为一个模糊联盟问题，即预期收益不确定型的模糊联盟[8]。

因此，本节拟从模糊联盟的角度探讨隶属于不同产权的分布式电源间的灵活组合问题。考虑到三元区间数不仅可以像常规区间数一样传递不确定因素的上下界波动信息，还可传递不确定因素的最可能值信息，本节利用三元区间数刻画分布式电源联盟组合过程中的不确定因素，从而为分布式电源成员提供更多的有效信息进行决策。考虑到预期联盟支付值的模糊性，引入模糊沙普利值法进行利润分配，并根据区间数的特性探讨联盟各成员对不同组合下的模糊收益值的偏好排序问题。

为便于分析，将联盟成员分为可控单元与不可控单元两大类型：可控单元包括柴油机组、小型热电联产机组、电动汽车、储能装置、可控负荷等；而不可控单元主要指不可控负荷以及风电、光伏等可再生能源。由于不可控单元的不确定性，不可控单元通常作为联盟的发起方，给予经济刺激吸引可控单元，组成有效的联盟结构。

需要注意的是，由于可再生能源出力的波动性，因此联盟预期效益也是不确定的。同时，可控单元在与可再生能源机组形成联盟结构时，预期得到的联盟支付值也是不确定的，故而分布式电源之间的联盟实质上为一种模糊联盟行为[8]。

1. 组合机制

由于分布式能源的地理位置分散性和产权差异性，综合能源系统通常被视为由不同来源、不同类型、不同容量的分布式能源组成的联盟组合。分布式能源拥有者通常需要选择是否加入一个联盟组合，抑或独立运行。换句话说，分布式能源需要首先判断自身独立运行时的效益；随后在收到联盟请求后，确定是否参与联盟、参与哪个联盟结构、确定最优联盟组合。事实上，分布式能源作为独立的利益个体，其参与联盟后所获得的收益是其参与联盟以及选择联盟伙伴的最大驱动力。

组合机制如图 4-6 所示。具体来说，多主体的联盟组合过程可分为三个阶段[9]。

阶段 1：联盟效益预估。假定存在一个控制中心收集所有具有联盟意愿的分布式能源信息，包括种类数量、运行参数、成本信息及可再生能源预测出力信息等。根据愿意参与联盟的成员种类数量，对所有可能的联盟组合进行排序列举。随后，综合能源系统控制中心建立不同联盟组合的虚拟交易模型，并计算出所有联盟组合下可能的虚拟联盟收益。因为尚未形成真正的联盟组合，此时的交易模

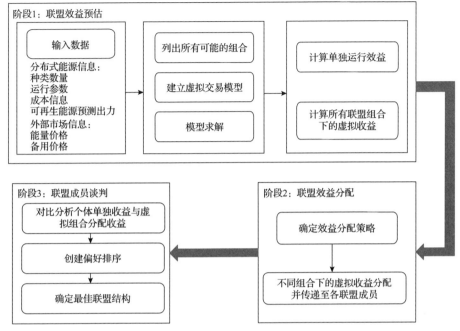

图 4-6 组合机制

型和联盟收益是一个预估的虚拟值, 并且仅仅作为数据存储, 并不发生真正的交易切割。值得注意的是, 由于各成员在参与联盟之前, 对自己独立运行的效益通常也会有一个预估, 本节将其也视为属于效益预估阶段。只不过, 该单独运行效益信息通常由成员个体独立保存, 而无须上报给综合能源系统控制中心。

阶段 2: 联盟效益分配。效益分配策略的选择是该阶段的一个重点, 也是影响分布式能源成员是否加入某一特定联盟组合的关键因素。只有保证收益分配的公平性、合理性, 分布式能源成员才愿意达成合作协议, 组成合作联盟。常用的收益分配方法包括核仁法、沙普利值法、动态规划法 (dynamic programming methods)、简化最小费用剩余资金 (minimum cost remaining savings) 法[10]等。需要注意的是, 不同于真正发生交易后的联盟效益分配是一个确定值, 联盟组合阶段所得到的效益是一个预估的虚拟值, 存在一定的不确定性和波动性。因此, 在联盟效益分配计算过程中, 效益预估值的不确定性也需要考虑进去。

阶段 3: 联盟成员谈判。在收到控制中心预估的收益分配值后, 各分布式能源成员将自己所有可能参与的联盟结构下所获得的收益进行排序, 并确定愿意参与哪些联盟, 根据优先级顺序与其他分布式能源成员谈判协商, 从而形成最终的综合能源系统联盟组合结构。该阶段的重点是联盟成员对其所可能参与的联盟组合如何进行偏好排序。由于虚拟收益分配值的不确定性, 组合成员对效益大小及效益波动的心理偏好将会影响其对组合结构的偏好排序。

2. 三元区间数及其线性规划

由于出力波动性，可再生能源机组单独参与市场通常面临极大的波动惩罚风险，因此可再生能源通常寻求与其他可控单元的联盟组合，以寻求对市场输出的稳定。为避免市场力或垄断行为，市场参与者通常为价格接受者。

一般而言，不确定量的建模方式主要包括随机模型、鲁棒模型及区间数模型[11]。随机模型通常假定不确定参数的概率分布函数已知；然而，精确获得概率分布函数或模糊隶属度函数往往较为困难。鲁棒模型虽然只要求简单的区间分布信息，然而由于决策的保守性，无法充分反映系统的不确定性。而区间数模型只需关注不确定量的上下界信息。通常情况下，获得不确定参数的可能波动范围较为简单。与此同时，区间数模型由于包含不确定量的上下界波动范围，可更为全面地表达系统不确定性解的信息，便于决策者权衡风险与效益，因此在分布式能源的联盟组合阶段较为适用。

需要说明的是，常规区间数通常为两参数区间数，即只用上下限表示。常规区间数中普遍认为区间上下限间的各个数值的取值机会均等。通常情况下，为了覆盖不确定量的波动范围，区间范围可能会取得过大，导致模型的乐观解和悲观解相差较大。事实上区间数也可用分布函数的形式表示其在区间范围内取值机会的大小。本节引入三元区间数来描述综合能源系统联盟组合过程中的不确定变量。

定义 4-1　$\tilde{a} = [a^l, a^*, a^u]$ 为三元区间数，且 $a^l \leqslant a^* \leqslant a^u$。式中，$a^l$、$a^u$ 分别表示区间数取值的上下限，a^* 表示在此区间取值可能性最大的值，称为重心[12]。

与常规区间数不同的是，三元区间数不仅给出了不确定量的上下界范围，也给出了预估的最可能值（类似于点预测值），如图 4-7 所示。

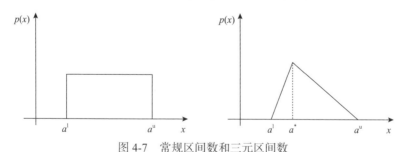

图 4-7　常规区间数和三元区间数

确切地说，三元区间数模型是常规区间数模型与期望值模型的结合，或者可视为传统区间数与三角模糊参数的结合。在常规区间数中，上下界间各个数值的取值机会通常看作是均等的，即 $p(x) = 1/(a^u - a^l) =$ 常数。在三元区间数中，重心 a^* 的取值机会最大，向上下限边界取值的可能性逐渐递减。常规区间数表示一个不确定变量时，有时为了覆盖整个范围，区间可能覆盖较大范围，此时再认为整个区间内取值机会均等，得到的结果将会产生较大误差。利用三元区间数进行评判，不仅保持了参数的取值区间，也能突出取值可能性最大的重心，弥补常规区间数的不足。三元区间数理论在多指标决策问题或不确定综合评判问题中较为实用，也使评判结果更符合人们的思维方式和工程实际[13,14]。

由于参数或变量为三元区间数形式，其对应的数学模型为三元区间数规划模型。定义三元区间数线性规划的一般形式如下：

$$\begin{cases} \min \ \tilde{f} = \tilde{C}\tilde{X} \\ \text{s.t.} \ \ \tilde{A}\tilde{X} \leqslant \tilde{B} \\ \qquad \tilde{X} \geqslant 0 \end{cases} \tag{4-13}$$

式中，$\tilde{A}=(\tilde{a}_{ij})_{m\times n}$，$\tilde{a}_{ij}=[a_{ij}^1, a_{ij}^*, a_{ij}^u]$；$\tilde{B}=(\tilde{b}_i)_{m\times 1}$，$\tilde{b}_i=[b_i^1, b_i^*, b_i^u]$；$\tilde{C}=(\tilde{c}_j)_{1\times n}$，$\tilde{c}_i=[c_i^1, c_i^*, c_i^u]$，$\tilde{A}$、$\tilde{B}$、$\tilde{C}$ 为已知参数，均为三元区间数形式；$\tilde{X}=(\tilde{x}_1, \tilde{x}_2, \cdots, \tilde{x}_n)^{\mathrm{T}}$ 为决策变量；$\tilde{f}=(\tilde{f}_1, \tilde{f}_2, \cdots, \tilde{f}_n)$，$\tilde{f}_j=[f_j^1, f_j^*, f_j^u]$ 为目标函数值，亦为三元区间数形式。

定义 4-2　若 $\tilde{X}^*$ 为三元区间数规划式(4-13)的最优解，则对所有的可行解 $\tilde{X}$，有 $\tilde{C}\tilde{X}^* \leqslant \tilde{C}\tilde{X}$。最优解对应的目标值 $\tilde{f}^* = \tilde{C}\tilde{X}^*$ 称为最优值。

针对三元区间数形式的数学规划求解一般相对较为复杂，涉及悲观解 f^1、乐观解 f^u 及最可能解 f^* 的求解。同时，三元区间数规划的最优解和最优值通常与三元区间数的序关系有关。针对最优目标函数值 f^1、f^*、f^u 的计算，需分解为以下三个数学模型进行求解，具体数学推导过程请参考文献[12]。

$$\begin{cases} \min \ f^* = \sum_{j=1}^{n} c_j^* x_j^* \\ \text{s.t.} \ \ \sum_{j=1}^{n} a_{ij}^* x_j^* \leqslant b_i^*, \quad i=1,2,\cdots,m \\ \qquad x_j^* \geqslant 0, \qquad j=1,2,\cdots,n \end{cases} \tag{4-14}$$

$$\begin{cases} \min \ f^1 = \sum_{j=1}^{n} c_j^1 x_j^1 \\ \text{s.t.} \ \ \sum_{j=1}^{n} a_{ij}^1 x_j^1 \leqslant b_i^1, \quad i=1,2,\cdots,m \\ \qquad x_j^1 - x_j^* \leqslant 0, \quad j=1,2,\cdots,n \\ \qquad x_j^1 \geqslant 0, \qquad j=1,2,\cdots,n \end{cases} \tag{4-15}$$

$$\begin{cases} \min \quad f^{\mathrm{u}} = \sum_{j=1}^{n} c_j^{\mathrm{u}} x_j^{\mathrm{u}} \\ \mathrm{s.t.} \quad \sum_{j=1}^{n} a_{ij}^{\mathrm{u}} x_j^{\mathrm{u}} \leqslant b_i^{\mathrm{u}}, \quad i=1,2,\cdots,m \\ \qquad x_j^{\mathrm{u}} - x_j^{*} \geqslant 0, \quad j=1,2,\cdots,n \\ \qquad x_j^{\mathrm{u}} \geqslant 0, \qquad j=1,2,\cdots,n \end{cases} \tag{4-16}$$

3. 基于三元区间数的联盟虚拟交易模型

由于综合能源系统动态联盟组合发生在真正的最优报价决策之前，该过程面临可再生能源的出力不确定性及市场电价的不确定性。通常情况下，针对可再生能源的出力预测，很难获取其精确的概率分布模型。同时，影响不确定性的因素可能非常复杂，因此单纯使用概率分布函数来表征不确定性可能并不适合。相反，不确定参量的预测上下界普遍并不难获得，而且预测者通常也知晓不确定参量最可能发生的值(发生可能性最大的值)。因此，利用三元区间数刻画不确定参量相对更为容易，且能给决策提供更多信息。以风电为例，其预测出力的三元区间数形式具体刻画过程如下。

(1)基于历史风速数据及天气预报情况，预测交易日内(也即本书研究的时间周期)的风速数据。风速采样间隔设置为 5min，得到一日内的风速变化曲线。

(2)计算时段 t 的平均风速值 $\bar{v}_t^{*}$ ($t=1,2,\cdots,T$)，T 为时段总数。

(3)统计该时段内大于平均风速 $\bar{v}_t^{*}$ 的风速数据，并计算其平均值，记为 $\bar{v}_t^{\mathrm{u}}$。

(4)统计该时段内小于平均风速 $\bar{v}_t^{*}$ 的风速数据，并计算其平均值，记为 $\bar{v}_t^{\mathrm{l}}$。

(5)因此，获得每个 1h 间隔内的平均风速变化区间，其三元区间数表示为 $[\bar{v}_t^{\mathrm{l}},\bar{v}_t^{*},\bar{v}_t^{\mathrm{u}}]$。

(6)根据风速-风电出力之间的函数关系，即可获得风电出力在每小时间隔内的三元变化区间 $[P_{\mathrm{wt}}^{\mathrm{l}},P_{\mathrm{wt}}^{*},P_{\mathrm{wt}}^{\mathrm{u}}]$。

为便于分析，本书选取可再生能源、可控机组、储能装置三种类型的分布式能源作为典型的联盟成员进行模型构建。不同分布式能源所构成的联盟组合称为一个联盟体，而最佳的联盟组合结构称为综合能源系统。与此同时，在联盟虚拟交易模型构建过程中，做出如下假设。

(1)假定所有分布式能源连接于一个共同的节点，其面临相同的市场电价，因此可以直接聚合而不必考虑输电容量限制问题。

(2)由于分布式能源的容量较小，假定所有的联盟体为价格接受者，因此在虚拟交易过程中不考虑其市场交易量对市场价格的影响。

(3)假定此时联盟体与当地用户无供电协议，也就是说，综合能源系统并没有义务满足特定负荷。因此，联盟体的关键问题是确定向市场报价量。

(4)考虑到可控机组处的备用容量可能不足，因此允许联盟体从外部市场购买部分备用，以满足备用要求。

(5)为便于分析分布式能源单独运行的收益情况，假定各联盟成员的容量均达到了最小市场准入容量标准。

市场环境下，联盟体 m 虚拟交易模型的目标是通过合理地向市场报价以最大化组合收益，其收益来源于向市场售电，而成本主要来自从备用市场购买备用，以及分布式成员的自身运行成本。需要说明的是，由于本模型中的不确定变量表征为三元区间数形式，预期调整成本间接体现在收益的波动区间。

$$\max \sum_{t=1}^{T} \left\{ f_m(\tilde{x}_t) - \alpha_w f_w(\tilde{x}_t) - \alpha_s f_s(\tilde{x}_t) - \alpha_g f_g(\tilde{x}_t) \right\} \tag{4-17}$$

$$f_m(\tilde{x}_t) = \lambda_t^P \tilde{P}_{m,t} - \lambda_t^R \tilde{r}_{m,t} \tag{4-18}$$

$$f_w(\tilde{x}_t) = C_w^{OM} \tilde{P}_{w,t} \tag{4-19}$$

$$f_s(\tilde{x}_t) = C_s^{OM} \tilde{P}_{ch,t} + C_s^{OM} \tilde{P}_{dis,t} \tag{4-20}$$

$$f_g(\tilde{x}_t) = u_{g,t}(a_{cc}\tilde{P}_{g,t}^2 + b_{cc}\tilde{P}_{g,t} + c_{cc}) + v_{g,t}C_g^{SU} + C_g^{OM}\tilde{P}_{g,t} \tag{4-21}$$

式中，$\tilde{x}_t$ 为 t 时段的决策变量集合，包括联盟体 m 与外部市场的电能、备用交易量，以及联盟体内成员的功率调度基准点；α_w、α_s、α_g 为二进制变量，分别表征可再生能源、储能装置、可控机组在该联盟结构中的参与状态，当其参与该联盟时，其值为 1，否则为 0；$f_m(\tilde{x}_t)$ 为联盟体的外部交易收益，等于能量市场售电收益减去备用购买成本；λ_t^P、λ_t^R 分别为向市场售电的价格及从市场购买备用的价格；$\tilde{P}_{m,t}$、$\tilde{r}_{m,t}$ 分别为 t 时段联盟体 m 的市场售电量和备用购买量；C_w^{OM} 为可再生能源的单位运行成本，$\tilde{P}_{w,t}$ 为 t 时段可再生能源的预测出力；C_s^{OM} 为储能单元的单位损耗成本；$\tilde{P}_{ch,t}$、$\tilde{P}_{dis,t}$ 为储能装置 t 时段的充电功率和放电功率；$\tilde{P}_{g,t}$ 为 t 时段可控机组的预测出力；$u_{g,t}$、$v_{g,t}$ 为可控机组的运行状态和启动状态，为二进制变量；C_g^{SU}、C_g^{OM} 为可控机组的启动成本和单位运行维护成本；a_{cc}、b_{cc}、c_{cc} 则分别对应可控机组的二次能耗成本系数。需要说明的是，"~" 均表示三元区间数，包含该变量的上下界及最可能值信息。

该交易模型主要包括四类约束：系统约束、可再生能源出力约束、储能装置约束以及可控机组出力约束，具体如下。

1) 系统约束

功率平衡约束：

$$\alpha_g \tilde{P}_{g,t} + \alpha_w \tilde{P}_{w,t} + \alpha_s \tilde{P}_{dis,t} = \tilde{P}_{m,t} + \alpha_s \tilde{P}_{ch,t} \tag{4-22}$$

根据三元区间数性质[12]，式(4-23)可进一步转化为如下形式：

$$\begin{cases} \alpha_g P_{g,t}^l + \alpha_w P_{w,t}^l + \alpha_s P_{dis,t}^l = P_{m,t}^l + \alpha_s P_{ch,t}^l \\ \alpha_g P_{g,t}^* + \alpha_w P_{w,t}^* + \alpha_s P_{dis,t}^* = P_{m,t}^* + \alpha_s P_{ch,t}^* \\ \alpha_g P_{g,t}^u + \alpha_w P_{w,t}^u + \alpha_s P_{dis,t}^u = P_{m,t}^u + \alpha_s P_{ch,t}^u \end{cases} \tag{4-23}$$

备用需求约束：

$$\alpha_g r_{g,t} + \alpha_s r_{s,t} + r_{m,t} \geqslant \alpha_w \eta_w \tilde{P}_{w,t} \tag{4-24}$$

$$r_{g,t} = \min\{P_g^{max} - P_{g,t}, \mathrm{UR}_g \cdot \Delta T\} \tag{4-25}$$

$$r_{s,t} = \min\{(E_{s,t} - E_s^{min})\eta_{dis}, P_{dis}^{max}\} - P_{dis,t} + P_{ch,t} \tag{4-26}$$

式中，r 为备用购买量；$r_{g,t}$，$r_{s,t}$，$r_{m,t}$ 分别表示在 t 时段可再生能源、储能装置和联盟体 m 的备用购买量；ΔT 为时间间隔；$P_{dis,t}$ 和 $P_{ch,t}$ 为 t 时段储能充放电功率；$E_{s,t}$ 为 t 时段储能装置容量；η_w 为备用系数；P_g^{max} 为可控机组的最大出力；UR_g 为可控机组的向上爬坡速率；E_s^{min} 为储能装置的最小能量限制；η_{dis} 为储能装置的放电效率；P_{dis}^{max} 为储能装置的最大放电功率。联盟体的备用来源包括可控机组、储能装置，以及从外部市场购买，而备用需求量则主要取决于可再生能源的出力情况。由于联盟体并不一定包含可再生能源、可控机组、储能装置等所有类型成员，因此其需乘以其联盟参与的状态变量。

2) 可再生能源出力约束

可再生能源出力约束如下：

$$0 \leqslant P_{w,t} \leqslant P_{w,t}^{pre} \tag{4-27}$$

式中，$P_{w,t}^{pre}$ 为可再生能源的预测值。

3) 储能装置约束

储能装置约束如下：

$$u_{ch,t} + u_{dis,t} \leqslant 1 \tag{4-28}$$

$$0 \leqslant P_{ch,t} \leqslant u_{ch,t} P_{ch}^{max} \tag{4-29}$$

$$0 \leqslant P_{\text{dis},t} \leqslant u_{\text{dis},t} P_{\text{dis}}^{\max} \tag{4-30}$$

$$E_{\text{s}}^{\min} \leqslant E_{\text{s},t} \leqslant E_{\text{s}}^{\max} \tag{4-31}$$

$$E_{\text{s},t} = E_{\text{s},t-1} + \eta_{\text{ch}} P_{\text{ch},t} - P_{\text{dis},t} / \eta_{\text{dis}} \tag{4-32}$$

$$E_{\text{s,ini}} = E_{\text{s,T}} \tag{4-33}$$

式中，$u_{\text{ch},t}$、$u_{\text{dis},t}$ 为二进制变量，分别表征储能装置的充放电状态；$P_{\text{ch}}^{\max}$ 为储能装置的最大充电功率；$E_{\text{s}}^{\min}$、$E_{\text{s}}^{\max}$ 分别为储能装置的最小、最大能量限制；η_{ch}、η_{dis} 分别为储能装置的充放电效率。式(4-28)限制储能装置在同一时段只能充电或放电；式(4-29)、式(4-30)表示储能装置充放电功率限制约束；式(4-31)表示储能能量大小约束；式(4-32)表示储能的充放电功率与能量大小的约束关系；式(4-33)要求在一个完整的周期内，储能最终储存的能量等于初始能量状态。

4) 可控机组出力约束

可控机组出力约束如下：

$$u_{\text{g},t} P_{\text{g}}^{\min} \leqslant P_{\text{g},t} \leqslant u_{\text{g},t} P_{\text{g}}^{\max} \tag{4-34}$$

$$-\text{DR}_{\text{g}} \cdot \Delta T \leqslant P_{\text{g},t} - P_{\text{g},t-1} \leqslant \text{UR}_{\text{g}} \cdot \Delta T \tag{4-35}$$

$$(X_{t-1}^{\text{on}} - \text{MUT}_{\text{g}})(u_{\text{g},t-1} - u_{\text{g},t}) \geqslant 0 \tag{4-36}$$

$$(X_{t-1}^{\text{off}} - \text{MDT}_{\text{g}})(u_{\text{g},t} - u_{\text{g},t-1}) \geqslant 0 \tag{4-37}$$

式中，$u_{\text{g},t}$ 为机组开关机状态变量；DR_{g}、UR_{g} 分别为可控机组的向下、向上爬坡速率；MUT_{g}、MDT_{g} 分别为可控机组的最小开机、停机时间限制；X_{t-1}^{on}、X_{t-1}^{off} 则分别为 $t-1$ 时段可控机组的累计开机、停机时间。式(4-34)表示可控机组的出力大小约束；式(4-35)限制可控机组相邻时间段的爬坡速率；式(4-36)、式(4-37)表示可控机组的最小启停机时间约束。

4. 最佳联盟结构确立

根据虚拟交易模型可以求得联盟的整体支付函数，在此基础上，下面进一步讨论如何公平地将联盟收益分配给其内部成员。首先，该分配机制必须保证联盟成员参与该联盟后所获得的收益高于其单独运行时的收益。其次，新成员的加入并不会削减原联盟成员的收益情况。为了合理量度联盟内部成员对总体支付函数的边际贡献，沙普利值法被广泛应用于联盟博弈的利益分配中。

然而由于可再生能源出力和电价的不确定性，联盟的虚拟收益亦存在一定的不确定性。联盟所获得的虚拟交易收益亦为一个三元区间数。在联盟的虚拟收益是三元区间数的前提下，各联盟成员也认为联盟的收益是不确定的，相应地，其对可能分配的收益预期也是不确定的，联盟利益分配过程中也应考虑到这种不确定性。因此，本节拟采用基于区间数的沙普利值进行联盟的虚拟收益分配。

定义 4-3　对于 N 人合作对策 $(N,\tilde{v})$ ，式中 $\tilde{v}$ 表示联盟的模糊支付，为三元区间数，一个 n 维区间向量 $\varphi(\tilde{v})=(\varphi_1(\tilde{v}),\varphi_2(\tilde{v}),\cdots,\varphi_n(\tilde{v}))$ 称为联盟 $(N,\tilde{v})$ 的基于区间数的沙普利值，满足以下三条公理。

(1) 有效性公理：如果对于包含 i 的子集 S 都有 $\tilde{v}(S)=\tilde{v}(S-\{i\})$ ，则 $\varphi_i(\tilde{v})=0$ ，$\sum\limits_{i\in N}\varphi_i(\tilde{v})=\tilde{v}(N)$ 。

(2) 对称性公理：如果局中人 $i,j\in N$ ，对于任一联盟 $S\subset N\setminus\{i,j\}$ ，总有 $\tilde{v}(S\cup\{i\})=\tilde{v}(S\cup\{j\})$ ，则有 $\varphi_i(\tilde{v})=\varphi_j(\tilde{v})$ 。

(3) 可加性公理：对于任意两个合作对策 $(N,\tilde{v}_1)$ 和 $(N,\tilde{v}_2)$ ，如果存在一个合作对策 $(N,\tilde{v}_1+\tilde{v}_2)$ ，对于任意的联盟 $S\subset N$ ，总有 $(\tilde{v}_1+\tilde{v}_2)(S)=\tilde{v}_1(S)+\tilde{v}_2(S)$ ，则 $\varphi_i(\tilde{v}_1+\tilde{v}_2)=\varphi_i(\tilde{v}_1)+\varphi_i(\tilde{v}_2),i\in N$ 。

定理 4-1　N 人合作对策 $(N,\tilde{v})$ 的基于区间数的沙普利值必定存在且唯一，具体证明请参考文献[15]。其中第 i 个局中人的支付值为

$$\varphi_i(\tilde{v})=\sum_{S\subset N,i\in S}\frac{(|S|-1)!(n-|S|)!}{n!}[\tilde{v}(S)-\tilde{v}(S\setminus i)] \tag{4-38}$$

式中，$\varphi_i(\tilde{v})$ 为第 i 个成员的模糊支付值；$|S|$ 为子联盟 S 内的成员数；n 为全联盟内成员的总数；$\tilde{v}(S)$ 、$\tilde{v}(S\setminus i)$ 也均为模糊变量，分别表示联盟 S 及不包括成员 i 参加时的联盟效益值。

假定联盟成员 i 所参与的联盟组合形式共有 I 种，分别对应 I 种利润分配结果。由于虚拟交易的不确定性，成员所预期分配的利润也均为三元区间数形式的模糊数。因此联盟组合过程中，联盟成员 i 将会对其参与的所有联盟组合形式下所获得利润进行对比排序，也即涉及三元区间数的偏好排序问题。假定 $\tilde{A}_i$ 和 $\tilde{B}_i$ 为成员 i 在任意两种其所参与的组合形式下的分配利润值，即

$$\tilde{A}_i=[a_i^l,a_i^*,a_i^u]=\left\{a_i:a_i^l\leqslant a_i\leqslant a_i^u\right\} \tag{4-39}$$

$$\tilde{B}_i=[b_i^l,b_i^*,b_i^u]=\left\{b_i:b_i^l\leqslant b_i\leqslant b_i^u\right\} \tag{4-40}$$

式中，a_i^* 为模糊利润值 $\tilde{A}_i$ 的特元，表示最有可能得到的值；a_i^u、a_i^l 则为模糊利润值 $\tilde{A}_i$ 的波动上下界；类似地，b_i^*、b_i^u、b_i^l 为模糊利润值 $\tilde{B}_i$ 的特元及波动上下界。

定义模糊利润值 $\tilde{A}_i$、$\tilde{B}_i$ 的区间宽度分别为

$$w(\tilde{A}_i) = \left(a_i^u - a_i^l\right)\big/2 \tag{4-41}$$

$$w(\tilde{B}_i) = \left(b_i^u - b_i^l\right)\big/2 \tag{4-42}$$

区间宽度 $w(\tilde{A}_i)$、$w(\tilde{B}_i)$ 分别表示两个利润区间的不确定性波动程度，值越大，表示不确定性波动程度越大。而特元 a_i^*、b_i^* 则表示两个利润的最可能值，其值越大，表示成员 i 在该方案下所获得的利润值越大。为方便对比，假定 $\tilde{A}_i$ 的特元小于或等于 $\tilde{B}_i$ 的特元，如(4-43)所示；而 $\tilde{A}_i$、$\tilde{B}_i$ 的区间宽度则存在以下两种情况，即式(4-44)、式(4-45)：

$$a_i^* \leqslant b_i^* \tag{4-43}$$

$$场景1: w(\tilde{A}_i) \geqslant w(\tilde{B}_i) \tag{4-44}$$

$$场景1: w(\tilde{A}_i) < w(\tilde{B}_i) \tag{4-45}$$

场景 1 下，模糊利润值 $\tilde{A}_i$ 的不确定性波动程度大于或等于模糊利润值 $\tilde{B}_i$，且模糊利润值 $\tilde{A}_i$ 的最可能值也小于或等于模糊利润值 $\tilde{B}_i$，显然 $\tilde{B}_i$ 优先于 $\tilde{A}_i$。而场景 2 下，尽管模糊利润值 $\tilde{B}_i$ 的最可能值较大，然而其所面临的不确定性波动程度也大。因此，联盟成员 i 很难抉择模糊利润值 $\tilde{A}_i$ 和模糊利润值 $\tilde{B}_i$ 的优先级。参考文献[16]，定义模糊集 $B' = \left\{(X,B) \middle| x^* \leqslant b^*, w(X) < w(B)\right\}$，且其隶属度函数为 $\mu_{B'}(X)$：

$$\mu_{B'}(X) = \begin{cases} 1, & x^* = b^* \\ \dfrac{x^* - (b^l + w(X))}{b^* - (b^l + w(X))}, & b^l + w(X) \leqslant x^* < b^* \\ 0, & 其他 \end{cases} \tag{4-46}$$

隶属度函数 $\mu_{B'}(X)$ 表示在模糊对 (X,B) 中的偏好水平，其值大于或等于 0、小于或等于 1。$\mu_{B'}(X)$ 值将随着 X 的特元 x^* 的增加而增加，随着 X 的宽度 $w(X)$ 的增加而减小。当 $\mu_{B'}(X)=1$ 时，X 强优先于 B，也即 B 完全被拒绝；当 $\mu_{B'}(X)=0$ 时，B 强优先于 X，也即 B 完全被接受；当 $0<\mu_{B'}(X)<1$ 时，$\mu_{B'}(X)$ 值表示 B 的拒绝

程度。因此，当 $0 \leqslant \mu_{B'}(X) < 0.5$ 时，决策者更偏好模糊值 B；而当 $0.5 \leqslant \mu_{B'}(X) \leqslant 1$ 时，决策者更偏好模糊值 X。

基于上述排序原则，各分布式能源将会对其所可能参与的所有组合下的利润分配模糊量进行对比排序。根据排序结果，这些联盟成员之间将会相互通信协调，选择其可以参与的最优组合结构，形成真正的联盟体并参与市场进行真正的运行决策(也即通常意义下的综合能源系统运行决策)。值得注意的是，某些情况下，一些分布式成员所最希望加入的最优结构可能对其潜在联盟成员并不是最优结果；相反，其联盟伙伴所偏向的联盟结构对该成员可能是次优的，因此这些分布式成员之间存在协调谈判的过程。

4.2.4　算例 2 分析

假定系统中存在一个小型风电场、一台燃气轮机、一个小型的储能装置，分别表征含可再生能源的综合能源系统的常见组成成员，即可再生能源、可控机组、储能装置。为便于分析，假定系统中小型风电场、燃气轮机、储能装置的额定容量均为 1MW。燃气轮机的最小发电出力为 0.2MW，向上和向下爬坡速率均为 0.6MW/h，最小启停机时间为 2h。储能装置的具体参数取自文献[17]。储能装置能量水平限制在 0.2~1MW·h；且储能装置充电功率上限为 0.3MW，而放电功率上限则为 0.5MW；储能装置充放电效率为 80%。假定初始时段，储能装置的初始容量为 0.4MW·h，而燃气轮机处于关停状态。燃气轮机的能耗成本系数 a、b、c 分别为 5 美元/MW²、10 美元/MW、50 美元；启动和停机成本分别为 10 美元和 0 美元。燃气轮机、储能和风机的运行维护成本系数分别为 12.58 美元/(MW·h)、9.23 美元/(MW·h)、6.92 美元/(MW·h)[18]。日前能量市场和备用电价均为分时电价，具体如表 4-7 所示。根据甘肃省柳园镇历史风速数据，获得三元区间数形式风电预测出力，如图 4-8 所示。为降低风电机组的失衡风险，将其备用系数设置为 20%。

表 4-7　市场分时电价

类型	时段划分	能量价格/[美元/(MW·h)]	备用价格/[美元/(MW·h)]
峰时段	09:00~12:00, 17:00~22:00	80	40
平时段	06:00~09:00, 12:00~17:00	45	22.5
谷时段	00:00~06:00, 22:00~24:00	20	10

参与联盟前，各分布式能源成员首先根据自身信息计算其单独运行所获得的收益。考虑到风电、储能装置、可控机组之间在参与市场过程中并不存在利益冲突，因此其完全可以根据自身容量独立申报市场参与量，所得收益如表 4-8 所示。

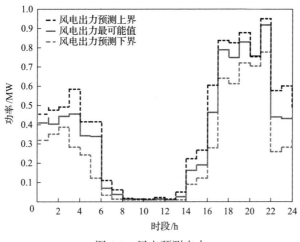

图 4-8　风电预测出力

表 4-8　各分布式能源独立运行时的预期收益

分布式能源类型	预期收益/美元
风电	[270.50, 334.83, 369.49]
可控机组	554.88
储能装置	11.29

如表 4-8 所示，由于模型构建中风电出力刻画为三元区间数，风电预期收益为三元区间数。相对而言，由于可控机组和储能装置的可控性，并不存在不确定性，其所获预期收益为确定的单一值。虽然均为可控分布式单元且额定容量均为1MW·h，然而储能装置的单独运行收益与可控机组的单独运行收益存在明显差距。这是因为储能装置充放电过程中存在部分能量损失，且必须保证运行周期始末的能量水平一致，因此储能装置单独运行的收益并不明显。针对风电，利用本书所提出的三元区间数规划模型，风电预期收益的最可能值为 334.83 美元，而其最大和最小预期收益分别为 369.49 美元和 270.50 美元。而常规两参数区间规划下，普遍只能获得预期收益的悲观解为 270.50 美元，乐观解为 369.49 美元，收益波动区间幅度达 98.99 美元。显然这种仅有上下界波动区间的信息的预期解难以为风电商提供有效的信息决策。对应地，三元区间数规划下，则可额外获得预期收益的最可能解为 334.83 美元，且并不会影响上下波动区间信息的获得。因此，三元区间数形式显然能提供更多不确定信息，方便决策者权衡经济收益及波动风险，使其谈判结果更加理性和实际。

图 4-9 刻画了各分布式能源单独运行时的预期出力情况。需要说明的是，由于风电出力是三元区间数，其对应的输出调度亦为三元区间数。为便于分析，图 4-9(a)只给出了风电预期出力为最可能值情况下的出力调度安排，而风电出力

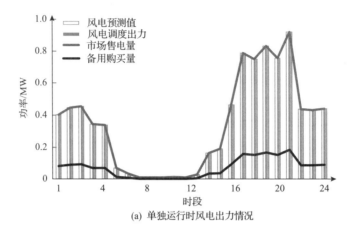

(a) 单独运行时风电出力情况

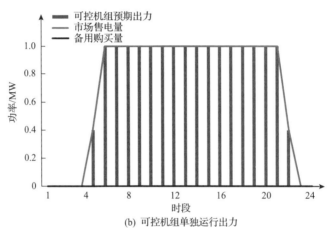

(b) 可控机组单独运行出力

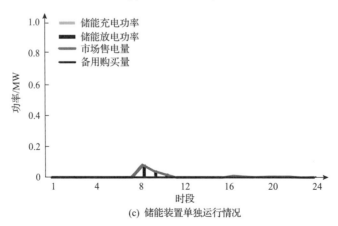

(c) 储能装置单独运行情况

图 4-9　各分布式能源单独运行时的预期出力情况

上下界所对应的调度安排与此类似。根据图 4-9(a)，由于不考虑风力发电成本，风电商几乎选择将全部预测风电出售到市场以获取利润。为了应对风电波动，风电商同时购买高比例的备用容量，根据要求为其市场申报量的 20%。根据图 4-9(b)，可控机组在 06:00～21:00 以最大出力运行，这是因为该时段内市场售电电价高于可控机组单位运行成本。同时，受爬坡速率限制，可控机组在 05:00 和 22:00 以 0.4MW 功率运行，尽管该时段内电价较低。针对储能装置，其单独运行时所获收益较低，仅为 11.29 美元，来自初始储存能量的放电，如图 4-9(c)所示。进一步地，如果改变储能的初始能量，由原来的 0.4MW·h 降至最低阈值 0.2MW·h，储能装置将不会放电，相应地其收益也降低为 0。由此可以推断，储能装置单独运行时的经济效益非常低，因此将其与其他分布式单元联合运行具有重要意义。

接下来，进一步讨论当分布式机组形成不同的联盟组合时所获得的收益情况。基于三元区间数优化和模糊沙普利法分配，不同联盟结构下的组合收益及对应分配结果如表 4-9 所示。

表 4-9　不同联盟结构下各分布式成员收益结果　　　　（单位：美元）

联盟结构	联盟值	风电收益	可控机组收益	储能装置收益
{WT},{CPP},{ESS}	—	[270.50, 334.83, 369.49]	554.88	11.28
{WT+CPP}	[830.86, 898.03, 934.90]	[273.24, 338.99, 374.75]	[557.62, 559.04, 560.15]	—
{WT+ESS}	[318.92, 390.24, 429.24]	[289.07, 356.89, 393.72]	—	[29.85, 33.35, 35.52]
{CPP+ESS}	576.19	—	559.89	16.30
{WT+CPP+ESS}	[874.57, 946.15, 985.34]	[286.90, 355.28, 392.54]	[557.82, 558.28, 558.71]	[29.85, 32.59, 34.09]

注：WT 表示风电；CPP 表示可控机组；ESS 表示储能装置。

观察表 4-9，不管具体的联盟结构如何，各分布式能源在参与联盟后所获得的收益均高于其单独运行时的收益。这符合联盟博弈理论中的个体理性原则，即成员参与联盟后所获得的收益不能劣于其单独运行时的收益，也只有在这种情况下，理性个体才会愿意加入一个联盟。与此同时，联盟值(也即成员的联合收益)高于其成员个体单独运行时的收益之和，也就是说理性的联盟结构必然可以帮助参与者提高运行收益。此外，联盟内成员的收益分配之和等于联盟值，这说明了联盟所获得的额外收益完全分配给了其参与者，并不存在第三方保留的情况。

注意到，当与风电构成联盟体时，储能装置的收益由原来的 11.28 美元提高至[29.85, 33.35, 35.52]美元，收益增长率在 164.6%～214.9%。该收益值超过了储能装置参与其他联盟结构所获得的收益值，包括全联盟结构(风电+可控机组+储能装置)。因此，可以推断，对于储能装置来说，其所偏好的联盟结构是仅与风电构成联盟体。类似地，由于风电在与储能装置单独联盟的结构中所获收益最大，风电也偏向于只和储能装置合作。全联盟结构中，也即可控机组加入后，风电和储能装置的收益反而均有所下降。这显然违背了联盟理性原则，即新成员的加入损害了原有联盟成员的利益。因此，对于理性的风电和储能装置个体来说，这种情况下，显然并不欢迎可控机组的加入，而偏向于仅有风电和储能装置联盟的状态。因此，最佳的联盟结构是风电和储能装置的联盟，而并不是全联盟结构。

这种现象出现的原因主要在于，联盟成员可以通过备用市场来保证其稳定的功率输出，相应地，可控机组在平衡不确定性方面的作用被弱化了。而储能装置则可以通过低电价时段储存电能高电价时段售出电能实现风电在不同时段下的套利。倘若假定分布式成员不允许从外部市场购买备用，各联盟结构下的收益结果将会发生很大变化，如表 4-10 所示。

表 4-10   不允许参与备用市场时各成员的收益结果　　　　　　（单位：美元）

联盟结构	联盟值	风电收益	可控机组收益	储能收益
{WT},{CPP},{ESS}	—	0	554.88	11.28
{WT+CPP}	[825.40, 891.61, 928.13]	[135.26, 168.37, 186.63]	[690.14, 723.24, 741.50]	—
{WT+ ESS}	[318.79, 389.97, 428.94]	[153.75, 189.34, 208.83]	—	[165.04, 200.63, 220.11]
{CPP+ESS}	576.19	—	559.89	16.30
{WT+CPP+ESS}	[874.55, 946.12, 985. 30]	[195.79, 242.55, 268.19]	[601.93, 613.09, 619.25]	[76.83, 90.48, 97.86]

注：WT 表示风电；CPP 表示可控机组；ESS 表示储能装置。

根据表 4-10，当不允许参与备用市场时，由于无法购买备用来保证自己与市场的稳定交易，风电将无法通过单独运行参与电力市场售电，其所获收益为零。相对而言，当与其他成员联合起来运行后，风电收益将会呈现明显的增长。在联盟结构{WT+CPP}中，风电的收益增至[135.26, 168.37, 186.63]美元，而在联盟结构{WT+ESS}中，风电的收益将增至[153.75, 189.34, 208.83]美元。显然，对于风电来说，与储能装置合作时所获收益依然高于与可控机组合作时所获收益。这是因为在与风电联合运行时，储能装置不仅可以提供备用需求，而且可以将低电价时段产生的风能储存起来转移到高电价时刻出售，实现不同时段间的电能套利。然而，对于风电来说，这并不意味着{WT+ESS}的结构依然是最佳联盟结构。根据表 4-10，在全联盟{WT+CPP+ESS}中，风电商的收益达到了[195.79, 242.55, 268.19]美元，明显优于任何其他联盟结构时风电的收益。因此，对于风电商来说，最佳的联盟结构是与储能装置及可控机组同时合作。尽管储能装置和可控机组都更加偏向于只和风电商合作，然而由于最终的决定权取决于风电商，很显然，该情况下的最佳联盟方式是全联盟结构。

为进一步观察备用市场对联盟结构的影响，通过改变备用市场的备用价格，额外考虑两种情景下的联盟收益情况。

基础情景：备用价格等于初始方案中的价格。

情景 1：备用价格为原始价格的一半。

情景 2：备用价格为原始价格的 2 倍。

图 4-10 给出了上述三种情景下风电商的收益值，其中柱形长度表示风电商在不同情形下的最可能收益值，而误差线的上下端则分别对应收益波动的上下界值。根据图 4-10，在情景 1 中，当仅与储能装置联合运行时，风电商所获收益最大。因此可以推断，情景 1 中，联盟的最佳结构是{WT+ESS}。针对情景 2，风电商的收益最大值则出现在全联盟结构中，即{WT+CPP+ESS}。这是因为随着市场备用价格的升高，可控机组提供备用的优势逐渐凸显，因此风电商愿意吸纳可控机组组成最优联盟结构。这进一步验证了先前的理论推测，即备用市场的变化将会影响分布式能源之间的最佳联盟结构形式。

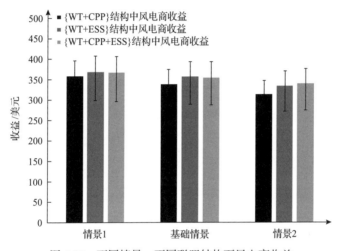

图 4-10　不同情景、不同联盟结构下风电商收益

进一步地，假定备用系数在 0～1 变化，分布式能源间的最佳联盟结构如表 4-11 所示。当备用系数小于 0.4 时，分布式能源间的最佳联盟结构为{WT+ESS}；而当备用系数处于 0.4 和 1 之间时，分布式能源间的最佳联盟结构则变成了{WT+CPP+ESS}。这说明联盟内部的备用需求量也将会影响联盟的最佳组合结构，而并不仅仅取决于备用价格。同时，作为风电商潜在的联盟伙伴，储能装置展现出了比可控机组更高的优先级。这是因为储能装置不仅可以提供备用容量，也可以将电能转移至高电价时段进行套利，这也与先前的讨论分析相符合。

图 4-11 刻画了不同备用系数、最佳联盟结构下各分布式成员的收益分配结果。其中不同曲线上的标记点表示各分布式能源的最可能收益值，而误差线的上下端则分别对应其收益波动的上下界值。

表 4-11　不同备用系数下的最佳联盟结构

备用系数	最佳联盟结构	备用系数	最佳联盟结构
0	{WT+ESS}	0.6	{WT+CPP+ESS}
0.1	{WT+ESS}	0.7	{WT+CPP+ESS}
0.2	{WT+ESS}	0.8	{WT+CPP+ESS}
0.3	{WT+ESS}	0.9	{WT+CPP+ESS}
0.4	{WT+CPP+ESS}	1.0	{WT+CPP+ESS}
0.5	{WT+CPP+ESS}		

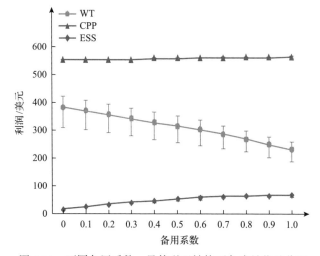

图 4-11　不同备用系数、最佳联盟结构下各成员收益分配

　　根据图 4-11，随着备用系数的增加，风电商的收益最可能值逐渐下降；不过其收益波动幅度同时也在变小。这是因为随着备用系数的增加，风电商逐渐更加依赖可控机组和储能装置在提供备用容量方面的作用。为了合理补偿可控机组和储能装置，风电商需要出让更多的利润空间来保证对可控机组和储能装置参与联盟的经济刺激。相应地，可以观察到，随着备用系数的增加，储能装置和可控机组的利润呈现不断增长的趋势。值得注意的是，当备用系数小于 0.4 时，由于最佳联盟结构形式是{WT+ESS}，可控机组只能处于单独运行状态。相应地，当备用系数为 0～0.4 时，可控机组的运行利润基本保持平稳不变。此外，需要说明的是，可控机组和储能装置的利润也存在小范围的波动，尽管其利润曲线的误差线并不明显。这是因为在与风电商联盟后，风电出力的波动性导致其所形成的联盟体的预期收益也是一个三元区间数。故而，在模糊利润分配法则下，可控机组和储能装置所获得的收益分配也是一个三元区间数。不过，该波动性影响最大的是风电商的预期利润，对可控机组的影响相对微弱。因而，该模糊利润分配法则也可从一定程度上刺激可再生能源机组提高其预测精度，降低其预期利润的波动幅度。

4.3　主从博弈运行模式

考虑到综合能源系统的运行中，不同类型分布式能源极有可能隶属于不同产权所有者，综合能源系统可以作为一个整体通过竞标参与到电力市场运行中，需要从常规地将综合能源系统当成一个整体参与竞标的问题，转变为考虑内部主体的独立性，研究隶属多个主权多种类型的分布式能源的竞标问题。同时，在综合能源系统的运行流程中，电价竞标先进行，然后再根据电价竞标情况，进行电量竞标，确定运行计划。两者的行动有先后次序。因此，需要考虑综合能源系统电价竞标和电量竞标两者存在的关系。本节考虑了综合能源系统运行时，电价竞标和电量竞标两阶段的主从递阶关系，将主从博弈理论应用于综合能源系统的电价竞标和电量竞标过程中，建立综合能源系统的电价竞标模型和电量竞标模型。其次，本节建立了施塔克尔贝格(Stackelberg)动态博弈模型，寻找在该博弈模型中的均衡解，确定综合能源系统内各个分布式单元与控制协调中心的交易电价与调度计划。

考虑综合能源系统参与日前市场进行竞标。在日前市场中，综合能源系统在历史数据的基础上，得到第二天风、光和负荷的预测值。综合能源系统的控制协调中心为内部各个分布式能源制定价格，保证各分布式能源可以获得合理收益。内部各分布式能源根据电价竞标结果，完成自身电量竞标，从而制定综合能源系统第二天的发电计划。

基于上述假设，综合能源系统的竞标可分为电价竞标与电量竞标两个阶段。具体定义如下：首先，在配电网下发电价的基础上，由综合能源系统控制协调中心为内部多个分布式单元制定电价；在综合能源系统的电价确定之后，综合能源系统内各个单元向综合能源系统的控制协调中心上报第二天的竞标电量。综合能源系统竞标模型框架如图 4-12 所示。

4.3.1　施塔克尔贝格博弈

施塔克尔贝格(Stackelberg)博弈论是由德国经济学家施塔克尔贝格在 20 世纪 50 年代提出的，用以解决具有主从递阶结构的决策问题[19,20]。因此，施塔克尔贝格博弈亦被称为主从博弈。主从递阶结构是指，存在多个决策者，这些决策者处于不同的决策层次，各自有自身的目标函数，而不同层次上的决策者具有不同决策权，居于上层的决策者(领导者)具有较大的权力，下层决策者(跟随者)会根据其决策进行自身决策，即下层决策以上层决策量为参数，同时，下层决策者的决策会对上层的决策产生影响，通常称这两者之间具有一种主从关系。

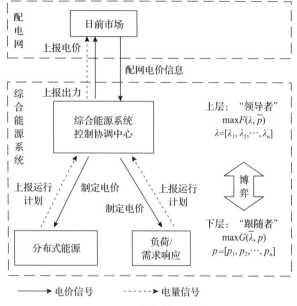

图 4-12 竞标模型框架

施塔克尔贝格博弈包含博弈论的基本要素，包括参与者、策略和效用函数。

1. 参与者

参与者是能够在博弈中有决策权的实体，是博弈的主体。在博弈论里，如果为每位博弈参与者编号，则 n 个参与者的集合可以表示为 $N_p=\{1,2,\cdots,n\}$。

2. 策略

策略表明博弈参与者根据自身掌握的信息做出的行动。用 $s_i \in S_i$ 表示第 i 位博弈参与者可选择的一个特定策略，而 S_i 表示第 i 位博弈参与者所有可能选择的策略的组合。n 位参与者的策略可表示成为一个 n 维向量，即 $s=\{s_1,s_2,\cdots,s_n\}$，称为策略空间。

当每位博弈参与者选择的策略为 m 维向量时，则可将 n 位参与者的策略表示为

$$s = \{s_1,s_2,\cdots,s_n\} = \{(s_1^1,s_1^2,\cdots,s_1^m),(s_2^1,s_2^2,\cdots,s_2^m),\cdots,(s_n^1,s_n^2,\cdots,s_n^m)\} \tag{4-47}$$

3. 效用函数

效用函数表示博弈参与者在博弈里做出决策后对不同博弈结果有不同的满意程度。用 u_i 表示第 i 位博弈参与者的效用函数。n 位参与者的效用函数可表示成一

个 n 维向量，即 $u = \{u_1, u_2, \cdots, u_n\}$，称为效用组合。博弈参与者的效用是一个关于策略组合的函数，其值取决于所有博弈参与者所选择的策略，这个函数称为效用函数。

当每位博弈参与者选择的策略为 m 维向量时，将每位博弈参与者 i 的效用函数相应地表示为

$$u_i(\{s_1, s_2, \cdots, s_n\}) = u_i(\{(s_1^1, s_1^2, \cdots, s_1^m), (s_2^1, s_2^2, \cdots, s_2^m), \cdots, (s_n^1, s_n^2, \cdots, s_n^m)\}) \tag{4-48}$$

一般地，可用如下数学模型描述 Stackelberg 博弈的主从递阶结构决策问题：

$$\min_x F(x, y) \tag{4-49}$$

$$\text{s.t.} G(x, y) \geqslant 0 \tag{4-50}$$

$$x \in X = \{x : H(x) \geqslant 0\} \tag{4-51}$$

$$\min_{y_i} f_i(x, y_i) \tag{4-52}$$

$$\text{s.t.} g_i(x, y_i) \geqslant 0 \tag{4-53}$$

$$y_i \in Y_i = \{y_i : h_i(y_i) \geqslant 0\} \tag{4-54}$$

式中，$G(x,y)$、$g_i(x,y_i)$ 分别为上层决策者和下层第 i 个决策者的约束条件；H、h 函数表示决策变量需要满足的约束条件；x、y_i 分别为上层决策者和下层第 i 个决策者的决策变量；$F(\cdot)$、$f_i(\cdot)$ 分别为上层决策者和下层第 i 个决策者的目标函数。

Stackelberg 博弈的决策机制是上层决策者首先给出决策变量，该决策变量影响下层各决策者的决策，然后下层各决策者基于上层决策变量选取使自身目标函数最优的决策，而这一过程又会影响上层决策问题。进一步，上层决策者可以继续调整决策变量，直到达到均衡。

在博弈论中，均衡是指一个由所有参与者的最优策略组成的特殊的策略组合。在这个策略组合中，每位参与者所选择的策略都是固定其他参与者的策略时的最优反应，也就是说，在这样的策略组合下，每一个有理性的博弈参与者由于自身单方面地改变策略并不会增加自己的收益，故而都没有意愿对自己的策略做出任何的调整。

给出纳什均衡的定义：对于任一博弈 $G = \{S_1, S_2, \cdots, S_n; u_1, u_2, \cdots, u_n\}$，如果每个博弈参与者选择一个策略，所有的博弈参与者选择的策略组成一个策略组合 $\{s_1^*, s_2^*, \cdots, s_n^*\}$，在这个策略组合中，对于任何一个博弈参与者 i 的策略 s_i^*，都是应对其他博弈参与者的策略组合 $\{s_1^*, \cdots, s_{i-1}^*, s_{i+1}^*, \cdots, s_n^*\}$ 的最优策略，即

$$u_i(\{s_1^*,\cdots,s_{i-1}^*,s_i^*,s_{i+1}^*,\cdots,s_n^*\}) \geqslant u_i(\{s_1^*,\cdots,s_{i-1}^*,s_i',s_{i+1}^*,\cdots,s_n^*\}) \qquad (4\text{-}55)$$

对任意 $s_i' \in S_i$ 恒成立，则称 $\{s_1^*,s_2^*,\cdots,s_n^*\}$ 为博弈的一个纳什均衡。

4.3.2　博弈流程

本节所提出的综合能源系统竞标框架中包括两个层次：上层为电价竞标，下层为电量竞标。综合能源系统根据与配电网的交易电价，制定内部负荷和各类分布式能源电价。当电量竞标阶段的均衡解给定时，电价竞标阶段可表述为

$$\max_{\lambda} F(\lambda, \overline{p}) \qquad (4\text{-}56)$$

式中，$\lambda = [\lambda_1, \lambda_2, \cdots, \lambda_n]$ 为综合能源系统内部单元电价；$\overline{p}$ 为电量竞标模型的均衡解。

在电价确定后，综合能源系统内部负荷和各个分布式能源各自上报自身的发电量和负荷量。即电价竞标阶段的均衡解给定时，电量竞标模型可表述为

$$\max_{p} G(\overline{\lambda}, p) \qquad (4\text{-}57)$$

式中，$p = [p_1, p_2, \cdots, p_n]$ 为综合能源系统内部单元的竞标电量；$\overline{\lambda}$ 为电价竞标模型的均衡解。

由于上述两个阶段符合主从递阶结构的动态博弈情况，因此，本节将Stackelberg 博弈过程应用到综合能源系统的电价竞标和电量竞标过程中。其中，综合能源系统控制协调中心所完成的电价竞标阶段相当于 Stackelberg 博弈中的领导者(Leader)；综合能源系统内部各个分布式单元(包括负荷用户)的电量竞标阶段相当于 Stackelberg 博弈中的跟随者(Follower)。具体的博弈流程如下。

(1)领导者发布策略：综合能源系统的控制协调中心制定内部各个分布式单元(包括负荷用户)的电价。

(2)跟随者根据领导者的策略选择自己的最优策略：综合能源系统内部分布式能源和负荷根据控制协调中心制定的电价，上报自己的竞标电量，以获得最优经济效益。

(3)领导者根据跟随者的策略更新自己的策略：根据综合能源系统内各分布式单元上报的竞标电量，综合能源系统的控制协调中心对制定的竞标电价进行更新，以获得最优经济效益。

(4)领导者和跟随者根据(1)～(3)不断更新策略直至达到均衡解，即综合能源系统内的分布式能源和负荷不断更新自己的竞标电量，综合能源系统的控制协调中心不断更新自己的竞标电价，以获得竞标电价和竞标电量的均衡解以及最优经济效益。

4.3.3 博弈上层子模型

1. 策略

在电价竞标博弈子模型中，假设其策略为内部分布式能源制定的电价以及负荷电价。

2. 效用函数

在电价竞标博弈子模型中，考虑电价竞标博弈的效用函数，其目标为最小化综合能源系统的运行成本，包括四部分：①综合能源系统支付给内部各个分布式单元的费用 F_1（F_1 为正时，表示综合能源系统向分布式单元支付费用；F_1 为负时，表示分布式单元需向综合能源系统支付费用，即综合能源系统获得收益）；②弃风弃光成本 F_2；③需求响应成本 F_3；④与配电网交易的收益 F_4。

$$\min F = F_1 + F_2 + F_3 - F_4 \tag{4-58}$$

$$F_1 = \sum_{i \in N_1} F_i + \sum_{j \in N_2} F_{jd} \tag{4-59}$$

$$F_2 = \sum_{i \in N_1} \sum_{t=1}^{T} q_{i,t} \Delta P_{i,t} \tag{4-60}$$

$$F_3 = \sum_{j \in N_2} \sum_{t=1}^{T} C_{jDR,t}(\Delta P_{jd,t}) \tag{4-61}$$

$$F_4 = \sum_{t=1}^{T} p_t P_{m,t} \tag{4-62}$$

式中，N_1 为综合能源系统内部的产能单元集合；N_2 为综合能源系统内部的用能单元集合；F_i 为综合能源系统支付给产能单元 i 的费用；F_{jd} 为综合能源系统支付给用能单元 j 的费用；$q_{i,t}$ 为弃风弃光的惩罚单价；T 为调度周期；$\Delta P_{i,t}$ 为 t 时刻机组 i 的弃电量；$C_{jDR,t}$ 为 t 时刻负荷 j 的需求响应成本，是关于 $\Delta P_{jd,t}$ 的函数；$\Delta P_{jd,t}$ 为 t 时刻负荷 j 的负荷调整量；p_t 为综合能源系统与配电网的交易价格；$P_{m,t}$ 为 t 时刻综合能源系统的市场交易量。

3. 约束条件

综合能源系统电价竞标博弈上层子模型中，博弈主体为综合能源系统，因此，在该子模型中，应考虑三类约束条件，包括供需平衡约束、电价约束和网络约束。

(1) 供需平衡约束：

$$\sum_{i=1}^{n_{\mathrm{DG}}} \overline{P}_{i,t} = \sum_{j=1}^{n_{\mathrm{d}}} \overline{P}_{j\mathrm{d},t} + P_{\mathrm{m},t}, \quad \forall t \tag{4-63}$$

式中，$\overline{P}_{i,t}$ 为 t 时刻机组 i 的实时出力；$\overline{P}_{j\mathrm{d},t}$ 为 t 时刻负荷 j 的实时需求量；n_{DG} 为综合能源系统中分布式产能单元的数量；n_{d} 为综合能源系统中用能单元(负荷)数量。

(2) 市场交易量约束：

$$-P_{\mathrm{m,max}} \leqslant P_{\mathrm{m},t} \leqslant P_{\mathrm{m,max}} \tag{4-64}$$

式中，$P_{\mathrm{m,max}}$ 为市场最大交易量。

(3) 竞标电价约束：

$$\lambda_{\min} \leqslant \lambda_{i,t} \leqslant \lambda_{\max} \tag{4-65}$$

式中，$\lambda_{\max}$、$\lambda_{\min}$ 分别为电网所允许的竞标电价上下限。

(4) 需求响应负荷电价变化量约束：

$$-\Delta\lambda \leqslant \Delta\lambda_{j\mathrm{d},t} \leqslant \Delta\lambda \tag{4-66}$$

式中，$\Delta\lambda_{j\mathrm{d},t}$ 为 t 时刻可控负荷 j 的电价变化量；$\Delta\lambda$ 为需求响应负荷的最大电价变化量。

(5) 网络潮流约束：

$$\begin{cases} P_{\mathrm{G}i,t} - P_{\mathrm{L}i,t} - U_{i,t}\sum_{j\in i} U_{j,t}(G_{ij}\cos\theta_{ij,t} + B_{ij}\sin\theta_{ij,t}) = 0 \\ Q_{\mathrm{G}i,t} - Q_{\mathrm{L}i,t} + U_{i,t}\sum_{j\in i} U_{j,t}(G_{ij}\sin\theta_{ij,t} - B_{ij}\cos\theta_{ij,t}) = 0 \end{cases} \tag{4-67}$$

式中，$P_{\mathrm{G}i,t}$、$Q_{\mathrm{G}i,t}$ 分别为 t 时刻节点 i 发电机的有功出力和无功出力；$P_{\mathrm{L}i,t}$、$Q_{\mathrm{L}i,t}$ 分别为 t 时刻节点 i 的有功负荷和无功负荷；$U_{i,t}$、$U_{j,t}$ 分别为 t 时刻节点 i、节点 j 的电压；$\theta_{ij,t}$ 为 t 时刻支路 ij 之间的相角差；G_{ij}、B_{ij} 为支路 ij 之间的电导、电纳；$j\in i$ 表示节点 i 和节点 j 相连。

(6) 网络节点电压约束：

$$U_{i\min} \leqslant U_{i,t} \leqslant U_{i\max} \tag{4-68}$$

式中，$U_{i\min}$、$U_{i\max}$ 分别为节点 i 电压的下限和上限。

4.3.4　博弈下层子模型

1. 策略

在电量竞标博弈子模型中，对于综合能源系统内的分布式产能单元来说，假设其策略为其出力计划及弃电量；对于综合能源系统内的用能单元(负荷)来说，假设其策略为负荷需求量及负荷调整量。

2. 效用函数

在电量竞标博弈子模型中，考虑电量竞标效用函数为最大化综合能源系统内各个单元的经济效益。

对于分布式产能单元 i，其经济效益包括购售电成本与收益、发电成本。因此，本书将其效用函数记为

$$\max F_i = \sum_{t=1}^{T} (\lambda_{i,t}(\overline{P}_{i,t} - \Delta P_{i,t}) - f(\overline{P}_{i,t})) \tag{4-69}$$

$$\overline{P}_{i,t} = P_{i,t} + \xi_{i,t} \tag{4-70}$$

式中，$\lambda_{i,t}$ 为系统为分布式单元 i 制定的电价；$P_{i,t}$ 为 t 时刻机组 i 的日前预测出力；$\xi_{i,t}$ 为 t 时刻机组 i 的出力偏差。

在式(4-71)中，$f(P_{i,t} + \xi_{i,t})$ 对应于 t 时刻机组 i 的发电成本，其表达式为

$$f(P_{i,t} + \xi_{i,t}) = f(\overline{P}_{i,t}) = a_i(\overline{P}_{i,t})^2 + b_i\overline{P}_{i,t} + c_i \tag{4-71}$$

式中，a_i、b_i、c_i 为系数。

特殊地，对于风、光等清洁能源，本书认为其发电成本为 0。

对于负荷 j，其经济效益包括购电成本、负荷补偿成本。因此，本书将其效用函数记为

$$\max F_{j\mathrm{d}} = \sum_{t=1}^{T} (-\lambda_{j\mathrm{d},t}(\overline{P}_{j\mathrm{d},t} - \Delta P_{j\mathrm{d},t})) \tag{4-72}$$

$$\overline{P}_{j\mathrm{d},t} = P_{j\mathrm{d},t} + \xi_{j\mathrm{d},t} \tag{4-73}$$

式中，$\lambda_{j\mathrm{d},t}$ 为负荷电价；$P_{j\mathrm{d},t}$ 为 t 时刻负荷 j 的日前预测需求量；$\xi_{j\mathrm{d},t}$ 为 t 时刻负荷 j 的偏差；$\Delta P_{j\mathrm{d},t}$ 为 t 时刻负荷 j 的负荷调整量。

3. 约束条件

电量竞标博弈下层子模型中，博弈主体为系统内部的分布式产能单元和用能单元。因此，在该子模型中，对于分布式产能单元来说，应考虑其出力约束及爬坡率约束，特殊地，对于可再生能源，还应考虑弃风弃光电量约束；对于用能单元来说，则考虑可响应负荷容量约束及负荷削减量约束。

(1) 分布式产能单元出力约束：

$$P_{i\min} \leqslant \overline{P}_{i,t} \leqslant P_{i\max} \tag{4-74}$$

式中，$P_{i\min}$、$P_{i\max}$ 分别为机组 i 的出力下限和上限。

(2) 分布式产能单元爬坡率约束：

$$-R_{iD}\Delta t \leqslant \overline{P}_{i,t+\Delta t} - \overline{P}_{i,t} \leqslant R_{iU}\Delta t \tag{4-75}$$

式中，R_{iD}、R_{iU} 分别为机组 i 的下爬坡率和上爬坡率；Δt 为时段长度，取为 1h。

(3) 可再生能源弃风弃光电量约束：

$$\rho_1 P_{i,t} \leqslant \Delta P_{i,t} \leqslant \rho_2 P_{i,t} \tag{4-76}$$

式中，ρ_1、ρ_2 分别为弃风弃光电量最小、最大约束比例。

(4) 用能单元可响应负荷容量约束：

$$0 \leqslant \Delta P_{jd,t} \leqslant \eta P_{jd,t} \tag{4-77}$$

式中，η 为可响应负荷占总负荷量的比例。

(5) 用能单元可响应负荷削减量约束：

$$-\frac{\varepsilon P_{jd,t}\Delta\lambda}{\lambda_{jd,t}} \leqslant \Delta P_{jd,t} \leqslant \frac{\varepsilon P_{jd,t}\Delta\lambda}{\lambda_{jd,t}} \tag{4-78}$$

式中，ε 为负荷削减系数。

4.3.5 综合能源系统负荷率及需求响应负荷渗透率

综合能源系统在实际运行中受天气、用户偏好等各个方面因素的影响。为了分析综合能源系统负荷率及需求响应负荷渗透率对本章提出的综合能源系统竞标模型的影响，本节定义综合能源系统负荷率指标、综合能源系统需求响应负荷渗透率指标对综合能源系统在实际运行中的不同场景进行描述与分析。

1. 综合能源系统负荷率

综合能源系统负荷率描述在不同季节、不同运行工况下的负荷容量比例。综合能源系统负荷率越高，则综合能源系统中用电需求相对来说越高，因而综合能源系统越有可能出现功率缺额。综合能源系统负荷率 ω_1 的定义见式(4-79)：

$$\omega_1 = \frac{S_{LD}}{S_{max}} \times 100\% \tag{4-79}$$

式中，S_{LD} 为综合能源系统某运行日下的负荷量；S_{max} 为综合能源系统所有运行日下可能出现的最大负荷容量，其值为一给定值。

2. 综合能源系统需求响应负荷渗透率

综合能源系统需求响应负荷渗透率描述在某运行日下，综合能源系统内需求响应负荷容量占负荷总容量的比例。综合能源系统需求响应负荷渗透率越高，则综合能源系统中可调整的负荷容量越高，用户侧参与综合能源系统调度的参与度和灵活性也越高。综合能源系统需求响应负荷渗透率 ω_2 的定义见式(4-77)：

$$\omega_2 = \frac{S_{DR}}{S_{LD}} \times 100\% \tag{4-80}$$

式中，S_{DR} 为需求响应负荷容量。

4.3.6　模型求解

1. 不确定性处理

由于风、光和负荷的预测值具有随机性，因此经济效益实际上也具有不确定性。当考虑不确定性时，竞标问题实际上是一个不确定问题。由于不确定性的处理不是本章研究内容的重点，为简化计算，本章采用蒙特卡罗模拟产生多个场景，通过采样后计算期望值，将分布式能源出力及负荷等多个随机变量的不确定性，转换为确定性问题，从而进行求解。

对于风电机组，模拟其出力数据时，先根据各时段平均风速的预测值计算参数 K，再采用蒙特卡罗模拟随机产生风速数据，从而随机产生风电机组的出力作为预测值。

对于光伏机组，模拟其出力数据时，先根据各时段平均光照强度的预测值计算参数 α 和 β，再采用蒙特卡罗模拟随机产生光伏机组的出力预测值。

对于负荷用户，模拟其用电需求数据时，基于蒙特卡罗模拟随机产生波动数据，以负荷预测值加上波动数据之和作为系统负荷数据。

对于预测过程中存在的误差，本章采用蒙特卡罗方法随机产生风电机组、光伏机组的出力波动数据，作为出力预测误差值。

2. 模型均衡解的存在性与唯一性

关于 Stackelberg 博弈均衡解的存在性与唯一性，有以下定理。

对于 Stackelberg 博弈模型，当且仅当该博弈模型满足以下三个条件时[21]，其均衡解存在且唯一。

(1) 上层领导者和下层跟随者的策略空间均为非空紧凸集。

(2) 当上层领导者的策略给定时，下层跟随者模型的最优解存在且唯一。

(3) 当下层跟随者的策略给定时，上层领导者模型的最优解存在且唯一。

对于条件(1)，根据 4.3.3 节中对模型的描述，上层领导者的可行策略空间可定义为

$$\Omega_{\text{leader}} = \{\lambda_{i,t}, \Delta\lambda_{jd,t} \mid \lambda_{\min} \leqslant \lambda_{i,t} \leqslant \lambda_{\max}, -\Delta\lambda \leqslant \Delta\lambda_{jd,t} \leqslant \Delta\lambda\} \quad (4\text{-}81)$$

根据 4.3.4 节，下层跟随者的可行策略空间可定义为

$$\Omega_{\text{follower}} = \{\overline{P}_{i,t}, \Delta P_{i,t}, \overline{P}_{jd,t}, \Delta P_{jd,t} \mid P_{i\min} \leqslant \overline{P}_{i,t} \leqslant P_{i\max},$$
$$-R_{iD}\Delta t \leqslant \overline{P}_{i,t+\Delta t} - \overline{P}_{i,t} \leqslant R_{iU}\Delta t, \rho_1 P_{i,t} \leqslant \Delta P_{i,t} \leqslant \rho_2 P_{i,t}, \quad (4\text{-}82)$$
$$0 \leqslant \Delta P_{jd,t} \leqslant \eta P_{jd,t}, -\frac{\varepsilon P_{jd,t}\Delta\lambda}{\lambda_{jd,t}} \leqslant \Delta P_{jd,t} \leqslant \frac{\varepsilon P_{jd,t}\Delta\lambda}{\lambda_{jd,t}}\}$$

显然，上层领导者和下层跟随者的可行策略空间已定义为非空紧凸集。

对于条件(2)，根据 4.3.4 节中的下层跟随者模型，可以得到其一阶导数：

$$\frac{\partial F_i}{\partial \overline{P}_{i,t}} = \sum_{t=1}^{T}(\lambda_{i,t} - (2a_i\overline{P}_{i,t} + b_i)) \quad (4\text{-}83)$$

$$\frac{\partial F_i}{\partial \Delta P_{i,t}} = \sum_{t=1}^{T}(-\lambda_{i,t}) \quad (4\text{-}84)$$

$$\frac{\partial F_{jd}}{\partial \overline{P}_{jd,t}} = \sum_{t=1}^{T}(-\lambda_{jd,t}) \quad (4\text{-}85)$$

$$\frac{\partial F_{jd}}{\partial \Delta P_{jd,t}} = \sum_{t=1}^{T}\lambda_{jd,t} \quad (4\text{-}86)$$

其二阶导数为

$$\frac{\partial^2 F_i}{\partial \overline{P}_{i,t}^2} = \sum_{t=1}^{T}(-2a_i) \quad (4\text{-}87)$$

$$\frac{\partial^2 F_i}{\partial \Delta P_{i,t}^2} = \frac{\partial^2 F_{jd}}{\partial \overline{P}_{jd,t}^2} = \frac{\partial^2 F_{jd}}{\partial \Delta P_{jd,t}^2} = 0 \tag{4-88}$$

假设 $\overline{P}_{i,t}$ 的最大和最小边界值分别为 $\overline{A}_{i,t}$ 和 $\underline{A}_{i,t}$，$\Delta P_{i,t}$ 的最大和最小边界值分别为 $\overline{B}_{i,t}$ 和 $\underline{B}_{i,t}$，$\overline{P}_{jd,t}$ 的最大和最小边界值分别为 $\overline{C}_{i,t}$ 和 $\underline{C}_{i,t}$，$\Delta P_{jd,t}$ 的最大和最小边界值分别为 $\overline{D}_{i,t}$ 和 $\underline{D}_{i,t}$，令一阶导数为零，可解得

$$\overline{P}_{i,t} = \begin{cases} \dfrac{b_i - \lambda_{i,t}}{2a_i}, & a_i \neq 0 \\ \overline{A}_{i,t}, & a_i = 0 \end{cases} \tag{4-89}$$

$$\Delta P_{i,t} = \begin{cases} 0, & a_i \neq 0 \\ \underline{B}_{i,t}, & a_i = 0 \end{cases} \tag{4-90}$$

$$\overline{P}_{jd,t} = \underline{C}_{j,t} \tag{4-91}$$

$$\Delta P_{jd,t} = \overline{D}_{j,t} \tag{4-92}$$

由于 $a_i > 0$，二阶导数非正，下层跟随者的目标函数具有非凹性。因此当上层领导者的策略给定时，下层跟随者的模型存在唯一的最优解。

对于条件(3)，根据式(4-89)～式(4-92)，可将上层领导者的目标函数改写为

$$\begin{aligned} F &= \sum_{i \in N_1, a_i \neq 0} \sum_{t=1}^{T} \lambda_{i,t}(\overline{A}_{i,t} - \underline{B}_{i,t}) + \sum_{i \in N_1, a_i = 0} \sum_{t=1}^{T} \frac{(b_i - \lambda_{i,t})(3b_i - \lambda_{i,t})}{4a_i} + \sum_{i \in N_1} \sum_{t=1}^{T} q_{i,t} \underline{B}_{i,t} \\ &+ \sum_{j \in N_2} \sum_{t=1}^{T} \lambda_{jd,t}(\overline{D}_{j,t} - \underline{C}_{j,t}) + \sum_{j \in N_2} \sum_{t=1}^{T} (\lambda \underline{C}_{j,t} - R\lambda_{jd,t}(\underline{C}_{j,t} - \overline{D}_{j,t})) + \sum_{t=1}^{T} p_t P_{m,t} \end{aligned} \tag{4-93}$$

因此，可得到式(4-93)的黑塞(Hessian)矩阵为

$$H = \begin{bmatrix} \displaystyle\sum_{i \in N_1, a_i = 0} \sum_{t=1}^{T} 2 & 0 \\ 0 & 0 \end{bmatrix} \geqslant 0 \tag{4-94}$$

显然，该 Hessian 矩阵为半正定矩阵，上层领导者的目标函数具有凸性。因此当下层跟随者的策略给定时，上层领导者模型存在唯一的最优解。

3. 求解流程

对于本章所建立的基于主从博弈的多主体竞标模型，其均衡解存在且唯一，

可以通过逆推归纳法进行求解。算法的流程图如图 4-13 所示。

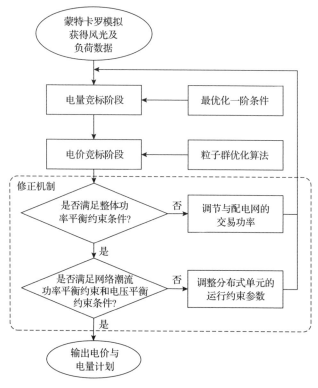

图 4-13　算法流程图

（1）电量竞标阶段：综合能源系统内的各个分布式能源和负荷根据综合能源系统的控制协调中心的电价，以自身经济效益最大化为目标，来调整自身的竞标电量，即

$$\max_{P_{i,t}} F_i \ , \quad \max_{P_{jd,t}} F_{jd} \tag{4-95}$$

其最优化一阶条件为

$$\frac{\partial F_i}{\partial P_{i,t}} = 0 \ , \quad \frac{\partial F_{jd}}{\partial P_{jd,t}} = 0 \tag{4-96}$$

（2）电价竞标阶段：综合能源系统的控制协调中心可以预测到综合能源系统内的各个分布式能源和负荷将根据领导者的决策选择自身的策略，因此其在电价竞标阶段的问题可以表示为

$$\max_{\lambda_{i,t}, \lambda_{jd,t}} F \tag{4-97}$$

(3)结果修正阶段：为了简化模型，在对电量竞标模型进行求解时，未对综合能源系统的整体功率平衡以及全网络的潮流功率平衡和电压平衡三个约束条件进行处理，因此，在本算法流程中，需要加入修正机制，完成对电量竞标阶段所得的出力计划的修正。如果所求得的均衡解不满足这三个约束条件，则要对运行参数进行修正，重新计算 Stackelberg 模型的均衡解。

运行参数的具体修正方法如下。

(1)若所求得的均衡解不符合综合能源系统整体功率平衡约束,综合能源系统将调整自身与配电网的交易功率。

(2)若所求得的均衡解不符合网络潮流功率平衡约束和电压平衡约束条件,综合能源系统将通知内部各个分布式单元，更改自身的运行约束参数，如弃风弃光电量约束比例、需求响应调整量比例等，对自身发电计划进行调整。

4.3.7 算例分析

为验证本章所提出的竞标模型，选取 IEEE30 节点系统进行适当改进：节点 25 处接入 1 台 2MW 的风电机组和 1 台 2MW 的可控机组，节点 26 处接入 1 台 1MW 的光伏机组和 1 台 2MW 的可控机组。综合能源系统为负荷制定的基准电价为 0.42 元/(kW·h)，配电网与综合能源系统的交易电价参照配电网制定的电价执行，配电网的售电电价信息具体见表 4-12，数据取自文献[22]。综合能源系统内各个分布式电源的容量和爬坡率见表 4-13。风电机组参数和光伏机组参数见表 4-14。可控机组的成本系数见表 4-15。为了简化模型，认为综合能源系统向配电网的售电电价为购电电价的 80%。可修正参数的初始设置如下：弃风、弃光电量比例上限约束为 0.5，需求响应的电价调整量约束为 0.5。另外，由于风、光的波动一般比负荷波动大，因此本节设置风、光的波动方差为 0.1，负荷的波动方差为 0.01。

表 4-12 配电网的电价　　　　　　　　(单位：元/(kW·h))

时段	电价	时段	电价	时段	电价
1	0.24	9	0.52	17	0.40
2	0.18	10	0.53	18	0.36
3	0.13	11	0.81	19	0.36
4	0.10	12	1.00	20	0.41
5	0.15	13	0.99	21	0.44
6	0.20	14	1.49	22	0.35
7	0.27	15	0.99	23	0.30
8	0.39	16	0.79	24	0.23

注：时段 1 指 0:00 ~ 1:00，依次类推。

表 4-13　各分布式电源参数

类型	出力下限/MW	出力上限/MW	爬坡率/(kW/min)
风电机组	0	2	—
光伏机组	0	1	—
可控机组 1	0	1	10
可控机组 2	0	2	20

表 4-14　风电机组和光伏机组参数

机组	参数	数值
风电机组	切入风速 v_{ci} /(m/s)	3
	切出风速 v_{co} /(m/s)	25
	额定风速 v_r /(m/s)	14
	K	2
光伏机组	α	0.45
	β	9.18

表 4-15　可控机组的成本系数

可控机组	a	b	c
1	0.3	0.5	0.8
2	0.5	0.6	1.0

　　首先研究给定负荷率及需求响应负荷渗透率情况下，综合能源系统的竞标结果。针对综合能源系统负荷率为 66.67%、需求响应负荷渗透率为 20%的场景，综合能源系统电价竞标结果和电量竞标结果见图 4-14，WT 为风电机组，PV 为光伏机组，DE1、DE2 为可控机组 1、2，LD 为负荷，P 为交易电量，PreWT、PrePV、PreLD 表示预测的电量。其中，电价竞标结果包括综合能源系统为分布式电源(风

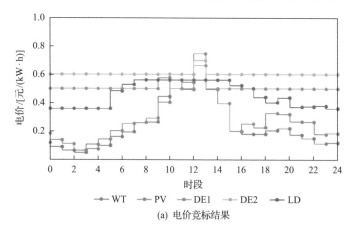

(a) 电价竞标结果

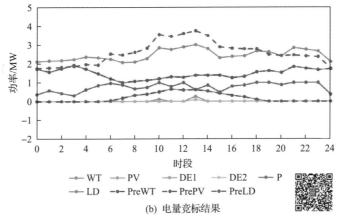

(b) 电量竞标结果

图 4-14　竞标结果(彩图扫二维码)

力机组、光伏机组、可控机组 1、可控机组 2)制定的电价及考虑需求响应的负荷电价;电量竞标结果包括各分布式电源(风力机组、光伏机组、可控机组 1、可控机组 2)的出力计划、负荷的需求量以及综合能源系统与配电网的交易计划。

　　在该场景下,采用本章的综合能源系统竞标模型,计算得到综合能源系统的运行成本为 5.921 万元。相应地,若不考虑内部主体独立性,对内部成员均采用配电网电价;同时,不考虑电价竞标与电量竞标之间的行动次序,即综合能源系统的竞标模型只包括本章提出的电价竞标上层子模型,则综合能源系统的运行成本为 6.012 万元。由此可以看出,采用本章所提出的综合能源系统竞标模型,可减小综合能源系统的运行成本。因此,考虑综合能源系统内部主体独立性以及电价竞标与电量竞标之间的行动次序,在综合能源系统竞标过程中是十分必要的。

　　在电价竞标过程中,本章以最小化综合能源系统运行成本为目标制定电价策略,且在本章中,认为风、光的发电成本为 0,因此,风、光等可再生能源整体的电价水平比可控机组低。同时,由于可控机组 1 比可控机组 2 的发电成本低,可控机组 1 比可控机组 2 的电价水平低。在全天范围内,可控机组的电价水平较为平稳,在时段 10 和时段 13 出现了上升趋势。这是由于在时段 10 和时段 13 负荷水平较高,风、光等可再生能源和从配电网购电不能满足负荷需求,需要启动可控机组满足功率缺额。此时,综合能源系统为可控机组制定的电价较高,以激励可控机组在该时刻提供功率。

　　由图 4-14 的结果可以看出,单独依靠风、光的可再生能源出力不足以满足负荷需求,综合能源系统需要采取措施,如从配电网购电满足缺额、启动可控机组增加自身出力、调整负荷需求减小缺额等。由于存在需求响应负荷,综合能源系统内的负荷在高峰时段(时段 11 至时段 16)选择将自身用电需求转移到平谷时段(时段 1 至时段 10,时段 17 至时段 24)。结合综合能源系统竞标的结果,可以看出,在时段 11 至时段 16,综合能源系统制定的负荷电价升高,负荷选择转移电量；而在时段 1 至时段 10 以及时段 17 至时段 24，综合能源系统制定的负荷电价降低，负荷选择增加电量，以减小负荷成本。在时段 6 至时段 24，综合能源系统需要从配电网购电以满足负荷需求，维持综合能源系统的功率平衡。在时段 11 至时段 16，综合能源系统向配电网购电的功率大幅降低，有效降低了配电网在高峰时段的供电压力。由于向配电网购电的成本低于可控机组的发电成本，因此综合能源系统优先选择向配电网购电以满足负荷需求。

由图 4-14 中的弃风量、弃光量和负荷调整量可以看出，综合能源系统在高峰时段(时段 11 至时段 16)适当转移负荷，在平谷时段(时段 1 至时段 10，时段 17 至时段 24)适当增加负荷，起到了削峰填谷、平抑负荷波动的作用。综合能源系统的负荷率较高，风、光不弃电，可以减少综合能源系统向外购电的成本以及可控机组的发电成本。

下面分析在不同综合能源系统负荷率情况下，综合能源系统竞标结果的变化。由表 4-16 的结果可知，随着综合能源系统负荷率的增大，综合能源系统运行成本增大，弃电率降低。综合能源系统负荷率较低时，综合能源系统发电功率富余，在满足传输容量限制的情况下，综合能源系统尽量向配电网出售富余功率，并获得收益。由于可再生能源的发电成本视为 0，此时综合能源系统的运行成本较低。只有当综合能源系统负荷率很小时，负荷功率远远小于风、光的发电功率，且受外送容量的限制，综合能源系统在部分时间段才会选择弃电。

表 4-16 不同负荷率下竞标结果

ω_l /%	运行成本/万元	弃电率/%
16.67	4.215	3.1
33.33	4.610	0
50.00	5.141	0
66.67	5.921	0
83.33	6.983	0
100.00	8.853	0

图 4-15、图 4-16 给出了当参数 ω_l 按表 4-16 取值时，各场景下综合能源系统的竞标结果。由于不同综合能源系统负荷率下风、光等可再生能源基本处于满发状态，因此，综合能源系统负荷率对风电机组和光伏机组电价的影响可忽略不计。由图 4-15 的电价竞标结果变化曲线可以看出，随着综合能源系统负荷率的提高，为了鼓励负荷用户参与需求响应，在高峰时段提高负荷电价，在低谷时段降低负荷电价；同时，综合能源系统的功率缺额越大，可控机组的电价越高。由图 4-16 的电量竞标结果变化曲线可以看出，随着综合能源系统负荷率的提高，风电机组和光伏机组的竞标出力基本不变，只有当综合能源系统的负荷率非常低时，受综合能源系统内部负荷需求和外送容量的限制，风电机组才会在部分时段选择弃风。随着综

合能源系统负荷率逐渐提高，综合能源系统的功率缺额逐渐增大。当综合能源系统与配电网的交互功率受联络线传输容量限制时，综合能源系统需要启动可控机组，且综合能源系统负荷率越高，功率缺额越大，可控机组的竞标出力也越大。

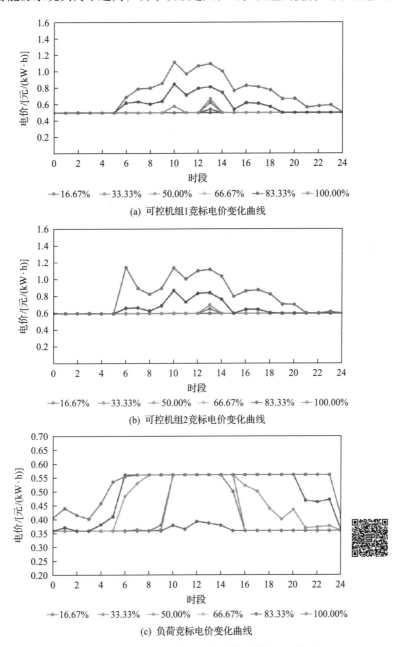

图 4-15　电价竞标结果变化曲线（彩图扫二维码）

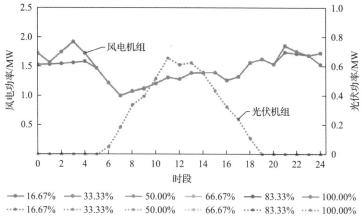

(a) 风电机组和光伏机组竞标出力变化曲线

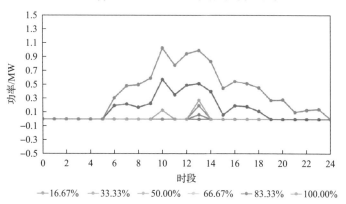

(b) 可控机组1竞标出力变化曲线

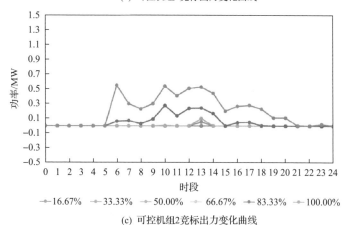

(c) 可控机组2竞标出力变化曲线

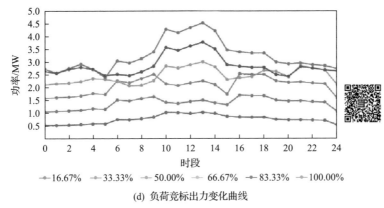

(d) 负荷竞标出力变化曲线

图 4-16 功率竞标结果变化曲线(彩图扫二维码)

综合能源系统需求响应负荷渗透率也会影响综合能源系统的竞标结果,其中,负荷电价和负荷需求量的竞标策略会相应地发生变化。随着综合能源系统需求响应负荷渗透率的逐渐增加,可参与调度和调整的负荷容量逐渐增大。不同综合能源系统需求响应负荷渗透率下综合能源系统的运行成本见表 4-17(假设 ω_1 为 60%)。

表 4-17 不同综合能源系统需求响应负荷渗透率下的竞标结果

ω_2 /%	运行成本/万元	ω_2 /%	运行成本/万元
0	5.530	60	4.667
10	5.355	70	4.579
20	5.141	80	4.498
30	4.983	90	4.416
40	4.870	100	4.350
50	4.758		

由表 4-17 的结果可以看出,随着综合能源系统需求响应负荷渗透率的逐渐增加,综合能源系统的运行成本逐渐减小。需求响应可以根据电价调整自身的负荷需求量,可以有效平抑负荷波动,实现削峰填谷。由于高峰时段的电价水平较高,综合能源系统通过电价调整负荷需求量。因此,综合能源系统需求响应负荷渗透率越高,则综合能源系统负荷调整量越大,削峰填谷的效果越明显,综合能源系统的运行成本越低。

图 4-17 给出了当参数 ω_2 按表 4-17 取值时,综合能源系统中负荷电价和负荷出力的竞标结果。由图 4-17 的综合能源系统竞标结果变化曲线可以看出,峰谷时段电价差异较大。综合能源系统通过制定分时负荷电价来鼓励负荷用户调整自己的用电需求。随着综合能源系统需求响应负荷渗透率的逐渐增加,综合能源系统在峰时段制定的负荷电价逐渐增高,在谷时段制定的负荷电价逐渐降低,以鼓励

更多的需求响应负荷做出响应。相应地，随着综合能源系统需求响应负荷渗透率的逐渐增加，需求响应负荷容量越大，可参与调度的负荷容量越大，在峰时段实际转移的负荷容量越大，在谷时段增加的负荷容量越大。当综合能源系统需求响应负荷渗透率增大到一定程度时，竞标电价和竞标出力的变化量越来越小，这是由于负荷的可响应容量虽然很大，但是负荷基于电价进行响应，而电价有其可调整范围限制，故而负荷的可响应容量也有一定的限制。

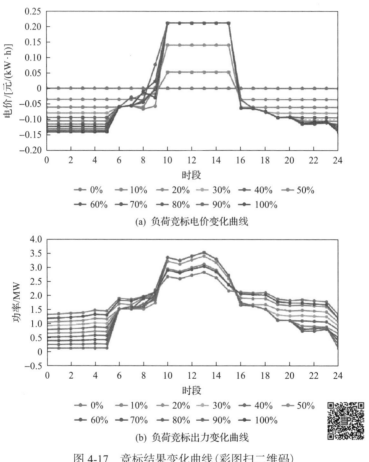

(a) 负荷竞标电价变化曲线

(b) 负荷竞标出力变化曲线

图 4-17　竞标结果变化曲线(彩图扫二维码)

4.4　非完全信息下的双层博弈运行模式

为实现区域能源网的多能互补和系统优化，必然要采用合作博弈的方法。考虑冷热电多主体多能流的协同，调度中心充当合作的协调者，以最优化区域用能能源效率或供能费用为目标，整合调度区域系统和配电网多个主体的可调控资源，制定合理的调度计划实现系统级优化。各个主体的利益诉求在能源市场非合作竞价博弈中得以体现，同时降低用户用能价格。

针对综合能源系统多主体、高耦合的内在特性，探索合理的运行机制和多主体的市场互动机制是多能互补协同优化的必要条件。在电力系统的研究中，经典博弈论被广泛应用于电力市场竞价策略研究，但其基本假设是每个市场参与者都具有"理性的共同认识"，默认对手追求最大化利润且不犯任何错误，这种方法存在较大局限性[23,24]。

在多能多主体竞价博弈中，能源市场的相互耦合使得参与主体难以准确掌握全部信息而做出最佳反应动态(best-response dynamic，BRD)[25]。多能市场具有混沌性因而对仿真初值较为敏感，参与主体通过当前情况做出随机选择，无法通过构造确定性的动态模型推演系统稳定点。本节基于有限的假设理性设计博弈策略，参与者的知识结构远不能包括全部的博弈结构和规则[26]。参与者通过某种传递机制而非纯理性选择策略，因此本节的博弈均衡针对的是稳定和均衡策略，强调博弈的动态性和稳定性。

多能协调优化的合作方法一直是多能互补的研究热点，其重点在于分析能量转换与耦合元件特性[27]。多能流静态耦合模型被用于冷热电协同调度和稳态分析中[28,29]，研究证明多主体的协同互补可大大降低用能成本、提高能源利用效率[30,31]。为模拟市场中主体的有限理性行为和市场价格形成的动态过程，文献[32]～[34]将多代理技术应用于电力市场和规划的动态模拟系统中，通过强化学习算法仿真各个主体间的互动博弈行为研究电力规划和市场定价的决策方法。应用多代理技术，文献[35]对日前电力市场建立动态贝叶斯网络模型，并通过贝叶斯学习法仿真发电厂智能体分时段竞价行为。考虑供需双方的动态交互，文献[36]提出一个双边博弈模型，通过市场驱动发电规划和清洁能源的扩容。文献[37]和[38]运用节点边际定价(locational marginal pricing，LMP)机制，考虑输电网最优潮流和具体的网络拓扑，仿真多个发电厂的竞价策略。目前，多数研究集中于输电网发电市场仿真，少有研究涉及区域综合能源系统(regional integrated energy system，RIES)能源市场的竞价仿真。

本节针对综合能源系统多主体高耦合的特点，提出一个由供能商、配电网和用户组成的多主体双层博弈互动策略。博弈互动策略包括调度和竞价两个方面。调度部门协调各方可调资源，根据供能商的报价和配电网的分时电价预测多能负荷，以系统用能费用最小为目标协调优化，真正实现合作博弈下的多能互补。本节在非完全信息和有限理性的假设下设计供能商报价和系统结算策略。在此基础上，根据历史调度结果和自身机组特性，以追求自身最大利益为目标，模拟供能商代理的冷热电日前市场非合作竞价策略后上报调度部门，并采用 Q-Learning 算法优化多代理竞价策略。应用实际算例研究综合能源系统调度-竞价双层博弈过程的演化规律，并分析本节策略的局部纳什均衡性。

4.4.1　多主体双层博弈策略

综合能源系统虽与大电网相连，但其生产的电能大部分用于满足内部需求，即某种意义上的直购电，仅有少数电能通过联络线上网，冷热需求也是自给自足的，其内部的能量转化和利用是相对独立的。因此，系统的冷热电价格可由运营部门制定。另外，综合能源系统规模有限，且对于机组运行优化的要求较高，不适于采用分时统一价格出清机制，可通过上报包含盈利和边际成本的功率-价格曲线，一方面保证供能商信息安全，另一方面为园区考虑机组优化调度提供参考依据。

本节考虑按报价结算(pay as bid price，PAB)方式的市场模式，在相同发电报价下，相比系统边际价格(system marginal price，SMP)机制可节省系统购电总成本。在 PAB 机制下，供能商没有持留容量的利益驱动(假定持留容量前后报价不变)，其最优的产量决策是上报最大可用容量，从而可防止供能商在系统容量紧缺时利用持留容量措施操纵市场价格。ISO 结合多个主体上报的报价曲线，以系统用能成本最优为目标，协调多个主体满足不同负荷的需求。区域调度中心充当撮合者，使不同主体在日前调度上实现合作博弈。为保证公平公正，利益主体在每次日前调度优化时上报的策略对所有利益主体公开，机组真实的边际成本曲线对外保密，多主体双层博弈策略如图 4-18 所示。

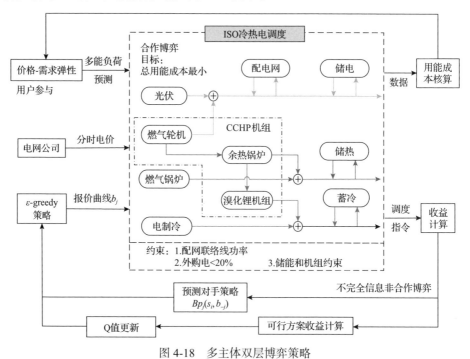

图 4-18　多主体双层博弈策略

由于综合能源系统中的传输线路较短，且负荷与供能设备交替布置，故本策略不考虑最优潮流。采用边际定价(marginal pricing，MP)的报价模式简单易行，充分考虑了各台机组的运行特性，实现园区的动态经济调度(dynamic economic dispatch，DED)，因而可真正地通过多能互补整合各个主体的资源，进而实现提高能源利用率和新能源利用率的目标。

在整个能源市场中，全部类型的能源供应商，只要处于运行阶段，都可以竞价上网。各供能商可以依据自身发电成本通过学习算法自主地调整每个周期内的竞价策略以获取最大收益。结合区域能源市场信息不完全、不确定的特性，各供能商用 Q-Learning 算法来优化竞价策略。

4.4.2　冷热电日前调度合作博弈

1. 目标函数

ISO 以园区用能费用 F 最小作为目标函数，协调各个主体合作优化系统目标。

$$\min \quad F = \sum_{j=1}^{m} f_j(t) \sum_{i=1}^{n} P_j^i(t) \tag{4-98}$$

式中，$f_j(t)$ 为主体 j 在 t 时刻的供能边际成本；m 为主体个数；$P_j^i(t)$ 为 t 时刻主体 j 第 i 台机组的调度功率；n 为机组台数。

供能商成本包括能源转化成本 $f_{e,j}(t)$ 和运行管理成本 $f_{OM,j}$，所以供能边际成本 $f_j(t)$ 可表示为

$$f_j(t) = \frac{1}{\sum\limits_{i=1}^{n} P_j^i(t)} [f_{e,j}(t) + f_{OM,j}] \tag{4-99}$$

$$f_{e,j}(t) = \sum_{i=1}^{n} C_j^i[P_j^i(t), t] \tag{4-100}$$

$$f_{OM,j}(t) = C_{OM,j} P_j^N \tag{4-101}$$

式中，$C_{OM,j}$ 为主体 j 在 t 时刻的运行维护成本系数；C_j^i 为主体 j 第 i 台机组能源转化成本效率；P_j^N 为主体 j 投入运行的机组总容量。

$C = C_j^i[P_j^i(t), t]$ 为主体 j 第 i 台机组的能源转化成本函数，自变量为机组调度功率 $P_j^i(t)$ 和时刻 t。

CCHP 单元的燃气-发电-发热关系均由 ISO 工况下的实验数据得到，机组实验数据特性如图 4-19(a)所示。余热锅炉发热-燃气量关系由一次函数拟合，得到 $h = 3.98g$，式中 h 为 CCHP 的热功率，g 为天然气消耗量。CCHP 发电的边际成本随天然气消耗量的增加而降低，二次函数拟合得到的结果如下：

$$q = 9 \times 10^{-4} g^2 + 0.086g - 18.828, \quad 2020 \leqslant g \leqslant 3980 \tag{4-102}$$

式中，q 为 CCHP 输出的电功率。

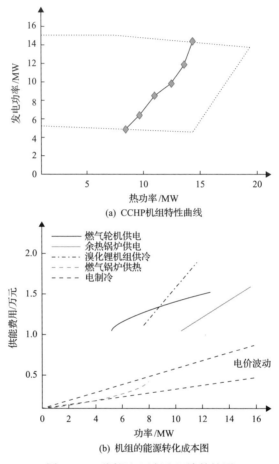

(a) CCHP机组特性曲线

(b) 机组的能源转化成本图

图 4-19 不同机组运行和经济特性图

根据燃气锅炉的机组特性，其供能费用随运行功率的变化曲线可表示为

$$f_{GB} = a_{GB} q^2 + b_{GB} q + c_{GB} P_j^i(t) \tag{4-103}$$

式中，a_{GB}、b_{GB}、c_{GB} 为系数。

溴化锂机组的转换效率 $\eta = 0.8$。电制冷的制冷系数值为 4，其供能费用随实时电价波动。综上，各个机组的能源转化成本如图 4-19(b) 所示，光伏能源转化成本视为 0。

2. ISO 运行约束

CCHP 机组状态定义为 $s_{CCHP}(t) \in \{0,1\}$，设运行功率为 $P_{CCHP}(t)$，最低运行功

率为额定功率 $P_{\mathrm{CCHP}}^{\mathrm{N}}$ 的 40%，CCHP 机组均工作在以热定电模式，CCHP 机组的运行约束包括功率约束、爬坡约束和热电耦合约束:

$$\mathrm{s.t.}\begin{cases} 0.4P_{\mathrm{CCHP}}^{\mathrm{N}}s_{\mathrm{CCHP}}(t) \leqslant P_{\mathrm{CCHP}}(t) \leqslant P_{\mathrm{CCHP}}^{\mathrm{N}}s_{\mathrm{CCHP}}(t) \\ -\Delta P_{\mathrm{CCHP}}^{\mathrm{RD}} \leqslant P_{\mathrm{CCHP}}(t+1) - P_{\mathrm{CCHP}}(t) \leqslant \Delta P_{\mathrm{CCHP}}^{\mathrm{RU}} \\ P_{\mathrm{CCHP}}^{i}(t) = G_{\mathrm{ISO}}(P_{\mathrm{CCHP,H}}(t) + P_{\mathrm{LiBr}}(t)) \end{cases} \tag{4-104}$$

式中，$\Delta P_{\mathrm{CCHP}}^{\mathrm{RU}}$ 和 $\Delta P_{\mathrm{CCHP}}^{\mathrm{RD}}$ 分别为 CCHP 的爬坡约束上下限; $G_{\mathrm{ISO}}()$ 为 ISO 工况下电功率到热功率的转换函数; $P_{\mathrm{CCHP,H}}(t)$、$P_{\mathrm{LiBr}}(t)$ 为 CCHP 和溴化锂机组的热功率。

燃气锅炉约束包括最大功率 $P_{\mathrm{GB}}^{\mathrm{N}}$ 约束以及爬坡约束 $\Delta P_{\mathrm{GB}}^{\mathrm{RD}}$、$\Delta P_{\mathrm{GB}}^{\mathrm{RU}}$。

$$\mathrm{s.t.}\begin{cases} 0 \leqslant P_{\mathrm{GB}}^{i}(t) \leqslant P_{\mathrm{GB}}^{\mathrm{N}} \\ -\Delta P_{\mathrm{GB}}^{\mathrm{RD}} \leqslant P_{\mathrm{GB}}^{i}(t+1) - P_{\mathrm{GB}}^{i}(t) \leqslant \Delta P_{\mathrm{GB}}^{\mathrm{RU}} \end{cases} \tag{4-105}$$

电制冷机组约束考虑最大出力约束，最大出力功率为 $P_{\mathrm{AC}}^{\mathrm{N}}$。

$$0 \leqslant P_{\mathrm{AC}}(t) \leqslant P_{\mathrm{AC}}^{\mathrm{N}} \tag{4-106}$$

系统约束考虑冷热电功率平衡、冷热电储能和区域电网联络线功率 P_{Line} 约束，并且规定园区配电网购电量 P_{DN} 小于等于园区电负荷的 20%。溴化锂机组将热功率转化为电功率的效率为 80%。

$$\mathrm{s.t.}\begin{cases} P_{\mathrm{CCHP}}(t) + P_{\mathrm{PV}}(t) + P_{\mathrm{ES}}(t) + P_{\mathrm{DN}}(t) = L_{\mathrm{e}}(t) \\ P_{\mathrm{CCHP,H}}(t) - P_{\mathrm{LiBr}}(t) + P_{\mathrm{GB}}(t) + P_{\mathrm{HS}}(t) = L_{\mathrm{h}}(t) \\ 0.8P_{\mathrm{LiBr}}(t) + P_{\mathrm{AC}}(t) + P_{\mathrm{CS}}(t) = L_{\mathrm{c}}(t) \\ -P_{\mathrm{ES,HS,CS}}^{\mathrm{in}} \leqslant P_{\mathrm{ES,HS,CS}}(t) \leqslant P_{\mathrm{ES,HS,CS}}^{\mathrm{out}} \\ -\Delta P_{\mathrm{ES,HS,CS}}^{\mathrm{in}} \leqslant P_{\mathrm{ES,HS,CS}}(t+1) - P_{\mathrm{ES,HS,CS}}(t) \leqslant \Delta P_{\mathrm{ES,HS,CS}}^{\mathrm{out}} \\ \sum\limits_{t=1}^{24} P_{\mathrm{ES,HS,CS}}(t) = 0 \\ 0.05 \leqslant \mathrm{Soc}_{\mathrm{ES,HS,CS}}(t) \leqslant 0.95 \\ |P_{\mathrm{DN}}(t)| \leqslant P_{\mathrm{Line}} \\ \sum\limits_{t=1}^{24} P_{\mathrm{DN}}(t) \leqslant 0.2 \times \sum\limits_{t=1}^{24} L_{\mathrm{e}}(t) \end{cases} \tag{4-107}$$

式中，$L_e(t)$、$L_h(t)$、$L_c(t)$ 分别为电负荷、热负荷、冷负荷；P_{CCHP}、P_{PV}、P_{ES} 和 P_{DN} 分别为燃气轮机、光伏、电储能和配电网的输出功率；$P_{CCHP,H}$、P_{GB} 和 P_{HS} 分别为 CCHP 机组、燃气锅炉和储热的热功率；P_{LiBr}、P_{AC} 和 P_{CS} 分别为溴化锂机组、电制冷机组和蓄冷设备的冷功率；P^{in}、P^{out} 为储能的最大充放功率；ΔP^{in}、ΔP^{out} 为相应的储能充放电爬坡功率；Soc 为各个储能装置的荷电状态。

4.4.3　非完全信息下的非合作竞价博弈

1. 用户博弈模型

为保证所有的纳什均衡点在合理的用能费用范围内，用户代表与供能商签订最高出价价格 b_{max}，b_{ref1}、b_{ref2} 为弹性段的投标价格区间。而且为防止博弈中出现垄断而出现不合理的价格，用户通过自身的需求响应特性参与博弈，冷热电的用户用能量-价格弹性模型如图 4-20 所示。

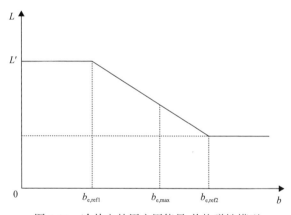

图 4-20　冷热电的用户用能量-价格弹性模型

用电量-电价曲线如式(4-108)所示，式中 L_e 为包含电制冷机组用电量的电负荷总量，L'_e 为最大电负荷，$b_{e,max}$ 为用户与供能商签订的最高电价，$\bar{b}_e$ 为一轮竞价后的平均电能价格，a_e 为拟合系数。

$$L_e = \begin{cases} L'_e, & \bar{b}_e \leqslant b_{e,ref1} \\ L'_e - a_e(\bar{b}_e - b_{e,ref1}), & b_{e,ref1} < \bar{b}_e < b_{e,ref2} \\ L'_e - a_e(b_{e,ref2} - b_{e,ref1}), & \bar{b}_e \geqslant b_{e,ref2} \end{cases} \tag{4-108}$$

用冷量-冷价和用热量-热价的弹性模型同式(4-108)，L_c、L_h 分别为预测的冷热负荷总量，L'_c、L'_h 分别为最大冷热负荷，$b_{c,max}$ 和 $b_{h,max}$ 为用户与供能商签订的最高冷价和热价，$\overline{b}_c$、$\overline{b}_h$ 为一轮竞价后的平均冷热价格。

2. 机组边际成本报价机制

为了给 ISO 科学调度提供决策支撑，供能商应根据自身机组运行特性计算边际运行成本并设计相应的报价策略。为了简化分析，本书假定参与主体的报价曲线是供能成本曲线的比例函数，则引入利润系数 k_i，设主体 j 的供能成本曲线为 $f(t)$，则报价曲线为 $b_j(t) = k_j f_j(t)$，CCHP 对冷热电独立报价，在计算发电成本时视当前冷热价格和工作状态不变，即发电成本等于总成本减去供冷供热的收益，其他的成本计算同理可得。

实际的 RIES 包含多个利益主体，在竞价决策时单个主体往往无法获得所有主体的全部成本和容量信息。因此，上层竞价博弈采用 Q-Learning 增强学习法仿真能源市场竞价过程。Q-Learning 算法使智能系统在马尔可夫环境中利用经历的动作序列选择最优动作。其优点在于不需要对所处的动态环境建模，可将多能耦合竞价-调度的复杂过程视为"黑箱"，根据当前信息选择最优动作，不受动态环境改变影响[39]。算法仅需输入当前轮次的状态量，相比演员-评论家（actor-critic）学习算法计算速度更快，可进行实时在线策略博弈优化[40]。

多代理博弈过程的信息集合为 (N,S,R,B,U)，式中，$N = \{1,2,\cdots,N\}$ 为参与博弈的代理集合，$S = \{s_i\}$ 为博弈的报价的所有离散状态集合，包括各个主体的报价曲线，$B = \{b_{\min},\cdots,b_{\max}\}$ 为主体的报价曲线集合，$R = \{R_1,\cdots,R_j,\cdots,R_n\}$ 为参与者的收益函数集合，参与者的收益函数与博弈状态和参与者的策略有关，$R_j:(s_i,b_j) \to \Re$，$\Re$ 为参与者的策略。b_{-j} 为竞争对手的报价策略，定义在状态 S 下的转移概率为 $U(S,b_j,b_{-j}) \in [0,1]$。

Q 状态更新过程：

$$Q_j(s_i,b_j,b_{-j}) = (1-\alpha)Q_j(s_i,b_j,b_{-j}) + \alpha[R_j(s_j,b_j,b_{-j}) + \beta V_j(s_i')] \quad (4\text{-}109)$$

式中，α、β 为学习参数；V_j 为在对手采取历史动作 b_{-j}，而主体采取可行策略 $b_j \in B_r$（B_r 为策略的集合）后的最大收益值：

$$V_j(s_i) \leftarrow \max_{b_j \in B_r} \sum_{b_{-j} \in B} \mathrm{Bp}_j(s_i,b_{-j})Q_j(s_i,b_j,b_{-j}) \quad (4\text{-}110)$$

其中，$\mathrm{Bp}_j(s_i,b_{-j})$ 为主体对于对手策略的预测，仅基于对手历史数据下的经验给出不同策略的概率：

$$\mathrm{Bp}_j(s_i,b_{-j}) = \frac{\lambda_j(s_i,b_{-j})}{\sum\limits_{b_{-j}\in B} \lambda_j(s_i,b_{-j})} \tag{4-111}$$

式中，$\lambda_j(s_i,b_{-j})$ 为竞争对手 j 在 s_i 状态下采取 b_{-j} 策略的次数。

Q-Learning 算法思想是不去顾及环境模型，直接优化可迭代计算的 Q 值函数，通过评价"状态-行为"对 $Q_j(s_i,b_j,b_{-j})$ 进行优化，其学习步骤如下：

(1) 观察当前的状态 s_i 和对手的历史报价 b_{-j}。

(2) 选择并且执行一个动作 b_j。

(3) 观察下一个状态 s_i'。

(4) 根据历史数据和收益函数计算立即收益 R_j 和下一动作后的最大收益 $V(s_i')$。

(5) 更新 Q 值。

竞价主体仅仅依据 Q 值大小选取策略，很容易陷入局部最优，一般采用 ε-greedy 策略进行优化。策略的突变将导致收益或支付的变化，并不产生新策略，即竞价主体以较大概率选择 Q 值最大的策略作为自己的最优策略，同时以一个较小概率 ε，随机选择除 Q 值最大的策略以外的策略，选择除最优策略以外的所有策略的概率相同。

智能体竞价知识库中一共有 7 种动作，在上一次策略利润率的基础上浮动，最大步长为 0.06：

$$\begin{cases} k_j[k+1] = k_j[k] \\ k_j[k+1] = k_j[k] \pm 0.02 \\ k_j[k+1] = k_j[k] \pm 0.04 \\ k_j[k+1] = k_j[k] \pm 0.06 \end{cases} \tag{4-112}$$

4.4.4 算例仿真

仿真中，取学习参数 $\alpha = 0.85$、$\beta = 0.8$，燃气轮机的天然气价格为 4.03 元/m³，燃气锅炉的气价为 3.03 元/m³。系统包括 2 台 CCHP 机组、1 台燃气轮机、最大功率为 8MW 的光伏机组和容量为 50MW 的电制冷机组、6MW 的溴化锂机组。配电网分时电价为谷时段(22: 00～6: 00) 0.514 元/kW，峰时段(6: 00～22: 00) 1.071 元/kW。

ISO 冷热电储能的配置如表 4-18 所示，用户需求弹性参数如表 4-19 所示。

表 4-18　ISO 冷热电储能配置表

储能装置	容量/(MW·h)	最大充电功率/MW	最大放电功率/MW
电储能	35	5	5
热储能	20	5	5
蓄冷	40	10	10

表 4-19　用户需求弹性参数

参数		数值
冷参数	$b_{c,max}$	0.55 元
	a_c	1
	$b_{c,ref1}$	0.2 元
	$b_{c,ref2}$	0.7 元
热参数	$b_{h,max}$	0.52 元
	a_h	0.6
	$b_{h,ref1}$	0.2 元
	$b_{h,ref2}$	0.7 元
电参数	$b_{e,max}$	0.72 元
	a_e	0.667
	$b_{e,ref1}$	0.4 元
	$b_{e,ref2}$	1 元

　　采用上海某园区夏季冷热电典型负荷进行仿真。考虑光伏电站、CCHP 能源站、燃气锅炉供暖站和电制冷中央空调 4 个能源供应商主体进行冷热电竞价仿真，结果如图 4-21 所示。

　　从仿真结果来看，各个供能主体的利润率(k)均从较低水平逐渐增加至均衡点。由于 CCHP 冷热电以及电制冷的冷电耦合关系，三个竞价过程演化过程类似：

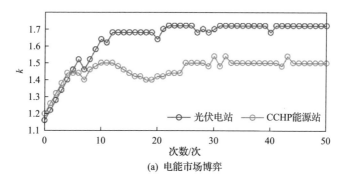

(a) 电能市场博弈

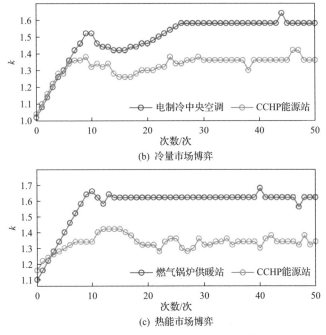

(b) 冷量市场博弈

(c) 热能市场博弈

图 4-21　能源市场多主体非完全信息竞价仿真

均在开始阶段上升较快,供能主体对负荷的竞争关系在第 8 次到第 25 次博弈过程中较为明显,在第 25 次后逐渐平稳,少许波动是概率变异的结果。

优化调度采用混合整数线性规划,在 CPLEX 平台实现,机组非线性成本函数均由 ISO 情况下的实验数据通过构造辅助变量分段线性化表示。

在各个主体盈利率均达到均衡点时,冷热电日前合作博弈的调度结果如图 4-22所示。

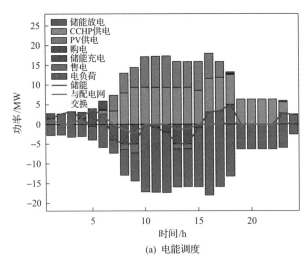

(a) 电能调度

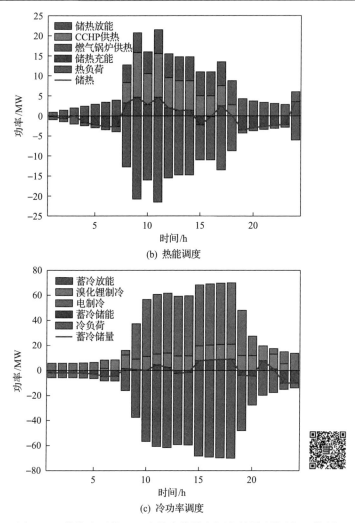

(b) 热能调度

(c) 冷功率调度

图 4-22　均衡点下的 ISO 多能合作博弈调度结果(彩图扫二维码)

结合竞价和调度两个过程,分析日前调度结果。

受到容量限制,电制冷机组调度功率较大。溴化锂机组受燃气轮机的影响工作在 6:00~23:00,蓄冷设备在白天平均电价较高时放冷,在夜间电费较低时吸收冷量。

由热能调度结果可知,燃气锅炉在热负荷水平较低时具有价格优势。储热调节机组运行状态,优化机组运行点以降低能量转化费用。

光伏发电时间分布不均,由于其能量转化成本较低,光伏基本工作在最大功率模式。CCHP 发电边际成本随发电功率的增加而降低,在负荷较高时燃气轮机运行在额定运行点附近,夜间负荷较低时由配电网和储能供电。

本章提出 RIES 多主体双层博弈策略融合多能互补调度和能源市场竞价过程，以有限的信息和理性为假设基础更接近实际情况。调度部门的合作博弈以系统级优化目标协调各机组和能源，充分发挥了 RIES 多能互补协调优化的优势。建立了能源市场日前竞价模型满足供能主体的利益诉求并降低冷热电供应价格。相比单一电力市场仿真，本章提出的策略不仅考虑了调度-竞价两个过程的双层耦合关系，并且将多能耦合模型从调度模型扩展到能量耦合机组的报价策略。从算例结果来看，多主体在本章的竞价机制下均可达到纳什均衡点，ISO 在现有报价的基础上制定系统用能成本最低的调度策略。与现有的固定价格相比，本章的竞价策略可降低园区 14.72%的综合购能成本。

然而，本章分析的报价模式是日前统一的报价模式，代理的报价策略也统一使用 MP 机制。分时段报价模式以及考虑能源混合潮流的 LMP 报价策略将会在后续的研究中展开。

4.4.5 策略式博弈的局部纳什均衡性证明

在策略式博弈 $G = (\varGamma, S, u)$ 中，$\varGamma$ 为参与值的集合，S 为参与者的策略集合，u 为效用函数，一个策略组合 $s^* = (s_1^*, s_2^*, \cdots, s_\varGamma^*)$ 是一个纳什均衡，如果对每一个参与者 $i \in \varGamma$，s_i^* 是参与者 i 在给定其他参与者选择策略组合 $s_{-i}^* = (s_1^*, \cdots, s_{i-1}^*, s_{i+1}^*, \cdots, s_\varGamma^*)$ 时的 BRD，即对每一个参与者 $i \in \varGamma$ 及所有 $s_i \in S_i$ 均有

$$u_i(s_i^*, s_{-i}^*) \geqslant u_i(s_i, s_{-i}^*) \tag{4-113}$$

即 $s_i^* \in \arg\max_{s_i \in S_i} u_i(s_i, s_{-i}^*)$，则称 s^* 为策略式博弈的纳什均衡点[26]。

根据定义验证博弈平衡点的纳什均衡性，假设电价已稳定，设 p_i 为 CCHP 采用策略 i 的概率，q_j 为燃气锅炉采用策略 j 的概率，选择概率由上文的 ε-greedy 算法决定，由贪心策略选择的概率为 85%，选择其他任意策略的概率相同，为 2.5%。k_j 的修正步长取最小值 0.02。可得两个主体给定点附近的 7 种策略对应的收益矩阵 $A_{7\times7}$、$B_{7\times7}$，其中的元素 a_{ij}、b_{ij} 分别表示两个主体使用 i 策略和 j 策略时的净收益。

则博弈者 1 采用策略 j 的效用函数为

$$r^1(p_j, s) = \sum_{i=1}^{7} q_i a_{ij} \tag{4-114}$$

同理可得博弈者 2 采用策略 j 的效用函数为

$$r^2(q_j, s) = \sum_{i=1}^{7} p_i b_{ij} \tag{4-115}$$

在仿真均衡点计算博弈者采用各个策略的效用函数。由结果可知,对参与者 i 的所有可行策略 $s_i \in S_i$, $k_j[k]$ 策略的效用函数最大,故在均衡点处均有 $s_i^* \in \arg\max_{s_i \in S_i} u_i(s_i, s_{-i}^*)$,证明了该策略在局部均衡点处的纳什均衡性。

通过双层博弈,该园区的冷热电的平均收购价格分别维持在 0.524 元/(kW·h)、0.472 元/(kW·h) 和 0.720 元/(kW·h)。相比于该园区现有的冷热价格(0.587 元/(kW·h)、0.563 元/(kW·h))以及配电网的峰谷价格均有下调,应用相同的调度方法,同负荷情况下的综合购能成本可降低 14.72%。

4.5　纳什谈判运行模式

正如 4.1 节所述,综合能源系统内部可由多个产消者构成,产消者具备产能装置并可将多余的能量出售给综合能源系统内的其他产消者。综合能源系统不仅需要协调不同类型能源间的优化调度,还需协调不同主体间的合作运行。然而当前综合能源系统中的优化运行研究多着眼于各产消者的独立非合作运行,而忽略了相邻产消者合作交互的可能性。事实上,相邻多个产消者之间的合作运行不仅可以促进产消者之间的电量交易及相互支持,还可促进产消者内可控机组的经济运行,从而帮助各多能产消者实现更高的经济收益。由于不同产消者隶属不同运营主体,多产消者之间的合作运行必须保证参与主体利益需求的差异性。与此同时,随着当前信息管理中参与者对信息隐私要求的逐步提高,多产消者之间的合作运行也应当尽量保证各产消者合作过程中的信息隐私性。

因此,本节拟探讨综合能源系统多能协调优化问题。基于综合能源系统的灵活聚合特性,考虑多个意愿合作产消者构成的联盟体,由于不同产消者运营主体的差异性,利用纳什谈判机制在保证各产消者自主运行的基础上,促进不同产消者之间的能量交换与合作交易,实现不同产消者之间的协调互动。考虑到不同主体的决策独立性与信息隐私性,引入交流方向乘子法(ADMM)将纳什谈判合作模型进行分布式求解。算例仿真结果验证了所提模型和算法的有效性。

4.5.1　纳什谈判

由于综合能源系统通常是由若干个理性的博弈者构成的合作联盟,而该合作联盟成立的前提在于博弈者就利润分配达成一致协议,这实质上是一个谈判过程。换言之,综合能源系统内部成员间的合作运行是在交易谈判的基础上进行的,这隶属于典型的“合作与竞争问题”,即合作意味着成员收益存在着 Pareto 改进,但不同的参与成员偏好不同的 Pareto 状态,从而导致运行均衡点的变化。

非合作博弈中,每个参与人进行独立决策(separate action),强调个体理性;

而合作博弈中，参与人共同做出决定（joint action），协议对所有参与人均具有约束力，强调集体理性。纳什均衡侧重于非合作博弈的均衡分析，而纳什谈判则适用于合作博弈的谈判分析，因此可用于不同主体聚合而成的虚拟电厂协调运行。

假定存在 N 个理性个体进行谈判并形成合作联盟，该合作联盟成立的前提是确定一个全局认可的清晰谈判解。假定初始单独运行状态下，博弈者 i 的支付水平为 d_i，对应地，所有理性个体的支付起始状态为 $D=\{d_1,\cdots,d_N\}$，此点也为联盟个体的谈判破裂点。显然，只有当个体在合作状态下的支付水平 u_i 大于或等于单独运行时的支付水平 d_i 时，个体 i 才愿意加入该合作联盟。纳什谈判模型在于确定一个清晰的联盟合作支付分配解，保证该合作联盟内部成员均对该谈判解保持满意，否则谈判破裂。

标准的纳什谈判模型[40]描述如下：

$$
\max \prod_{i=1}^{N}(u_i - d_i) \tag{4-116}
$$
$$
\text{s.t.} \quad u_i \geqslant d_i
$$

式中，N 为联盟中理性个体数。谈判过程中，个体总是希望自己在合作中所获得的利益偏离最坏情况越远越好。因此，纳什谈判模型的目标函数为最大化所有个体与其谈判破裂点的偏离程度之积。

为避免非凸性，式（4-116）可进一步转化为如下形式[41]：

$$
\max \sum_{i=1}^{N}\ln(u_i - d_i) \tag{4-117}
$$
$$
\text{s.t.} \quad u_i \geqslant d_i
$$

纳什谈判理论克服了以往古典经济学谈判理论的不确定性，剔除了效用支付取决于不同个体之间效用比较的可能性，指出局中人在谈判过程中自愿让步的行为并不影响其解的唯一性，给出了唯一的清晰谈判解。

式（4-117）所获得的唯一最优解为纳什谈判解，其可以很好地实现纳什公平性和纳什有效性的均衡，并有效刺激个体形成合作联盟。纳什谈判解满足如下五大性质。

个体理性（individual rational）：与单独非合作运行时相比较（即谈判破裂点的效用值 d_i），所有个体通过谈判合作过程所获得的效用水平 u_i^* 均有所提高，即 $u_i^* \geqslant d_i$。否则，个体并不愿意参与合作联盟。

帕累托最优性（Pareto efficiency）：在纳什谈判模型中，所有个体均达到最优状态，即所有理性个体均无法找到比纳什谈判解更优的解，即可行域内不存在任何解 $(u,v)\in S$，使得 $u>u^*$ 且 $v \geqslant v^*$（或 $u \geqslant u^*$ 且 $v>v^*$）。

对称性(symmetry)：如果联盟个体具有相同的谈判破裂点和效用函数，无论其在联盟中的顺序如何，均会获得相同的效用值。

线性不变性(invariance of linear transformation)：在不改变个人风险决策的前提下，保证谈判结果与局中人效用之间比较的无关性。也即在谈判过程中，无论是一方对另一方让步，还是双方达成协议或达不成协议，均是出于利益的考虑。

不相关选择独立性(independence of irrelevant alternatives)：倘若从原来的可行解集中剔除某些无关选择的部分可行解，并不会影响纳什谈判的最优解确定。

4.5.2　基于纳什谈判的多产消者综合能源系统

假定存在多个产消者愿意构成一个合作联盟,也即综合能源系统(或虚拟能源社区)，如图 4-23 所示。各产消者区域均设有一个子区域运营商 EH，每个 EH 内均包含可控单元(CCHP 机组和燃气锅炉)、不可控单元(可再生能源)、储能(电储能和热储能)、负荷(电负荷和热负荷)。不同于集中式调度模式，假定该结构下各个子区域享有自主决策权，仅通过公共信息传递实现不同子区域之间的合作运行。故而，各 EH 均配有独立的能量管理系统(μEMS)，可进行区域内部能源转换设施的调度运行优化，以及与外部电力公司、天然气公司的能量购买决策。

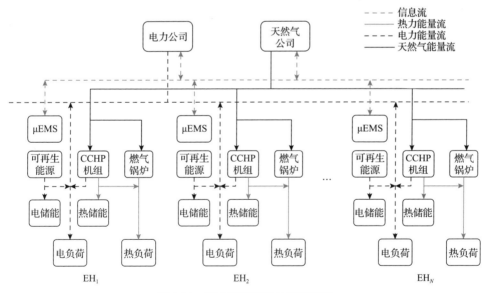

图 4-23　综合能源系统的框架结构

综合能源系统内，子区域运营商根据内部用户用能需求，自主决策其自身的运行方案;不同子区域之间可交互多余的能量，形成虚拟合作社区的内部交易,减少从电力公司或天然气公司的购买量,促使整个综合能源系统的运行成本最低。因此，各子区域运营商之间是一种合作竞争关系，子区域运营商需要对合作所带来的剩余收益分配情况进行谈判,从而确保自己在合作过程中获得收益增长(或成本减少)。

1. 各子区域模型

子区域运营商在自身能量优化分配过程中,以自身运营成本 C_i 最小为运行目标,具体包括与主网交易成本、天然气购买成本、用户效用函数、自身区域内部单元运营成本,以及与综合能源系统内其他子区域的交易成本:

$$C_i = C_i^{\text{grid}} + C_i^{\text{gas}} - U_i^{\text{user}} + C_i^{\text{dg}} + C_i^{\text{vpp}} \tag{4-118}$$

$$C_i^{\text{grid}} = \sum_{t \in T} \left(\lambda_t^{\text{bg}} P_{\text{e},i,t}^{\text{bg}} - \lambda_t^{\text{sg}} P_{\text{e},i,t}^{\text{sg}} \right) \tag{4-119}$$

$$C_i^{\text{gas}} = \sum_{t \in T} \lambda_t^{\text{gas}} \left(P_{\text{g},i,t}^{\text{cchp}} + P_{\text{g},i,t}^{\text{gb}} \right) \tag{4-120}$$

$$U_i^{\text{user}} = \sum_{t \in T} \left[k_i \ln \left(1 + L_{i,t}^{\text{e}} \right) - a_i \Delta L_{i,t}^{\text{h}} \right] \tag{4-121}$$

$$C_i^{\text{dg}} = \sum_{t \in T} \left[c_{\text{e},i}^{\text{cchp}} P_{\text{e},i,t}^{\text{cchp}} + c_{\text{h},i}^{\text{gb}} P_{\text{h},i,t}^{\text{gb}} + c_i^{\text{es}} \left(P_{\text{e},i,t}^{\text{ch}} + P_{\text{e},i,t}^{\text{dis}} \right) + c_i^{\text{hs}} \left(P_{\text{h},i,t}^{\text{ch}} + P_{\text{h},i,t}^{\text{dis}} \right) \right] \tag{4-122}$$

$$C_i^{\text{vpp}} = \sum_{t \in T} \left[\left(\lambda_{\text{e},t}^{\text{bc}} P_{\text{e},i,t}^{\text{bc}} - \lambda_{\text{e},t}^{\text{sc}} P_{\text{e},i,t}^{\text{sc}} \right) + \left(\lambda_{\text{h},t}^{\text{bc}} P_{\text{h},i,t}^{\text{bc}} - \lambda_{\text{h},t}^{\text{sc}} P_{\text{h},i,t}^{\text{sc}} \right) \right] \tag{4-123}$$

式中, C_i^{grid} 为子区域 i 与主网交易成本; T 为调度周期; $P_{\text{e},i,t}^{\text{bg}}$ 、 $P_{\text{e},i,t}^{\text{sg}}$ 为 t 时段子区域 i 从主网购买的电量和向主网售出的电量; λ_t^{bg} 、 λ_t^{sg} 为对应的单位购电费用和售电费用; C_i^{gas} 子区域 i 的天然气购买成本; λ_t^{gas} 为天然气公司的售气价格; $P_{\text{g},i,t}^{\text{cchp}}$ 、 $P_{\text{g},i,t}^{\text{gb}}$ 分别为 t 时段子区域 i 内 CCHP 机组和燃气锅炉的天然气耗量;用户效用函数 U_i^{user} 由两部分构成,即用户的用电效用 $k_i \ln(1 + L_{i,t}^{\text{e}})$ 减去用户的不舒适度成本 $a_i \Delta L_{i,t}^{\text{h}}$; $L_{i,t}^{\text{e}}$ 、 $\Delta L_{i,t}^{\text{h}}$ 为 t 时段子区域 i 用户的用电量和弃热量, k_i 、 a_i 为对应的偏好系数; $c_{\text{e},i}^{\text{cchp}}$ 、 $c_{\text{h},i}^{\text{gb}}$ 、 c_i^{es} 、 c_i^{hs} 为子区域内 CCHP 机组、燃气锅炉、电储能及热储能设备的单位运行成本; $P_{\text{e},i,t}^{\text{cchp}}$ 、 $P_{\text{h},i,t}^{\text{gb}}$ 、 $P_{\text{e},i,t}^{\text{ch}}$ 、 $P_{\text{e},i,t}^{\text{dis}}$ 、 $P_{\text{h},i,t}^{\text{ch}}$ 、 $P_{\text{h},i,t}^{\text{dis}}$ 分别为 CCHP 发电功率、燃气锅炉发热功率、电池充电功率、电池放电功率、储热蓄能功率、储热放能功率; C_i^{vpp} 为子区域 i 在该综合能源系统内与其他子区域的交易成本; $P_{\text{e},i,t}^{\text{bc}}$ 、 $P_{\text{e},i,t}^{\text{sc}}$ 为 t 时段子区域 i 从其他子区域处购买的电量和售出的电量; $\lambda_{\text{e},t}^{\text{bc}}$ 、 $\lambda_{\text{e},t}^{\text{sc}}$ 为对应的社区交易购、售电价; $P_{\text{h},i,t}^{\text{bc}}$ 、 $P_{\text{h},i,t}^{\text{sc}}$ 为 t 时段子区域 i 从其他子区域处购买的热量和售出的热量; $\lambda_{\text{h},t}^{\text{bc}}$ 、 $\lambda_{\text{h},t}^{\text{sc}}$ 为对应的热能交易价格。

2. 各子区域运行约束条件

1) 子区域能量平衡约束

对于各个子区域，需满足其内部电、热功率平衡。需要注意的是，在该综合能源系统中，子区域既可以交易电能，也可以交易热能。

$$P_{\mathrm{e},i,t}^{\mathrm{cchp}} + P_{\mathrm{e},i,t}^{\mathrm{dis}} + P_{\mathrm{e},i,t}^{\mathrm{bg}} + P_{\mathrm{e},i,t}^{\mathrm{bc}} = L_{i,t}^{\mathrm{e}} + P_{\mathrm{e},i,t}^{\mathrm{ch}} + P_{\mathrm{e},i,t}^{\mathrm{sg}} + P_{\mathrm{e},i,t}^{\mathrm{sc}}, \quad \forall t \in T \tag{4-124}$$

$$P_{\mathrm{h},i,t}^{\mathrm{cchp}} + P_{\mathrm{h},i,t}^{\mathrm{gb}} + P_{\mathrm{h},i,t}^{\mathrm{dis}} + P_{\mathrm{h},i,t}^{\mathrm{bc}} = L_{i,t}^{\mathrm{h}} + P_{\mathrm{h},i,t}^{\mathrm{ch}} + P_{\mathrm{h},i,t}^{\mathrm{sc}}, \quad \forall t \in T \tag{4-125}$$

式中，$P_{\mathrm{h},i,t}^{\mathrm{cchp}}$ 为 CCHP 的热功率；$L_{i,t}^{\mathrm{h}}$ 为热负荷。

2) 子区域内部能量传输系统功率约束

各约束具体如下：

$$P_{\mathrm{e},i,t}^{\mathrm{bg}} - P_{\mathrm{e},i,t}^{\mathrm{sg}} \leqslant P_{\mathrm{grid}}^{\max}, \quad \forall t \in T \tag{4-126}$$

$$0 \leqslant P_{\mathrm{e},i,t}^{\mathrm{bg}} \leqslant P_{\mathrm{grid}}^{\max}, \quad \forall t \in T \tag{4-127}$$

$$0 \leqslant P_{\mathrm{e},i,t}^{\mathrm{sg}} \leqslant P_{\mathrm{grid}}^{\max}, \quad \forall t \in T \tag{4-128}$$

$$P_{\mathrm{e},i,t}^{\mathrm{bg}} \cdot P_{\mathrm{e},i,t}^{\mathrm{sg}} = 0, \quad \forall t \in T \tag{4-129}$$

$$P_{\mathrm{g},i,t}^{\mathrm{cchp}} + P_{\mathrm{g},i,t}^{\mathrm{gb}} \leqslant P_{\mathrm{g},i}^{\max}, \quad \forall t \in T \tag{4-130}$$

式 (4-126) ~ 式 (4-128) 表示与主网电能交易约束，$P_{\mathrm{grid}}^{\max}$ 为子区域与主网的最大交易量限制。各子区域与主网交易的电量由两个非负变量表示，即从主网购买的电量 $P_{\mathrm{e},i,t}^{\mathrm{bg}}$ 和向主网售出的电量 $P_{\mathrm{e},i,t}^{\mathrm{sg}}$。式 (4-129) 要求子区域 i 在某一时刻 t 只能购买电能或出售电能。式 (4-130) 是天然气传输量约束，$P_{\mathrm{g},i}^{\max}$ 为子区域连接的天然气管道所允许最大传输功率。

3) 子区域供能设备运行约束

各个子区域供能设备包括 CCHP 机组、燃气锅炉等，其输出功率应满足自身功率转化限制及出力上下限以及爬坡约束，具体如下：

$$P_{\mathrm{e},i,t}^{\mathrm{cchp}} = \eta_{\mathrm{ge}}^{\mathrm{cchp}} P_{\mathrm{g},i,t}^{\mathrm{cchp}}, \quad \forall t \in T \tag{4-131}$$

$$P_{\mathrm{h},i,t}^{\mathrm{cchp}} = \eta_{\mathrm{gh}}^{\mathrm{cchp}} P_{\mathrm{h},i,t}^{\mathrm{cchp}}, \quad \forall t \in T \tag{4-132}$$

$$P_{\mathrm{h},i,t}^{\mathrm{gb}} = \eta_{\mathrm{gh}}^{\mathrm{gb}} P_{\mathrm{h},i,t}^{\mathrm{gb}}, \quad \forall t \in T \tag{4-133}$$

$$P_{\mathrm{e},i}^{\mathrm{cchp,min}} \leqslant P_{\mathrm{e},i,t}^{\mathrm{cchp}} \leqslant P_{\mathrm{e},i}^{\mathrm{cchp,max}}, \quad \forall t \in T \tag{4-134}$$

$$P_{\mathrm{h},i}^{\mathrm{cchp,min}} \leqslant P_{\mathrm{h},i,t}^{\mathrm{cchp}} \leqslant P_{\mathrm{h},i}^{\mathrm{cchp,max}}, \quad \forall t \in T \tag{4-135}$$

$$P_{\mathrm{h},i}^{\mathrm{gb,min}} \leqslant P_{\mathrm{h},i,t}^{\mathrm{gb}} \leqslant P_{\mathrm{h},i}^{\mathrm{gb,max}}, \quad \forall t \in T \tag{4-136}$$

$$R_{\mathrm{d,e},i}^{\mathrm{cchp}} \leqslant P_{\mathrm{e},i,t+1}^{\mathrm{cchp}} - P_{\mathrm{e},i,t}^{\mathrm{cchp}} \leqslant R_{\mathrm{u,e},i}^{\mathrm{cchp}}, \quad \forall t \in T-1 \tag{4-137}$$

$$R_{\mathrm{d,h},i}^{\mathrm{cchp}} \leqslant P_{\mathrm{h},i,t+1}^{\mathrm{cchp}} - P_{\mathrm{h},i,t}^{\mathrm{cchp}} \leqslant R_{\mathrm{u,h},i}^{\mathrm{cchp}}, \quad \forall t \in T-1 \tag{4-138}$$

$$R_{\mathrm{d},i}^{\mathrm{gb}} \leqslant P_{\mathrm{h},i,t+1}^{\mathrm{gb}} - P_{\mathrm{h},i,t}^{\mathrm{gb}} \leqslant R_{\mathrm{u},i}^{\mathrm{gb}}, \quad \forall t \in T-1 \tag{4-139}$$

式中，$\eta_{\mathrm{ge}}^{\mathrm{cchp}}$、$\eta_{\mathrm{gh}}^{\mathrm{cchp}}$分别为 CCHP 设备的供电效率和供热效率；$\eta_{\mathrm{gh}}^{\mathrm{gb}}$为燃气锅炉的供热效率；$P_{\mathrm{e},i}^{\mathrm{cchp,min}}$、$P_{\mathrm{e},i}^{\mathrm{cchp,max}}$分别为 CCHP 设备的最小、最大电出力；$P_{\mathrm{h},i}^{\mathrm{cchp,min}}$、$P_{\mathrm{h},i}^{\mathrm{cchp,max}}$分别为 CCHP 设备的最小、最大热出力；$P_{\mathrm{h},i}^{\mathrm{gb,min}}$、$P_{\mathrm{h},i}^{\mathrm{gb,max}}$分别为燃气锅炉的最小、最大热出力；$R_{\mathrm{d,e},i}^{\mathrm{cchp}}$、$R_{\mathrm{u,e},i}^{\mathrm{cchp}}$分别为 CCHP 设备供电时的向下、向上爬坡率；$R_{\mathrm{d,h},i}^{\mathrm{cchp}}$、$R_{\mathrm{u,h},i}^{\mathrm{cchp}}$为 CCHP 设备供热时的向下、向上爬坡率；$R_{\mathrm{d},i}^{\mathrm{gb}}$、$R_{\mathrm{u},i}^{\mathrm{gb}}$为燃气锅炉热出力的向下、向上爬坡率。本书暂时只考虑 CCHP 机组及燃气锅炉的出力上下限及爬坡限制，忽略最小启停时间等其他约束。

4）子区域储能设备运行约束

各个子区域中的储能设备(包括电储能和热储能)需满足的约束包括能量状态约束、能量水平上下限约束、充放电(热)功率上下限约束、充放电状态变量约束，以及调度周期结束时刻的能量水平应等于初始时刻的能量水平值，具体如下：

$$E_{\mathrm{e},i,t+1}^{\mathrm{s}} = E_{\mathrm{e},i,t}^{\mathrm{s}} + P_{\mathrm{e},i,t+1}^{\mathrm{ch}} \eta_{\mathrm{e},i}^{\mathrm{s}} - P_{\mathrm{e},i,t+1}^{\mathrm{dis}} \big/ \eta_{\mathrm{e},i}^{\mathrm{s}}, \quad \forall t \in T-1 \tag{4-140}$$

$$E_{\mathrm{h},i,t+1}^{\mathrm{s}} = E_{\mathrm{h},i,t}^{\mathrm{s}} + P_{\mathrm{h},i,t+1}^{\mathrm{ch}} \eta_{\mathrm{h},i}^{\mathrm{s}} - P_{\mathrm{h},i,t+1}^{\mathrm{dis}} \big/ \eta_{\mathrm{h},i}^{\mathrm{s}}, \quad \forall t \in T-1 \tag{4-141}$$

$$E_{\mathrm{e},i}^{\mathrm{s,min}} \leqslant E_{\mathrm{e},i,t}^{\mathrm{s}} \leqslant E_{\mathrm{e},i}^{\mathrm{s,max}}, \quad \forall t \in T \tag{4-142}$$

$$E_{\mathrm{h},i}^{\mathrm{s,min}} \leqslant E_{\mathrm{h},i,t}^{\mathrm{s}} \leqslant E_{\mathrm{h},i}^{\mathrm{s,max}}, \quad \forall t \in T \tag{4-143}$$

$$0 \leqslant P_{\mathrm{e},i,t}^{\mathrm{ch}} \leqslant S_{\mathrm{e},i,t}^{\mathrm{ch}} P_{\mathrm{e},i}^{\mathrm{ch,max}}, \quad \forall t \in T \tag{4-144}$$

$$0 \leqslant P_{\mathrm{h},i,t}^{\mathrm{ch}} \leqslant S_{\mathrm{h},i,t}^{\mathrm{ch}} P_{\mathrm{h},i}^{\mathrm{ch,max}}, \quad \forall t \in T \tag{4-145}$$

$$0 \leqslant P_{\mathrm{e},i,t}^{\mathrm{dis}} \leqslant S_{\mathrm{e},i,t}^{\mathrm{dis}} P_{\mathrm{e},i}^{\mathrm{dis,max}}, \quad \forall t \in T \tag{4-146}$$

$$0 \leqslant P_{\mathrm{h},i,t}^{\mathrm{dis}} \leqslant S_{\mathrm{h},i,t}^{\mathrm{dis}} P_{\mathrm{h},i}^{\mathrm{dis,max}}, \quad \forall t \in T \tag{4-147}$$

$$0 \leqslant S_{\mathrm{e},i,t}^{\mathrm{ch}} + S_{\mathrm{e},i,t}^{\mathrm{dis}} \leqslant 1, \quad \forall t \in T \tag{4-148}$$

$$0 \leqslant S_{\mathrm{h},i,t}^{\mathrm{ch}} + S_{\mathrm{h},i,t}^{\mathrm{dis}} \leqslant 1, \quad \forall t \in T \tag{4-149}$$

$$E_{\mathrm{e},i,T}^{\mathrm{s}} = E_{\mathrm{e},i,0}^{\mathrm{s}} \tag{4-150}$$

$$E_{\mathrm{h},i,T}^{\mathrm{s}} = E_{\mathrm{h},i,0}^{\mathrm{s}} \tag{4-151}$$

式中，$E_{\mathrm{e},i,t}^{\mathrm{s}}$、$E_{\mathrm{h},i,t}^{\mathrm{s}}$分别为 t 时刻子区域 i 内电储能和热储能的能量水平；$\eta_{\mathrm{e},i}^{\mathrm{s}}$、$\eta_{\mathrm{h},i}^{\mathrm{s}}$ 分别为电储能、热储能设备的单位充放电、热效率；$E_{\mathrm{e},i}^{\mathrm{s,min}}$、$E_{\mathrm{e},i}^{\mathrm{s,max}}$ 为子区域 i 内电储能的最小、最大能量值；$E_{\mathrm{h},i}^{\mathrm{s,min}}$、$E_{\mathrm{h},i}^{\mathrm{s,max}}$ 为子区域 i 内热储能的最小、最大能量值；$P_{\mathrm{e},i}^{\mathrm{ch,max}}$、$P_{\mathrm{e},i}^{\mathrm{dis,max}}$ 为子区域 i 内电储能的最大充、放电功率；$P_{\mathrm{h},i}^{\mathrm{ch,max}}$、$P_{\mathrm{h},i}^{\mathrm{dis,max}}$ 为子区域 i 内热储能的最大充、放电功率；$S_{\mathrm{e},i,t}^{\mathrm{ch}}$、$S_{\mathrm{e},i,t}^{\mathrm{dis}}$ 为 t 时刻子区域 i 内电储能对应的充放电状态变量，若时刻 t 电储能处于充电状态，则 $S_{\mathrm{e},i,t}^{\mathrm{ch}}=1$、$S_{\mathrm{e},i,t}^{\mathrm{dis}}=0$，反之，则 $S_{\mathrm{e},i,t}^{\mathrm{ch}}=0$，$S_{\mathrm{e},i,t}^{\mathrm{dis}}=1$；$S_{\mathrm{h},i,t}^{\mathrm{ch}}$、$S_{\mathrm{h},i,t}^{\mathrm{dis}}$ 为 t 时刻子区域 i 内热储能对应的充放热状态变量，若时刻 t 热储能处于充热状态，则 $S_{\mathrm{h},i,t}^{\mathrm{ch}}=1$、$S_{\mathrm{h},i,t}^{\mathrm{dis}}=0$，反之，则 $S_{\mathrm{h},i,t}^{\mathrm{ch}}=0$，$S_{\mathrm{h},i,t}^{\mathrm{dis}}=1$，充放电/热状态变量设置的原因在于确保同一时刻内电/热储能不会出现同时充放电的情况；$E_{\mathrm{e},i,0}^{\mathrm{s}}$、$E_{\mathrm{e},i,T}^{\mathrm{s}}$ 为子区域 i 内电储能在一个完整的运行周期内的初始能量水平和终止能量水平；$E_{\mathrm{h},i,0}^{\mathrm{s}}$、$E_{\mathrm{h},i,T}^{\mathrm{s}}$ 为子区域 i 内热储能在一个完整的运行周期内的初始能量水平和终止能量水平。

5) 子区域需求侧响应约束

参照文献[42]，本章将各子区域内的电负荷划分为重要电负荷(不可控)和可转移电负荷，而热负荷则包括重要热负荷(不可控)和可切断热负荷。因此，各子区域内的需求响应约束如下：

$$L_{i,t}^{\mathrm{e}} = \mathrm{fl}_{i,t}^{\mathrm{e}} + \mathrm{sl}_{i,t}^{\mathrm{e}}, \quad \forall t \in T \tag{4-152}$$

$$\begin{cases} \mathrm{sl}_i^{\mathrm{e,min}} \leqslant \mathrm{sl}_{i,t}^{\mathrm{e}} \leqslant \mathrm{sl}_i^{\mathrm{e,max}}, & t \in [\alpha_i, \beta_i] \\ \mathrm{sl}_{i,t}^{\mathrm{e}} = 0, & t \notin [\alpha_i, \beta_i] \end{cases} \quad (4\text{-}153)$$

$$\sum_{t \in T} \mathrm{sl}_{i,t}^{\mathrm{e}} = \mathrm{sq}_i^{\mathrm{e}} \quad (4\text{-}154)$$

$$L_{i,t}^{\mathrm{h}} = \mathrm{hl}_{i,t}^{\mathrm{h}} - \Delta L_{i,t}^{\mathrm{h}}, \quad \forall t \in T \quad (4\text{-}155)$$

$$0 \leqslant \Delta L_{i,t}^{\mathrm{h}} \leqslant \Delta L_{i,t}^{\mathrm{h,max}}, \quad \forall t \in T \quad (4\text{-}156)$$

式中，$\mathrm{fl}_{i,t}^{\mathrm{e}}$、$\mathrm{sl}_{i,t}^{\mathrm{e}}$ 分别为 t 时刻子区域 i 内的重要电负荷和可转移电负荷；$\mathrm{sl}_i^{\mathrm{e,min}}$、$\mathrm{sl}_i^{\mathrm{e,max}}$ 为可转移电负荷在可转移时间段 $[\alpha_i, \beta_i]$ 的最小、最大可转移功率；$\mathrm{sq}_i^{\mathrm{e}}$ 为完整的运行周期内的电负荷可转移总功率；$\mathrm{hl}_{i,t}^{\mathrm{h}}$ 为 t 时刻子区域 i 内的重要热负荷需求量；$\Delta L_{i,t}^{\mathrm{h}}$ 为 t 时刻下的热负荷切断量；$\Delta L_{i,t}^{\mathrm{h,max}}$ 为 t 时刻热负荷的最大可切断量。由于不同时段下，用户的热负荷需求意愿不同，本书假定不同时刻下热负荷的最大可切断量并非一成不变，而是随时间段发生变化。

4.5.3　基于纳什谈判的多产消者联合互动模型

由于各子区域之间需要对合作后所获得的收益分配进行谈判，构成了合作博弈下的讨价还价关系。假定各子区域以非合作独立运行成本 C_i^{non} 的负值作为谈判起始点，即 $d_i = -C_i^{\mathrm{non}}$；而合作情况下，各子区域的合作运行成本为 C_i，对应的运行效用水平为 $u_i = -C_i$。合作谈判过程中，各子区域运营商均希望尽可能最大化合作所带来的效益增长，因此构建基于纳什谈判的多区域联合互动的目标函数：

$$\max \sum_{i=1}^{N} \ln \left\{ \begin{array}{l} C_i^{\mathrm{non}} - \sum_{t \in T} \left(\lambda_t^{\mathrm{bg}} P_{\mathrm{e},i,t}^{\mathrm{bg}} - \lambda_t^{\mathrm{sg}} P_{\mathrm{e},i,t}^{\mathrm{sg}} \right) - \sum_{t \in T} \lambda_t^{\mathrm{gas}} \left(P_{\mathrm{g},i,t}^{\mathrm{cchp}} + P_{\mathrm{g},i,t}^{\mathrm{gb}} \right) \\ + \sum_{t \in T} \left[k_i \ln \left(1 + L_{i,t}^{\mathrm{e}} \right) - a_i \Delta L_{i,t}^{\mathrm{h}} \right] \\ - \sum_{t \in T} \left[c_{\mathrm{e},i}^{\mathrm{cchp}} P_{\mathrm{e},i,t}^{\mathrm{cchp}} + c_{\mathrm{h},i}^{\mathrm{gb}} P_{\mathrm{h},i,t}^{\mathrm{gb}} + c_i^{\mathrm{es}} \left(P_{\mathrm{e},i,t}^{\mathrm{ch}} + P_{\mathrm{e},i,t}^{\mathrm{dis}} \right) + c_i^{\mathrm{hs}} \left(P_{\mathrm{h},i,t}^{\mathrm{ch}} + P_{\mathrm{h},i,t}^{\mathrm{dis}} \right) \right] \\ - \sum_{t \in T} \left[\left(\lambda_{\mathrm{e},t}^{\mathrm{bc}} P_{\mathrm{e},i,t}^{\mathrm{bc}} - \lambda_{\mathrm{e},t}^{\mathrm{sc}} P_{\mathrm{e},i,t}^{\mathrm{sc}} \right) + \left(\lambda_{\mathrm{h},t}^{\mathrm{bc}} P_{\mathrm{h},i,t}^{\mathrm{bc}} - \lambda_{\mathrm{h},t}^{\mathrm{sc}} P_{\mathrm{h},i,t}^{\mathrm{sc}} \right) \right] \end{array} \right\}$$

$$(4\text{-}157)$$

需要注意的是，目标函数式(4-157)中的非合作运行成本 C_i^{non} 为已知输入参量，由各子区域运营商独立计算得到，且不包括与其他子区域的交易成本 C_i^{vpp}。
而合作互动下，各子区域运行成本包括与其他子区域的交易成本，且交易成本的
大小将会影响各子区域的内部运行计划。由于不存在第三方获利个体，子区域之
间的交易成本以及交易量在该综合能源系统内呈现社区平衡状态：即任一时刻
$t \in T$ 下，所有买方子区域的社区交易能量等于所有卖方子区域的社区交易能量，
且所有买方子区域的社区交易成本等于所有卖方子区域的社区交易收入，具体如
式(4-158)~式(4-161)所示：

$$\sum_{i=1}^{N} P_{\mathrm{e},i,t}^{\mathrm{bc}} = \sum_{i=1}^{N} P_{\mathrm{e},i,t}^{\mathrm{sc}}, \quad \forall t \in T \tag{4-158}$$

$$\sum_{i=1}^{N} P_{\mathrm{h},i,t}^{\mathrm{bc}} = \sum_{i=1}^{N} P_{\mathrm{h},i,t}^{\mathrm{sc}}, \quad \forall t \in T \tag{4-159}$$

$$\sum_{i=1}^{N} \left(\lambda_{\mathrm{e},t}^{\mathrm{bc}} P_{\mathrm{e},i,t}^{\mathrm{bc}} - \lambda_{\mathrm{e},t}^{\mathrm{sc}} P_{\mathrm{e},i,t}^{\mathrm{sc}} \right) = 0, \quad \forall t \in T \tag{4-160}$$

$$\sum_{i=1}^{N} \left(\lambda_{\mathrm{h},t}^{\mathrm{bc}} P_{\mathrm{h},i,t}^{\mathrm{bc}} - \lambda_{\mathrm{h},t}^{\mathrm{sc}} P_{\mathrm{h},i,t}^{\mathrm{sc}} \right) = 0, \quad \forall t \in T \tag{4-161}$$

为简化变量，将各子区域在同一时刻下的社区电能购买量 $P_{\mathrm{e},i,t}^{\mathrm{bc}}$ 和向社区卖出
的电量 $P_{\mathrm{e},i,t}^{\mathrm{sc}}$ 转化为一个共同的变量——社区交易电能，即 $P_{\mathrm{e},i,t}^{\mathrm{ex}} = P_{\mathrm{e},i,t}^{\mathrm{bc}} - P_{\mathrm{e},i,t}^{\mathrm{sc}}$，社区
交易电能为正表示该子区域从该虚拟合作社区购买电能，而社区交易电能为负则
表示该子区域向虚拟合作社区出售电能。类似地，各子区域在同一时刻下的社区
热能买卖量也转化为一个共同的变量——社区交易热能，即 $P_{\mathrm{h},i,t}^{\mathrm{ex}} = P_{\mathrm{h},i,t}^{\mathrm{bc}} - P_{\mathrm{h},i,t}^{\mathrm{sc}}$。进
而，式(4-158)和式(4-159)可进一步转化为

$$\sum_{i=1}^{N} P_{\mathrm{e},i,t}^{\mathrm{ex}} = 0, \quad \forall t \in T \tag{4-162}$$

$$\sum_{i=1}^{N} P_{\mathrm{h},i,t}^{\mathrm{ex}} = 0, \quad \forall t \in T \tag{4-163}$$

对应地，各区域与其他子区域交易互动过程中对应的电能交易成本为
$C_{\mathrm{e},i,t}^{\mathrm{ex}} = \lambda_{\mathrm{e},t}^{\mathrm{bc}} P_{\mathrm{e},i,t}^{\mathrm{bc}} - \lambda_{\mathrm{e},t}^{\mathrm{sc}} P_{\mathrm{e},i,t}^{\mathrm{sc}} = \lambda_{\mathrm{e},i,t}^{\mathrm{ex}} P_{\mathrm{e},i,t}^{\mathrm{ex}}$，$\lambda_{\mathrm{e},i,t}^{\mathrm{ex}}$ 为区域之间的交易电价，该等式是合理的，
因为社区交易过程相当于是一个虚拟的出清市场，子区域所面临的购能价格一般
等于该时刻的售能价格。对应地，各子区域的社区热能交易成本为 $C_{\mathrm{h},i,t}^{\mathrm{ex}} = \lambda_{\mathrm{h},t}^{\mathrm{bc}} P_{\mathrm{h},i,t}^{\mathrm{bc}} -$

$\lambda_{\text{h},t}^{\text{sc}}P_{\text{h},i,t}^{\text{sc}}=\lambda_{\text{h},i,t}^{\text{ex}}P_{\text{h},i,t}^{\text{ex}}$，$\lambda_{\text{h},i,t}^{\text{ex}}$ 为区域之间的交易热价，故而式(4-160)和式(4-161)可进一步转化为

$$\sum_{i=1}^{N} C_{\text{e},i,t}^{\text{ex}} = 0, \quad \forall t \in T \tag{4-164}$$

$$\sum_{i=1}^{N} C_{\text{h},i,t}^{\text{ex}} = 0, \quad \forall t \in T \tag{4-165}$$

4.5.4　基于 ADMM 的分布式求解

考虑到各子区域的决策独立性和信息隐私性，本章拟利用分布式优化方法求解该多区域联合互动问题，保证各子区域在合作互动过程中的自主决策。利用交流方向乘子法[43]对多区域的联合优化模型进行分解。假定优化问题的一般形式如下：

$$\begin{aligned} \min \quad & f(x) + g(z) \\ \text{s.t.} \quad & Ax + Bz = c \end{aligned} \tag{4-166}$$

式中，f、g 为凸函数；A、B 为系数矩阵；c 为约束向量；x 为局部变量；z 为全局变量。式(4-166)对应的增广拉格朗日函数为

$$\mathcal{L}(x,z,\lambda) = f(x) + g(z) + \lambda^{\text{T}}(Ax + Bz - c) + \frac{\rho}{2}\|Ax + Bz - c\|^2 \tag{4-167}$$

式中，λ 为拉格朗日乘子；ρ 为惩罚因子。ADMM 的迭代过程表述如下：

$$x^{[k+1]} := \underset{x}{\arg\min}\,\mathcal{L}\left(x, z^{[k]}, \lambda^{[k]}\right) \tag{4-168}$$

$$z^{[k+1]} := \underset{z}{\arg\min}\,\mathcal{L}\left(x^{[k+1]}, z, \lambda^{[k]}\right) \tag{4-169}$$

$$\lambda^{[k+1]} := \lambda^{[k]} + \rho(Ax^{[k+1]} + Bz^{[k+1]} - c) \tag{4-170}$$

迭代过程中，局部变量 x 和全局变量 z 交替求解。

基于纳什谈判的多区域联合互动模型包含大量约束条件，注意到式(4-124)～式(4-156)可分离到各个子区域中，而式(4-162)～式(4-165)则将不同子区域的社区交易变量耦合到一起。为了将各子区域的社区交互变量从(4-162)～式(4-165)

解耦分离，引入辅助变量：

$$\hat{P}_{\mathrm{e},i,t}^{\mathrm{ex}}=P_{\mathrm{e},i,t}^{\mathrm{ex}}, \quad \forall t \in T, \quad \forall i \in N \tag{4-171}$$

$$\hat{P}_{\mathrm{h},i,t}^{\mathrm{ex}}=P_{\mathrm{h},i,t}^{\mathrm{ex}}, \quad \forall t \in T, \quad \forall i \in N \tag{4-172}$$

$$\hat{C}_{\mathrm{e},i,t}^{\mathrm{ex}}=C_{\mathrm{e},i,t}^{\mathrm{ex}}, \quad \forall t \in T, \quad \forall i \in N \tag{4-173}$$

$$\hat{C}_{\mathrm{h},i,t}^{\mathrm{ex}}=C_{\mathrm{h},i,t}^{\mathrm{ex}}, \quad \forall t \in T, \quad \forall i \in N \tag{4-174}$$

故而，模型可进一步转化为

$$\max \sum_{i=1}^{N} \ln \left\{ \begin{array}{l} C_i^{\mathrm{non}} - \sum_{t \in T}\left(\lambda_t^{\mathrm{bg}} P_{\mathrm{e},i,t}^{\mathrm{bg}} - \lambda_t^{\mathrm{sg}} P_{\mathrm{e},i,t}^{\mathrm{sg}} \right) - \sum_{t \in T} \lambda_t^{\mathrm{gas}}\left(P_{\mathrm{g},i,t}^{\mathrm{cchp}} + P_{\mathrm{g},i,t}^{\mathrm{gb}} \right) \\ + \sum_{t \in T}\left[k_i \ln\left(1 + L_{i,t}^{\mathrm{e}} \right) - a_i \Delta L_{i,t}^{\mathrm{h}} \right] \\ - \sum_{t \in T}\left[c_{\mathrm{e},i}^{\mathrm{cchp}} P_{\mathrm{e},i,t}^{\mathrm{cchp}} + c_{\mathrm{h},i}^{\mathrm{gb}} P_{\mathrm{h},i,t}^{\mathrm{gb}} + c_i^{\mathrm{es}}\left(P_{\mathrm{e},i,t}^{\mathrm{ch}} + P_{\mathrm{e},i,t}^{\mathrm{dis}} \right) + c_i^{\mathrm{hs}}\left(P_{\mathrm{h},i,t}^{\mathrm{ch}} + P_{\mathrm{h},i,t}^{\mathrm{dis}} \right) \right] \\ - \sum_{t \in T}\left(C_{\mathrm{e},i,t}^{\mathrm{ex}} + C_{\mathrm{h},i,t}^{\mathrm{ex}} \right) \end{array} \right\}$$

$$\text{subject to：} \sum_{i=1}^{N} \hat{P}_{\mathrm{e},i,t}^{\mathrm{ex}} = 0, \quad \forall t \in T$$

$$\sum_{i=1}^{N} \hat{P}_{\mathrm{h},i,t}^{\mathrm{ex}} = 0, \quad \forall t \in T$$

$$\sum_{i=1}^{N} \hat{C}_{\mathrm{e},i,t}^{\mathrm{ex}} = 0, \quad \forall t \in T$$

$$\sum_{i=1}^{N} \hat{C}_{\mathrm{h},i,t}^{\mathrm{ex}} = 0, \quad \forall t \in T$$

$$\text{式}(4\text{-}124)\sim\text{式}(4\text{-}156), \quad \forall i \in N$$

$$\text{式}(4\text{-}171)\sim\text{式}(4\text{-}174)$$

$$\text{variables：} \left\{ \begin{array}{l} P_{\mathrm{e},i,t}^{\mathrm{bg}}, P_{\mathrm{e},i,t}^{\mathrm{sg}}, P_{\mathrm{e},i,t}^{\mathrm{cchp}}, P_{\mathrm{e},i,t}^{\mathrm{ch}}, P_{\mathrm{e},i,t}^{\mathrm{dis}}, L_{i,t}^{\mathrm{e}}, P_{\mathrm{h},i,t}^{\mathrm{cchp}}, P_{\mathrm{h},i,t}^{\mathrm{gb}}, \\ P_{\mathrm{e},i,t}^{\mathrm{ex}}, P_{\mathrm{h},i,t}^{\mathrm{ex}}, C_{\mathrm{e},i,t}^{\mathrm{ex}}, C_{\mathrm{h},i,t}^{\mathrm{ex}}, \hat{P}_{\mathrm{e},i,t}^{\mathrm{ex}}, \hat{P}_{\mathrm{h},i,t}^{\mathrm{ex}}, \hat{C}_{\mathrm{e},i,t}^{\mathrm{ex}}, \hat{C}_{\mathrm{h},i,t}^{\mathrm{ex}} \end{array} \right\}, \quad \forall i \in N, \forall t \in T$$

$$\tag{4-175}$$

将模型中的目标函数转化为最小化形式，即式(4-176)：

$$
\min \sum_{i=1}^{N} -\ln \left\{
\begin{array}{l}
C_i^{\mathrm{non}} - \sum_{t\in T}\left(\lambda_t^{\mathrm{bg}} P_{\mathrm{e},i,t}^{\mathrm{bg}} - \lambda_t^{\mathrm{sg}} P_{\mathrm{e},i,t}^{\mathrm{sg}}\right) - \sum_{t\in T}\lambda_t^{\mathrm{gas}}\left(P_{\mathrm{g},i,t}^{\mathrm{cchp}} + P_{\mathrm{g},i,t}^{\mathrm{gb}}\right) \\[2mm]
\quad + \sum_{t\in T}\left[k_i\ln\left(1+L_{i,t}^{\mathrm{e}}\right) - a_i\Delta L_{i,t}^{\mathrm{h}}\right] \\[2mm]
\quad - \sum_{t\in T}\left[c_{\mathrm{e},i}^{\mathrm{cchp}} P_{\mathrm{e},i,t}^{\mathrm{cchp}} + c_{\mathrm{h},i}^{\mathrm{gb}} P_{\mathrm{h},i,t}^{\mathrm{gb}} + c_i^{\mathrm{es}}\left(P_{\mathrm{e},i,t}^{\mathrm{ch}} + P_{\mathrm{e},i,t}^{\mathrm{dis}}\right) + c_i^{\mathrm{hs}}\left(P_{\mathrm{h},i,t}^{\mathrm{ch}} + P_{\mathrm{h},i,t}^{\mathrm{dis}}\right)\right] \\[2mm]
\quad - \sum_{t\in T}\left(C_{\mathrm{e},i,t}^{\mathrm{ex}} + C_{\mathrm{h},i,t}^{\mathrm{ex}}\right)
\end{array}
\right\}
$$

subject to: $\displaystyle\sum_{i=1}^{N}\hat{P}_{\mathrm{e},i,t}^{\mathrm{ex}}=0,\quad \forall t\in T$

$\displaystyle\sum_{i=1}^{N}\hat{P}_{\mathrm{h},i,t}^{\mathrm{ex}}=0,\quad \forall t\in T$

$\displaystyle\sum_{i=1}^{N}\hat{C}_{\mathrm{e},i,t}^{\mathrm{ex}}=0,\quad \forall t\in T$

$\displaystyle\sum_{i=1}^{N}\hat{C}_{\mathrm{h},i,t}^{\mathrm{ex}}=0,\quad \forall t\in T$

式(4-124)~式(4-156),　$\forall i\in N$

式(4-169)~式(4-172)

variables: $\left\{\begin{array}{l} P_{\mathrm{e},i,t}^{\mathrm{bg}}, P_{\mathrm{e},i,t}^{\mathrm{sg}}, P_{\mathrm{e},i,t}^{\mathrm{cchp}}, P_{\mathrm{e},i,t}^{\mathrm{ch}}, P_{\mathrm{e},i,t}^{\mathrm{dis}}, L_{i,t}^{\mathrm{e}}, P_{\mathrm{h},i,t}^{\mathrm{cchp}}, P_{\mathrm{h},i,t}^{\mathrm{gb}}, \\[2mm] P_{\mathrm{e},i,t}^{\mathrm{ex}}, P_{\mathrm{h},i,t}^{\mathrm{ex}}, C_{\mathrm{e},i,t}^{\mathrm{ex}}, C_{\mathrm{h},i,t}^{\mathrm{ex}}, \hat{P}_{\mathrm{e},i,t}^{\mathrm{ex}}, \hat{P}_{\mathrm{h},i,t}^{\mathrm{ex}}, \hat{C}_{\mathrm{e},i,t}^{\mathrm{ex}}, \hat{C}_{\mathrm{h},i,t}^{\mathrm{ex}} \end{array}\right\},\quad \forall i\in N, \forall t\in T$

$$(4\text{-}176)$$

式(4-176)中,变量$\left\{P_{\mathrm{e},i,t}^{\mathrm{ex}}, P_{\mathrm{h},i,t}^{\mathrm{ex}}, C_{\mathrm{e},i,t}^{\mathrm{ex}}, C_{\mathrm{h},i,t}^{\mathrm{ex}}\right\}$对应标准优化问题式(4-166)的局部变量$x$,而变量$\left\{\hat{P}_{\mathrm{e},i,t}^{\mathrm{ex}}, \hat{P}_{\mathrm{h},i,t}^{\mathrm{ex}}, \hat{C}_{\mathrm{e},i,t}^{\mathrm{ex}}, \hat{C}_{\mathrm{h},i,t}^{\mathrm{ex}}\right\}$对应标准优化问题式(4-166)中的全局变量$z$。以耦合约束$\hat{P}_{\mathrm{e},i,t}^{\mathrm{ex}}=P_{\mathrm{e},i,t}^{\mathrm{ex}}$为例,优化问题式(4-166)中$Ax+Bz=c$对应$A=1$,$B=-1$,$c=0$。式(4-176)所对应的增广拉格朗日函数如式(4-177)所示。

$$
L = \sum_{i=1}^{N} -\ln \left\{
\begin{array}{l}
C_i^{\mathrm{non}} - \sum_{t\in T}\left(\lambda_t^{\mathrm{bg}} P_{\mathrm{e},i,t}^{\mathrm{bg}} - \lambda_t^{\mathrm{sg}} P_{\mathrm{e},i,t}^{\mathrm{sg}}\right) - \sum_{t\in T}\lambda_t^{\mathrm{gas}}\left(P_{\mathrm{g},i,t}^{\mathrm{cchp}} + P_{\mathrm{g},i,t}^{\mathrm{gb}}\right) \\[2mm]
\quad + \sum_{t\in T}\left[k_i\ln\left(1+L_{i,t}^{\mathrm{e}}\right) - a_i\Delta L_{i,t}^{\mathrm{h}}\right] \\[2mm]
\quad - \sum_{t\in T}\left[c_{\mathrm{e},i}^{\mathrm{cchp}} P_{\mathrm{e},i,t}^{\mathrm{cchp}} + c_{\mathrm{h},i}^{\mathrm{gb}} P_{\mathrm{h},i,t}^{\mathrm{gb}} + c_i^{\mathrm{es}}\left(P_{\mathrm{e},i,t}^{\mathrm{ch}} + P_{\mathrm{e},i,t}^{\mathrm{dis}}\right) + c_i^{\mathrm{hs}}\left(P_{\mathrm{h},i,t}^{\mathrm{ch}} + P_{\mathrm{h},i,t}^{\mathrm{dis}}\right)\right] \\[2mm]
\quad - \sum_{t\in T}\left(C_{\mathrm{e},i,t}^{\mathrm{ex}} + C_{\mathrm{h},i,t}^{\mathrm{ex}}\right)
\end{array}
\right\}
$$
$$
+ \sum_{i\in N}\sum_{t\in T}\left(\lambda_{\mathrm{e},i,t}^{\mathrm{aux}}\left(\hat{P}_{\mathrm{e},i,t}^{\mathrm{ex}} - P_{\mathrm{e},i,t}^{\mathrm{ex}}\right) + \frac{\rho_1}{2}\left\|\hat{P}_{\mathrm{e},i,t}^{\mathrm{ex}} - P_{\mathrm{e},i,t}^{\mathrm{ex}}\right\|^2\right)
$$

$$+ \sum_{i \in N} \sum_{t \in T} \left(\lambda_{\mathrm{h},i,t}^{\mathrm{aux}} \left(\hat{P}_{\mathrm{h},i,t}^{\mathrm{ex}} - P_{\mathrm{h},i,t}^{\mathrm{ex}} \right) + \frac{\rho_2}{2} \left\| \hat{P}_{\mathrm{h},i,t}^{\mathrm{ex}} - P_{\mathrm{h},i,t}^{\mathrm{ex}} \right\|^2 \right)$$

$$+ \sum_{i \in N} \sum_{t \in T} \left(\gamma_{\mathrm{e},i,t}^{\mathrm{aux}} \left(\hat{C}_{\mathrm{e},i,t}^{\mathrm{ex}} - C_{\mathrm{e},i,t}^{\mathrm{ex}} \right) + \frac{\rho_3}{2} \left\| \hat{C}_{\mathrm{e},i,t}^{\mathrm{ex}} - C_{\mathrm{e},i,t}^{\mathrm{ex}} \right\|^2 \right) \qquad (4\text{-}177)$$

$$+ \sum_{i \in N} \sum_{t \in T} \left(\gamma_{\mathrm{h},i,t}^{\mathrm{aux}} \left(\hat{C}_{\mathrm{h},i,t}^{\mathrm{ex}} - C_{\mathrm{h},i,t}^{\mathrm{ex}} \right) + \frac{\rho_4}{2} \left\| \hat{C}_{\mathrm{h},i,t}^{\mathrm{ex}} - C_{\mathrm{h},i,t}^{\mathrm{ex}} \right\|^2 \right)$$

式中，$\lambda_{\mathrm{e},i,t}^{\mathrm{aux}}$、$\lambda_{\mathrm{h},i,t}^{\mathrm{aux}}$、$\gamma_{\mathrm{e},i,t}^{\mathrm{aux}}$、$\gamma_{\mathrm{h},i,t}^{\mathrm{aux}}$ 为拉格朗日乘子；ρ_1、ρ_2、ρ_3、ρ_4 为惩罚因子，分别对应一致性约束式(4-171)~式(4-174)。

基于 ADMM 原理，式(4-176)可进一步分解为两层子问题：下层对应各子区域运营商的自身优化问题；上层对应社区协调层对于各子区域的社区交易变量的协同更新。其中上层可以看作一个虚拟协调问题，只不过虚拟协调商并不控制子区域内部的任何能源设施，而仅仅是通过更新传递各子区域的公共变量实现多个子区域合作互动的收敛最优。

各子区域子问题具体如下：

$$\min \sum_{i=1}^{N} \left(-\ln \left\{ \begin{array}{l} C_i^{\mathrm{non}} - \sum_{t \in T} \left(\lambda_t^{\mathrm{bg}} P_{\mathrm{e},i,t}^{\mathrm{bg}} - \lambda_t^{\mathrm{sg}} P_{\mathrm{e},i,t}^{\mathrm{sg}} \right) - \sum_{t \in T} \lambda_t^{\mathrm{gas}} \left(P_{\mathrm{g},i,t}^{\mathrm{cchp}} + P_{\mathrm{g},i,t}^{\mathrm{gb}} \right) \\[2mm] \quad + \sum_{t \in T} \left[k_i \ln \left(1 + L_{i,t}^{\mathrm{e}} \right) - a_i \Delta L_{i,t}^{\mathrm{h}} \right] \\[2mm] \quad - \sum_{t \in T} \left[c_{\mathrm{e},i}^{\mathrm{cchp}} P_{\mathrm{e},i,t}^{\mathrm{cchp}} + c_{\mathrm{h},i}^{\mathrm{gb}} P_{\mathrm{h},i,t}^{\mathrm{gb}} + c_i^{\mathrm{es}} \left(P_{\mathrm{e},i,t}^{\mathrm{ch}} + P_{\mathrm{e},i,t}^{\mathrm{dis}} \right) + c_i^{\mathrm{hs}} \left(P_{\mathrm{h},i,t}^{\mathrm{ch}} + P_{\mathrm{h},i,t}^{\mathrm{dis}} \right) \right] \\[2mm] \quad - \sum_{t \in T} \left(C_{\mathrm{e},i,t}^{\mathrm{ex}} + C_{\mathrm{h},i,t}^{\mathrm{ex}} \right) \end{array} \right\} \right.$$

$$+ \sum_{t \in T} \left(-\lambda_{\mathrm{e},i,t}^{\mathrm{aux}} P_{\mathrm{e},i,t}^{\mathrm{ex}} + \frac{\rho_1}{2} \left\| \hat{P}_{\mathrm{e},i,t}^{\mathrm{ex}} - P_{\mathrm{e},i,t}^{\mathrm{ex}} \right\|^2 \right)$$

$$+ \sum_{t \in T} \left(-\lambda_{\mathrm{h},i,t}^{\mathrm{aux}} P_{\mathrm{h},i,t}^{\mathrm{ex}} + \frac{\rho_2}{2} \left\| \hat{P}_{\mathrm{h},i,t}^{\mathrm{ex}} - P_{\mathrm{h},i,t}^{\mathrm{ex}} \right\|^2 \right)$$

$$+ \sum_{t \in T} \left(-\gamma_{\mathrm{e},i,t}^{\mathrm{aux}} C_{\mathrm{e},i,t}^{\mathrm{ex}} + \frac{\rho_3}{2} \left\| \hat{C}_{\mathrm{e},i,t}^{\mathrm{ex}} - C_{\mathrm{e},i,t}^{\mathrm{ex}} \right\|^2 \right)$$

$$+ \sum_{t \in T} \left(-\gamma_{\mathrm{h},i,t}^{\mathrm{aux}} C_{\mathrm{h},i,t}^{\mathrm{ex}} + \frac{\rho_4}{2} \left\| \hat{C}_{\mathrm{h},i,t}^{\mathrm{ex}} - C_{\mathrm{h},i,t}^{\mathrm{ex}} \right\|^2 \right) \right)$$

subject to：式(4-124)~式(4-156)

variables：$\left\{ \begin{array}{l} P_{\mathrm{e},i,t}^{\mathrm{bg}}, P_{\mathrm{e},i,t}^{\mathrm{sg}}, P_{\mathrm{e},i,t}^{\mathrm{cchp}}, P_{\mathrm{e},i,t}^{\mathrm{ch}}, P_{\mathrm{e},i,t}^{\mathrm{dis}}, L_{i,t}^{\mathrm{e}}, P_{\mathrm{h},i,t}^{\mathrm{cchp}}, P_{\mathrm{h},i,t}^{\mathrm{gb}}, \\ P_{\mathrm{e},i,t}^{\mathrm{ex}}, P_{\mathrm{h},i,t}^{\mathrm{ex}}, C_{\mathrm{e},i,t}^{\mathrm{ex}}, C_{\mathrm{h},i,t}^{\mathrm{ex}} \end{array} \right\}, \quad \forall t \in T$

$$(4\text{-}178)$$

协调层子问题具体如下：

$$
\begin{aligned}
\min \quad & \sum_{i \in N} \sum_{t \in T} \left(\lambda_{\mathrm{e},i,t}^{\mathrm{aux}} \hat{P}_{\mathrm{e},i,t}^{\mathrm{ex}} + \frac{\rho_1}{2} \left\| \hat{P}_{\mathrm{e},i,t}^{\mathrm{ex}} - P_{\mathrm{e},i,t}^{\mathrm{ex}} \right\|^2 \right) + \sum_{i \in N} \sum_{t \in T} \left(\lambda_{\mathrm{h},i,t}^{\mathrm{aux}} \hat{P}_{\mathrm{h},i,t}^{\mathrm{ex}} + \frac{\rho_2}{2} \left\| \hat{P}_{\mathrm{h},i,t}^{\mathrm{ex}} - P_{\mathrm{h},i,t}^{\mathrm{ex}} \right\|^2 \right) \\
& + \sum_{i \in N} \sum_{t \in T} \left(\gamma_{\mathrm{e},i,t}^{\mathrm{aux}} \hat{C}_{\mathrm{e},i,t}^{\mathrm{ex}} + \frac{\rho_3}{2} \left\| \hat{C}_{\mathrm{e},i,t}^{\mathrm{ex}} - C_{\mathrm{e},i,t}^{\mathrm{ex}} \right\|^2 \right) \\
& + \sum_{i \in N} \sum_{t \in T} \left(\gamma_{\mathrm{h},i,t}^{\mathrm{aux}} \hat{C}_{\mathrm{h},i,t}^{\mathrm{ex}} + \frac{\rho_4}{2} \left\| \hat{C}_{\mathrm{h},i,t}^{\mathrm{ex}} - C_{\mathrm{h},i,t}^{\mathrm{ex}} \right\|^2 \right)
\end{aligned}
$$

$$
\begin{aligned}
\text{subject to：} \quad & \sum_{i=1}^{N} \hat{P}_{\mathrm{e},i,t}^{\mathrm{ex}} = 0, \quad \forall t \in T \\
& \sum_{i=1}^{N} \hat{P}_{\mathrm{h},i,t}^{\mathrm{ex}} = 0, \quad \forall t \in T \\
& \sum_{i=1}^{N} \hat{C}_{\mathrm{e},i,t}^{\mathrm{ex}} = 0, \quad \forall t \in T \\
& \sum_{i=1}^{N} \hat{C}_{\mathrm{h},i,t}^{\mathrm{ex}} = 0, \quad \forall t \in T
\end{aligned}
$$

$$
\text{variables：} \quad \left\{ \hat{P}_{\mathrm{e},i,t}^{\mathrm{ex}}, \hat{P}_{\mathrm{h},i,t}^{\mathrm{ex}}, \hat{C}_{\mathrm{e},i,t}^{\mathrm{ex}}, \hat{C}_{\mathrm{h},i,t}^{\mathrm{ex}} \right\}, \quad \forall i \in N, \forall t \in T
$$

$$
(4\text{-}179)
$$

参 考 文 献

[1] Rahmani-Dabbagh S, Sheikh-El-Eslami M K. A profit sharing scheme for distributed energy resources integrated into a virtual power plant[J]. Applied Energy, 2016, 184: 313-328.

[2] Shabanzadeh M, Sheikh-El-Eslami M K, Haghifam M R. A medium-term coalition-forming model of heterogeneous DERs for a commercial virtual power plant[J]. Applied Energy, 2016, 169: 663-681.

[3] Robu V, Chalkiadakis G, Kota R, et al. Rewarding cooperative virtual power plant formation using scoring rules [J]. Energy, 2016, 117: 19-28.

[4] Cheng Y, Fan S, Ni J, et al. An innovative profit allocation to distributed energy resources integrated into virtual power plant[C]//International Conference on Renewable Power Generation（RPG 2015）, Beijing, 2015: 1-6.

[5] Biswas S, Bagchi D, Narahari Y. Mechanism design for sustainable virtual power plant formation[C]// IEEE International Conference on Automation Science and Engineering, Taipei, 2014: 67-72.

[6] Mashayekhy L, Grosu D. A merge-and-split mechanism for dynamic virtual organization formation in grids[J]. IEEE Transactions on Parallel & Distributed Systems, 2014, 25（3）: 540-549.

[7] Ni J, Ai Q. Economic power transaction using coalitional game strategy in micro-grids[J]. IET Generation, Transmission & Distribution, 2016, 10（1）: 10-18.

[8] Borkotokey S. Cooperative games with fuzzy coalitions and fuzzy characteristic functions[J]. Fuzzy Sets & Systems, 2008, 159（2）: 138-151.

[9] Mihailescu R C, Vasirani M, Ossowski S. Dynamic coalition formation and adaptation for virtual power stations in smart grids[C]//The 2nd International Workshop on Agent Technologies for Energy Systems, Washington, 2011: 85-88.

[10] Hougaard J L. An Introduction to Allocation Rules[M]. Berlin: Springer Science & Business Media, 2009.

[11] Morales J M, Conejo A J, Madsen H, et al. Integrating Renewables in Electricity Markets: Operational Problems[M]. Berlin: Springer Science & Business Media, 2013.

[12] 黄华, 宋艳萍, 德娜·吐热汗. 三元区间数线性规划及其解法[J]. 数学的实践与认识, 2011, 41(19): 134-141.

[13] 卜广志, 张宇文. 基于三参数区间数的灰色模糊综合评判[J]. 系统工程与电子技术, 2001, 23(9): 43-45.

[14] 胡启洲, 于莉, 张爱萍. 基于三元区间数的多指标决策方法[J]. 系统管理学报, 2010, 19(1): 25-30.

[15] 于晓辉, 张强. 模糊支付合作对策的核心及其在收益分配问题中的应用[J]. 模糊系统与数学, 2010, 24(6): 66-75.

[16] Sengupta A, Pal T K. Fuzzy Preference Ordering of Interval Numbers in Decision Problems[M]. Berlin: Springer Heidelberg, 2009: 25-37.

[17] Morales J M, Conejo A J, Madsen H, et al. Integrating Renewables in Electricity Markets[M]. Boston: Springer, 2014: 243-287.

[18] Mohamed F A, Koivo H N. Online management of microgrid with battery storage using multiobjective optimization[C]//2007 International Conference on Power Engineering, Energy and Electrical Drives, Setubal, 2007: 231-236.

[19] 代文娟. 基于 Stackelberg 博弈的网络资源分配的研究[D]. 武汉: 华中科技大学, 2008.

[20] 李华昌. 基于梯度信息法的不完全信息下供电公司 Stackelberg 博弈竞价策略分析[D]. 南京: 河海大学, 2006.

[21] Yu M, Hong S H. A real-time demand-response algorithm for smart grids: A Stackelberg game approach[J]. IEEE Transactions on Smart Grid, 2015, 7(2): 879-888.

[22] 范松丽, 艾芊, 贺兴. 基于机会约束规划的虚拟电厂调度风险分析[J]. 中国电机工程学报, 2015, 35(16): 4025-4034.

[23] Rashedi N, Tajeddini M A, Kebriaei H. Markov game approach for multi-agent competitive bidding strategies in electricity market[J]. IET Generation, Transmission & Distribution, 2016, 10(15): 3756-3763.

[24] 王帅. 发电商基于 Q-Learning 算法的日前市场竞价策略[J]. 能源技术经济, 2010, 22(3): 34-39.

[25] 卢强, 陈来军, 梅生伟. 博弈论在电力系统中典型应用及若干展望[J]. 中国电机工程学报, 2014, 34(29): 5009-5017.

[26] 程代展.《工程博弈论基础及电力系统应用》评介[J]. 控制理论与应用, 2016, 33(11): 1491.

[27] Moghaddam I G, Saniei M, Mashhour E. A comprehensive model for self-scheduling an energy hub to supply cooling, heating and electrical demands of a building[J]. Energy, 2016, 94: 157-170.

[28] 周任军, 冉晓洪, 毛发龙, 等. 分布式冷热电三联供系统节能协调优化调度[J]. 电网技术, 2012, 36(6): 8-14.

[29] 顾泽鹏, 康重庆, 陈新宇, 等. 考虑热网约束的电热能源集成系统运行优化及其风电消纳效益分析[J]. 中国电机工程学报, 2015, 35(14): 3596-3604.

[30] Gu W, Wang J, Lu S, et al. Optimal operation for integrated energy system considering thermal inertia of district heating net work and buildings[J]. Applied Energy, 2017, 199: 234-246.

[31] Herrando M, Markides C N, Hellgardt K. A UK-based assess ment of hybrid PV and solar-thermal systems for domestic heating and power: System performance[J]. Applied Energy, 2014, 122: 288-309.

[32] 段炜, 胡兆光, 吴思竹, 等. 基于智能体响应均衡模型的经济政策-电力需求动态模拟[J]. 中国电机工程学报, 2014, 34(7): 1206-1212.

[33] 田建伟, 胡兆光, 吴俊勇, 等. 基于多智能体建模的经济-电力动态模拟系统[J]. 中国电机工程学报, 2010, 30(7): 85-91.

[34] 黄仙, 郭睿. 一种电力市场环境下的电源规划多智能体模型[J]. 电力系统保护与控制, 2016, 44(24): 1-8.

[35] Dehghanpour K, Nehrir M H, Sheppard J W, et al. Agent-based modeling in electrical energy markets using dynamic Bayesian networks[J]. IEEE Transactions on Power Systems, 2016, 31(6): 4744-4754.

[36] Neshat N, Amin-Naseri M R. Cleaner power generation through market-driven generation expansion planning: An agent-based hybrid framework of game theory and particle swarm optimization[J]. Journal of Cleaner Production, 2015, 105: 206-217.

[37] Zhou Z, Zhao F, Wang J. Agent-based electricity market simulation with demand response from commercial buildings[J]. IEEE Transactions on Smart Grid, 2011, 2(4): 580-588.

[38] Tang W, Jain R. Dynamic economic dispatch game: The value of storage[J]. IEEE Transactions on Smart Grid, 2016, 7(4): 2350-2358.

[39] Gajjar G R, Khaparde S A, Nagaraju P. Application of actor-critic learning algorithm for optimal bidding problem of a Genco[J]. IEEE Transaction on Power Systems, 2003, 18(1): 11-18.

[40] Ragupathi R, Das T K. A stochastic game approach for modeling wholesale energy bidding in deregulated power market[J]. IEEE Transactions on Power Systems, 2004, 19(2): 849-856.

[41] Muthoo A. Bargaining Theory with Applications[M]. Cambridge: Cambridge University Press, 2008.

[42] Wei W, Wang J, Mei S. Convexification of the Nash bargaining based environmental-economic dispatch[J]. IEEE Transactions on Power Systems, 2016, 31(6): 5208-5209.

[43] Liu N, He L, Yu X, et al. Multiparty energy management for grid-connected microgrids with heat-and electricity-coupled demand response[J]. IEEE Transactions on Industrial Informatics, 2017, 14(5): 1887-1897.

第5章　综合能源系统优化调度方法

在能源互联网理念不断深入的背景下，多能互补、集成优化成为解决分布式可再生能源就地消纳问题、提高能源综合利用效率的有效途径。而微能源网作为能源互联网的重要组成部分，将代替微电网在综合能源系统中发挥重要作用。

5.1　综合能源系统调度框架

5.1.1　综合能源系统基本架构

综合能源系统是耦合了电力、天然气、热能等多种能源的复杂能源系统，各个环节涉及的能源元件种类广泛、技术复杂，在对综合能源系统进行规划、建设、运行过程中，需要综合考虑地理环境、能源生产基地选址、多样化的能源负荷需求、运营管理模式及市场交易机制等多方面因素。基于国内外现有综合能源系统领域的相关研究，对综合能源系统的整体运行架构进行梳理分析，将综合能源系统按照能源的生产环节、能源的输送环节、能源的分配环节、能源的消费环节进行划分，由此可构建综合能源系统的供-输-配-用基本架构。

(1)能源的生产环节。综合能源系统的能源生产环节的能源生产单元主要包括风电、光伏、热电机组、水电机组、燃气轮机等。

(2)能源的输送环节。能源的输送环节主要包括大型输电网络、天然气输送网络等。

(3)能源的分配环节。能源的分配环节主要以综合能源协调优化控制中心为纽带，控制连接变电站、配电网、天然气配送站等形成多种能源耦合的配送网络，通过控制流进行能源的转换、优化协调分配以及实现多能互补特性。

(4)能源的消费环节。能源的消费环节主要包括储能设备、工业负荷中心、商业负荷中心、电动汽车、居民小区负荷等终端用户。

1. 综合能源系统区域级别划分

根据多种能源的负荷场景、地理位置和能源供输配用特性，可将综合能源系统划分为用户级综合能源系统、区域级综合能源系统、跨区域级综合能源系统[1]。

用户级综合能源系统通过集成分布式和集中式终端供能系统(如智能用电系统、供气系统、供热系统等)形成多能耦合网络，结合数据挖掘、机器学习、物联网等技术，基于海量历史用能数据对终端用户的用能习惯进行分析，提升能源负荷预测精度，实现对用户用能需求的实时响应。

区域级综合能源系统由区域级配电网络、天然气配送网络、热能配送网络等耦合形成，多能源网络间互动范围较广，包括能源的输送、分配、转换、存储等环节，涉及配电网技术、能源转换技术、混合储能等关键技术。

跨区域级综合能源系统由以特高压输电网、大型天然气输送管道等能源骨干网架交互连接多个区域级综合能源系统形成，主要功能是负责跨国家、跨省区、跨城区的大型远距离多种能源输送。涉及的关键技术包括特高压输电技术、先进的电力电子技术等。

跨区域级、区域级、用户级综合能源系统三者之间通过从能源生产、输送、分配、转换到消费环节的耦合与互动、协调与优化，最终形成能源供产销一体化系统。

2. 综合能源系统中多能源网络演化趋势

首先建立区域综合多能源耦合传输网络及转化模型。

综合能源系统作为支撑多能源耦合优化运行和分布式能源高效消纳的平台，涉及能源的输入、转化与输出等多个过程，2007 年，Geidl 等基于能量转换器和能源集线器概念模型对多能源耦合传输整体过程进行建模分析，通过耦合矩阵描述了电力信息网络、天然气网络、热能网络等能源网络的耦合关系，具体模型如式 (2-75) 所示[2]。

以电力信息网络、天然气网络、热能网络形成的多能耦合网络为例分析多能传输及转化过程，电力信息—天然气—热能耦合传输网络如图 5-1 所示，三者通过耦合转化，为终端电力、热能、天然气负荷侧提供多能互补供能服务。

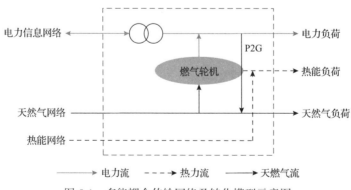

图 5-1　多能耦合传输网络及转化模型示意图

随后进行多能耦合网络拓扑结构演化趋势分析。随着能源互联网建设的深入以及新兴信息技术的促进，能源网络结构正发生着新的变化，综合能源系统中多能耦合网络拓扑结构演化趋势如下。

(1)在能源利用的初级时期，电力信息网络、天然气网络、热能网络等能源网络相互独立运行，不存在交互关系。该时期的主要目标是以需求侧负荷为中心，提供能源基础服务，实现能源供应在地理位置上的全覆盖。

(2)在能源利用的中级时期，随着计算机技术、信息技术、控制理论等应用到能源网络中，电力信息网络、天然气网络、热能网络等能源网络通过控制、调度等业务交互节点进行互联，多能源网络间产生了交互模式。该时期的主要目标是为用户提供安全可靠、高效、优质的能源供应服务。

(3)在能源利用的高级时期，随着电力信息网络、天然气网络、热能网络等多能源网络融合的深入，将形成相互依存的多元复合能源网络，各个能源网络节点融为一体，随着智慧能源时代的到来，综合能源系统将演变为一个既存在电力节点、天然气节点、热能节点等单一能源属性节点，又包含具有电力、天然气、热能等多重能源属性节点的复杂系统。该时期的主要目标是实现智能化、实时互动化、绿色低碳化的能源互联网生态圈。

5.1.2　综合能源系统信息集成

基于综合能源系统的信息集成架构体系从上至下分别为应用层、网络层、感知层及设备层。设备层中冷、热、电功能设备与冷、热、电负荷设备模块相连，将采集的电、水、气、热等数据上传至感知层；感知层主要是感知并采集多种状态数据信息，其中包括多类感知装置，如智能表计、智能传感器、音频/视频采集器、传感器网络等，依据数据传输技术、协同信息处理技术、信息采集中间技术等，将采集到的数据信息传输至网络层；网络层的作用主要为将感知层的数据传输到应用层，为其提供传输通道，包括电力载波、无线专网、光纤通信、WiFi 等通信技术，网络层将依据无线和有线网络对采集的数据进行编码、认证并传输到应用层；应用层为多能互补综合能源系统的“大脑”，将感知层传输过来的各类数据进行分类、处理及存储，同时在系统中为用户提供各种应用业务，并根据下层得到的历史数据与实时数据，制定优化控制策略，并下放给执行器进行执行[3]。

在多源信息集成过程中，多能互补综合能源系统数据的来源、种类各异，因此数据具有异构性，需要对多源异构信息进行处理，建立有如下特点的数据库：①系统采集的数据量大；②不同的数据之间存在复杂的关联关系；③随着技术的进步，将会有更多类型的负荷、能源成为综合能源系统的管控对象，数据库必须能够自适应这些未知的负荷与能源；④负荷、能源的种类很多，数据库应尽可能地用统一的方式存储，便于上层应用的调取和管控；⑤冷热电系统的研究处于起步阶段，用户需求并不清晰，数据库内部各模块应做到松耦合，便于系统升级时进行调整。

信息集成过程主要包含交互接口集成、硬件集成、信息集成、软件集成和功能集成 5 个方面。将子系统的冷热电等数据进行抄收，通过多能互补综合能源管理系统接口适配器进行数据模型与协议的转换（目前主要基于 IEC61968/IEC61970 标准建模），然后接入信息交互总线，信息交互总线通过在异构系统之间建立映射通道，实现系统与系统之间的信息数据交换，再通过将多能互补综合能源管理系统嵌入主站，从而实现冷、热、电等数据的硬件集成；并且通过构建多能源统一信息模型，将分布式光伏子系统、冷热电三联供子系统、地源热泵子系统的数据统一规划，从而实现信息集成；多能互补综合能源管理与服务系统软件的集成基于面向服务的体系结构(SOA)，数据经过接口适配器转换封装成通用信息模型(CIM)的数据，从而实现系统的高级应用功能，包括冷热电能源监测、设备监测、能源特性分析、能源优化配置、可调潜力评估等功能的集成。交互接口集成的信息内容如表 5-1、表 5-2 所示。

表 5-1　系统交互所需信息表

系统名称	所需信息
分布式光伏子系统	能源优化、预测、分析信息，调度策略信息，能效评估信息
地源热泵子系统	能源优化、预测、分析信息，调度策略信息，能效评估信息
冷热电三联供子系统	能源优化、预测、分析信息，调度策略信息，能效评估信息
多能互补综合能源管理与服务系统	发电用电信息、设备工况信息、供冷供热信息、环境量信息、燃气能耗信息

表 5-2　系统交互提供信息表

系统名称	提供信息
分布式光伏子系统	发电信息、设备工况信息、环境量信息
地源热泵子系统	用电信息、供冷供热信息、设备工况信息、环境量信息
冷热电三联供子系统	燃气能耗信息、供电供冷供热信息、设备工况信息、环境量信息
多能互补综合能源管理与服务系统	能源优化、预测、分析信息，调度策略信息，能效评估信息

构建多能源统一信息模型，抽取针对分布式光伏业务子集 A、冷热电三联供业务子集 B、地源热泵业务子集 C、需求侧协调互动业务子集 D，即抽取模型中

的部分类、属性与类间关系以满足业务需求，并设计与业务子集 A、B、C、D 匹配的标准消息格式，标准消息格式与业务子集的内部数据模型存在双向映射关系，基于这种映射关系构造接口适配器的格式映射组件。业务子集的实例数据可通过接口适配器的格式映射组件映射为基于标准消息格式的实例消息，并通过接口适配器的消息封装组件进行封装，接入企业服务总线。

通过综合能源系统的功能集成过程，实现多能源监测、能源优化评估、能源优化配置、可调潜力评估、光伏消纳策略制定、设备监测、能源特性分析及调峰调蓄策略制定等功能。其中多能源监测包括冷、热、电等的功率监测；能源优化评估包含经济性评价和环境性评价[2,4]；能源优化配置包含优化配置模型、布局优化配置和冷热电比优化配置；可调潜力评估包括发电预测、供能调节潜力评估和储能调节潜力评估；光伏消纳策略包括光伏优化消纳策略和精细化控制技术；设备监测包括运行监测、状态监测、趋势分析和历史回放；能源特性分析包括功率特性分析、互补特性分析和历史数据分析；调峰调蓄策略包括混合储能协同调峰策略和精细化控制技术。

5.1.3　综合能源系统优化调度

综合能源系统典型调度主要包括集中式调度和分布式调度。其中集中式调度需完全掌握辖域主体的全部运行信息，并在集中控制中心进行统一计算。这种模式可通过利用快速高效通信的网络，将量测装置获取的海量数据无损地上传到云端，通过云计算结合人工智能技术实现高效决策管理，并实现决策结果的准确、高速传递反馈。

随着成员个体对信息隐私要求的提高，综合能源系统分布式调度模式逐渐发展。分布式调度模式通过划分区域，设置区域智能数据中心，取代集中式调度中的集中控制中心，并通过数据中心的信息交互，实现各区域的运行优化决策。可构建边缘数据中心，通过利用边缘侧获取的海量量测数据进行本地化协调计算，在保护用户隐私及信息安全的前提下，实现高效计算。

分布式调度系统运行的核心在于区域配电网能源平台与各聚集商的调度系统，以日前优化调度为例，能源平台通过基于分布式调度技术的交互能源机制，与聚集商的调度系统进行交互，体现为在迭代的过程中采用下放引导信号的手段引导各产消者更新上传次日功率方案，通过不断迭代达到信号与方案的稳定状态，最终实现平台-聚集商-设备的多层级优化调度。

在分布式调度过程中，平台与聚集商可基于各自的运行目标设计调度目标函数，采用合适的方法进行交互迭代保证全系统的运行目标稳定收敛于近似集中式调度最优解的结果。另外，整个交互流程中平台无须知晓底层聚集商内部终端单元的可控设备期望运行时段、电动汽车运行特征等各类含有用户行为习惯信息的特性描述，只需得到聚集商的次日全天功率方案，因而有效避免了其他主体与用户隐私的接触。

随着可再生能源的数量不断增加，以及电气设备自动化程度的不断提高，信息能源节点数将不断增多，综合能源系统可以构建自-互-群协同优化体系[5]。其中，自优化主要依托智能终端设备，对于端内进行纵向电-气-热-冷等多能互补，横向源-荷-储协同优化。对于边缘区域，其具有智能数据处理优化的功能，能够对实时情况进行判断，若为正常情况，即正常运行；若是临界状态，则通过自身的智能性能自行调整，如果超出自身所能调节的状态，即紧急情况，则上传至上层优化体系。

在自优化的基础之上，互优化则是通过相邻智能终端区域进行邻端协同优化以及通过博弈等手段，寻求基于邻居范围内的优化。区别于单端的针对紧急情况的处理能力，互优化能充分利用邻居区域的能源和信息，进行局部优化。但其属于小范围内的优化方法，单纯依托这一层级，虽能突破单一终端的承受范围，但仍无法达到全局优化的目的。

在终端智能自优化与邻居终端互优化基础上，群优化通过云平台技术和智能终端交互进行能量调度，并通过全局多时间尺度的多目标优化方法实现全局优化。建立这样的多层级优化体系可解决目前信息能源系统所普遍存在的三大问题。

(1) 计算中心能耗不断提升：伴随着网络节点的不断增多，数据将海量增长，导致计算中心的计算设备处理数据过程中所产生的能耗也不断提升。本书所提方法建立基于边缘智能的信息能源系统，从边缘智能化出发，将计算任务边缘下发，在保障系统安全实施的前提下，降低能耗。

(2) 网络拓扑结构不断改变：终端设备的不断提升，将导致网络拓扑结构的不断改变。通过分布式的协同控制方法，将实现终端设备的即插即用，保证系统的稳定运行。

(3) 网络堵塞及时延问题：随着数据的不断增多，网络带宽将成为数据上传的一大瓶颈，虽然能升级增大，但显然无法完全满足实际需求。这将导致数据可能无法实时传到计算中心，即存在网络堵塞、信息时延问题。边缘智能化，具备一定的边缘数据处理能力，可降低网络传输压力。

构建基于信息能源系统的多层级自-互-群协同优化架构，则能够根据实时的情况，选择某一层级的优化方法，而并不时刻调用云平台，增加无谓的能量损耗。依托边缘智能，实现数据边缘处理，减轻系统网络传输压力，配合分布式优化控制技术实现智能终端的即插即用，最终保证系统安全高效运行。

1. 综合能源系统自优化

信息能源耦合网络的终端设备主要指监控装置。电网早期配用电网的监控装置，都是为了实现某一特定功能而设立的装置，如电压监视仪、故障录波仪以及谐波分析仪等众多监测仪器[6]，导致电网中的监控装置种类繁多，且数量众多，伴随着带来了维护困难、资金浪费等众多问题。随着电力市场的不断改革推进，智能电表成为智能电网的数据采集的基本装置，起到了采集原始电能数据、计量和传输的任务，是实现信息集成、分析优化和信息展现的基础[7]。

智能电表是智能电网的终端，除了基本用电量的计量功能以外，它还具有用电信息存储功能、双向多种费率计量功能、多种数据传输模式的双向数据通信功能、防窃电功能等智能化的功能，可以实现远程抄表、远程送电和断电，大大提高了用电管理和服务水平[8]。智能电表是销售、停电、电能质量综合管理等功能模块的信息来源，它将整个营配系统的故障定位及电能监控深入供电末端[9]。针对目前的智能电表终端，可以看出，其对于信息仍不具备自行处理的能力，智能性并不足够。其仍然需要受到远程系统的调控，进行实际的控制操作，对于环境乃至用户，其仍然只具备感知以及采集的作用。面对综合能源耦合网络日趋复杂的网络信息关系，对智能电表等装置的进一步进化，开发更具智能性的终端设备是实现智能电网的必经之路。与已有智能电表相比，新一代智能终端设备，应额外具备以下几个特点。

(1)在数据处理上，能实现向上级传递知识的能力。并不局限于单纯的数据传递，还应实现由数据到知识的转化，即对数据进行预处理。

(2)在数据感知上，应进一步进行升级，实现从态势感知到自主认知的过程。即针对当前所监测的实时数据，经过自处理后，若判断为正常状态，则不向上层集中控制中心上传；若判断为临界状态，则智能终端进行自处理；若判断为紧急状态，则上传至上层集中控制中心。

(3)在实时控制上，能实现自主采取控制手段的功能。并不局限于远程的集中控制中心进行调控。最终实现从目前的装置自动化到智能化的转变。

智能终端监测的是一个小型综合能源区域，可能包含电、气、热等多种能源形式，以及源-荷-储三个组成部分。通过智能终端，采取多源互补、端荷共享以及源储交互和荷储互协的手段，共同实现智能终端内部源-荷-储协同优化。

(1)多源互补：通过多种分布式新能源的时空特性(如风力发电和光伏发电具有明显的间歇性和随机性)，进行多源互补，以有余而补不足，降低单品质新能源的出力波动性对整个网络的安全运行的影响。

(2)端荷共享：通过智能终端反馈给用户实时能源价格以及智能制定激励机制来引导用户改变当前的消费模式，从而降低用户用能成本，进一步达到整个大电网削峰填谷的目的。

(3)源储交互：储能装置通常具有两种状态，即充电和放电。其一般由储能单元与双向的变流器一起构成，储能单元根据系统的调度指令，来决定充放电的状态。通过储能与电源进行交互，抑制新能源发电的波动性，增强网络稳定性。

(4)荷储互协：储能除了在放电状态时实现源储交互之外，还会在充电状态实现荷储互协。在较长的时间尺度上，储能装置通过负荷监测以及荷储互协，实现削峰填谷的目的。通过低储高发的模式来进行套利，进而提升经济性。

除了源-荷-储之间的协同优化之外，还存在着内部各类能源的多能互补优化策略。

2. 综合能源系统互优化

每个智能终端对应地监控并控制一个小型的能源区域，通过网络，将各个综合能源区域进行连接，并形成能源互联网。对于网络稳定性，单智能终端的调节能力终将有限，同时为了实现智能终端的即插即用，基于多智能终端的分布式协同控制方法就显得尤为重要。

智能终端网络节点的插入，将导致网络节点输出不稳定以及网络拓扑结构的改变，进而可能导致整个电网的电压、频率的不稳定，最后影响电网的稳定性。每一个智能终端可看作一个智能体，针对多智能终端的分布式协同控制即多智能体的分布式协同控制。针对电网，主要表现为电压、频率等的一致性控制。针对综合能源系统，根据所需要实现的目标，通过更改通信协议以及建立新的协议形式来达到目的。这里仅介绍多智能体的一致性控制。

基于图论的知识，称 $G=(V,E,A)$ 为一个加权有向图。式中 $V=\{v_1,v_2,\cdots,v_n\}$ 表示图 G 的节点集合，$E \subseteq V \times V$ 表示图 G 的边，$A=[a_{ij}]$ 是图 G 的以 a_{ij} 为元素的非负邻接矩阵，$a_{ij} \geq 0$ 表示节点 v_i 和 v_j 之间的连接权重。有向对 (v_i,v_j) 表示图 G 的边，当且仅当第 i 个节点能直接接收到第 j 个节点的信息时，$(v_i,v_j) \in E$，此时节点 i 称作父节点，节点 j 称作子节点，否则 $(v_i,v_j) \notin E$。当 $(v_i,v_j) \in E$ 时有 $a_{ij} > 0$，否则 $a_{ij}=0$。由于不存在自环的情况，则对于所有的 $i \in I$，都有 $a_{ii}=0$，有限集合 $I=\{1,2,\cdots,n\}$ 表示节点的指标集。图论的很多性质可以通过这些矩阵的代数分析反映出来[10]。

多智能体系统中的单个智能体 i 的状态可以表示为 $z_i(t)=u_i$，若所有智能体的状态最终趋于相等，则表示为 $\|z_i(t)-z_j(t)\| \to 0$，$\forall i \neq j$，且 $t \to \infty$。在多智能体一致性控制中，一致性协议为重点研究对象。这里仅介绍基本的连续时间的分布式一致性协议。

用 $z_i(t)$ 表示第 i 个智能体(智能终端)的状态信息。状态信息是用来表示智能体进行协调控制所需要的信息,针对电网,通常是电压、频率以及决策量等信息。针对气网、热网,其通常表示压强、流速等信息。

用 N_i 表示第 i 个智能体的邻域集:

$$N_i = \left\{ i \in V : a_{ij} \neq 0 \right\} = \left\{ j \in V : (i, j) \in E \right\} \tag{5-1}$$

则基于连续时间的一致性协议如下:

$$z_i(t) = \sum_{j \in N_i} a_{ij} (z_j(t) - z_i(t)) \tag{5-2}$$

通过对一致性协议进行设计,使得系统能够更快地达到全网一致。该方向仍是现在的研究热点问题。多智能终端之间的互优化,即基于能量守恒,在达到全网电压、频率等一致的稳定前提下,通过改进控制方法与一致性协议相结合,增强系统鲁棒性以及快速响应的能力。除此之外,还存在着多端博弈对经济性的优化。伴随着能源市场的逐步开放,多终端之间可以通过通信线路进行信息交互。在假设各智能终端为自私且理智的前提下,各终端都希望自身得到更多的利益,多终端之间的互优化也可以看作多智能终端之间的博弈问题。终端同时存在着生产者和消费者的身份,多终端相互之间以及与能源供应商之间进行价格博弈使多方利益最大化,即典型的非合作博弈场景。

3. 综合能源系统群优化

基于智能终端的信息能源系统的自优化以及互优化是基于单端能源区域和相邻多端能源区域之间实现的优化方法。除此之外,还需要对全局网络进行统筹优化,全终端云平台全局优化能源调度。云计算属于一种商业计算模型,可将新能源模拟的计算任务分布到由大量计算机构成的资源集合上,使用户能够按需获取计算能力、存储空间和信息服务[11]。

"云"的计算资源可以进行自我维护和管理,无须用户参与,一般可以分为公有云、私有云和混合云,且包含三个子层级:基础设施级服务层(infrastructure as a service,IaaS)、平台级服务层(platform as a service,PaaS)、软件级服务层(software as a service,SaaS)[12]。

各个能源系统通过智能终端、能源路由器以及虚拟化平台连接起来,构成一个统一的混合云平台,利用调度总线,实现资源的分配、调度和管理工作。针对综合能源系统,云平台主要起到负荷预测、用能质量检测和需求侧管理与响应等作用。

(1)负荷预测:通过存储海量的历史数据并实时采集数据以及高水平的计算能

力，云平台使负荷预测更加精确，并且将适应各种时间和空间的复杂度，预测结果将更及时、更精确。

(2)用能质量检测：用能质量指综合能源系统的能源特征、网络性能以及用户用能体验的保障。随着分布式能源的广泛接入，数据采集规模增大，势必要用到云平台的高水平计算能力。

(3)需求侧管理与响应：伴随着电动汽车的广泛普及、智慧能源的广泛发展，用户不仅是能源的消费者，也是生产者。基于云平台的精准的负荷预测，将对用户用能等行为存在很重要的指导意义。

综合能源系统的群优化，最重要的是面对海量数据，借助云平台的超强计算能力，以信息流控制能量流，做出精准的能源调度方案。

在实际信息能源系统中，其数据相对于电力系统往往因多种原因而处于不同时间断面。随着能源体系的不断改革、可再生能源的大量接入，明显存在一个问题，即可再生能源设备与传统的能源设备相比，优化控制的周期会显著不同，这就使得信息能源网络呈现出较强的多时间尺度特性。

对于全局能源网络进行优化时，需充分考虑网络的时空异构性和网络结构的变化性。其中多时空特性主要表现在两个方面[10]：①对于海量的量测装置，大部分设备并不存在校时功能，进而导致获得的数据将并不在同一时间断面上，这就加大了优化难度；②可再生能源的大量渗透，存在着间歇式出力的特点，比较依赖自然条件，且变化较频繁，因此其优化控制应在短时间内完成，而很多传统设备在短时间内可能无法调节完成(由于容量或者物理调节时间长等多重原因)。因此针对全局的优化，必须建立在多时间尺度之上。

全局优化框架除了建立在多时间尺度上之外，还应该属于跨网多目标优化的范畴[13,14]。对于综合能源系统的多目标优化，主要可以考虑以下几个方面。

(1)经济性：以经济性为目标，主要包含运行维护成本 C_{OM}、电/气/热等多能交易成本 $C_p / C_g / C_h$(初始投资成本属于建立过程，在此不考虑)。其中运行维护成本建立如下：

$$C_{OM} = \sum_{a,b,c}\sum_{t=1}^{24}(C_{op,a}P_{t,a,out}\Delta t + C_{og,b}P_{t,b,out}\Delta t + C_{oh,c}P_{t,c,out}\Delta t) \tag{5-3}$$

式中，$C_{oi,j}$ 为第 i 种能源设备 j 单位输出能量的运行维护费用，$i = p,g,h$，$j = a,b,c$，且 p、g、h 分别代表电、气、热，a、b、c 分别表示电、气、热的装置设备；$P_{t,j,out}$ 表示 t 时段内设备的出力；Δt 表示 t 时段内设备的出力时间。

对于电/气/热的多能交易成本，C_p、C_g、C_h 与实时电价、气价、热价等市场交易机制有关，且它们之间存在耦合关系，并且是个动态博弈过程，是目前的研究热点，这里不给出具体表达。

（2）环保性：信息能源系统的环保性指标以 CO_2 和 NO_x 为主。其中 CO_2 的主要来源为气网天然气的燃料燃烧，以及多能耦合设备的转化过程中可能存在的碳排放。而 NO_x 主要来源于系统设备的排放。这里不用具体表达式列出，用 C_{ENV} 表示环境成本。

（3）系统的可靠性：在网络进行电/热/气交互的过程中，需要引入系统的可靠性指标。这部分主要是由于在能源供应过程中存在着供应中断的可能。同时针对以智能终端监控区域为单位的内部能源网络稳定的可靠性主要包括供电中断率、供热中断率以及供气中断率。用 C_{REL} 表示系统可靠性维持成本。

同时系统应该满足的约束主要包括能量平衡约束，即电/气/热能量平衡、设备的容量导致的运行出力约束、电/气/热功率交换约束等。因此关于信息能源系统的群优化，应注重多能跨网、多时间尺度、多目标的全局优化。

5.1.4　区域综合能源调度典型求解算法

1. 交替方向乘子法

交替方向乘子法（alternating direction method multipliers，ADMM）[15]适用于大规模分布式网络物理系统的分布式优化，是解决分散优化的边界约束的一种有效方法。ADMM 不要求必须配置集中的计算中心，其计算过程完全可以分布在本地代理中进行，具有收敛性强的优点。

ADMM 由 Gabay 等在 20 世纪 70 年代提出，是一种适用于求解可分离凸优化的优化算法，具有形式简单、收敛性好、鲁棒性强等特点，因此得到了广泛应用[16-18]。

文献[19]证明，当原问题满足 f 和 g 分别为 $\mathbb{R}^n \to \mathbb{R} \cup \{+\infty\}$ 和 $\mathbb{R}^m \to \mathbb{R} \cup \{+\infty\}$ 上的本征闭凸函数时，ADMM 能够有效收敛到最优解。

2. 广义的 Benders 分解法[2]

采用广义的 Benders 分解法（generalized Bendery decomposition，GBD）解决多能互补微电网集群的分布式优化问题，可将其分解为能量池主问题和 CCHP 微电网子问题，主子问题之间只需要交换联络线功率以及 Benders 割集信息即可。因此，GBD 可以在保证主子系统隐私性的前提下，实现多能互补微电网集群的最优调度目标。第 k 次迭代的主问题通用形式如下：

$$\hat{Z}_L^k = \min\ C_V + \sum_{i \in \Phi_V} Z_i$$

s.t. 边界约束
　　 可行性割集　　　　　　　　　　　　　　　（5-4）
　　 最优割集

式中，$\hat{Z}_L^k$ 为调度目标的有效下限；C_V 为虚拟协调器成本；φ_V 为虚拟协调器连接节点；Z_i 为一个连续变量，其表示能量池近似的微电网 i 的调度目标。$\hat{Z}_L^k$ 最优值受 Benders 割集包括最优割集和可行性割集的约束，子问题求解之后，这些割集将产生并添加到主问题当中。求解主问题之后，最优的联络线交易计划将会发给子问题，在固定的联络线功率条件下，每个微电网独立地平行求解各个子问题。首先，微电网将检测来自主问题的联络线调度计划是否可行，也就是是否违反运行约束。第 k 次迭代下的微电网可行性检测子问题如下：

$$\hat{Z}_{F,i}^k = \min \sum_{t=1}^{T} \left(S_{t,i}^{p1} + S_{t,i}^{p2} \right)$$

$$\text{s.t. } P_{\text{inter},t}^{iV} + S_{t,i}^{p1} - S_{t,i}^{p2} = \left(\hat{P}_{\text{inter},t}^{iV} \right)^k \left(\lambda_{t,i}^k \right) \tag{5-5}$$

$$\text{微电网设备约束及能量平衡约束}$$

式中，$P_{\text{inter},t}^{iV}$ 为主问题下发的联络线功率值；$S_{t,i}^{p1}$、$S_{t,i}^{p2}$ 为非负的松弛变量；$\hat{Z}_{F,i}^k$ 为微电网最小的松弛变量的和值；$\hat{P}_{\text{inter},t}^{iV}$ 为节点 i 与虚拟协调器之间在时间 t 的交互功率估计值；$\lambda_{t,i}^k$ 为跟对应约束有关的对偶变量。如果主问题下发的联络线功率值是可行的，所有松弛变量的最优值等于零，即松弛变量的和值 $\hat{Z}_{F,i}^k$ 为零；否则，主问题下发的联络线功率值不可行，需要产生可行性割集返回到主问题。根据线性可行性检测子问题的弱对偶性质，需要使得第 k 次迭代之后，松弛变量之和的最优值不大于零。即可行性割集如式 (5-6) 所示：

$$\hat{Z}_{F,i}^k + \sum_{t=1}^{T} \lambda_{t,i}^k \left(P_{\text{inter},t}^{iV} - \left(\hat{P}_{\text{inter},t}^{iV} \right)^k \right) \leqslant 0 \tag{5-6}$$

否则，如果联络线功率交易计划是可行的，微电网开始求解最优性检测子问题，如式 (5-7) 所示：

$$\hat{Z}_{O,i}^k = \min C_{M,i}$$

$$\text{s.t. } P_{\text{inter},t}^{iV} = \left(\hat{P}_{\text{inter},t}^{iV} \right)^k \left(\mu_{t,i}^k \right) \tag{5-7}$$

$$\text{微电网设备约束及能量平衡约束}$$

式中，$\hat{Z}_{O,i}^k$ 为已知联络线调度计划下的微电网最小调度目标；$C_{M,i}$ 为第 i 个微电网的成本；$\mu_{t,i}^k$ 为跟相应约束有关的对偶变量。求解优化问题之后，根据凸最优检测子问题的弱对偶特性，对第 k 次迭代之后的微电网最优调度目标进行近似，

与最优目标值 $\hat{Z}_{O,i}^k$ 相关的最优割集如式(5-8)所示:

$$Z_i \geqslant \hat{Z}_{O,i}^k + \sum_{t=1}^{T} \mu_{t,i}^k \left(P_{\text{inter},t}^{\text{iV}} - \left(\hat{P}_{\text{inter},t}^{\text{iV}} \right)^k \right) \tag{5-8}$$

如果所有的联络线调度计划均是可行的,主问题最优调度目标的有效上限如式(5-9)所示:

$$\hat{Z}_{U}^k = \hat{C}_{V}^k + \sum_{i \in \Phi_V} \hat{Z}_{O,i}^k \tag{5-9}$$

式中, $\hat{Z}_{U}^k$ 为第 k 次迭代的有效上限; $\hat{C}_{V}^k$ 为第 k 次迭代下主问题的最优值。如果获得的联络线功率调度计划是不可行的,上限将被设置为一个充分大的值。每一次迭代之后,GBD 将进行聚合性检测,以便决定是否进行下一次迭代。如果程序未聚合,子问题将当前迭代下的 Benders 割集添加到主问题当中,然后进行之后的迭代直到聚合。通用的聚合规则如下:

$$\frac{2 \cdot \left(\hat{Z}_{U}^k - \hat{Z}_{L}^k \right)}{\hat{Z}_{U}^k + \hat{Z}_{L}^k} \leqslant \tau \tag{5-10}$$

式中, τ 为预定义的聚合容限,通常容限值越小,GBD 需要的迭代次数越多。

3. 最优条件分解法

对于每个区域而言,最优条件分解法(optimality condition decompossition,OCD)通过松弛所有相邻区域的耦合约束,并将对偶后的耦合约束添加进每个区域的目标函数中,同时保持自身的耦合约束来实现去耦合的分布式分解。针对能量池和微电网的分布式子问题分别如式(5-11)所示:

$$\begin{cases} \min \ C_V + \sum_{t=1}^{T} \sum_{i \in \Phi_V} \left(\hat{\lambda}_t^{\text{iV}} \right)^k \left(\left(\hat{P}_{\text{inter},t}^{\text{iV}} \right)^k - P_{\text{inter},t}^{\text{Vi}} \right) \\[2mm] \text{s.t. } P_{\text{inter},t}^{\text{Vi}} - \left(\hat{P}_{\text{inter},t}^{\text{iV}} \right)^k = 0 : \lambda_t^{\text{Vi}} \\[2mm] \text{能量池与微电网交互功率平衡约束} \\[4mm] \min \ C_{M,i} + \sum_{t=1}^{T} \sum_{i \in \Phi_V} \left(\hat{\lambda}_t^{\text{Vi}} \right)^k \left(\left(\hat{P}_{\text{inter},t}^{\text{Vi}} \right)^k - P_{\text{inter},t}^{\text{iV}} \right) \\[2mm] \text{s.t. } P_{\text{inter},t}^{\text{iV}} - \left(\hat{P}_{\text{inter},t}^{\text{Vi}} \right)^k = 0 : \lambda_t^{\text{iV}} \\[2mm] \text{微电网设备约束及能量平衡约束} \end{cases} \tag{5-11}$$

式中，λ_t^{iV}、λ_t^{Vi} 分别为与耦合等式约束有关的对偶变量；$P_{\text{inter},t}^{\text{Vi}}$ 为虚拟协调器与第 i 个微电网在 t 时刻的交互功率；上标"^"表示估计值。每一次迭代，每个区域将与相邻区域交换两种类型的变量，即联络线功率与对偶变量，从而实现完全平行的分布式求解。

4. 辅助问题原则算法

辅助问题原则（auxiliary problem principle，APP）算法通过解决一系列与耦合约束有关的辅助问题实现完全的分布式分解。基于 APP 算法的能量池和微电网的子问题分别如式（5-12）式（5-13）所示：

$$\min C_{\text{V}} + \sum_{t=1}^{T} \sum_{i \in \varPhi_{\text{V}}} \left\{ \begin{array}{l} \lambda_{\text{Vi},t}^k P_{\text{inter},t}^{\text{Vi}} + \dfrac{\beta}{2} \left\| P_{\text{inter},t}^{\text{Vi}} - \left(\hat{P}_{\text{inter},t}^{\text{Vi}} \right)^k \right\|^2 \\ + \gamma P_{\text{inter},t}^{\text{Vi}} \left(\left(\hat{P}_{\text{inter},t}^{\text{Vi}} \right)^k - \left(\hat{P}_{\text{inter},t}^{\text{iV}} \right)^k \right) \end{array} \right\}$$

$$\text{s.t.} \quad \lambda_{\text{Vi},t}^{k+1} = \lambda_{\text{Vi},t}^k + \alpha \left(\left(\hat{P}_{\text{inter},t}^{\text{Vi}} \right)^{k+1} - \left(\hat{P}_{\text{inter},t}^{\text{iV}} \right)^{k+1} \right) \tag{5-12}$$

能量池与微电网交互功率平衡约束

$$\min C_{\text{M},i} + \sum_{t=1}^{T} \left\{ \begin{array}{l} \lambda_{\text{iV},t}^k P_{\text{inter},t}^{\text{iV}} + \dfrac{\beta}{2} \left\| P_{\text{inter},t}^{\text{iV}} - \left(\hat{P}_{\text{inter},t}^{\text{iV}} \right)^k \right\|^2 \\ + \gamma P_{\text{inter},t}^{\text{iV}} \left(\left(\hat{P}_{\text{inter},t}^{\text{iV}} \right)^k - \left(\hat{P}_{\text{inter},t}^{\text{Vi}} \right)^k \right) \end{array} \right\}$$

$$\text{s.t.} \quad \lambda_{\text{iV},t}^{k+1} = \lambda_{\text{iV},t}^k + \alpha \left(\left(\hat{P}_{\text{inter},t}^{\text{iV}} \right)^{k+1} - \left(\hat{P}_{\text{inter},t}^{\text{Vi}} \right)^{k+1} \right) \tag{5-13}$$

微电网设备约束及能量平衡约束

式中，α、β、γ 为需要调节的参数，文献[4]已经证明 $\alpha \leqslant 2\gamma \leqslant \beta$ 是 APP 算法程序聚合的充分条件，并且当 $\alpha = 1/2\beta = \gamma$ 时，聚合是十分可靠的；$\lambda_{\text{Vi},t}$、$\lambda_{\text{iV},t}$ 分别为能量池和微电网子问题的拉格朗日乘法子，当对应的子问题求解之后，各个区域通过交换联络线功率来更新拉格朗日乘法子，从而仅需交换一种类型的变量即可实现完全的平行分布式求解。

5.2　综合能源需求响应

5.2.1　需求响应终端

近年来，随着新能源并网渗透率不断提高，具有源荷双重性质的新型负荷（如电动汽车)比例不断上升,依靠需求侧负荷来平衡新能源接入的波动,提高能源效率已成为发电调度的补充和丰富电网调度运行的调节手段[12,20]。负荷模型的建立不再局限于负荷特性的准确描述,还应考虑负荷的灵活性。用户通过需求响应(demand response,DR)项目调整用电时间或负荷大小,达到削峰填谷和经济并存的效果,此类用户定义的可伸缩负荷呈现柔性特征[20]。对柔性负荷的界定、程度、控制需要有数学模型。

　　负荷分为可控负荷与不可控负荷,可控负荷即柔性负荷,指改变其状态对居民影响不大的负荷,如冷热系统;不可控负荷指改变其状态对居民影响显著的负荷,如照明系统[21]。文献[20]将可控负荷分为可削减负荷、用电总量不变但时间灵活的可转移负荷、用电曲线可整段平移的可平移负荷(一般是工业负荷)。文献[22]基于温控负荷、电动汽车、高载能负荷对柔性负荷建模。文献[21]将负荷分为不可更改的关键负荷、用于参与频率调节的温控负荷以及可中断负荷。

　　柔性负荷的概念随着能源种类、交流技术、电网结构的发展而逐步延伸,并且在结构多样化的小型系统中柔性负荷呈现多形态多响应的复杂性[23]。在多种用能种类的综合能源系统中,不可控负荷可通过能源转换技术参与到电网响应中,扩大了需求响应范围,实现柔性响应[24]。

　　作为负荷消费的实际主体,对用户类型的建模和分类能准确把控区域能源网内需求响应的潜力和激发潜力的力度。按消费模式,可将用户类型分为商业用户、工业用户和居民用户,商业用户的能源消耗模式类似,主要能源消耗来源于供暖通风与空气调节系统(HVAC)、照明和电子设备;工业用户一般是高能源消耗者,时间相关性强;居民用户受设备、运作时间、响应时间等因素影响大,不确定性大,需要更准确的模型描述[25]。文献[26]进一步将居民用户细分为 5 类:短程消费者(只考虑当前电力价格);实际超前消费者(考虑过去和当前的价格);实际推迟消费者(考虑现在和将来的价格);实际混合消费者(考虑过去、将来的价格);长程消费者(能够在一段时间内改变负荷消费模式)。依据用户用能需求和需求响应的不确定性,用户可分为领导型用户,如纺织企业,负荷调节灵活;从众型用户,如居民和商业用户,在一定激励下可调整用电行为;顽固型用户,如钢铁制造业,调整行为代价大,因此对激励补偿要求高[27]。

　　上述的文献只是统一地依照负荷基础特性分类建模,并未考虑负荷的多变性与复杂性,建立的负荷模型无法很好地解释内在的驱动原因。现有模型通常将用户与负荷建模割裂开来考虑,并未考虑负荷与用户的强相关性:同类负荷对于不同用户有不同的重要性、可控性与灵活性。

　　能源细胞的小型规模与灵活性保证了其能够对细胞内的主体进行精确的全方位覆盖。一方面可将区域能源网中的负荷依据一定的相似特性(如类型等)划分到不同能源细胞中，实现定点定位精确分析，既减少了差异性过大导致的模糊建模的概率，又基于细胞控制中心，建立本细胞内柔性负荷多形态多响应综合模型，为进一步探索负荷产生变化的内在驱动力提供了方向；另一方面，考虑负荷和用户的多变性，基于细胞的灵活性，以时间为尺度动态地预测、调整、规划负荷和用户在细胞中的聚合方式与发展趋势，依靠先进的数据采集技术和细胞内部的分析，分析用户用能习惯和用能偏好，建立负荷与用户点对点的映射关系。在保证用户舒适度的同时，依靠细胞的灵活划分充分挖掘需求潜力，实现用户与负荷的柔性互动和精准匹配。

5.2.2　需求响应管理体系

以细胞为单位可以有效地关注用户层面上的行为改变，更有效地与用户互动，激发用户的积极性：用户被动者的地位得以转变，成为主动者[28]。EMS 作为需求响应中激发参与主体的使能技术，是终端用户参与 DR 的重要组成部分，其用户类型包括商业型用户、工业型用户及居民型用户，实现的技术功能包括负荷预测、设备规划、动态价格机制等。基于智能电表和高级量测体系(advanced metering infrastructure，AMI)数据采集技术，EMS 能够实现更有效的响应价格指令或激励机制的自动 DR，分析设备灵活性并帮助用户合理管理需求侧资源[22,29]。文献[30]采取一、二级采集控制设备实现直接信息采集控制和间接双向互动。文献[31]提出了一种不同于集中式和分布式的新型 EMS，能够获知其他微电网的发电量、需求量等数据，研究了分时电价(TOU)和实时电价(RTP)下的 2 种 DR 项目对于含新能源 EMS 的微电网日前优化的影响。文献[32]基于家庭能源管理系统(home energy management system，HEMS)提出了一种自底向上地考虑智能插座能源消费数据的方式计算家用设备灵活性，考虑能源消耗不确定性、用户行为推断、用户舒适度与智能插座连接的设备类型，依据功率预测计算灵活性与可控性，结果可作为不同空间尺度 DR 调度的参考。

以上文献中 EMS 对能源设备的分析、调度和规划的智能程度是有限的，既无法兼顾权衡各主体利益，实现全局最优，又不具备实时更新互动的时间优势。例如，HEMS 只从个体用户角度出发，短期用户的收益是最高的，但是在环环相连的能源互联网中，可能导致电价反弹高峰的出现。

为了全面地权衡各方利益，协调各个智能体之间的智能决策与达到利益最优，实时综合考虑局部最优与全局最优是能源细胞-组织架构的优势之一，克服了决策当中的延后性与局部性，加快更新数据信息的速度，跳出了局部最优的限制，达到了区域能源网的新平衡。

5.2.3　需求响应优化控制

能源细胞内部愈加多变复杂的形态和结构，对系统控制优化提出了挑战。在电、热、冷、气耦合的未来能源网络愿景[33]和 "互联网+"[34]的大背景下，多能互补系统(包括区域冷热电气、生物质能联合系统)集成利用可再生能源，改善能源利用效率，实现能源自治，挖掘需求响应潜力，支撑形成一个更经济更可靠的整体[35]。综合能源系统和综合需求响应以区域内多能耦合协同互补网络为基础，利用 CCHP、电制氢、电锅炉等转换设备或能源集线器等综合模型，为需求侧提供在不同能流间改变用能方法和供需双方双向互动的能力，激发负荷柔性与能源网络的灵活性。

微电网优化运行控制通常以发电成本最低、供电可靠性最高、整体收益最大、环境效益最优等为目标，而冷热电气和源-网-荷-储的发展趋势，对系统运行、控制提出了新的要求。文献[36]以成本最低和排量最小为目标，用混合整数规划多目标自主规划问题，建立包含热电联产和储能系统的微电网的需求响应模型，仿真表明可分别减少成本与排放 9.1%和 4%。文献[37]在能源集线器基础上，提出了基于粒子群-内点混合优化算法的区域综合能源系统评估。文献[38]运用机会约束规划处理气与负荷的不确定性，构建电-气互联系统。文献[39]依据气、热网动态特性，提出电-气-热综合能源系统日前优化调度模型。文献[40]在源侧考虑含电转气的能源集线器模型，建立成本最低与风能消纳最大的模型。文献[41]采取冷热电气母线式结构，描述区域综合能源系统能源流动关系，有助于 CCHP 的灵活配置。文献[42]从工业用户角度出发，以满足上级调峰需求为优化目标，考虑生产中热能梯级利用及冷热电多能互补性，提出电热综合需求响应模型，算例表明此模型可有效缓解电力缺额，激发用户响应度。

上述文献表明，多能互补、协同优化的区域能源需求响应已成为研究热点。通过多种能源在用能特性和用能需求上的差异互补性，可提高区域能源网供能可靠性与用能灵活性。细胞层面着眼于源荷多元化、结构多样化的微电网，基于需求侧负荷建模、EMS 和多能互补机制刻画多形态多结构的系统，有利于在成本、环境、电力市场等方面的控制优化。能源细胞对系统的管理方式，扩大了其在智能电网中的可拓展性，提升了小系统层次架构、产能用能特性的包容度，降低了其在大电网中的复杂度与风险，加强了各异构系统的准确可控度，实现了区域能源网结构向着更复杂的多能综合系统演变。

下面以分布式需求响应分层优化为例，简要介绍综合能源需求响应进行流程：领导者代理首先根据重新分配的成本修正价格信号，并通过分布式通信将其广播给追随者；然后，每个追随者决定最优策略作为对领导者战略的最佳反映，并执行自己的策略；之后，领导者感知分布式资源代理(DRA)和电网之间的互动能力，根据这个反馈，领导者更新其策略并再次广播价格信号。以上交互过程实时进行。在外部价格信号的摄动下，所有策略都会重新调整。这个博弈可以被表述为双层优化，下面构建双层优化模型。

1. 领导者优化模型

c_t 为电网给出的实时电价。在此基础上，电网鼓励用户参与需求响应，并根据电价信号采集制定日前调度计划。考虑到再调度成本，每一个 DRA 给出的修正价格 λ_t 是这个阶段的决策变量。ΔP_t 表示 DRA 与电网间联络功率的变化，它满足式(5-14)的功率平衡。

$$\Delta P_t = \sum_{i=1}^{N} \Delta P_{i,t} = \sum_{i=1}^{N}\left(\Delta P_{i,t}^{g} - \Delta P_{i,t}^{l}\right) \tag{5-14}$$

式中，$\Delta P_{i,t}^{g}$ 为 DRA i 中可调度机组的发电功率变化量；N 为 DRA 数量；$\Delta P_{i,t}^{l}$ 为 DRA i 中可调节负荷的功率变化量。

DRA 领导者目标是实现总收益最大化：

$$\max_{\lambda_t} U_{\text{Leader}} = \sum_{t \in \tau} \lambda_t \Delta P_t - \sum_{t \in \tau} c_t \Delta P_t - \sum_{t \in \tau} \kappa \Delta P_t^2 \tag{5-15}$$

目标函数的第一项是需求响应收益。第二项是从实时市场购买电力的成本。第三项为联络功率偏差的平方，代表再调度的惩罚项，κ 是一个系数，表示电力再调度的单位成本。τ 为总周期。

当 U_{Leader} 目标取得最大值时，可以得到线性优化结果：

$$\lambda_t = c_t - 2\kappa\Delta P_t \tag{5-16}$$

领导代理优化后，将信息 λ_t 发送给与领导代理建立通信连接的 DRA。此外，总响应量 ΔP_t 应满足式(5-17)中的需求响应全局需求约束，这规定了总响应量的需求。这一约束将在追随者优化模型引入到下层求解问题中。

$$\begin{cases} \Delta P_t \geqslant \Delta P_{t,-}, & \Delta P_t < 0 \\ \Delta P_t \leqslant \Delta P_{t,+}, & \Delta P_t \geqslant 0 \end{cases} \tag{5-17}$$

式中，$\Delta P_{t,-}$ 为电网的最大功率削减；$\Delta P_{t,+}$ 为电网的最大需求增量。当电价高时，电网希望通过联络线注入更多的电力，$\Delta P_t < 0$。当电价低时，电网希望用户消耗更多的电力，$\Delta P_t \geqslant 0$。

2. 追随者优化模型

对于每一个领导的追随者，设置追随者的策略集合为 $\Psi_i = \{\Delta P_{i,t}^{\mathrm{l}}, \Delta P_{i,t}^{\mathrm{g}}, t \in \tau\}$ 。追随者目标函数由四个部分组成：可调度分布式发电成本、负荷效用函数、DRA 的需求响应支付和用户满意度评价。目标是最大化总效用：

$$\max_{\Psi_i} u_i = \sum_{t \in \tau} \lambda_t \Delta P_{i,t} + \Delta F_{i,t}^{\mathrm{l}} \left(\Delta P_{i,t}^{\mathrm{l}} \right) - \Delta C_i^{\mathrm{g}} \left(\Delta P_{i,t}^{\mathrm{g}} \right) + Q_i \left(d_{i,t}^{\mathrm{l}}, \Delta P_{i,t}^{\mathrm{l}} \right) \quad (5\text{-}18)$$

式中，$\Delta F_{i,t}^{\mathrm{l}}$ 为负荷效用函数；$d_{i,t}^{\mathrm{l}}$ 为用户用能需求。

参考负荷效用，可调节分布式发电的运行成本可以被建模为具有多项式系数 $(\alpha_{i,t}^{\mathrm{g}}, \beta_{i,t}^{\mathrm{g}})$ 的二次函数。

$$\Delta C_i^{\mathrm{g}} = \alpha_{i,t}^{\mathrm{g}} \Delta P_{i,t}^{\mathrm{g}\,2} + (2\alpha_{i,t}^{\mathrm{g}} + \beta_{i,t}^{\mathrm{g}}) \Delta P_{i,t}^{\mathrm{g}} \quad (5\text{-}19)$$

$Q_i(d_{i,t}^{\mathrm{l}}, \Delta P_{i,t}^{\mathrm{l}})$ 为用户满意度评价。它定量地描述了用户对用能需求与实际供应之间差异的满意度。随着实际负荷的削减，函数值增大。当实际负荷小于预测需求时，用户较为满意且 $Q_i(d_{i,t}^{\mathrm{l}}, \Delta P_{i,t}^{\mathrm{l}})$ 为正。当 $Q_i(d_{i,t}^{\mathrm{l}}, \Delta P_{i,t}^{\mathrm{l}})$ 为负时，表示用户不满意限额的电力供应。随着限额 $\Delta P_{i,t}^{\mathrm{l}}$ 的增加，由于满意度趋于饱和，实际负载继续增加，$Q_i(d_{i,t}^{\mathrm{l}}, \Delta P_{i,t}^{\mathrm{l}})$ 减小的速率减慢[43]。本书采用的满意度函数 $Q_i(d_{i,t}^{\mathrm{l}}, \Delta P_{i,t}^{\mathrm{l}})$ 如下：

$$Q_i \left(d_{i,t}^{\mathrm{l}}, \Delta P_{i,t}^{\mathrm{l}} \right) = d_{i,t}^{\mathrm{l}} m_i \left[\left(\frac{\Delta P_{i,t}^{\mathrm{l}} + d_{i,t}^{\mathrm{l}}}{d_{i,t}^{\mathrm{l}}} \right)^{r_i} - 1 \right] \quad (5\text{-}20)$$

式中，$r_i > 0$，$r_i m_i < 0$。因此，这个函数满足下面列出的所有三个条件：

(1) 如果 $\Delta P_{i,t}^{\mathrm{l}} = 0$，则 $Q_i(d_{i,t}^{\mathrm{l}}, \Delta P_{i,t}^{\mathrm{l}}) = 0$。

(2) $\partial Q_i / \partial \Delta P_{i,t}^{\mathrm{l}} < 0$。

(3) $\partial^2 Q_i / \partial \Delta P_{i,t}^{\mathrm{l}\,2} > 0$。

5.2.4　需求响应激励模式与互动模型

1. 面向工业用户的传统需求响应机制

传统的工业园区互动机制以工业用户的需求响应调度为主要内容，涉及电网公司与用户之间的双向沟通和互动，并以最小化调度成本为优化目标。

园区管理中心代表电力公司，是整个园区互动的协调中心。在互动过程中，管理中心结合园区能源系统运行的实际情况，将互动指标进行分解，然后将具体的负荷削减指令发布给底层用户，引导用户响应。

工业负荷是工业园区的主要负荷，工业负荷量大、自动化程度高，具有很高的互动响应潜力。工业负荷按负荷性质的不同可分为生产性负荷和非生产性负荷；其中生产性负荷指与生产产品直接相关的负荷，如重要的机械设备，一般不能随意转移和削减；非生产性负荷指起辅助作用的负荷，如空调、照明设备等，其重要性较低，可以根据实际情况迅速做出响应。

在实际的互动过程中，将工业用户的响应分为价格型响应和激励型响应，其中前者为用户对价格的自动响应，后者则由电力公司统一调度安排[44]。

1) 价格型响应

价格型响应指用户根据电力公司制定的分时电价来调整优化自身的负荷计划，从而减少其用电支出。用户对电价的响应行为分为本时段内负荷的削减以及不同时段间负荷的转移，分别用自需求弹性和互需求弹性来表征，如式(5-21)所示。

$$E(u,v) = \frac{\Delta q(u)\,/\,q_0(u)}{\Delta \rho(v)\,/\,\rho_0(v)} = \frac{\Delta q(u)}{\Delta \rho(v)} \cdot \frac{\rho_0(v)}{q_0(u)} \tag{5-21}$$

式中，u、v 为时段，取值范围为 1～24，当 $u \neq v$ 时，$E(u,v)$ 为第 u 小时与第 v 小时的交叉弹性系数，当 $u = v$ 时，$E(u,v)$ 为第 u 小时的自弹性系数；$q_0(u)$ 为用户 u 时段的初始电量；$\rho_0(v)$ 为 v 时段初始电价；$\Delta \rho(v)$ 和 $\Delta q(u)$ 分别为 v 时段电价变化量和 u 时段电量变化量。

由此得到分时电价的多时段响应模型，用户在第 u 小时的用电量如式(5-22)所示：

$$q(u) = q_0(u) + \sum_{v=1}^{24} E(u,v) \frac{q_0(u)\big[\rho(v) - \rho_0(v)\big]}{\rho_0(v)} \tag{5-22}$$

2) 激励型响应

激励型响应在工业园区的双向互动中主要以可中断负荷的形式实施。电力公司与大用户签订用能合同，在运行中根据实际负荷状况或其他需要，向大用户发布负荷削减指令，用户根据自身情况响应并削减一定量的负荷，并获得相应的补偿。

用户获得的可中断补偿与自身负荷特性和生产情况有关，并随着削减电量的增加而增大：

$$C_{\mathrm{E},i} = \sum_{t=1}^{T} \alpha_i \Delta L_{i,t}^2 + \beta_i \Delta L_{i,t} \tag{5-23}$$

式中，$C_{\mathrm{E},i}$ 为电力公司支付给用户 i 的可中断补偿费用；$\Delta L_{i,t}$ 为用户 i 在时段 t 的负荷削减量；T 为总时段数，若以 1h 为一时段，则 $T=24$；α_i 和 β_i 为相应系数，与用户自身特性和失负荷成本有关。

实际在调度过程中，为评估负荷响应的有效性，需要确定该用户的基线负荷。若用户实际负荷量小于其基线负荷与要求负荷削减量的差值，则认定本次响应有效。

电力公司在对可中断负荷进行调度时，以调度总费用最小为优化目标：

$$\min C_{\mathrm{E}} = \sum_{i=1}^{n} C_{\mathrm{E},i} = \sum_{i=1}^{n} \sum_{t=1}^{T} (\alpha_i \Delta L_{i,t}^2 + \beta_i \Delta L_{i,t}) \tag{5-24}$$

式中，C_{E} 为电力公司一天内用于可中断负荷的总支出；n 为大用户数量。

2. 考虑多能互补的多方互动原理

1) 基于多能互补的广义需求响应[45]

在具备冷、热、电等多种能源需求的工业园区综合能源系统中，用户对多能源的需求在时间、空间、成本等方面的不同，为综合能源系统多主体、多能源的互动响应提供了巨大的发挥空间[43]。

本书将需求响应的概念进行扩充，引入基于多能互补的广义需求响应，基于多种能源系统在产能特性、供求特性以及用能特性等方面的差异性，通过激励的方式刺激或诱导用户改变对某一种或多种能源的需求，从而对另一种能源的供求关系产生影响，达到诸如削峰填谷、缓解用能紧张等目的。

引入多能互动后，需求响应不再仅局限于电负荷的削减或平移，还应包括多种能源类型之间的需求转化，CCHP、电动汽车、储能、光伏等与用户成为广义的需求侧资源；互动也不再仅局限于传统的电力公司和用户的双向互动，所有能够提供或利用其他形式能源的主体均成为综合能源系统互动体系中的"第三方"，如图 5-2 所示。

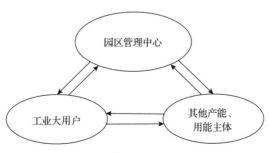

图 5-2　基于多能互补的多方互动示意图

鉴于 CCHP 机组可以通过以热定电、以电定热、以冷定电等多种方式运行，具有较高的灵活性，因此本书主要考虑 CCHP 作为工业园区冷热能源的生产机组和多方互动的主体。

2) 多能源用能特性及需求差异

基于多能互补的工业园区互动建立在用户对各类型能源的需求特性以及能源价格差异性的基础上，通过整合各类资源促进多能互补，降低互动成本。

激励 CCHP 参与互动的主要方式是通过冷、热补偿的方式刺激用户对热的需求。园区管理中心根据用户对热和冷的需求特性，对用户在某时刻多出原计划热负荷的用能成本给予部分或全部补偿，从而增大热、冷负荷；由于 CCHP 按以热定电或以冷定电的方式工作，在增加热出力的同时也增加了发电量，若冷、热补偿费用低于可中断负荷补偿费用，则 CCHP 将得到优先调度，同时总调度成本将得到削减。

下面以一个简单的例子说明其原理。图 5-3 展示了某种情况下三类广义需求侧资源的需求特性和价格关系，包括可中断负荷的成本曲线和用户对冷、热的需求曲线。其中可中断负荷补偿价格随着负荷削减量的增加而增加，而用户的冷、热负荷量随着能源价格的降低而增加。假设园区管理中心以全价补贴（即补偿价格等于能源价格）的方式对用户多用的冷、热资源进行补偿，某一时刻用户的热负荷为 a，冷负荷为 b，则当负荷量在$[d, a]$范围内时，调度可中断负荷所需支出的补偿费用低于冷、热补偿，园区管理中心将优先调用可中断负荷；若该时刻用户热负荷为 c，则由图 5-3 可知，在该点热补偿价格低于可中断负荷的最低补偿价格，因此园区管理中心采用激励 CCHP 机组增发热能的方式更能节约互动成本。

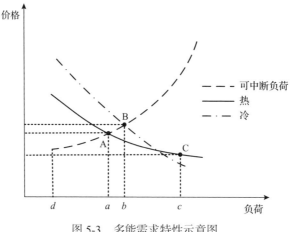

图 5-3　多能需求特性示意图

实际调度中，CCHP 增发的冷热出力可以由储热、储冷装置暂时储存，并在其他时段释放。超出储能装置储存能力的冷热资源再通过刺激用户需求来消纳。

3）CCHP 产能特性

以燃气轮机为电源的 CCHP 机组，其出力特性见图 5-4，在产热量一定时，发电量可以在一定的范围内调节[46]。热电比、热气比等指标均不是定值，而是随工作状态的变化而改变。由图 5-4 可以看出，在产热量较低的工作点上，发电量的可调范围相对较大；而在产热量最大值附近的运行状态，发电量可调范围较小。

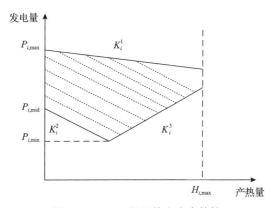

图 5-4　CCHP 机组热电出力特性

CCHP 热电出力关系可以由式(5-25)～式(5-29)来表示：

$$0 \leqslant H_{i,t} \leqslant H_{i,\max} \tag{5-25}$$

$$P_{i,t} \leqslant P_{i,\max} - K_i^1 H_{i,t} \tag{5-26}$$

$$P_{i,t} \geqslant \max\left\{P_{i,\min} - K_i^2 H_{i,t}, K_i^3 H_{i,t} + P_{i,\min}\right\} \tag{5-27}$$

$$-R_{E,D} \leqslant P_{i,t+1} - P_{i,t} \leqslant R_{E,U} \tag{5-28}$$

$$-R_{H,D} \leqslant H_{i,t+1} - H_{i,t} \leqslant R_{H,U} \tag{5-29}$$

式中，$H_{i,t}$ 为机组 i 在 t 时刻的产热量；$P_{i,t}$ 为发电量；$H_{i,\max}$ 为机组产热量最大值；$P_{i,\max}$ 为机组最大发电量；$P_{i,\min}$ 为机组最小发电量；$R_{E,U}$、$R_{E,D}$ 分别为发电量的向上和向下爬坡率；$R_{H,U}$、$R_{H,D}$ 分别为产热量的向上和向下爬坡率；$K_i^m (m=1,2,3)$ 为热电出力关系曲线的斜率。冷电出力关系与之类似。

4) 各互动主体收益分析

用户参与互动的根本动力是利益，而通过多种能源需求之间的相互转化和激励，基于多能互补的广义需求响应不仅能有效提高能源利用率、降低削峰成本，还可以实现多方共赢。

对互动机制的实施方来说，其总支出如式(5-30)所示，式中 C_E 为可中断负荷补偿支出，C_H 为热补偿支出，C_Q 为冷补偿支出。由于可供调度的需求侧资源增多，电力公司可以优先选择补偿价格较低、性价比高的资源类型进行调度，其调度成本与单纯可中断负荷调度相比将有明显降低。

$$C = C_E + C_Q + C_H \tag{5-30}$$

工业用户也将从多能互动中获得客观的收益。用户 i 的互动收益 $C_{L,i}$ 如式(5-31)所示，主要包括三部分，即由于响应分时电价节约的电费支出 C_{TOU}、获得的可中断负荷补偿 C_E，以及用热、用冷补偿。

$$C_{L,i} = C_{TOU} + C_E + C_Q + C_H \tag{5-31}$$

对于 CCHP，其由于互动而增加的冷热出力部分由电力公司予以补偿，与此同时，随着热出力增加而增发的电量以统一收购价格卖给电力公司，或者以合同价格直接向大用户供电。第 i 个 CCHP 机组的收益可以表示为

$$C_{C,i} = \lambda_E P_{i,t} + \lambda_H H_{i,t} + \lambda_Q Q_{i,t} - \lambda_F F_{i,t} \tag{5-32}$$

式中，$Q_{i,t}$ 为机组 i 在 t 时刻的冷出力；λ_E 为现行电价；λ_H 为 CCHP 热价；λ_Q 为 CCHP 冷价；λ_F 为天然气价格；$F_{i,t} = H_{i,t}/\mu_{H,i}$ 为所用天然气量，$\mu_{H,i}$ 为机组 i 的热气转化效率，与产热量有关。

由上述分析可知，各方的利益相较无互动时均有增加，假设各参与方的行为均为理性行为则该机制能够有效促使各方参与互动。

3. 基于多能互补的工业园区互动机制

在前述需求响应和多能需求互动原理的基础上，本节提出基于多能互补的综合能源系统多方互动机制。园区管理中心对可中断负荷的补偿规则与前述方法相同。对用户的冷、热补偿采取全价补贴的方式，即用户在原基础上多用的冷、热资源费用全部由管理中心承担，并支付给 CCHP。互动的实施应本着"公正透明"的原则，园区各主体参与互动削减的负荷量或增发的冷热量，以及其获得的补偿费用等信息应及时公开。

1) 互动执行流程

园区管理中心根据园区用户对多能源的需求，以及电、冷、热等能源的生产特性，对广义需求侧资源进行调度。各类主体根据自身的用能特性和响应潜力，响应价格信息和调度指令，调整自身负荷或产能计划，从而实现柔性互动。

互动流程如下：①园区管理中心首先进行下一日的负荷预测，或由用户向管理中心提交次日的电、热、冷用电计划，由园区管理中心计算是否需要启动互动机制进行削峰；②园区管理中心结合电、热、冷负荷曲线，和掌握的用户用能弹性等信息，求解考虑多能互补的优化互动调度模型，得到各时刻用户需要削减的负荷或 CCHP 需要增加的出力；③园区管理中心向用户下发负荷削减指令，向CCHP 下发出力增发指令；④用户根据自身的实际情况，判定是否能按要求完成相应的负荷削减指标，并及时向园区管理中心反馈；⑤若存在用户因故不能执行负荷削减指令的情况，则园区管理中心根据模型重新进行优化调度；⑥本日的需求响应结束后，园区管理中心对用户的响应有效性进行判定；⑦每月根据本月各用户的响应情况，进行补偿费用或惩罚费用的月度结算。

2) 互动优化调度模型

基于多能互补的综合能源系统互动优化调度模型，在满足削峰的硬性指标基础上，以电力公司对广义需求侧资源调度的总补偿支出最小为优化目标，包括对电、热、冷的补偿支出：

$$\min C = C_E + C_Q + C_H \tag{5-33}$$

$$C_E = \sum_{i=1}^{n} C_{E,i} = \sum_{i=1}^{n} \sum_{t=1}^{T} \left(\alpha_i \Delta L_{i,t}^2 + \beta_i \Delta L_{i,t} \right) \tag{5-34}$$

$$C_H = \sum_{t=1}^{T} \sum_{i=1}^{m} \lambda_H \Delta H_{i,t} \tag{5-35}$$

$$C_Q = \sum_{t=1}^{T} \sum_{i=1}^{nc} \lambda_Q \Delta Q_{i,t} \tag{5-36}$$

式中，nc 为 CCHP 数量；$\Delta H_{i,t}$ 为热出力改变量；$\Delta Q_{i,t}$ 为冷出力改变量；m 为热电机组数量。

需要考虑的约束条件包括 CCHP、储能和用户可中断负荷等。

(1) 削峰指标约束。削峰指标是园区互动需要满足的硬性约束，园区在任一时刻的对外总负荷值，必须满足削峰指标 μ，以全年最大负荷值 $L_{E,max}$ 的百分比表示：

$$P_{G,t} \leqslant \mu L_{E,\max} \tag{5-37}$$

(2) CCHP 机组约束。CCHP 机组应满足式(5-25)～式(5-29)所述的出力特性约束,其中 CCHP 的原计划产量应与其出力改变量满足如下关系:

$$H_{i,t} = H_{0,i,t} + \Delta H_{i,t} \tag{5-38}$$

$$Q_{i,t} = Q_{0,i,t} + \Delta Q_{i,t} \tag{5-39}$$

$$P_{i,t} = P_{0,i,t} + \Delta P_{i,t} \tag{5-40}$$

式中, $H_{0,i,t}$ 、 $Q_{0,i,t}$ 、 $P_{0,i,t}$ 分别为原计划产热量、产冷量、发电量。

机组需满足最小开停机时间约束:

$$\left[X_{i,t}^{on} - T_i^{on} \right] \times \left[I_{i,t-1}^{on} - I_{i,t}^{on} \right] \geqslant 0 \tag{5-41}$$

$$\left[X_{i,t}^{off} - T_i^{off} \right] \times \left[I_{i,t-1}^{on} - I_{i,t}^{on} \right] \geqslant 0 \tag{5-42}$$

式中, $X_{i,t}^{on}$ 、 $X_{i,t}^{off}$ 分别为机组 i 在时刻 t 已经连续运行或停机的时段数; T_i^{on} 、 T_i^{off} 为最小连续运行时间和停机时间; $I_{i,t}^{on}$ 为状态变量,当机组运转时为 1,停机时为 0。

(3) 用户可中断负荷约束。用户削减的负荷量应不小于与电力公司约定的最小中断量 $\Delta L_{i,\min}$,不大于其最大可削减容量 $\Delta L_{i,\max}$:

$$\Delta L_{i,\min} \leqslant \Delta L_{i,t} \leqslant \Delta L_{i,\max} \tag{5-43}$$

其负荷中断的时间不能超过其最大可中断时间:

$$\left[X_{i,t}^{red} - T_i^{red} \right] \times \left[I_{i,t-1}^{red} - I_{i,t}^{red} \right] \leqslant 0 \tag{5-44}$$

式中, T_i^{red} 为 i 用户最大可中断时间; $X_{i,t}^{red}$ 为其到 t 时刻为止已经持续中断的时间; $I_{i,t-1}^{red}$ 为状态变量,当负荷中断时为 1,反之为 0。

(4) 储电装置约束。储电装置通过在负荷低谷期充电,在负荷高峰期放电,起到削峰填谷的作用。其荷电状态值 $S_{E,t}$ 的变化规律如下:

$$S_{E,t} = S_{E,t-1} + \frac{P_{ch,t}\eta_{E,ch}\Delta t}{\Omega_E} \tag{5-45}$$

$$S_{E,t} = S_{E,t-1} - \frac{P_{dis,t}\eta_{E,dis}\Delta t}{\Omega_E} \tag{5-46}$$

式中，$P_{\text{ch},t}$ 和 $P_{\text{dis},t}$ 分别为 t 时刻的充、放电功率；$\eta_{\text{E,ch}}$ 和 $\eta_{\text{E,dis}}$ 为充、放电效率；Δt 为充放电时间间隔，默认为 1；Ω_{E} 为电储能装置容量。

储能装置荷电状态约束为

$$S_{\text{E,min}} \leqslant S_{\text{E},t} \leqslant S_{\text{E,max}} \tag{5-47}$$

式中，$S_{\text{E,min}}$、$S_{\text{E,max}}$ 分别为所允许的荷电状态最小值、最大值。

充放电功率约束为

$$0 \leqslant P_{\text{ch},t} \leqslant P_{\text{ch,max}} \tag{5-48}$$

$$0 \leqslant P_{\text{dis},t} \leqslant P_{\text{dis,max}} \tag{5-49}$$

式中，$P_{\text{ch,max}}$ 和 $P_{\text{dis,max}}$ 分别为最大充、放电功率。

为使储能装置连续运行，需满足调度周期始末充放电平衡约束：

$$S_0 = S_T \tag{5-50}$$

(5) 储热、储冷约束。CCHP 在响应指令时增发的冷、热能源可以由储热和储冷装置暂时进行存储，并在其他时段释放，从而减少 CCHP 的生产成本和电力公司的互动成本，同时可以避免不必要的能源浪费[47]。

储热装置的蓄、放热能力约束：

$$S_{\text{H},t} = S_{\text{H},t-1} + H_{\text{ch},t}\Delta t \tag{5-51}$$

$$S_{\text{H},t} = S_{\text{H},t-1} - H_{\text{dis},t}\Delta t \tag{5-52}$$

$$S_{\text{H},t} \leqslant \Omega_{\text{H}} \tag{5-53}$$

式中，$S_{\text{H},t}$ 为储热装置在 t 时刻储存的热量；Ω_{H} 为储热装置容量；$H_{\text{ch},t}$ 和 $H_{\text{dis},t}$ 分别为蓄、放热功率，需满足如下限制：

$$H_{\text{ch},t} \leqslant H_{\text{ch,max}} \tag{5-54}$$

$$H_{\text{dis},t} \leqslant H_{\text{dis,max}} \tag{5-55}$$

式中，$H_{\text{ch,max}}$ 和 $H_{\text{dis,max}}$ 分别为最大蓄、放热功率。

此外，还应满足连续运行约束：

$$S_{\text{H},0} = S_{\text{H},T} \tag{5-56}$$

式中，$S_{H,0}$ 和 $S_{H,T}$ 为调度周期始末储存的热量。

蓄冷装置的运行约束与之类似，在此不再赘述。

(6) 多能负荷平衡。整个互动过程中，需满足电、热、冷多种能源供给量与负荷的平衡约束，分别如式(5-57)~式(5-59)所示。

$$P_{G,t} + \sum_{i=1}^{nc} P_{i,t} + P_{S,t} + \sum_{j=1}^{n} \Delta L_{j,t} = L_{E0,t} \tag{5-57}$$

式中，$P_{S,t}$ 为 t 时刻园区用户向电力公司购买的电量；$L_{E0,t}$ 为互动前 t 时刻工业用户总负荷。

$$\sum_{i=1}^{nc} H_{i,t} = \sum_{i=1}^{n} (L_{H0,i,t} + \Delta L_{H,i,t}) + H_{S,t} \tag{5-58}$$

式中，$L_{H0,i,t}$ 为用户 i 在 t 时刻的原始热负荷量；$\Delta L_{H,i,t}$ 为用户 i 在 t 时刻的热需求变化量；$H_{S,t}$ 为储热装置出力。

$$\sum_{i=1}^{nc} Q_{i,t} = \sum_{i=1}^{n} (L_{Q0,i,t} + \Delta L_{Q,i,t}) + Q_{S,t} \tag{5-59}$$

式中，$L_{Q0,i,t}$ 为用户 i 在 t 时刻的原始冷负荷量；$\Delta L_{Q,i,t}$ 为用户 i 在 t 时刻的冷需求变化量；$Q_{S,t}$ 为蓄冷装置出力。

(7) 多能源的供求关系约束。热、冷等能源的价格与用户对该能源的需求量有关，其具体关系由园区管理中心对用户的用能分析得到，可通过需求曲线或分段函数的形式来表示，如式(5-60)和式(5-61)所示，其中 $f(\cdot)$ 表示函数关系。

$$\lambda_H = f(H_{i,t}) \tag{5-60}$$

$$\lambda_C = f(C_{i,t}) \tag{5-61}$$

式中，λ_H 为热价；λ_C 为冷价。

3) 响应有效性判定

用户响应有效性按照基线负荷的方法进行判定。具体做法是选择用户在需求响应实施日前最近 5 个正常生产工作日，将其对应响应时段的冷、热、电负荷曲线作为基线负荷。基线中出现的最大负荷称为基线最大负荷，根据基线计算出的平均负荷称为基线平均负荷。

用户在负荷削减过程中如果同时满足响应时段最大负荷不高于基线最大负荷；响应时段平均负荷低于基线平均负荷，并且其差值大于或等于规定的负荷削减量，则视为有效响应，否则视为无效响应。

CCHP 在互动过程中若满足响应时段每小时产热量或产冷量大于或等于对应基线负荷值，并且差值大于或等于规定的增发量，则视为有效响应。

4. 算例分析

以广州某大型工业园区为例，分析所提互动机制和优化方法的效果。该园区某日的电、热、冷负荷曲线如图 5-5 所示。年最大电负荷为 50MW，削峰指标为不超过年最大负荷的 80%。园区有 3 台 CCHP 机组，其中 1 号、2 号机组容量为 4MW/8t，按以热定电的方式运转；3 号机组容量为 3MW/5t，按以冷定电方式运转，具体机组参数和价格信息见表 5-3、表 5-4；储电装置容量为 0.6MW/(1.2MW·h)，充放电效率为 90%，储热、储冷装置容量分别为 1.5t 和 1t，最大蓄、放能功率为 0.5t/h；有 8 家工业用户，其可中断负荷补偿系数和参数见表 5-5。用户最大热负荷需求为 14t，最大冷负荷需求为 4t。用户执行工业峰谷电价。高峰时段为 14:00～17:00、19:00～22:00，平段为 8:00～14:00、17:00～19:00、22:00～24:00，低谷时段为 0:00～8:00。按高峰电价 1.10 分/(kW·h)、平段电价 0.68 分/(kW·h)、低谷电价 0.45 分/(kW·h)计费。

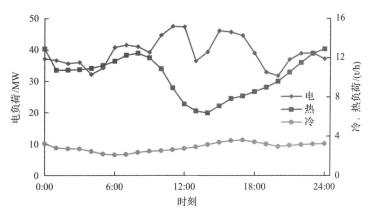

图 5-5　电、热、冷负荷曲线

表 5-3　1、2 号 CCHP 机组参数

参数	场景 1	场景 2	场景 3	场景 4	场景 5	场景 6	场景 7	场景 8	场景 9
发电量/MW	0	0.70	0.77	1.00	1.47	1.99	2.45	3.38	3.99
发热量/(t/h)	0	3.00	3.45	4.31	5.05	5.71	6.13	6.94	8.30
热价/(元/t)	—	420	420	410	410	400	400	390	390

表 5-4　3 号 CCHP 机组参数

参数	场景 1	场景 2	场景 3	场景 4	场景 5	场景 6	场景 7	场景 8
发电量/MW	0	0.53	0.57	0.75	1.10	1.82	2.54	2.99
产冷量/(t/h)	0	1.95	2.24	2.80	3.28	3.89	4.51	5.10
价格/(元/t)	—	470	460	460	450	450	440	440

表 5-5　用户可中断负荷补偿系数

用户	最大中断容量/MW	单次最大中断时间/h	α	β
1	2.00	3.0	375	1500
2	0.50	3.5	175	1250
3	1.00	3.0	175	1375
4	0.90	2.5	150	1375
5	0.75	4.0	140	1375
6	1.50	3.5	225	1500
7	1.20	2.5	200	1375
8	0.50	4.0	165	1250

注：α 为补偿费用二次系数；β 为补偿费用一次系数。

　　根据本节介绍的互动优化模型，得到各 CCHP 机组根据电网指令增发的冷热量，如图 5-6 所示，相应增加的电能出力和用户可中断负荷削减量如图 5-7 所示。

　　由图 5-6 和图 5-7 可以看出，需要通过启动互动机制来满足削峰指标的时刻共 8 个时段，分别为 6:00～7:00、10:00～12:00、15:00～17:00，最大的待削峰量为 7.5MW。CCHP 机组 1 和 2 的出力曲线基本相同，这是因为在热负荷一定的情况下，两台 CCHP 平分产热量能够实现成本最低。在 6:00～7:00，负荷的削减主要靠刺激用冷、用热需求使 CCHP 增发电量来实现，由于热价略低于冷价，因此热出力改变量较大。在 10:00～12:00 和 15:00～17:00，随着待削峰量的增大，削峰指标开始由冷、热的增发出力和用户可中断负荷共同承担。由表 5-3～表 5-5 可知，利用热补偿来获得增发电量的补偿费用总体上略低于冷补偿和可中断负荷补偿，

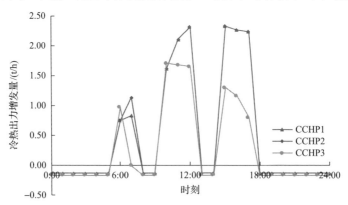

图 5-6　CCHP 冷热出力增发量

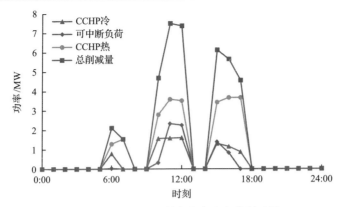

图 5-7　CCHP 机组增发出力和负荷削减量

因此以热定电型 CCHP 出力的增加量高于其他两类。在 11:00，通过热补偿激励的园区热负荷达到用户的热需求极限值，CCHP 机组 1 和 2 不能再增加出力，剩余负荷削减量主要由机组 3 和可中断负荷承担。此时 CCHP 机组的增发出力高于可中断负荷量，而 11:00 后，由于 CCHP 机组均工作在较高的运行点，机组的热电比和冷电比较大，即增加单位电能出力所需的冷热增发量变大，所需支出的补偿费用高于部分用户的可中断补偿费用，因此可中断负荷削减量增加，并超过了机组 3 的电能增发量。由于储热储冷装置的作用，CCHP 在非响应时刻的出力有一定程度的降低。

各工业用户一天内的可中断负荷削减量如图 5-8 所示。可以看出，补偿费用较低（即补偿系数较小）的用户优先被调度削减负荷；并且由于各家用户可中断负荷的补偿费用随中断量的增加呈非线性增长，因此在 11:00、12:00 等尖峰时刻，总的负荷削减指标被近似地分摊到各家用户，而不是待某用户达到其最大中断量后再调度其他用户，从而减小了调度成本。

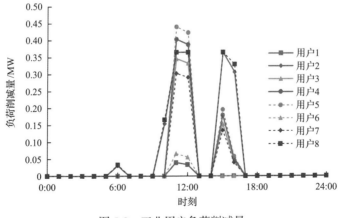

图 5-8　工业用户负荷削减量

图 5-9 是计及多能互补前后，互动所需的可中断负荷削减量对比图。在引入

了多能源需求的交叉互补后，可中断负荷在时段数和削减量上均明显减少。

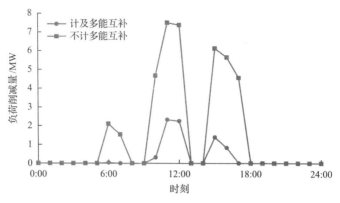

图 5-9　可中断负荷削减量对比

互动前后园区的电负荷曲线，以及互动后园区电、热、冷负荷曲线分别见图 5-10、图 5-11。经过互动削减后的负荷均满足削峰指标要求，同时达到了总调

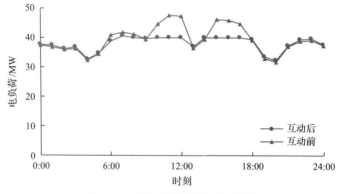

图 5-10　互动前后园区电负荷曲线

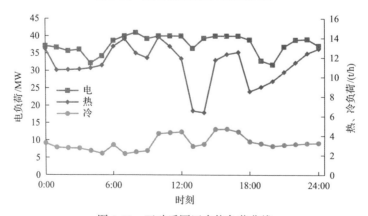

图 5-11　互动后园区多能负荷曲线

度费用的最小化。经计算，互动前后的各主体收益见表 5-6。计及多能互补时，总调度成本(即可中断负荷补偿费用)为 40917.5 元；不计多能互补时，总调度成本为 48347.4 元；采用本书提出的基于多能互补的多方互动机制和优化调度方法，使互动总成本降低了 15%，效果明显。

表 5-6　互动前后各主体收益信息　　　　　　(单位：元)

时段	CCHP1、2 收入	CCHP3 收入	用户收益	总调度成本
互动前	86669.2	52046.7	—	48347.4
互动后	102462.1	63982.2	25197.1	40917.5

5.3　多时间尺度协调调度

由于风、光等可再生能源出力以及负荷功率在日前预测时会产生较大误差，在系统实际运行过程中需要对日前优化结果进行实时调整，实现多时间尺度协调调度。在多时间尺度动态优化中最常用的方法是模型预测控制(model predictive control，MPC)。MPC 基于滚动优化和反馈校正的思想可以解决含多种不确定因素系统的优化控制问题，具有极强的抗干扰能力和鲁棒性。MPC 方法已运用于家庭局域网、微电网、配电网和输电网等各类电网的优化调度。本节首先介绍一种微电网多时间尺度需求响应策略框架。首先结合微电网运行成本和需求响应补偿收益，建立日前最优经济调度模型。然后利用模型预测控制方法实现日内滚动优化。通过引入可调容量比例因子，保证了微电网联络线的功率调节能力。最后以实际示范微电网为例分析验证方法的有效性和可行性，重点讨论可调容量约束对联络线功率跟踪的影响。

5.3.1　多时间尺度需求响应资源调度框架

为感知微电网的运行状态和可调容量，且使微电网实时响应上层电网的调度需求，本书将需求响应资源按日前优化调度和滚动优化调度两个阶段进行分析，相应的调度策略框架如图 5-12 所示。

1)日前优化调度

微电网控制中心执行日前预测方案，接收上层电网下发的购售电电价和需求响应补偿电价，以综合运行成本最小为目标，优化调度各微电源出力、储能充放电功率和联络线交换功率，计算微电网的计划可调容量。

2)滚动优化调度

为校正日前预测误差引起的运行点偏离，滚动优化以 5min 为周期进行。基于

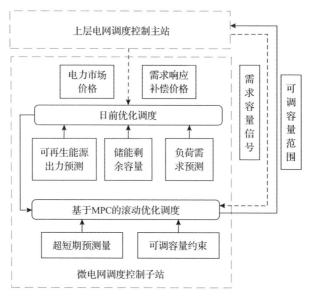

图 5-12 微电网需求响应调度框架

MPC 的滚动优化模型可求得超短期预测时间窗内的可控机组修正计划和微电网可调容量范围。微电网将预测的可调容量范围向上层电网汇报。若上层电网无需求响应请求，则微电网执行下一时段的可控机组修正计划。否则，由需求响应容量修改联络线交换功率计划，利用 MPC 重新求解并执行下一时段的修正计划。

5.3.2 多时间尺度优化调度模型

1. 日前优化调度模型

微电网综合运行成本包括运行成本和潜在收益。日前优化调度以最小化综合运行成本为目标，目标函数如下：

$$\min C_{\text{DAC}} = \sum_{t=1}^{T_{\text{d}}} \left(C_{\text{OP}}(t) - R_{\text{DR}}(t) \right) \tag{5-62}$$

式中，C_{DAC} 为微电网日前综合成本；T_{d} 为日前优化调度总时段；$C_{\text{OP}}(t)$ 和 $R_{\text{DR}}(t)$ 分别为微电网在 $(t{-}1,t]$ 时段的运行成本和参与需求响应的收益：

$$C_{\text{OP}}(t) = \sum_{i=1}^{N_{\text{DG}}} C_{\text{f}}\left(P_{\text{G}i}(t) \right) + C_{\text{bat}}\left(P_{\text{bat}}(t) \right) - C_{\text{pp}}\left(P_{\text{grid}}(t) \right) \tag{5-63}$$

$$R_{\text{DR}}(t) = C_{\text{up}}\left(\sum_{i}^{N_{\text{DG}}} r_{\text{G}i}^{\text{up}}(t) + r_{\text{BE}}^{\text{up}}(t) \right) + C_{\text{dn}}\left(\sum_{i}^{N_{\text{DG}}} r_{\text{G}i}^{\text{dn}}(t) + r_{\text{BE}}^{\text{dn}}(t) \right) \tag{5-64}$$

其中，N_{DG} 为可控分布式电源数量；$P_{Gi}(t)$ 为可控分布式电源 i 在 $(t-1,t]$时段的出力；$C_f(\cdot)$ 为机组运行的燃料和损耗成本；$P_{bat}(t)$ 为储能在 $(t-1,t]$时段的充放电功率；$C_{bat}(\cdot)$ 为储能设备寿命损耗费用；$P_{grid}(t)$ 为微电网向外电网购电及售电功率，为正值时表示微电网向外电网售电，为负值时表示向外电网购电；$C_{pp}(\cdot)$ 为微电网向外电网购电的费用及售电的收益；$r_{Gi}^{up}(t)$ 和 $r_{Gi}^{dn}(t)$ 分别为分布式电源 i 可提供的上行和下行可调容量；$r_{BE}^{up}(t)$ 和 $r_{BE}^{dn}(t)$ 分别为储能在 $(t-1,t]$时段可提供的上行和下行可调容量；$C_{up}(\cdot)$ 和 $C_{dn}(\cdot)$ 为微电网参与上层电网需求响应的收益。日前优化调度需满足的约束条件如下。

(1)功率平衡约束：

$$\sum_{i=1}^{N_{DG}} P_{Gi}(t) + P_{pv}(t) + P_{wt}(t) + P_{bat}(t) - P_{grid}(t) = P_{load}(t) \tag{5-65}$$

式中，$P_{pv}(t)$ 和 $P_{wt}(t)$ 分别为光伏和风电在 $(t-1,t]$时段的出力；$P_{load}(t)$ 为 $(t-1,t]$时段的系统负荷需求。

(2)联络线传输功率限值：

$$P_{grid}^{min} \leqslant P_{grid}(t) \leqslant P_{grid}^{max} \tag{5-66}$$

式中，P_{grid}^{min} 和 P_{grid}^{max} 分别为微电网与外电网之间允许传输的最小和最大功率。

(3)可控分布式电源出力上下限约束：

$$P_{Gi}^{min} \leqslant P_{Gi}(t) \leqslant P_{Gi}^{max} \tag{5-67}$$

式中，P_{Gi}^{min} 和 P_{Gi}^{max} 分别为第 i 台可控分布式电源的最小和最大允许输出功率。

(4)可控分布式电源爬坡约束：

$$\Delta P_{Gi}^{min} \leqslant P_{Gi}(t) - P_{Gi}(t-1) \leqslant \Delta P_{Gi}^{max} \tag{5-68}$$

式中，ΔP_{Gi}^{min} 和 ΔP_{Gi}^{max} 分别为分布式电源爬坡功率的上下限幅值。

(5)可控分布式电源可调容量约束：

$$\begin{cases} r_{Gi}^{up}(t) \leqslant \min\left(P_{Gi}^{max} - P_{Gi}(t), \Delta P_{Gi}^{max}\right) \\ r_{Gi}^{dn}(t) \leqslant \min\left(P_{Gi}(t) - P_{Gi}^{min}, -\Delta P_{Gi}^{min}\right) \end{cases} \tag{5-69}$$

(6)储能单元约束：

$$\begin{cases} S_{\mathrm{BE}}(t) = (1-\sigma)S_{\mathrm{BE}}(t-1) + \eta_{\mathrm{c}}\dfrac{P_{\mathrm{ch}}(t)\Delta t}{E_{\mathrm{bat}}} \\ S_{\mathrm{BE}}(t) = (1-\sigma)S_{\mathrm{BE}}(t-1) - \dfrac{P_{\mathrm{dis}}(t)\Delta t}{E_{\mathrm{bat}}\eta_{\mathrm{d}}} \end{cases} \tag{5-70}$$

式中，$S_{\mathrm{BE}}(t)$ 为 $(t{-}1,t]$ 时段储能剩余容量；σ 为储能自放电率；$P_{\mathrm{ch}}(t)$ 和 $P_{\mathrm{dis}}(t)$ 分别为储能 $(t{-}1,t]$ 时段的充、放电功率；η_{c} 和 η_{d} 分别为储能的充、放电效率；E_{bat} 为储能电池的总容量；Δt 为调度时间周期。

储能充放电功率限值约束：

$$\begin{cases} 0 \leqslant P_{\mathrm{ch}}(t) \leqslant P_{\mathrm{ch}}^{\max} \\ 0 \leqslant P_{\mathrm{dis}}(t) \leqslant P_{\mathrm{dis}}^{\max} \end{cases} \tag{5-71}$$

式中，$P_{\mathrm{ch}}^{\max}$ 和 $P_{\mathrm{dis}}^{\max}$ 分别为储能充、放电功率的最大值。当储能充电时，满足 $P_{\mathrm{dis}}(t)=0$；当储能放电时，满足 $P_{\mathrm{ch}}(t)=0$。

储能单元可调容量约束满足

$$\begin{cases} r_{\mathrm{BE}}^{\mathrm{up}}(t) + P_{\mathrm{dis}}(t) - P_{\mathrm{ch}}(t) \leqslant P_{\mathrm{dis}}^{\max} \\ r_{\mathrm{BE}}^{\mathrm{dn}}(t) + P_{\mathrm{ch}}(t) - P_{\mathrm{dis}}(t) \leqslant P_{\mathrm{ch}}^{\max} \end{cases} \tag{5-72}$$

储能单元剩余容量需满足约束：

$$S_{\mathrm{BE}}^{\min} \leqslant S_{\mathrm{BE}}(t) \leqslant S_{\mathrm{BE}}^{\max} \tag{5-73}$$

式中，$S_{\mathrm{BE}}^{\max}$ 和 $S_{\mathrm{BE}}^{\min}$ 分别为储能单元 SOC 的上下限幅值。鉴于微电网调度的周期性，使储能系统满足下一天的运行，储能容量需满足约束

$$S_{\mathrm{BE}}(t=1) = S_{\mathrm{BE}}(t=T_{\mathrm{d}}) \tag{5-74}$$

2. 滚动优化调度模型

本书采用 MPC 滚动优化方法动态求解可控机组修正计划，实现日内协调优化调度。

1) 滚动预测模型

通过求解滚动优化模型得到控制变量，实现未来有限时域各分布式电源和储能出力预测，具体预测模型如下：

$$P(k+i\,|\,k) = P_0(k) + \sum_{t=1}^{i} \Delta u(k+t\,|\,k)\,, \quad i=1,2,\cdots,N \tag{5-75}$$

式中，$P(k+i\,|\,k)$ 为 k 时刻预测得到的 $k+i$ 时刻可控机组有功出力值；$P_0(k)$ 为可控机组出力初始值，由实际量测得到；$\Delta u(k+t\,|\,k)$ 为 k 时刻预测得到的未来 $(k+(t-1),k+t]$ 时段内的有功出力增量，包含分布式电源和储能控制变量，$\Delta u(k+t\,|\,k)=[\Delta P_{\mathrm{G1}}(k+t\,|\,k)\,,\Delta P_{\mathrm{G2}}(k+t\,|\,k),\cdots,\Delta P_{\mathrm{bat}}(k+t\,|\,k)]$，其中 $\Delta P_{\mathrm{G1}}(k+t\,|\,k)$ 为 k 时刻预测得到的 $(k+(t-1),k+t]$ 时段内分布式电源功率增量，$\Delta P_{\mathrm{bat}}(k+t\,|\,k)$ 为 k 时刻预测得到的未来 $(k+(t-1),k+t]$ 时段储能充放电功率增量；N 为预测步长。选取微电网与上层电网的联络线交换功率和储能 SOC 作为输出变量 $Y(k+i\,|\,k)=[P_{\mathrm{grid}}(k+i\,|\,k),S_{\mathrm{BE}}(k+i\,|\,k)]$。根据微电网每时段功率平衡方程及储能 SOC 迭代方程求得输出变量对应的预测值：

$$\begin{aligned} P_{\mathrm{grid}}(k+i\,|\,k) = {} & P_{\mathrm{grid}}(k) + \sum_{t=1}^{i} I\Delta u^{\mathrm{T}}(k+t\,|\,k) - \sum_{t=1}^{i} \Delta P_{\mathrm{load}}(k+t\,|\,k) \\ & + \sum_{t=1}^{i} \Delta P_{\mathrm{wt}}(k+t\,|\,k) + \sum_{t=1}^{i} \Delta P_{\mathrm{pv}}(k+t\,|\,k), \quad i=1,2,\cdots,N \end{aligned} \tag{5-76}$$

$$S_{\mathrm{BE}}(k+i\,|\,k) = (1-\sigma)S_{\mathrm{BE}}(k+i-1\,|\,k) - \eta_{\mathrm{bat}}\frac{P_{\mathrm{bat}}(k+i\,|\,k)}{E_{\mathrm{bat}}}, \quad i=1,2,\cdots,N \tag{5-77}$$

式中，$P_{\mathrm{grid}}(k+i\,|\,k)$ 为 k 时刻预测得到的未来 $k+i$ 时刻联络线功率；$P_{\mathrm{grid}}(k)$ 为 k 时刻联络线功率，由实际量测值得到；$I=[1,1,\cdots,1]$ 为单位向量；$\Delta P_{\mathrm{load}}(k+t\,|\,k)$、$\Delta P_{\mathrm{wt}}(k+t\,|\,k)$、$\Delta P_{\mathrm{pv}}(k+t\,|\,k)$ 分别为未来 $(k+(t-1),k+t]$ 时段内负荷、风电及光伏的超短期预测功率增量；$S_{\mathrm{BE}}(k+i\,|\,k)$ 为 k 时刻预测得到的未来 $k+i$ 时刻的储能容量；η_{bat} 为充放电效率。

2) 优化目标函数和约束条件

本书选取联络线功率计划值和储能 SOC 计划值为跟踪目标，建立基于 MPC 的短时间尺度滚动优化调度模型，目标函数如下：

$$\min J = \sum_{i=1}^{N} \| Y(k+i\,|\,k) - \tilde{Y}(k+i) \|_{Q}^{2} + \| P(k+i\,|\,k) - \tilde{P}(k+i) \|_{W}^{2} \tag{5-78}$$

式中，$\tilde{Y}(k+i)$ 和 $\tilde{P}(k+i)$ 分别为 $k+i$ 时刻的输出变量和控制变量参考值，由日前优化调度求得；Q 和 W 为目标函数权重向量。

滚动优化调度需满足的约束条件如下。

(1) 可控机组出力约束：

$$\Delta u^{\min} \leqslant \Delta u(k+i \mid k) \leqslant \Delta u^{\max}, \quad i = 1, 2, \cdots, N \tag{5-79}$$

$$P^{\min} \leqslant P_0(k) + \sum_{t=1}^{i} \Delta u(k+t \mid k) \leqslant P^{\max}, \quad i = 1, 2, \cdots, N \tag{5-80}$$

式中，$\Delta u^{\max}$ 和 $\Delta u^{\min}$ 分别为分布式电源和储能控制变量的上下限幅值；$P^{\max}$ 和 $P^{\min}$ 分别为分布式电源和储能的最大和最小允许输出功率。

(2) 储能荷电状态约束：

$$S_{\mathrm{BE}}^{\min} \leqslant S_{\mathrm{BE}}(k+i \mid k) \leqslant S_{\mathrm{BE}}^{\max}, \quad i = 1, 2, \cdots, N \tag{5-81}$$

(3) 可调容量约束：

$$\begin{cases} \displaystyle\sum_{i=1}^{N} r^{\mathrm{up}}(k+i \mid k) \geqslant \alpha \cdot \sum_{i=1}^{N} \tilde{r}^{\mathrm{up}}(k+i) \\ \displaystyle\sum_{i=1}^{N} r^{\mathrm{dn}}(k+i \mid k) \geqslant \alpha \cdot \sum_{i=1}^{N} \tilde{r}^{\mathrm{dn}}(k+i) \end{cases} \tag{5-82}$$

$$\begin{aligned} r^{\mathrm{up}}(k+i \mid k) = \min(&\| P^{\max} - P(k+i \mid k) \|_1, \\ &\| \Delta u^{\max} - u(k+i \mid k) \|_1), \quad i = 1, 2, \cdots, N \end{aligned} \tag{5-83}$$

$$\begin{aligned} r^{\mathrm{dn}}(k+i \mid k) = \min(&\| P(k+i \mid k) - P^{\min} \|_1, \\ &\| u(k+i \mid k) - \Delta u^{\min} \|_1), \quad i = 1, 2, \cdots, N \end{aligned} \tag{5-84}$$

式中，$r^{\mathrm{up}}(k+i \mid k)$、$r^{\mathrm{dn}}(k+i \mid k)$ 分别为 k 时刻预测得到的未来 $k+i$ 时刻上行和下行可调容量；$\tilde{r}^{\mathrm{up}}(k+i)$、$\tilde{r}^{\mathrm{dn}}(k+i)$ 分别为 $k+i$ 时刻上行和下行可调容量参考值，由日前优化调度求得；α 为日内与日前可调容量比例因子，由调度人员依据实际需求设定；$\| \cdot \|_1$ 为 L1 范数。

3) 短时需求响应控制策略

利用序列二次规划 (sequential quadratic programming，SQP) 算法求解式 (5-78)，得到未来 N 个时刻的控制变量序列和可调容量序列：

$$\{\Delta u(k+1 \mid k), \Delta u(k+2 \mid k), \cdots, \Delta u(k+N-1 \mid k), \Delta u(k+N \mid k)\} \tag{5-85}$$

$$\{r^{\mathrm{up}}(k+1 \mid k), r^{\mathrm{dn}}(k+1 \mid k), \cdots, r^{\mathrm{up}}(k+N \mid k), r^{\mathrm{dn}}(k+N \mid k)\} \tag{5-86}$$

将可调容量序列中 $k+1$ 时刻上行和下行可调容量汇报至上层电网。若上层电网未提出需求响应请求，则将式 (5-85) 中的 $k+1$ 时刻控制变量序列下发至可控分布式电源：

$$P(k+1\,|\,k) = P_0(k) + \Delta u(k+1\,|\,k) \tag{5-87}$$

若上层电网依据可调容量范围，下发 $k+1$ 时刻的需求响应容量 $P_{\mathrm{DR}}(k+1\,|\,k)$，则更新联络线功率计划值：

$$\tilde{P}_{\mathrm{grid}}(k+1\,|\,k) = \tilde{P}_{\mathrm{grid}}(k) + P_{\mathrm{DR}}(k+1\,|\,k) \tag{5-88}$$

鉴于 $k+1$ 时刻联络线功率已满足需求响应请求，修改可调容量约束如下：

$$\begin{cases} \displaystyle\sum_{i=2}^{N} r^{\mathrm{up}}(k+i\,|\,k) \geqslant \alpha \cdot \sum_{i=2}^{N} \tilde{r}^{\mathrm{up}}(k+i) \\ \displaystyle\sum_{i=2}^{N} r^{\mathrm{dn}}(k+i\,|\,k) \geqslant \alpha \cdot \sum_{i=2}^{N} \tilde{r}^{\mathrm{dn}}(k+i) \end{cases} \tag{5-89}$$

依照更新的计划值和约束条件，重新求解式(5-86)，并下发 $k+1$ 时刻的控制向量。为实现 MPC 中的反馈校正环节，将当前可控机组实际有功出力作为新一轮滚动优化调度模型的初始值：

$$P_0(k+1) = P_{\mathrm{real}}(k+1) \tag{5-90}$$

式中，$P_{\mathrm{real}}(k+1)$ 为 $k+1$ 时刻量测系统记录的机组实际有功出力。

3. 优化调度模型求解

本节所介绍的优化调度模型求解步骤如图 5-13 所示，具体步骤如下。

步骤 1：以微电网综合运行成本最小为目标，建立微电网日前优化调度模型。利用 CPLEX 求解器得到各可控分布式电源、联络线功率及可调容量的计划值。

步骤 2：参考联络线功率和储能 SOC 计划值，以校正偏差量最小为目标，建立基于 MPC 的滚动优化调度模型。利用 SQP 求得未来 N 个时刻的控制变量序列和可调容量序列，并将 $k+1$ 时刻的可调容量序列向上层电网汇报。

步骤 3：若上层电网下发需求响应信号，则修改 $k+1$ 时刻联络线功率计划值和优化调度约束条件，重新计算滚动优化调度模型，得到未来 $k+1$ 时刻的控制变量增量。若上层电网未提出需求响应请求，则执行步骤 4。

步骤 4：下发 $k+1$ 时刻的控制变量序列，求得 $k+1$ 时刻各可控机组的有功出力。

步骤 5：将 $k+1$ 时刻机组实际出力作为滚动优化模型初始值，$k=k+1$，返回步骤 2，进行新一轮的优化。

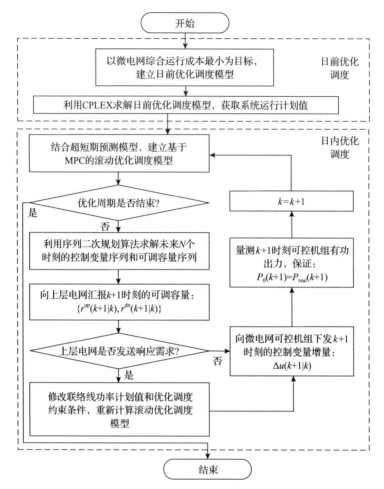

图 5-13 微电网需求响应资源优化调度流程图

4. 算例分析

1) 测试系统及参数介绍

以实际示范微电网系统为例进行算例分析,园区内包含风电机组、光伏发电系统、微型燃气轮机、燃料电池和储能系统,其中储能的额定充放电功率为24kW,初始 SOC 取值为 0.5,SOC 最大值和最小值分别为 0.9 和 0.2。系统拓扑结构、各分布式电源技术参数、成本参数和电网分时电价见文献[48]。需求响应补偿电价如图 5-14 所示。

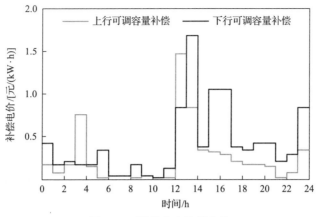

图 5-14　需求响应补偿电价

为满足多时间尺度的仿真需求，图 5-15 展示了光伏、风机及负荷的长时间尺度和短时间尺度预测值。为体现测试参数的普适性，短时间尺度预测值由日前预测值叠加满足正态分布的预测误差得到。

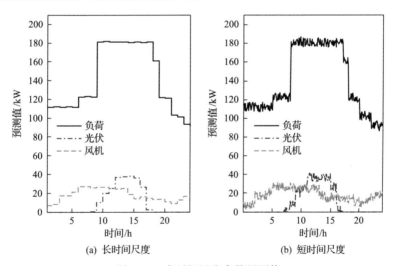

(a) 长时间尺度　　　　　　　　　(b) 短时间尺度

图 5-15　多时间尺度参数预测值

2）日前优化调度分析

利用 CPLEX 求解日前优化调度模型。各分布式电源出力和联络线功率日前计划值如图 5-16 和图 5-17 所示。由图 5-16 可知，蓄电池在 1～6h 的电价低谷时段充电，而在 10～22h 的高电价时段放电，降低了微电网运行成本。其次，微型燃气轮机的运行成本较低，故微型燃气轮机在大部分时段保持较高的出力水平。由图 5-17 知，在 8～24h，微电网的下行可调容量均大于上行可调容量。该结果与可控机组的出力大小和需求响应补偿价格有关。

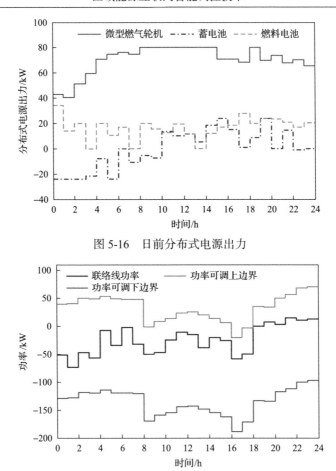

图 5-16 日前分布式电源出力

图 5-17 日前联络线功率计划值

3) 滚动优化调度分析

为分析基于 MPC 的滚动优化模型在需求响应调度策略下的有效性,本书重点分析了不同可调容量裕度对联络线功率跟踪的影响。选取预测时长为 1h,控制时长为 30min,滚动优化调度执行周期为 5min 一次。利用 SQP 求得的联络线功率跟踪情况如图 5-18 所示。

图 5-18 中,对于 $\alpha = 0.5$,若不采用滚动优化,联络线功率在计划值附近剧烈波动,难以保证微电网接入上层电网的平稳、可控调度。执行 MPC 滚动优化调度后,联络线功率与日前计划值基本一致。对比图 5-18 可知,随着可调容量比例因子增加,联络线功率跟踪效果逐渐变差。这是由于可控机组不仅需要校正可再生能源与负荷的预测误差,而且还需要满足上行和下行可调容量需求。图 5-19 给出了不同可调容量比例因子下的联络线功率实时可调范围随着可调容量比例因子 α 逐渐增大,微电网的下行可调容量逐渐增加,与计划值不断接近。

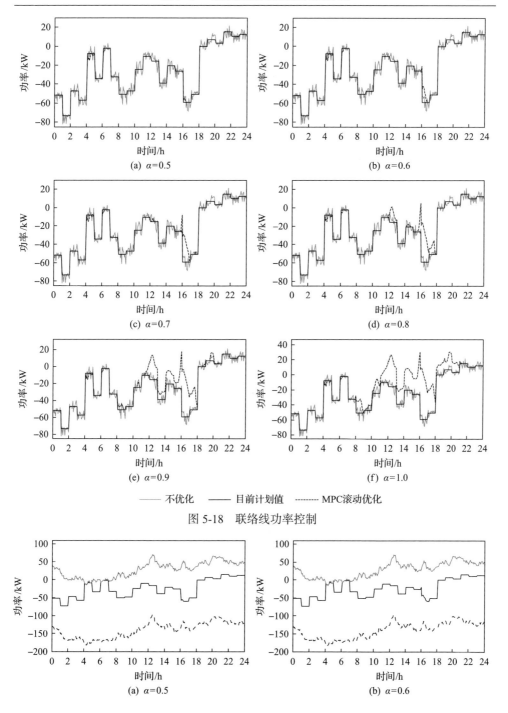

── 不优化　　── 目前计划值　　------ MPC滚动优化

图 5-18　联络线功率控制

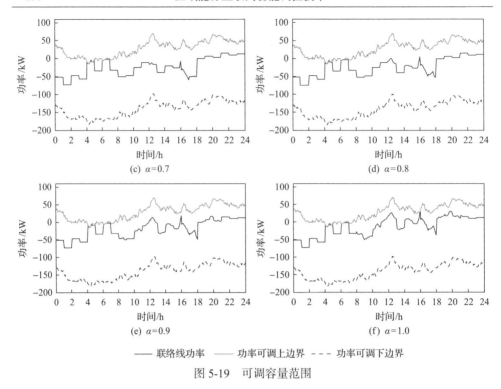

图 5-19 可调容量范围

图 5-20 展示了不同可调容量比例因子下的储能 SOC 跟踪效果。在 5～9h，储能 SOC 实际值与计划值存在较大偏差，这是由于实际运行中微型燃气轮机和燃料电池即使达到最大出力也不能满足运行需求，必须通过储能出力校正运行偏差。总体来看，随着 α 提高，SOC 跟踪效果基本保持一致，且优于联络线功率跟踪效果。

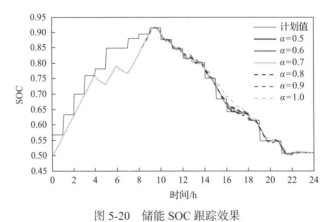

图 5-20 储能 SOC 跟踪效果

4) 短时需求响应分析

为测试微电网对上层电网容量需求的动态响应能力，利用随机数模拟需求响应信号,分别测试了不同时间间隔下的联络线功率跟踪效果。图 5-21 为 $\alpha = 0.5$ 时在 12~14h 中响应间隔为 5min、15min 和 30min 的联络线功率跟踪效果。由图 5-21 可知,利用本书提出的需求响应调度策略框架,微电网既能满足上层电网不同时间间隔的需求容量,又能保证联络线功率的动态跟踪。

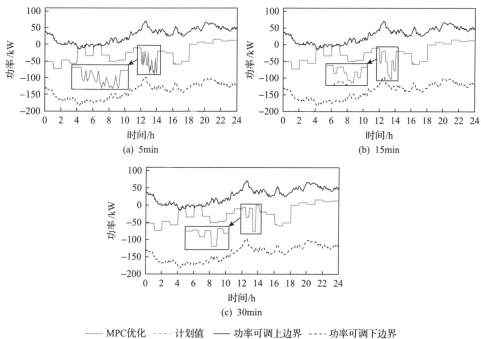

—— MPC优化 ···· 计划值 —— 功率可调上边界 ···· 功率可调下边界

图 5-21 不同需求响应时间间隔的联络线功率控制效果

5.4 小 结

本章首先介绍了综合能源系统的调度框架,分析了系统架构和典型调度框架及求解算法,并从自-互-群优化三个方面,介绍了多层级协同优化调度方法,进而介绍综合能源需求响应,结合前述的各元件模型,建立多时间尺度的协调优化调度模型。

参 考 文 献

[1] 王伟亮, 王丹, 贾宏杰, 等. 能源互联网背景下的典型区域综合能源系统稳态分析研究综述[J]. 中国电机工程学报, 2016, 36(12): 3292-3305.

[2] 周晓倩, 艾芊, 林琳, 等. 多能互补微网集群分布式优化调度[J]. 电网技术, 2019, 43(10): 3678-3686.

[3] 霍现旭, 宋杰, 张卫国, 等. 基于多能互补综合能源系统的多源信息集成方案设计[J]. 电器与能效管理技术, 2019(19): 28-33.

[4] Hamdi M, Chaoui M, Idoumghar L, et al. Coordinated consensus for smart grid economic environmental power dispatch with dynamic communication network[J]. IET Generation, Transmission & Distribution, 2018, 12(11): 2603-2613.

[5] 胡杰, 孙秋野, 胡旌伟, 等. 信息能源系统自-互-群立体协同优化方法[J]. 全球能源互联网, 2019, 2(5): 457-465.

[6] 刘广一, 史迪, 朱文东, 等. 云雾协同优化控制和软件定义应用技术[J]. 电力信息与通信技术, 2016, 14(3): 89-95.

[7] 王思彤, 周晖, 袁瑞铭, 等. 智能电表的概念及应用[J]. 电网技术, 2010, 34(4): 17-23.

[8] 冯语晴, 杨建华, 黄磊, 等. 配电网智能化评价指标体系研究[J]. 电网与清洁能源, 2017, 33(3): 84-90.

[9] 张毅威, 丁超杰, 闵勇, 等. 欧洲智能电网项目的发展与经验[J]. 电网技术, 2014, 38(7): 1717-1723.

[10] 王冰玉, 孙秋野, 马大中, 等. 能源互联网多时间尺度的信息物理融合模型[J]. 电力系统自动化, 2016, 40(17): 13-21.

[11] 胡菊, 靳双龙, 宋宗朋, 等. 基于云计算的全球可再生能源资源精细化评估方法[J]. 电力信息与通信技术, 2016, 14(3): 25-29.

[12] 杨胜春, 刘建涛, 姚建国, 等. 多时间尺度协调的柔性负荷互动响应调度模型与策略[J]. 中国电机工程学报, 2014, 34(22): 3664-3673.

[13] 周钰童, 华亮亮, 黄伟, 等. 计及电热交易的区域综合能源多目标优化配置[J]. 现代电力, 2019(4): 24-30.

[14] 陈聪, 沈欣炜, 夏天, 等. 计及㶲效率的综合能源系统多目标优化调度方法[J]. 电力系统自动化, 2019, 43(12): 60-67.

[15] 王皓, 艾芊, 吴俊宏, 等. 基于交替方向乘子法的微电网群双层分布式调度方法[J]. 电网技术, 2018, 42(6): 1718-1725.

[16] Molzahn D K, Dörfler F, Sandberg H, et al. A survey of distributed optimization and control algorithms for electric power systems[J]. IEEE Transactions on Smart Grid, 2017, 8(6): 2941-2962.

[17] 李佩杰, 陆镛, 白晓清, 等. 基于交替方向乘子法的动态经济调度分散式优化[J]. 中国电机工程学报, 2015, 35(10): 2428-2435.

[18] Geidl M, Andersson G. Optimal power flow of multiple energy carriers[J]. IEEE Transactions on Power Systems, 2007, 22(1): 145-155.

[19] Boyd S, Parikh N, Chu E. Distributed optimization and statistical learning via the alternating direction method of multipliers[J]. Foundations and Trends in Machine Learning, 2011, 3(1): 1-122.

[20] 王珂, 姚建国, 姚良忠, 等. 电力柔性负荷调度研究综述[J]. 电力系统自动化, 2014, 38(20): 127-135.

[21] Shao S, Pipattanasomporn M, Rahman S. Development of physical-based demand response-enabled residential load models[J]. IEEE Transactions on Power Systems, 2013, 28(2): 607-614.

[22] 杨旭英, 周明, 李庚银. 智能电网下需求响应机理分析与建模综述[J]. 电网技术, 2016, 40(1): 220-226.

[23] Malik A, Ravishankar J. A review of demand response techniques in smart grids[C]. 2016 IEEE Electrical Power and Energy Conference (EPEC), Ottawa, 2016: 1-6.

[24] 徐筝, 孙宏斌, 郭庆来. 综合需求响应研究综述及展望[J]. 中国电机工程学报, 2018, 38(24): 7194-7205, 7446.

[25] Vardakas J S, Zorba N, Verikoukis C V. A survey on demand response programs in smart grids: Pricing methods and optimization algorithms[J]. IEEE Communications Surveys & Tutorials, 2015, 17(1): 152-178.

[26] Venkatesan N, Solanki J, Solanki S K. Residential demand response model and impact on voltage profile and losses of an electric distribution network[J]. Applied Energy, 2012, 96: 84-91.

[27] 姜勇, 杨雪纯, 王蓓蓓, 等. 计及需求响应不确定性的智能用电双向互动仿真[J]. 电力系统及其自动化学报, 2016, 28(9): 48-55.

[28] 李彬, 陈京生, 李德智, 等. 我国实施大规模需求响应的关键问题剖析与展望[J]. 电网技术, 2019, 43(2): 694-704.

[29] Paterakis N G, Erdinc O, Catalao J P S. An overview of demand response: Key-elements and international experience[J]. Renewable & Sustainable Energy Reviews, 2017, 69: 871-891.

[30] 高志远, 曹阳, 田伟, 等. 需求响应概念模型及其实现架构研究[J]. 电力信息与通信技术, 2016, 14(11): 8-13.

[31] Lujano-Rojas J M, Dufo-López R, Bernal-Agustín J L, et al. Probabilistic perspective of the optimal distributed generation integration on a distribution system[J]. Electric Power Systems Research, 2019, 167: 9-20.

[32] Zhai S P, Wang Z H, Yan X F, et al. Appliance flexibility analysis considering user behavior in home energy management system using smart plugs[J]. IEEE Transactions on Industrial Electronics, 2019, 66(2): 1391-1401.

[33] Tafreshi S M M, Lahiji A S. Long-term market equilibrium in smart grid paradigm with introducing demand response provider in competition[J]. IEEE Transactions on Smart Grid, 2015, 6(6): 2794-2806.

[34] 国家能源局. 关于推进"互联网+"智慧能源发展的指导意见[EB/OL]. (2016-02-29)[2022-04-11]. http://www.nea.gov.cn/2016-02/29/c_135141026.htm.

[35] Wang J, Zhong H, Ma Z, et al. Review and prospect of integrated demand response in the multi-energy system[J]. Applied Energy, 2017, 202: 772-782.

[36] Aghaei J, Alizadeh M I. Multi-objective self-scheduling of CHP (combined heat and power)-based microgrids considering demand response programs and ESSs (energy storage systems)[J]. Energy, 2013, 55: 1044-1054.

[37] 张弛, 唐庆华, 严玮, 等. 基于粒子群-内点混合优化算法的区域综合能源系统可靠性评估[J]. 电力建设, 2017, 38(12): 104-111.

[38] 徐斌, 徐斌, 刘红新, 等. 基于需求响应的区域微电网优化调度[J]. 电力科学与技术学报, 2018, 33(1): 132-140.

[39] Good N, Ellis K A, Mancarella P. Review and classification of barriers and enablers of demand response in the smart grid[J]. Renewable and Sustainable Energy Reviews, 2017, 72: 57-72.

[40] Shao C Z, Ding Y, Siano P, et al. A framework for incorporating demand response of smart buildings into the integrated heat and electricity energy system[J]. IEEE Transactions on Industrial Electronics, 2019, 66(2): 1465-1475.

[41] 甘中学, 朱晓军, 王成, 等. 泛能网——信息与能量耦合的能源互联网[J]. 中国工程科学, 2015, 17(9): 98-104.

[42] Deng R, Yang Z, Chow M, et al. A survey on demand response in smart grids: Mathematical models and approaches[J]. IEEE Transactions on Industrial Informatics, 2015, 11(3): 570-582.

[43] Liu M, Shi Y, Fang F. Load forecasting and operation strategy design for CCHP systems using forecasted loads[J]. IEEE Transactions on Control Systems Technology, 2015, 23(5): 1672-1684.

[44] Albadi M H, El-Saadany E F. Demand response in electricity markets: An overview[C]//Power Engineering Society Gen-eral Meeting, Tampa, 2007: 1-5.

[45] 姜子卿, 郝然, 艾芊. 基于冷热电多能互补的工业园区互动机制研究[J]. 电力自动化设备, 2017, 37(6): 260-267.

[46] Cheng L, Liu C, Wu Q, et al. A stochastic optimal model of micro energy internet contains rooftop PV and CCHP system[C]//2016 International Conference on Probabilistic Methods Applied to Power Systems (PMAPS), Beijing, 2016: 1-5.

[47] 吕泉, 陈天佑, 王海霞, 等. 含储热的电力系统电热综合调度模型[J]. 电力自动化设备, 2014, 34(5): 79-85.

[48] 肖浩, 裴玮, 孔力. 基于模型预测控制的微电网多时间尺度协调优化调度[J]. 电力系统自动化, 2016, 40(18): 7-14.

第6章 综合能源系统控制方法与策略

6.1 区域能源网经典控制架构

区域能源网中微电网将分布式电源、负荷、储能元件以及控制和保护装置等集合,形成一个单一可控的单元,同时向用户提供冷、热、电能。微电网灵活的运行方式和高质量的供电服务需要有完善与稳定的控制系统。微电网中当网络结构发生变化或者出现故障时,如何协调微电源之间的关系,以保证在任何情况下都可以优质供电是控制的难点。良好的运行控制是实现微电网诸多技术经济优势的前提,也是微电网研究领域的关键问题之一。微电网灵活的运行方式带来了潮流和信息的双向互动,使其控制与传统控制有显著不同,其控制必须保证[1]:

(1)在并网和孤岛运行方式下,都能控制局部电压和频率,使系统安全稳定运行。

(2)提供或者吸收电源和负荷之间的暂时功率差额以减少联络线功率波动。

(3)根据故障情况或系统需要,平滑自主地实现与主网分离、并列或两者的过渡转化。

下面就微电网经典控制架构和控制方法对微电网控制做综述。

目前国内积极开展微电网的试验示范和研究,以研究微电网关键技术和运行控制策略。现有微电网试点工程可以大致分为两类:并网型和孤岛型。举例来说,并网型微电网试点工程有:北京延庆新能源微电网示范区项目、太原西山生态产业区新能源示范园区、中德生态园启动区泛能微电网和温州经济技术开发区微电网示范项目等。孤岛型微电网试点工程有:舟山摘箬山岛新能源微电网项目、瑞安市北龙岛光储柴互补微电网示范项目、福鼎台山岛风光柴储一体化项目和珠海万山岛智能微电网示范项目等。目前很多在试运行的微电网示范项目只有两层控制结构,即本地层和控制监控层;也有很多复杂的微电网示范工程采用三层控制结构,即设备层、协调层和优化层。

6.1.1 直流微电网控制架构

直流微电网一般采用双层结构,因其以直流电为主要输电形式,系统中直流微电源、储能单元、直流负荷等均通过直流母线相连接。直流微电网的运行模式分为两种:并网运行及孤岛运行。并网运行时,大电网与直流微电网系统间通过并网逆变器进行能量交换,此时可由大电网维持系统稳定运行;孤岛运行时,并网逆变器侧的断路器断开,大电网与直流微电网系统间无能量交换,由储能系统平衡系统的功率并维持直流母线的电压[2]。直流微电网和交流微电网的不同如表 6-1 所示[3]。

表 6-1　交流微电网和直流微电网比较

比较项目	交流	直流
技术层次	DC/DC 变流器; 电能平衡; 交流型不断电供电; 功率因数校正	DC/DC 变流器; 电能平衡; 直流型不断电供电; 功率因数校正
零件成本	需要外加一级功率因数校正器	可节省 25%的功率因数校正器的零件成本
效率评估	由于多输入电源的直流准位元不同,故需要两级处理	仅需要单级处理,故效率可以提升 10%; 在传输相同功率时,直流传输效率较高
电压调变	可用低频变压器调频,但体积大且笨重	需用 DC/DC 变流器调变,但体积小、重量轻,很适合轻薄短小的电器产品使用
电力品质	有功率因数、谐波及振幅变动等问题	仅有振幅变动问题
配电需求	简便	简便
电源搭配	需要 DC/DC 变流器及 DC/AC 变流器	仅需要 DC/DC 变流器
负载搭配	对于现有的电器负载,不需要换流器就可直接搭配使用	对于传统的电感性电器负载,需加变流器才可搭配使用; 然而为了提高电能转换效率,传统的电感性电器负载都会搭配变频器使用,因此,仍可直接以直流供电,不需要额外加装变流器
安全考虑	漏电侦测、过流保护及触电防护皆容易达成	漏电侦测、过流保护及触电防护皆容易达成
容量扩充	采用多模块 DC/AC 变流器并联操作来扩充容量,其技术难度较高,易产生环流问题	采用多模块 DC/DC 变流器并联操作来扩充容量,其技术难度较低,不易产生环流问题

相比于交流微电网,直流微电网有如下特征。

(1)直流微电网内直流性质的微电源及负荷可以通过 DC/DC 变流器直接连接到直流母线,不需要再经过 AC/DC 或 DC/AC 的变换,使系统中变流器的数量大大减少,效率有所提高,经济性得到改善。

(2)由于直流微电网中不存在频率、相角及无功等问题,电压就成了判断系统中功率是否平衡的一个很重要的指标。只要检测直流母线的电压,就能对系统中功率的盈缺做出判断,进而控制并网逆变器或者储能系统的运行方式,大大简化了系统的控制策略。

(3)直流性质的微电源及负荷都能直接接入直流母线,不再经交直或者直交的变换,也就减少了谐波及干扰的产生。同时,与大电网相连的断路器可以有效地隔离电网侧的扰动,在大电网发生故障时可以断开断路器,直接运行于孤岛模式,继续向系统中的负荷供电，保证其正常运行，这样就提高了供电的可靠性。

1. 直流微电网物理结构

高压直流输电的主要优点是减少线路损耗和将两个异步电网互连，用直流电流能更好地利用输电线路消除和远距离交流输电有关的不稳定问题。

直流微电网采用直流的配电方式，按其母线的结构可分为：单母线结构、双母线结构、分层母线结构以及冗余式结构[4]。直流微电网的结构图如图 6-1 和图 6-2 所示。

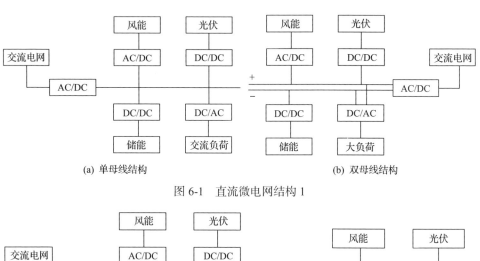

图 6-1   直流微电网结构 1

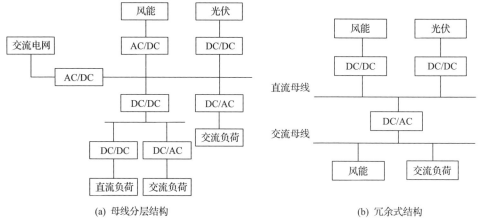

图 6-2   直流微电网结构 2

图 6-1(a) 单母线结构的直流微电网母线电压设计为 400V，微电源、负荷等均通过变流器接入直流母线，系统通过并网逆变器接入交流电网；图 6-1(b) 为双母线结构的直流微电网，其设计母线电压为 ±200V，可以满足不同负荷对电压的要求。除此之外，图 6-2(a) 为母线分层结构直流微电网，此结构对母线结构进行了优化，设计母线电压为 400V 和 48V，设计了低压母线，可直接对低压用电设备

供电；图 6-2(b)为冗余式结构的直流微电网，此结构的优点在于，当其中一条母线出现故障时，另一条母线可保证系统负荷的正常运行。随着直流性质负荷的不断发展，直流负荷对于电压等级的需求也呈现出多样化，为了减少系统中变换器的使用，提高系统运行效率，要求未来的直流微电网结构能够提供多种不同的电压等级，因此，母线分层结构直流微电网将会有光明的发展前景。

2. 直流微电网的传统控制方式

基于电压源换流器(VSC)的直流微电网控制，是通过采用全控电子 IGBT、调制技术和矢量控制，灵活地实现有功功率、无功功率以及直流、交流电压的解耦控制[5]。目前，直流微电网的控制方式主要有主从控制和直流电压下垂控制。

1)主从控制

工业驱动领域的多端系统，通常用一个换流器作为整流站，与有源交流系统连接，而其他换流器都作为逆变站，向无源负荷供电，也即一个基于电压源换流器的多端柔性直流输电(VSC-MTDC)终端控制直流电压，而其他每个 VSC-MTDC终端控制自己的功率流。这种多终端的 VSC-MTDC 的控制方法被称为主从控制，其控制方法与向无源网络供电的 2 端 VSC-MTDC 系统相似。为了不失一般性，以图 6-3 所示的 VSC-MTDC 系统为例。系统由 5 个 VSC 构成，其直流侧通过直流网络并联连接。其中 3 个 VSC 分别经换流电抗器(RLC)与各自独立的有源交流系统相连，它具有功率的双向传输能力(下文简称这三个为整流站)；另外 2 个 VSC 向无源负荷供电(下文简称这两个为逆变站)。当部分整流站与分布式发电系统相连且

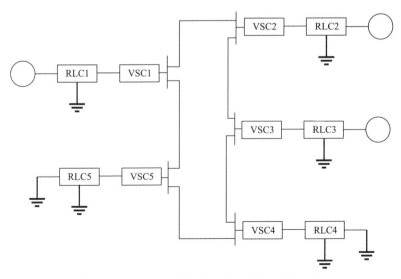

图 6-3　含有 5 个 VSC 的 VSC-MTDC 系统示例

其输送功率大于无源负荷时,可以通过与大电网相连的整流站将多余电能输送到交流系统中;反之,可以向大电网吸收缺额的功率。因此,与 2 端 VSC-MTDC 系统相比,图 6-3 中的系统可以构成一个多电源的灵活供电系统,其运行的可靠性、经济性都得到提高。

在 VSC-MTDC 系统中,换流站结构与三相电压型脉宽调制(palse width modulation, PWM)整流器相似,因此,在设计换流站的控制器时,可相互借鉴。需说明的是:在 VSC-MTDC 系统中,整流站以控制单位功率因数为目标,逆变站应采用定交流电压控制[6]。但是,在主从控制的多端直流输电中,为了保证整个直流电网的正常运行,主终端应始终与直流电网相连,并适当调节直流母线电压。当主终端断开或故障时,由于直流母线电压调节不足,直流电网会出现过压或欠压的情况。为了解决这个问题,电压裕度控制应运而生。尽管该方法在控制上存在冗余,但其缺点是每个终端的参考设定值过多。因此,对于采用电压裕度控制的大型多终端 VSC-MTDC 系统,直流电压下垂控制可以保持控制结构相对简单。

2) 直流电压下垂控制

多终端 VSC-MTDC 控制的另一种方法是使所有 VSC 都采取直流电压下垂控制。利用直流电压下垂控制,两个或两个以上的 VSC 皆可以参与直流电压控制,从而共同分担直流电网的功率平衡任务。在多终端 VSC-MTDC 系统中,直流电压下垂控制相比于主从控制的最大优点是,在 VSC-MTDC 系统发生故障时或因大扰动而断开连接时系统运行的可靠性更高。

直流电压下垂控制的核心思想是,直流电网中的直流电压可以用与处理交流电网中的频率相同的方法来处理,所以直流电压信号能反映功率流的性质,并可作为 VSC 下垂控制器的输入信号。VSC 下垂控制器通常由一个电流内环控制器(使有功和无功控制有效解耦)和一个外环控制器(为电流内环控制器提供参考)组成。

3. 直流微电网控制架构

直流负荷的种类不断增多,其额定工作电压也不尽相同。为方便不同电压等级的直流负荷直接接入直流微电网,可以采用基于双层母线的直流微电网控制策略。本结构中双层母线直流微电网(图 6-4)由两个电压等级不同的独立直流微电网通过 Buck/Boost 双向变换器连接构成。将蓄电池和超级电容组成的混合储能系统应用于直流子网中,并设计了协调控制策略,在保证系统优化运行的同时延长了蓄电池的使用寿命。根据双向变换器两侧子网的电压-功率下垂特性,对两侧电压进行了归一化处理,可利用适用于连接两直流子网 Buck/Boost 双向变换器的下垂控制策略,此控制策略可以根据两直流子网的电压高低有效控制子网间的功率传输，实现整个系统的功率平衡，提高系统运行可靠性。

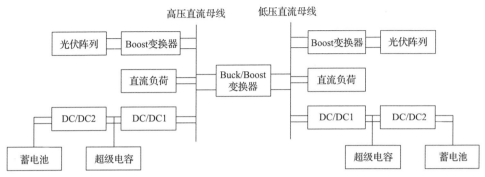

图 6-4　基于双层母线的直流微电网控制策略的架构

6.1.2　交流微电网控制架构

1. 交流微电网物理结构

交流微电网的物理结构较为灵活，这里以图 6-5 为例，展示某低压交流配电网的物理结构。交流微电网的特点为系统中的储能装置等均通过电力电子装置连接至交流母线，通过对公共连接点(PCC)处开关的控制，实现微电网并网运行与孤岛运行模式的切换。

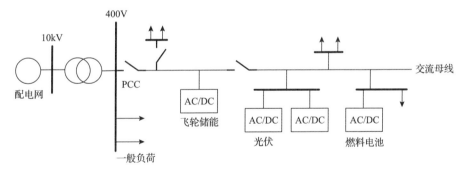

图 6-5　交流微电网物理结构示例

2. 交流微电网的传统控制方式

目前，学者提出的交流微电网传统控制策略主要有 2 种：主从控制和下垂控制。还有一种方式是混成控制[7]，在电力系统中尚未大规模应用。

1) 主从控制

主从控制策略主要用于微电网的孤岛运行方式下，和直流微电网不同，该策略的对象是微电源而不是 VSC。该策略是指从所有微电源中选取一个或多个作为参考电源即主控单元，为孤岛运行的微电网提供电压和频率支撑，平衡负荷波动所引起的功率变化；而其他的微电源则作为从属单元进行控制，输出恒定的有功、无功功率。通常，主控单元采用 V/f(电压/频率)控制，从属单元采用 PQ(有功无功)控制。当微电网并网运行时，所有微电源均采用 PQ 控制，按照设定的功率参考值输出有功、无功，系统电压与频率由大电网支持和调节；当微电网孤岛运行时，主控单元需切换为 V/f 控制，承担起维持微电网电压和频率的任务，保证微电网正常运行。

2) 交流下垂控制

传统下垂控制(某些文献也称为调差率控制)的特点是频率变化和有功变化、电压变化和无功变化呈负相关。以正调差率控制为例，下垂控制公式如下：

$$\Delta\omega_i = -m\Delta P_i$$
$$\Delta U_i = -n\Delta Q_i \tag{6-1}$$

式中，$\Delta\omega_i$、ΔP_i、ΔU_i、ΔQ_i 分别为第 i 个逆变器的输出角频率、有功功率、电压、无功功率变化量；m、n 为常系数。

如果记 ω_{i0} 和 U_{i0} 为有功和无功为零时的初始状态，则式(6-1)还可以写为

$$\omega_i = \omega_{i0} - mP_i$$
$$U_i = U_{i0} - nQ_i \tag{6-2}$$

根据式(6-2)可知，当逆变器输出的有功功率较大时，利用 P-f(也即 P-ω)下垂特性增加其输出的频率，从而可减小其输出的有功功率，恢复初始平衡；当逆变器输出的有功功率较小时，则可以减小其输出频率，可增大输出的有功功率，恢复初始平衡。同理，当逆变器输出的无功功率较大时，用 Q-U 下垂特性将逆变器输出端口的电压幅值升高，从而减少无功功率输出；当逆变器输出的无功功率较小时，降低其电压幅值，可增加其无功功率输出。通过如此反复调节，使系统达到最优状态。

微电源相对主网来说，作为一个可控、可模块化的单元，对内部可以满足用户的电能需求，而要实现这些功能，必然要具有良好的管理和调控机制，使微电网在异常时能及时反馈或者能够自行调整至正常值。

首先，实际微电网中，利用测量元件采集逆变器经滤波后的电流和电压；直流电源经过逆变桥后输出三相电压和三相电流，经 LC 滤波器滤波后，便形成了输入负荷的电流和电压。电流和电压经 dq 变换后，在功率计算环节内得出逆变器和滤波器输出的有功和无功功率，然后与预设定的参考有功、无功功率进行比较，通过 P-f 和 Q-U 的下垂控制环节得到相应的电压幅值和频率的指令值，该指令值为下垂控制形成的差值。然后指令值经电压合成后获得参考电压的 dq 轴分量，最

后此电压 dq 轴分量通过电压电流双环控制器和 PWM 生成器，进行 PI 调节并产生用来控制逆变器的正弦调制信号。

3) 混成控制

混成控制的主导思想为将一切不满足要求和不满意的状态都分类地定义为事件，通过控制使得系统回归至无事件运行状态，则系统的各项指标将是令人满意的。该方法在其他一些领域的应用已经比较成熟，在电力系统中可以通过使用连续和离散控制器的组合来实现基本微电网的目标，解决大电网的多重目标趋优控制问题。

6.1.3　交直流混合微电网的运行控制

交直流混合微电网的运行控制相比单一直流微电网或者交流微电网而言，除了复杂的发电单元、储能单元和交/直流负荷单元的控制方法，直流母线与交流母线之间的双向变换器的功率流动也成为研究重点。目前常用的主要是单元控制方法和利用电源管理系统协调。

1. 交直流混合微电网物理结构

交直流混合微电网的特点为系统中既含有交流母线又含有直流母线，既可以直接向交流负荷供电又可以直接向直流负荷供电，因此称之为交直流混合微电网，其结构图如图 6-6 所示。

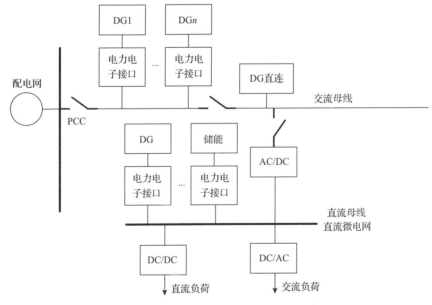

图 6-6　交直流混合微电网物理结构示例

2. 单元控制方法

单元控制方法，主要指交直流混合微电网中的 DG、储能装备和负荷的控制运行方式。DG 主要有光伏电池、风机等不确定性电源和燃料电池、小燃机等稳定性电源，电源的控制方式按照交直流混合微电网设计的理念，有提高可再生能源利用率的最大功率跟踪控制，维持系统某一参数(如电压、频率)的 V/f 控制、PQ 控制，自主分配、自主管理能实现即插即用的 Droop 控制等方法。储能设备主要有电池、飞轮等，储能设备的控制方法往往与系统的能量管理方法相结合，以辅助其他 DG 协同工作。在交直流混合微电网现有研究中，电池储能是常用的手段，其控制方法需考虑蓄电池的充放电状态、电池的寿命等要素。现阶段对负荷单元的控制研究主要集中在插入式电动车和电动汽车、负荷特性、需求响应等方面，同时为提高可再生能源的利用率，主动负荷响应的控制方法应运而生。

3. 电源管理系统

DG 间的协调控制策略是交直流混合微电网在并网模式与孤岛模式下良好运行的关键。在交直流混合微电网中，协调控制策略主要有能量管理和电源管理两种管理方式，在控制任务与时间长度上有所区别，前者是长期的电能输出以最优的方式满足需求，而后者则侧重短期的电源、储能与负荷之间的协调工作，实现电源之间的实时调度。

6.2 区域能源网控制器控制方法

6.2.1 微电网控制策略

1. 微电网分层控制

微电网技术具有许多优点，然而微电网中的分布式电源自身的不稳定性将导致微电网的运行控制困难。一种经典的物理层面的分层控制架构包含就地感知层、协调控制层、优化决策层，结构如图 6-7 所示，其中，底层为就地感知层，主要包含微电源控制器(MC)和负荷控制器(LC)。MC 对 DG 进行本地控制，维持DG 的正常运行；而 LC 对可中断负荷进行控制，能够有效保证微电网内部的功率平衡。中层为协调控制层，主控单元(MGCC)根据经济因素和安全性对微电网内的 MC 和 LC 进行集中控制，使微电网形成一种源荷协调的架构。顶层的配电网管理系统(DMS)，包含了调度控制和市场交易的功能，属于优化决策层，负责配电网与微电网的互动运行。该层的设置有助于在一个复杂配电网内部实现经济运行、需求侧响应以及辅助服务等。

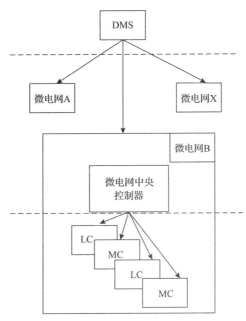

图 6-7　基于物理层面的微电网典型分层控制架构

(1)就地感知层包括各类分布式能源智能体以及工商业多元负荷智能体,分布式能源智能体具有态势感知、指令执行、数据通信等功能模块,能够根据系统调控中心的指令以及自身运行约束进行能量交互,并感知外部环境变化和实现智能体之间的实时信息交互和信息上传;在该层的负荷智能体具备判断、预测和通信功能,能够实时上传负荷信息和反馈负荷状态[8],各负荷智能体能够通过本地的电力电子设备(如 LC 滤波器、补偿电容器等)以及对本地逆变器的控制(如下垂控制、电流内环和电压外环控制),来完成对小干扰的修正。

(2)协调控制层包括各区域分布式能源系统智能体,具有电压/频率控制、区域协同调控及实时通信等功能模块,能够接收上级的优化调度和智能控制指令,并按照负荷和分布式能源的优先级进行指令的下发;基于多智能体一致性控制算法,通过区域分布式能源系统智能体对区域内各就地感知层智能体进行集中管理、分布控制,保证系统各区域的电压、频率稳定;同时,考虑系统运行的能效评估约束,对分布式能源系统各个区域之间进行协同调控,满足分布式能源系统实时动态调整的要求[9]。举例来说,根据就地感知层所发送出的控制信号,利用双环控制器等方法来调控逆变器的输出频率和电压幅值,实现功率的平衡和主电网系统的稳定,确保微电网和大电网之间的同步,最大限度地减少影响微电网系统稳定性的因素;这一层中,各个逆变器之间是有联系的,相互之间可以用低频信号交流,并且在孤岛模式下,协调控制层还可以计算参考有功和参考无功值,传给就地感知层的下垂控制做参考。

（3）优化决策层包含一个分布式能源系统调控中心智能体，包括调度决策功能模块，能调控微电网和主电网的功率流动方向，并利用控制补偿器等设备，以确保微电网运行的稳定性和经济性。举例来说，该层可通过整合各下层智能体的运行信息和多主体的运行状态，进行各层级多能源类型、多元用户的互补协调和优化调度，并可以将分布式能源系统的分层优化调度分解为日前计划、日内滚动、实时校正三个时间尺度，协调不同控制响应速率的可调控资源，逐级消除预测误差和扰动的影响，实现示范园区和多元用户的优化互动。

在实际应用中，若将每层之间的通信通道考虑进去，则可以将通信层加入，形成四层控制结构。除了以上物理层面的分层外，更为普遍的分层方法是一种基于功能的分层控制方法：第一层为分布式电源和负荷控制，也即初级控制，初级控制所采集的信号为控制器的本地信号，一般指的是换流器的功率、电流、电压控制；由于其性质为本地控制，一般采用下垂控制方法针对分布式电源和负荷控制，可以使得实际值迅速跟踪上参考值的变化，具有快速性，同时实现分布式电源的功率与负荷均衡并达到功率分配最优化。第二层是在第一层控制信号基础上的频率和电压幅值控制（第二级控制），这一层的作用是消除第一层输出的电压频率的误差，从而保证电压频率满足要求；与此同时，第二层控制能够确保微电网和主电网之间的同步，最大限度地减少影响微电网系统稳定性的因素。第三层为微电网功率和主电网功率控制（第三级控制），一般能够通过监控、计算和决策等手段控制微电网与外部大电网 PCC 上的功率流，保证功率平衡[10]。

在微电网分层控制结构中，一般需要底层控制包括分布式电源、负荷控制和上层之间建立通信联系，而上层的中心控制器仅根据微电网内的负荷变化和优化运行需要进行辅助性调整。一方面，各分布式电源和上层控制器通过通信网络联系，如果通信失败，微电网将无法正常工作。另一方面，上层控制产生的命令可以通过通信的手段传入下层控制中。但通信一般仅在上下层（底层分布式电源）之间建立一种采用弱通信联系的分控制方案，因此，这一控制策略为每一层独立完成自己的控制任务并通过通信向下层传达命令，并且在向下层传达命令时不影响系统运行的稳定性。

1）微电网的初级控制

除了往复式柴油发电机、小水电及异步风机等，大部分电源和储能装置都需要通过电力电子装置才能实现并网。电力电子变流器的控制策略在很大程度上决定了电源的控制性能，主流的初级控制方法包括下垂控制、PQ 控制及 V/f 控制等。

近些年来，一些学者提出基于 $P\text{-}f$、$Q\text{-}U$ 的下垂控制策略，这是为了使具有 VSC 接口的电源具有稳定电压和电网频率的能力。这种控制策略最早应用于不间断供电设备的并联控制，通过模拟发电机一次调频中的下垂特性来调节发电机的出力大小，进而根据下垂增益对分布式能源进行调节，从而共同承担系统负荷。

在燃气轮机和储能设备中，这种控制比较适用。下垂控制不需要通信系统，控制系统简明，是目前一个比较重要的研究方向。由于微电网的输电线路有高阻性，因此需要在传统下垂控制方案上进行改进，消除线路阻抗对下垂控制的影响，通常有两种改进方法：①通过分析和补偿线路阻抗对有功和无功功率的影响实现电压和频率下垂控制的解耦；②通过逆变器合理控制输出虚拟阻抗。为了减小下垂系数的影响，改进的自适应调节下垂系数控制方法被提出，提高了系统的稳定性和可靠性。另外，通过二次调压调频维持系统电压和频率的稳定也是改进下垂控制的方向之一。

PQ 控制为定有功、无功功率控制，其控制目标是使得 VSC 输出的有功和无功功率与参考值相同，在微电网联网运行情况下比较常见。基于 PQ 控制方式的分布式电源在模型中可以等效成电流注入源。该策略通过锁相环跟随微电网并网点的电压相位，通常不能作为电压或频率的支撑，不能单独运行。PQ 控制一般应用于 dq 坐标下，这样稳态时的电气量可以表示为直流量。在控制系统中加入 PI 控制，就可以对 VSC 输出电流进行有效控制。然而近年来，比例谐振控制器的出现使得在控制环节对交流量直接进行跟踪成为现实。

V/f 控制策略可以稳定 VSC 的 PCC 电压幅值和系统频率。其控制系统结构一般具有电压外环、电流内环这两个环节。电压外环可以保持 PCC 的电压稳定性，电流内环可以根据电流控制参考值迅速控制 VSC 的输出电流。这种电压-电流双闭环控制增大了 VSC 系统的带宽，不仅动态性能好，而且稳态控制精度也大大地提高了。同时，由于电流内环增大带宽的作用，VSC 的动态响应加快，对非线性负荷的适应能力增强，输出电压中含有的谐波量较小。

此外，第一层控制还包括电压和电流的控制，电压外环和电流内环组成的双闭环控制系统组成了内部控制环。电压外环控制一般采用双闭环 PI 控制器，下面是其数学模型：

$$\begin{cases} i_{Ld}^* = i_{od} - \omega C u_{oq} + (u_{od}^* - u_{od})(k_{vp} + k_{vi}/s) \\ i_{Lq}^* = i_{oq} - \omega C u_{od} + (u_{oq}^* - u_{oq})(k_{vp} + k_{vi}/s) \end{cases} \tag{6-3}$$

式中，i_{Ld}^*、i_{Lq}^* 为电感电流 d 轴方向和 q 轴方向的参考值；i_{od}、i_{oq} 为直流侧电流 dq 轴分量；ω 为微电网的转折角频率；C 为电路滤波电容；u_{od}^*、u_{oq}^* 为电压参考值；u_{od}、u_{oq} 为直流侧电压 dq 轴分量；k_{vp} 为 PI 调节器的比例参数；k_{vi} 为 PI 调节器的积分参数。

电流内环控制也采用 PI 控制器，数学模型为

$$\begin{cases} u_{id}^* = u_{od} - \omega L i_{Lq} + (i_{Ld}^* - i_{Ld})(k_{ip} + k_{ii}/s) \\ u_{iq}^* = u_{oq} - \omega L i_{Ld} + (i_{Lq}^* - i_{Lq})(k_{ip} + k_{ii}/s) \end{cases} \tag{6-4}$$

式中，u_{id}^*、u_{iq}^* 为逆变桥调制电压信号在 d 轴方向和 q 轴方向上的分量；L 为滤波电感；k_{ip} 为电流环 PI 调节器的比例参数；k_{ii} 为电流环 PI 调节器的积分参数。电压和电流组成的双闭环控制系统如图 6-8 所示。

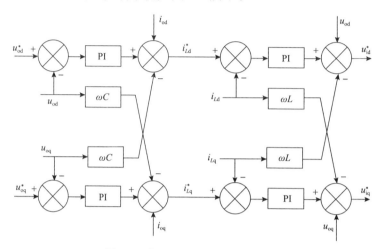

图 6-8　电压-电流双闭环控制系统

2) 微电网的第二级控制

初级控制通过调节逆变器输出的功率来控制频率和电压，但这会导致频率和电压的波动。第二级控制可弥补频率和电压波动造成的影响。在此级控制中，微电网分布式电源输出的频率和电压幅值与其参考值进行比较，得到频率偏差和电压偏差。将这些偏差值反馈到初级控制层，来控制分布式电源的控制器，进而使分布式电源的频率和电压幅值达到一个稳定值。

频率偏差和电压偏差的公式为

$$\begin{cases} \delta f = (f_{MG}^* - f_{MG})(k_{fp} + k_{fi}\,/\,s) + \Delta f_{sync} \\ \delta U = (U_{MG}^* - U_{MG})(k_{vcp} + k_{vci}\,/\,s) \end{cases} \tag{6-5}$$

式中，f_{MG}^*、U_{MG}^* 为微电网频率、电压参考值；f_{MG}、U_{MG} 为微电网频率、电压实际幅值；k_{fp}、k_{fi}、k_{vcp} 和 k_{vci} 均为第二级控制系统的控制参数；Δf_{sync} 为微电网与电力系统的同步频率。

在微电网的并网运行过程中，第二级控制不仅调节、监控微电网的频率和电压幅值，而且要将参考值与已测量到的微电网和主电网的各相的值进行比较，从而实现电网同步化。同步过程完成之后，微电网可通过静态开关并入主电网。此前，微电网与主电网之间不能交换任何能量。

3) 微电网的第三级控制

第三级控制是微电网安全稳定、经济高效运行的关键，是微电网系统充分发挥其优势和特点的保证。第三级控制作为最顶层的控制，也是时间尺度最大的控制策略。在并网时，可通过频率和电压幅值来控制微电网的输出功率：

$$\begin{cases} f_{MG}^* = (P_{MG}^* - P_{MG})(k_{pP} + k_{iP}/s) \\ U_{MG}^* = (Q_{MG}^* - Q_{MG})(k_{pQ} + k_{iQ}/s) \end{cases} \quad (6\text{-}6)$$

式中，P_{MG} 和 Q_{MG} 为微电网输出的有功功率和无功功率，其对应的 P_{MG}^*、Q_{MG}^* 分别为有功功率和无功功率的参考值；k_{pP}、k_{iP}、k_{pQ} 和 k_{iQ} 均为第三层控制系统中的控制补偿器的参数。

第三级控制为配电网管理层的控制，以安全可靠、经济稳定为原则实现微电网间及微电网与配电网间的协调运营。第三级控制是微电网的上层能量优化及调度环节，根据分布式电源的出力预测、市场信息、经济运行及环境排放要求等优化目标和约束条件，微电网得到运行模式、调度计划、需求侧管理命令，从而统筹最佳运营的措施。第三级控制还可以协调多个微电网的运行，能够处理集群化多微电网系统的能量调度。因此，第三级控制作为分层控制中的最高级别，时间响应速度最慢，需要提前设定控制目标并进行适当的信息预测。

2. 微电网集中式控制与分布式控制

微电网中存在着多个微电源，如何实现发电单元、储能装置及负载之间的协调控制，保证直流微电网母线电压的稳定，是直流微电网研究的一个重点。传统的直流微电网协调控制方法有集中式控制和分布式控制[11]，其中集中式控制类似于传统电力系统或大规模分布式发电系统的集中控制，设立中央控制单元，所有的信息都流入该单元，实时处理后下达控制指令，控制信号通过高速的通信网络传送至微电网内各单元；类似地，给微电网增加一个数据中心来监控数据并协调各微电源间的出力，其优点是能够实时掌握各微电源的工作状态，易于实现各微电源等设备的优先控制，缺点是依赖于数据中心及通信线路，一旦数据中心或通信线路出现故障，整个直流微电网将瘫痪，可靠性较低。

微电网分布式控制策略与集中式控制相反，一般不设中央控制单元，不同的信息流入不同的控制中心，不同的控制指令由不同的控制中心发出，全部控制功能分散在各个子模块完成，各模块的输出、输入信号及系统信号相互关联，对于通信依赖较弱。因此，该控制策略能通过对各微电源的独立控制来实现微电网功率平衡，其优点是能够保持微电源模块化，实现微电源的即插即用，可靠性较高，响应速度快，但过度分散化便不能够协调各微电源的出力，各个独立微电源往往会做出"害人利己"的事情。需要注意的是，上述集中式与分布式控制策略的尺度在某些文献中是在整个微电网的层面上（如包含微电网经济调度等方面的研究），而在另一些文献中是仅在微电源群层面上（如在电力电子和控制理论层面）。因后者在前述传统控制方式中已有详细介绍，故本节重点讨论前者。

由于集中式控制策略和分布式控制策略各有优劣，理论上来讲分布式控制策略是目前较为合理的方式，不仅能够保证在数据流量高峰期通信线路不会阻塞、系统可靠性较高，也能保证用户隐私不泄露、决策更加独立化，但是现有已落地的结构多为集中式结构。随着智能电网的发展和多能流生态园区的增多，采取集中分布式（也即混合式）控制是目前最好的发展方向。微电网混合控制通常也设置中央控制单元，但其功能是根据微电源的输出功率和微电网内的负荷变化来调节微电源的稳态设置点和投切负荷，并不参与微电网终端微电源的动态调节，微电源动态调节仅需通过本地机端信息即可做出合理响应，部分情况下对微电源与中央控制单元间通信联系的依赖较弱。这种情况下，中央控制单元和分布式电源采用弱通信联系的控制方案，微电网的暂态平衡依靠底层微电源自我的控制器通过下垂控制或主从控制等方式来实现，上层中心控制器根据微电源的输出功率和微电网内的负荷变化调节底层微电源的稳态设置点并同时管理负荷。即使短时通信失败，微电网在小干扰下仍能正常运行。

6.2.2　微电网元件控制器设计

随着新能源在国内的大规模开发和利用，分布式发电及其微电网技术已经成为解决海岛地区、偏远地区供电问题的重要技术手段，越来越多地受到国内外电力工作者的重视。特别是海岛电网，它们和主电网一般通过海底电缆以弱连接方式联网，建设微电网可以有效地提高海岛供电可靠性。正常情况下，微电网与主电网并网运行，称为并网模式；当检测到电网故障或接收到调度下发的离网控制指令时微电网与配电网断开运行，称为离网模式。并网到离网的切换控制为微电网控制的核心问题之一。由调度下发的离网控制指令触发的离网控制称为主动离网控制，由于检测到主电网故障，微电网自行离网的控制过程称为被动离网控制。在不同系统状态下确定光伏、储能等微电源的状态是控制器设计的主要目的。

1. 直流微电网的控制器原理

直流微电网一般由分布式电源（风机、光伏阵列等）、储能系统、直流负荷以及相应的直流变换器构成。直流微电网可以通过并网逆变器与公共大电网相连，运行于并网模式，此时是由并网逆变器平衡直流微电网系统内功率；也可不与公共大电网相连而工作于孤岛模式，此时由系统内部单元平衡直流微电网系统内功率。

1）直流系统光伏控制器

光伏系统的输出功率是时刻随外界环境的变化而变化的，在光伏作为系统的功率终端时，为了最大限度地利用太阳能，需要实现对光伏的最大功率追踪，则控制模式应选择 MPPT 模式。MPPT 模式在较多文献中有详细描述，在此不再赘述。

　　然而当直流系统中功率盈余时，为了实现系统功率平衡以及电压稳定，光伏阵列不能一直工作于 MPPT 模式，此时光伏阵列将作为系统的平衡节点维持直流母线电压稳定。恒压控制是以光伏阵列为平衡节点，维持系统功率平衡，并保证直流母线电压的稳定。恒压控制同样采取双闭环的控制方式：采集直流母线的直流电压信号 U_{dc}，与直流母线的参考额定电压 U_{dc-ref} 比较，差值经 PI 控制器的比例积分环节产生电流的参考值 I_{ref}，然后将采集的电感电流 I_L 与 I_{ref} 比较，差值再经 PI 调节后作为 PWM 的调制波产生控制信号，控制开关管的通断，最终实现光伏系统的恒压控制。

　　综上所述，应设计一个光伏控制模块，以满足恒压模式和 MPPT 模式的运行与切换。光伏控制模块设计图如图 6-9 所示，u_{pv}、I_{pv} 为光伏输出电压、电流[12]。

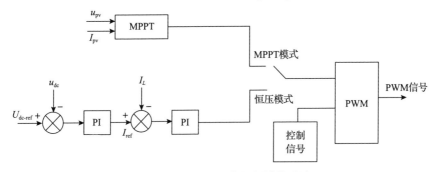

图 6-9　直流系统光伏控制模块设计

2) 直流系统储能控制器

　　在实际微电网系统中，由于可再生能源输出功率的间歇性和随机性，储能系统已经成为直流微电网的重要环节，具有重要的研究意义。因此，需增加储能单元，以提升系统供电的稳定性和可靠性。在储能单元的工作过程中，其自身的剩余容量或荷电状态反映了储能单元的电能输出能力。由于微电网中的储能单元通常分布式接入公共母线，因此，储能单元输出功率的分配同样需要满足分布式结构的要求。近年来，微电网多以交流为主，但直流微电网系统结构简单、能量转换少、供电质量高，相比交流微电网在一定程度上更有优势。蓄电池能量密度大，在储能设备中得到广泛应用。为了维持微电网内部瞬时功率平衡，稳定直流母线电压，储能系统往往需要频繁地吸收或发出较大功率，频繁地大功率充放电会严重影响蓄电池的使用寿命。为了弥补此缺点，超级电容因具有功率密度高、循环寿命长等优点，能够和蓄电池相互合作，共同发挥储能作用。因此，研究蓄电池和超级电容混合储能的控制方法，稳定直流母线电压，引发了许多研究热点。为了体现储能的作用，下面以孤岛状态下的下垂控制为例，设计基于下垂控制的蓄电池和超级电容混合储能的控制器原理。

为了简化分析，假定分布式能量仅来自光伏电池，系统简化结构如图 6-10 所示。蓄电池经过 DC/DC2 变换器与超级电容相连，构成混合储能系统，再经 DC/DC1 变换器与直流母线相连，光伏电池经过 DC/DC3 变换器与直流母线相连；同时把分布式发电系统中的直流负载、独立运行逆变器统称为直流母线的负荷。

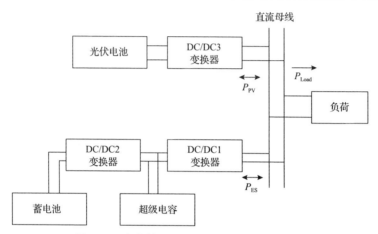

图 6-10 含有蓄电池和超级电容的直流微电网

图 6-10 中，P_{PV} 为光伏电池的输出功率，P_{ES} 为混合储能系统的输出功率，P_{Load} 为负荷功率，则直流母线的功率平衡方程为

$$P_{ES} = P_{Load} - P_{PV} \tag{6-7}$$

也即光伏发电单元与负荷之间的功率差额由混合储能系统来平衡。鉴于超级电容是功率型储能元件，能够在短时间内快速提供功率，所以将超级电容经直流变换器与直流母线相连，通过超级电容的充放电平衡直流母线功率波动的高频部分，稳定母线电压。但由于超级电容容量有限，对低频功率波动的响应会导致超级电容容量匮竭或盈余，从而无法补偿母线功率波动。因而加入蓄电池储能，根据超级电容的电压信息对蓄电池进行充放电控制，使超级电容的电压维持在正常工作范围内，间接地补偿直流母线功率波动的低频部分。

2. 交流微电网的控制器原理

1）光伏控制器

光伏电池的输出功率与电压特性曲线呈非线性关系。光伏电池输出的电压和电流受光照强度和温度变化影响，但在任一光照强度和温度下，都存在一个最大功率输出点。因此，需实现最大功率点跟踪控制，保证光伏电池输出最大功率。常用的 MPPT 控制方法有：定电压（constant voltage，CV）跟踪、短路电流比例系数法、插值计算法、电导增量法（incremental conductance，INC）、扰动观察法（perturb and observe，P&O）等。

　　为了保证一般性，对基于下垂控制的交流光伏微电网控制器进行工作原理设计，该微电网的控制原理如图 6-11 所示。

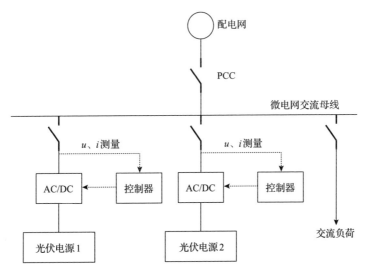

图 6-11　下垂控制下的光伏微电网控制原理

　　选取两级式三相光伏发电系统为研究对象，其结构如图 6-12 所示。微电网中光伏发电系统选用两级式控制结构，前级主要包括光伏阵列、DC/DC 变换环节；后级为 DC/AC 变换环节，并经过 LC 滤波接入微电网交流母线及电网。光伏阵列输出为直流电压和电流，其不能够直接接入微电网，需通过逆变器将直流电转换为符合微电网要求的交流电再接入，故逆变器的控制技术是决定光伏发电并入微电网系统稳定运行的关键环节。

图 6-12　微电网中光伏发电系统结构框图

　　对于图 6-12 中的 DC/AC 变换器，若使用单相逆变器，由于受到功率器件容量、中性线电流、电网负载平衡要求和用电负载性质的限制，其容量一般在 100kV·A 以下，所以应采用三相形式的大功率逆变器。从直流电源的性质来分，三相逆变器分为三相电压源型逆变器和三相电流源型逆变器，电压源型逆变器直流侧并联大电容，能够很好地抵御由电网干扰带来的直流电压波动，因而受电网干扰的影响较小，能够适应于波动较大的弱电网工况；而电流源型逆变器抵御电网波动的能力较低，当电网电压的波动超过±10%时，逆变器应停止工作，故不能应用于电网电压波动较大的场合。对于光伏发电系统来说，要求其逆变器输出电压稳定，故通常都采用电压源型逆变器。

光伏电压源型逆变电路特点如下：①直流侧为电压源或并联大电容，故直流电压环基本无变化，且直流回路呈低阻抗；②直流电压环流具有钳位作用，则逆变侧输出电压为矩形波，与负载阻抗无关，而负载阻抗影响逆变侧输出电流；③当逆变侧为阻感负载时需提供无功功率，而直流侧电容能够对其无功起缓冲作用。为了实现从逆变侧向直流侧反馈无功能量，通过逆变电路各开关反并联二极管为其提供通道。

设光伏逆变器的输入直流电压为 U_{dc}，输出功率为 P，则对于电阻性负载，可得负载上线电流的有效值为

$$I_o = \frac{P}{\sqrt{3}U_{dc}} \tag{6-8}$$

2) 储能控制器

图 6-13 给出了典型的含有蓄电池和超级电容的交流微电网结构，P_{Wind} 为风电功率，$P_{Battery}$ 为蓄电池功率，P_{PV} 为光伏功率，P_{SC} 为超级电容功率，P_{Load} 为负荷功率。系统分布式电源包括风力发电机和光伏电池阵列，分别通过 AC/AC 和 DC/AC 变换器接入交流母线，实现对负载的供电；由蓄电池和超级电容构成的混合储能系统(HESS)分别通过双向 AC/DC 变换器接入交流母线，负责维持系统的功率平衡，同时保持交流母线电压的稳定。

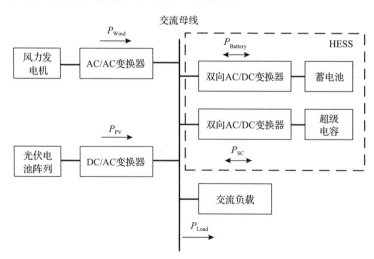

图 6-13　含有蓄电池和超级电容的交流微电网

对交流微电网内混合储能的控制策略，可以引入虚拟阻抗[13]的概念。虚拟阻抗是通过控制变换器输出电压，使其呈现一定的阻抗串联后的电压变化特性，从而对外呈现出一定的阻抗特性。超级电容和蓄电池组分别通过 DC/AC 变换器接入交流母线，变换器采用电压外环、电流内环的双闭环控制结构，通过应用虚拟阻抗控制，在电压控制环给定电压生成时，分别将蓄电池和超级电容额定电压减去虚拟电容和虚拟电阻所产生的电压实现虚拟阻抗控制。在应用虚拟阻抗控制策略后，母线电压会低于其额定值，为了维持母线电压恒定，需要对其进行补偿控制，由超级电容和蓄电池共同承担相同的电压补偿值。

6.3　基于分布式人工智能(多智能体系统)的控制框架

随着多种能源网络与信息互联网在物理和信息层面高度耦合，能源消费结构和能源利用方式都经历着广泛与深刻的变革。全球能源消费与资源禀赋之间存在空间的异质性，如何克服能源分布的不平衡和种类差异，使其更有效率地服务于整个人类社会，形成覆盖全球的能源供需平衡与调节体系，是未来世界可持续发展面临的巨大挑战。由于微电网具有以下主要特征：包含光伏、燃料电池等分布式电源；配备能量管理系统，通过对大量电力电子器件的控制，解决潮流、保护等问题；要求既可与大电网联网运行，又可在电网故障或需要时与主网断开单独运行，同时要对各种分布式电源进行有效控制；微电网的分布式特性、海量的控制数据以及灵活多变的控制方式使得采用以往由调度中心统一判断、调度的集中式控制方式难以实现灵活、有效的调度。因此，通过将控制权分散到各微电网元件的智能体，由各元件根据微电网的调度自行改变运行状态的分布式协调控制方式将有效解决这些问题。为此，可基于多智能体系统(或多代理系统)(MAS)构建微电网控制系统。

6.3.1　多智能体的概念

MAS 是当今人工智能中的前沿学科，是分布式人工智能研究的一个重要分支，其目标是将大的复杂系统(软硬件系统)建造成小的、彼此相互通信及协调的、易于管理的系统。多智能体的研究涉及智能体的知识、目标、技能、规划以及如何使智能体协调行动解决问题等。MAS 的应用研究开始于 20 世纪 80 年代中期，近几年呈明显增长的趋势。MAS 技术已成为当今人工智能研究的热点之一[14]。智能体一般具有以下特性：①自治性(autonomy)，智能体运行时不直接由人或其他部门控制，它对自己的行为和内部状态有一定的控制权；②社会能力(social ability)或称可通信性(communicability)，智能体能够通过某种主体通信语言(agent communication language，ACL)与其他主体进行信息交换；③反应能力(reactivity)，智能体应该能够感知它们所处的环境，可以通过行为改变环境，并适时响应环境所发生的变化；④自发行为(pro-activeness)，传统的应用程序是被动地由用户来运行的，而且机械地完成用户的命令，而主体的行为应该是主动的，或者说是自发的，主体感知周围环境的变化，并做出基于目标的行为(goal-directed behavior)。

MAS 是由多个可计算的智能体组成的集合，其中每个智能体是一个物理的或抽象的实体，能作用于自身和环境，并与其他智能体通信。多智能体技术是人工智能技术的一次质的飞跃：首先，通过智能体之间的通信，可以开发新的规划或求解方法，用以处理不完全、不确定的知识；其次，通过智能体之间的协作，不仅改善了每个智能体的基本能力，而且可从智能体的交互中进一步理解社会行为；最后，可以用模块化风格来组织系统。如果说模拟人是单智能体的目标，那么模拟人类社会则是 MAS 的最终目标。多智能体技术具有自主性、分布性、协调性，并具有自组织能力、学习能力和推理能力。采用 MAS 解决实际应用问题具有很强的鲁棒性和可靠性，并具有较高的问题求解效率。多智能体技术打破了目前知识工程领域的一个限制，即仅使用一个专家，因而可完成大的复杂系统的作业任务。多智能体技术在表达实际系统时，通过各智能体间的通信、合作、互解、协调、调度、管理及控制来表达系统的结构、功能及行为特性。由于在同一个 MAS 中各智能体可以异构，因此多智能体技术对于复杂系统具有无可比拟的表达力，它为各种实际系统提供了一种统一的模型，从而为各种实际系统的研究提供了一种统一的框架，其应用领域十分广阔，具有巨大的潜在市场。

6.3.2　多智能体概念图与 BDI 模型

在基于 MAS 的电力系统中，每个智能体都有数据处理和通信功能，可将处理后的数据(如运行参数、协调策略等)与对应的智能体相互通信，从而进行协调调度。同时，各智能体还具有各自不同的功能，举例来说：①微电网中心控制智能体具有数据综合处理、方案制定、命令发布及与主网并网功能；②光伏电池智能体拥有 MPPT 功能、电池板监测和保护功能、逆变并网功能，以保证光伏电池能够可靠、安全地运行；③燃料电池智能体具有水处理、燃料处理及空气供给、氢氧含量监控及燃料注入控制、热量处理、功率调节及并网等功能；④蓄电池智能体具有对蓄电池电压、电流、储能的监控功能，还有充放电功能和启停限定功能。由此可见，为了满足多能系统多尺度化、多因素的特点，各个智能体都有自己独特的功能，而且能够自我处理其他智能体所不能理解、无法处理的事件，并且可靠地参与电力市场运行与功率调度。

智能体是一个高度开放的智能系统，其结构直接影响系统的智能和性能，而人工智能的任务就是设计智能体程序。所以，智能体和程序以及体系结构之间的关系可以这样表示：智能体=体系结构+程序。一般来说，通常把智能体看作从感知到实体动作的映射。根据人类思维的不同层次，可以把智能体分为如下几类。

(1)反应式(reflex 或者 reactive)智能体只是简单地对外部刺激产生影响，没有任何内部状态。每个智能体既是客户，又是服务器，根据程序提出请求或做出回答。智能体通过条件-作用规则将感知和动作连接起来。如图 6-14 所示，可以把这种连接称为条件-作用规则。

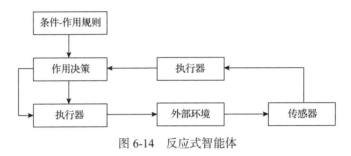

图 6-14　反应式智能体

(2)慎思式(deliberative)智能体又称为认知式(cognitive)智能体，是一个具有显式符号模型的、基于知识的系统。其环境模型一般是预先知道的，因而对动态环境存在一定的局限性，不适用于未知环境。由于缺乏必要的知识资源，在智能体执行时需要向模型提供有关环境的新信息，而这往往是难以实现的。在慎思式智能体的结构中，智能体接收到外部环境信息，依据内部状态进行信息融合，以产生修改当前状态的描述。然后在知识库的支持下制定规划，再在目标指引下，形成动作序列，对环境产生作用，如图 6-15 所示。

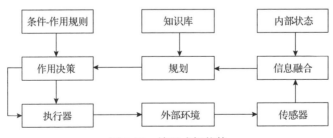

图 6-15　慎思式智能体

(3)复合式智能体是在一个智能体内组合多种相对独立和并行执行的智能体形态，其结构包括感知、动作、反应、建模、规划、通信和决策等模型。它通过感知模块来反映现实世界，并对外部环境信息做出一个抽象，再送到不同的处理模块。若感知到简单或紧急情况，信息就输入反射模块，做出决定，并把动作命令送到执行器，产生相应的动作，如图 6-16 所示。

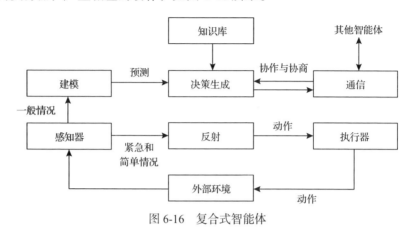

图 6-16　复合式智能体

　　以上的分类是几种最基本的分类模式，同时在这几种分类的基础上，又发展出具有内部状态的智能体结构、具有显式目标的智能体结构、基于效果的智能体结构。

　　为了实现上述内容，每个智能体都要储存一些满足自身认知的信息，如本地静态拓扑信息（如机器编号等）和在不同运行方式下所对应的不同动态拓扑信息（如实时邻接信息等）。相应地，为了实时更新代理所储存的信息，在 MAS 中，应建立一种智能体的社会模型。智能体可被看作具有信念（beliefs）、愿望（desires）和意图（intentions）的模型（即 BDI 模型[15]），所以智能体可以被分解为知识库、目标库和代理行为库，以此来明确划分智能体的行为。在 MAS 中，每个智能体只通过很少的端口来了解外部信息。智能体内部的这些为数不多的且可能过时的信息和本地静态拓扑信息一并被看作这个智能体的信念；在外部环境变化（如接收到拓扑结构变化或无功支持命令信号）时，从上文所提及的智能体的定义可以得出，一个智能体并不一定要坚决执行上层智能体传来的命令，而是要经过自我判断来确定应不应该执行命令，以防止超出自己的边界约束条件而损害自身，这种功能对应了智能体的愿望；在判断结束后，智能体想要做的一系列行为（如增发有功无功、甩负荷等）则对应为智能体的意图模块。综上，基于 BDI 模型的智能体内部图如图 6-17 所示。要指出的一点是，智能体的意图不一定执行；在分布式控制方式下，智能体的意图可以通过一定的方法转移到其他智能体中，从而让其他智能体执行此意图。在一个中大型的配电系统中，在故障自愈过程中往往存在多个重构策略。基于上述评估指标和 BDI 模型的智能体将有能力判断自我的意图是否执行，也即是否需要牺牲自己的电能质量或是否切出负荷来保证系统的整体稳定。

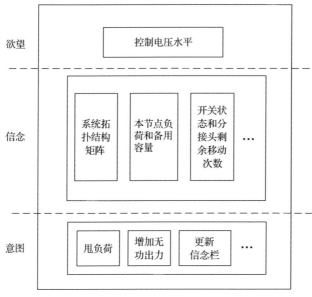

图 6-17　智能体 BDI 模型

6.3.3　基于多智能体的分层控制结构

　　MAS 是由多个智能体协调、合作形成问题的求解网络，在这个网络中，每个智能体能够预测其他智能体的作用，也总影响其他智能体的动作。因此，在 MAS 中要研究一个智能体对另一个智能体的建模方法。同时，为了能影响另一个智能体，需要建立智能体间的通信方法。也就是说多个智能体组成的一个松散耦合又协作共事的系统，就是一个 MAS。为了使智能体之间能够合理高效地进行协作，智能体之间的通信和协调机制成为 MAS 的重点问题。同时值得强调的是，前面讨论的智能体的特性大多也是 MAS 所具有的特点，如交互性、社会性、协作性、适应性和分布性等。此外，MAS 还具有如下特点：数据分布性或分散性，计算过程异步、并发或并行，每个智能体都具有不完全的信息和问题求解能力，不存在全局控制。

　　举例来说，基于 MAS 的微电网控制系统按等级可分为 3 层，即元件智能体(在最底层)、协调智能体(在中间层)和上级电网智能体(在最高层)，其结构如图 6-18 所示。微电网中各底层元件(包括发电机、负荷等)都作为独立的智能体运行。同时设定微电网智能体对这些智能体进行管理，如接收元件智能体信息、根据微电网运行状况及调整策略为其提供相应的控制策略等。微电网智能体与上级电网智能体之间通过通信协调实现各智能体之间的任务划分和共享资源的分配。上级电网智能体负责电力市场以及各智能体间的协调调度，并综合微电网智能体信息做出重大决策。图 6-18 为多智能体混合式分层控制结构示例。

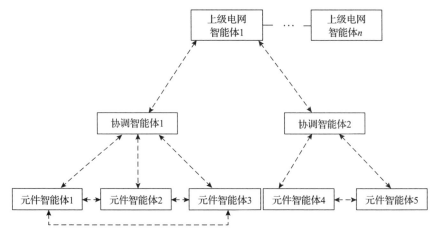

图 6-18　一种典型的 MAS 结构示意图

多智能体系统的混合式控制既包括集中式控制结构(图 6-19(a)),也包括分布式控制结构(图 6-19(b))。在集中式控制下,多个智能体由一个上级智能体(协调者)统一管控,下级智能体之间的交流均需要通过上级智能体来进行,这种方式适合在某地区有多个相同元件(如对蓄电池组、小区智能电表等的管理)的情况;而分布式控制下,多个同一层级的智能体之间能够互相直接联系,并且形成多姿多样的信息网络拓扑结构,这种方式适用于对多能流工业园区(特点是同级元件有不同控制尺度和时间尺度)的管理。

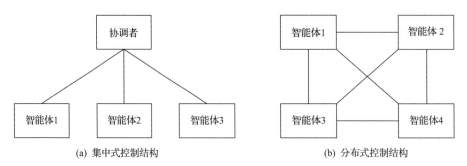

(a) 集中式控制结构　　　　　　　　　　　　　　(b) 分布式控制结构

图 6-19　基于 MAS 的控制结构示例

除此之外,在一般的大型 MAS 中,各个协调者之间的通信方式还是采用与图 6-18 所类似的系统并采用网状结构。但是由于电力系统是一个超大的系统,如果还是采用图 6-18 所示的模式,则由于协调者较多,所构成的网状结构比较复杂,程序的编制和系统的协调都难以实现,同时更难以体现电力系统分散控制的优点。为此,这里展示一种如图 6-20 所示的体系结构。

这种梯形多智能体控制结构结合了集中式、分布式和混合式几种控制结构的优点。在底层多智能体结构中,分别根据处理问题的不同,采用不同的放射型或

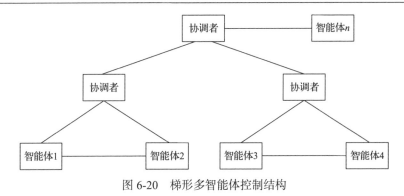

图 6-20　梯形多智能体控制结构

者是网状和放射型相结合的体系结构。整体系统可以根据不同的要求采用不同的层次。系统最终通过一个最高协调者进行综合协调控制。

6.3.4　多智能体技术的应用举例

1. MAS 在协调优化中的应用

电动汽车由于清洁环保、高效节能而备受关注。近年来，国内电动汽车行业发展迅猛，产销两旺。国内纯电动汽车和插电式混合动力汽车产能和累计产销量快速增长。然而，电动汽车大规模接入电网，会带来负荷高峰、电压下降、线路损耗增大、谐波污染以及三相不平衡等问题。因此，有必要对电动汽车充电负荷进行有序协调优化。随着电动汽车规模的增大，控制中心每次优化计算需要存储的信息和计算量也相应增大，导致优化时间过长，甚至会出现维数灾问题。因此，基于 MAS 理论结合分层控制和分布式控制方法，可有效解决大规模 V2G (vehicle to grid)的协调优化问题。本节所采用的电动汽车充放电分层管理框架分为配电网控制中心、本地运营商、电动汽车智能体 3 个层次，配电网控制中心连接多个本地运营商，本地运营商内又包含多个电动汽车智能体。

电动汽车作为具有适应性的智能体，在接入电网时，可以从本地运营商获取停留时段的电价等信息，根据自身的电池状态及充电需求进行优化计算，并将优化后的可接受充电计划提交给本地运营商。本地运营商根据当地负荷预测的情况，对电动汽车提交的充电计划进行审核，选取最小化峰谷差的充电计划并下达给各个电动汽车智能体，电动汽车智能体照此计划进行充放电。实际充电计划与最优计划的成本差，将由本地运营商对用户进行补贴。配电网控制中心接收本地运营商聚合了各个电动汽车智能体充电负荷的负荷数据后，针对节点电压、线路传输功率等安全约束，对各个本地运营商提交的购电计划进行管理控制。如果本地运营商提交的充电负荷使得配电网安全约束越限，则对越限时段的充电电价进行调控，实现电动汽车智能体充电负荷的转移，以保证配电网的正常与安全运行。

2. MAS 在电力市场运营中的应用

由于虚拟电厂含微型燃气轮机、燃料电池、光伏发电等分布式电源，其具有利用可再生能源、相对较小的网损、少量的环境污染、灵活高效的能源调度等优点，这使得虚拟电厂成为一种极具优势的电网形式。同时，由于微型电源的冷热电联供，虚拟电厂不仅具备了极高的能源转换效率，其发电成本也大大下降。并且，随着分布式发电装机容量的增加，虚拟电厂所发出的功率将逐渐大于本地负荷的消耗，此时，为充分利用虚拟电厂中剩余的电量，虚拟电厂将参与并网输电。因此，随着技术的进步、成本的下降、容量的增大，虚拟电厂在保证自身消耗的同时，将参与电力市场的竞价体系。

当虚拟电厂加入电力市场后，由于虚拟电厂的特殊性，其对于上级电力市场来说可以看成单一的元件进行竞价，对于自身来说又可以对各个分布式元件进行协调调度。因此，在并网时，如能优化虚拟电厂在上级电力市场的竞价策略，以使其获得高额利润；同时协调虚拟发电厂中各发电元件的电量输出，以获得最小的发电成本，这样虚拟电厂可以在增大利润的同时减小成本，从而获得最大的利润。然而，随着虚拟电厂的加入，电力市场也产生了一些新的变化，如竞价的实时化、分布化、分层化等。这使得传统的竞价机制难以适应市场新的变化。在这种环境下，MAS 将凭借其分布、快速处理复杂问题的能力逐渐取代传统的电力市场预测体系。MAS 是由多个智能体组成的系统，各智能体成员之间相互协同、相互服务，共同完成各自的任务。其自主性、交互性、高效性的优点将更好地适应电力市场向分布化和层次化发展的需求。因此，可采用基于 MAS 的虚拟电厂市场竞价结构，其中包括三层智能体：上级电力市场智能体、虚拟电厂及发电公司智能体及发电元件智能体。

(1) 上级电力市场智能体。根据各高级智能体申报的竞价数据，以及系统安全水平，编制交易计划、确定市场价格、实现实时市场交易。同时反馈给各高级智能体市场最终的定价及各发电公司输出的电量，使其成员能够根据提供的信息，进行下一步交易决策。

(2) 虚拟电厂及发电公司智能体。根据自身状况向上级智能体进行竞价申请，并对上级智能体所提供的数据进行学习并调整竞价策略。若是虚拟电厂智能体，则还要对发电元件智能体所提供的数据进行虚拟电厂发电余额、输电成本的预测处理，并综合上级智能体提供的数据进行上网竞价。在竞价成功后，虚拟电厂智能体以成本最小化竞价策略对发电元件智能体进行调度。

(3) 发电元件智能体。其负责向虚拟电厂智能体提供输电损失、容量上限、输电量、发电元件运行状态等相关数据，并根据自身状态和虚拟电厂智能体提供的数据进行竞价，在竞价完成时进行具体的输电。

3. MAS 在配电系统自愈控制中的应用

随着分布式可再生能源的急剧涌现与快速增长，以及以电动汽车为代表的新型负荷的大规模接入，电源结构不断变化、电源种类持续增加、负荷特性日益多样，已对配电网造成广泛而深远的影响。主要表现为功率流向日趋复杂，负载波动加剧；短路电流增大，设备选型困难且寿命缩短；电压越限等电能质量问题日益突出、供电可靠性降低；配电网继电保护灵敏度变化，造成保护的误动和拒动等，已严重影响系统的稳定性以及运行的安全性。为保证电能质量以及供电可靠性，配电系统的架构及模式正在发生重大变化。

自愈系统具有自身状态与外部环境监测、自身健康状态维持和从非健康状态恢复到健康状态的功能。自愈流程包括信息采集、状态诊断、方案决策和控制执行 4 个步骤。电网自愈主要是对电网的运行状态进行实时评估，采取预防性控制手段，及时发现、快速诊断故障和消除故障隐患，变被动的事故处理为主动的抑制事故发生。自愈能力是自我预防和自我恢复（自我愈合）的能力，具有两个显著特征：①预防控制为主要控制手段，及时发现、诊断和消除故障隐患；②具有故障情况下维持系统连续运行的能力，不造成系统的运行损失，并通过自治修复功能从故障中恢复。

自愈的智能配电网能够在配电网的不同层次和区域内实施充分协调且技术经济优化的控制手段与策略，具有自我感知、自我诊断、自我决策、自我恢复的能力，这四个"自我"形成闭环，实现配电网在不同状态下的安全、可靠与经济运行。自愈的配电网可以做到在正常情况下预防事故发生，实现运行状态优化；在故障情况下可以快速切除故障，同时实现自动负荷转供；在外部停运情况下，可以实现与外部电网解列，孤岛运行，并进行黑启动。

配电网自愈控制功能的实现依赖于配电系统快速仿真与模拟、保护装置的协调与自适应整定、与 DG 的协调控制、智能分析与决策、分布式计算等一系列技术。这些技术的发展与应用很大程度上决定着自愈控制功能的实现方式、效率与可靠性。其中，含 DG 的配电系统快速仿真与模拟是自愈控制功能实现的基础，它为配电网的网络重构提供计算方法和依据。所以，可以建立基于无线公网的配电网故障自动隔离和恢复控制模型，结合不同故障类型和网络结构，研究含分布式电源的配电网智能自愈控制技术，构建主站与终端联动、适应多种网络环境和多重故障的配电网自愈控制架构，并研制配电网故障智能诊断与自愈控制系统，该示例如图 6-21 所示。

从图 6-21 可以得知，基于 MAS 结构，该故障智能诊断与自愈控制系统分为四个控制层，每一层都可由智能体所管控。常规运行时，系统级别的智能体可以多维度检测评估配电网的运行方式，终端智能体监视馈线分段开关与联络开关的状态和馈线电流、电压情况，并实现线路开关的远方控制以优化配电网运行方式。

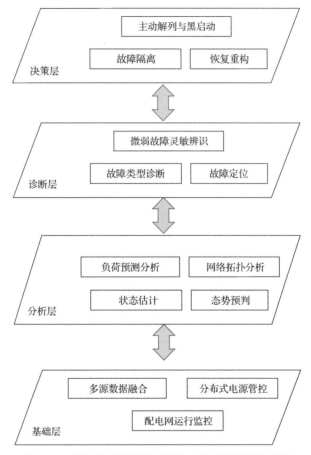

图 6-21　配电网故障智能诊断与自愈控制系统架构图

故障时系统拟提供自动模式和手动模式两种运行模式，当检测到故障信号时，系统会自动启动故障定位。在自动模式下，故障被定位后，会依次自动分析和执行隔离方案、恢复方案。在手动模式下，系统会自动分析给出隔离方案和恢复方案，但不会自动执行，允许调度员查看、编辑隔离、恢复方案。

电动汽车、分布式电源的大规模接入使电力系统的功率流和电压水平更不可预测，同时光伏电池板和风机的使用也使得传统故障整定策略和传统日负荷预测不再适用。以对电压的校正为例，在电压变动下(如因负荷的切入切出而导致的电压波动以及因开关动作而导致某些负荷失电等)校正控制流程如图 6-22 所示。需要说明的一点是，近年来国内外学者对下垂控制的研究已经相当成熟，但是下垂控制更倾向在非主动配电网进行应用，而且控制精度并不高。所以将本节所提的校正控制逻辑与下垂控制相结合，将对日新月异的主动配电网系统的自愈过程有很大帮助。

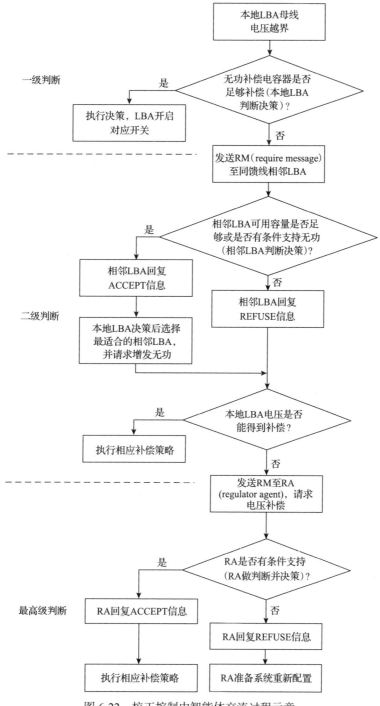

图 6-22 校正控制中智能体交流过程示意

LBA(load bus agent，负荷母线智能体)

电网在不得不进行系统重构时(如三相短路故障导致某地负荷失电),为了将损失降到最小,应立刻进行紧急控制。下述逻辑将针对馈线三相接地短路或负荷母线上三相接地短路故障进行分析,并介绍多智能体的通信和决策机制。紧急控制流程如图 6-23 所示,可以看出,对故障的定位工作是紧急控制的根本保证。

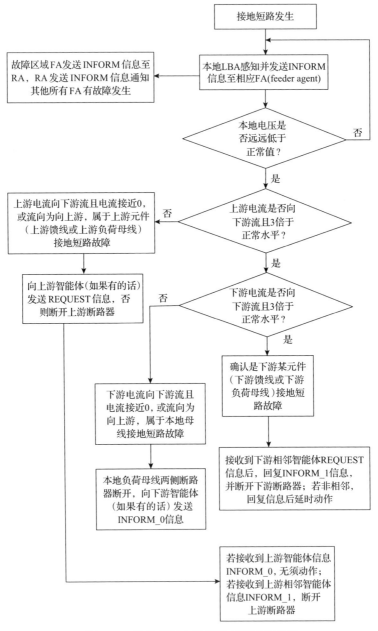

图 6-23 紧急控制中智能体交流过程示意

　　恢复控制的目的在于通过各种手段（如系统重构）快速恢复故障区域负荷供电，并且不影响其他正常区域负荷供电。在失电区域所对应的 FA 接收到故障区域 LBA 恢复电压的请求后，若发现不能够通过普通的无功调节来恢复电压，则向下属 LBA 返回 REFUSE 信息，并请求上级 RA 进行系统重构，进而启动恢复控制。恢复控制如图 6-24 所示，其中，在系统重构后，定义失电区域恢复供电后所连接的馈线为支持馈线。

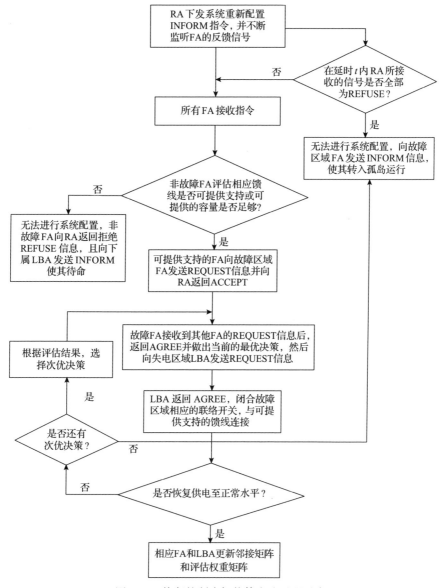

图 6-24　恢复控制中智能体交流过程示意

6.4 基于协同论的一致性控制技术

6.4.1 自动发电控制概要

电力系统的频率控制可分为一次调频、二次调频和三次调频。一次调频是通过发电机组调速器跟踪本地频率信号完成闭环控制；二次调频则是通过调度段自动发电控制(AGC)实时控制器跟踪全网频率和联络线功率偏差后，将调度指令下发给电厂可编程逻辑控制器(PLC)完成一个"大"闭环控制；三次调频是对电网的有功发电功率进行经济调度，实际上与电网频率并不严格相关。AGC 是实现电力系统频率无差调节的关键，其模型通常是以负荷频率控制(load-frequency control, LFC)为基础的频域线性模型，电力系统 LFC 问题作为控制理论界的一个经典研究问题，成为大量新兴控制方法的试验田。

AGC 系统是 EMS 中的核心子系统，自诞生至今依然保持着集中式控制结构。集中式框架适用于确定型的电源结构和单向的负荷波动的传统电力系统。在半个多世纪的发展中，由于集中式 AGC 具有结构简单、处理信息量小、工程实现代价小的特点，其集中式的形态并未发生重大改变。但 21 世纪以来，大规模风、光、电动汽车不断从配电网接入电网，以大功率电力电子器件为基础的交直流输电系统成为输配电网的主干支架，电源结构和电网形态都在经历根本性的变化，全世界将迎来智能电网时代，在这样的大背景下，传统的 AGC 集中模式越发暴露出其不足：①电网故障解列后集中式 AGC 系统将闭锁失效；②集中式 AGC 不考虑电网拓扑结构，无法实现以 AGC 为基础的二次调频和以最优潮流为基础的三次调频之间的最优协调配合；③无法在智能电网复杂的电源结构下有效实施 AGC 总指令动态优化分配。与此同时，为了解决数据海量、通信瓶颈和协调互动问题，智能电网 EMS 的发展趋势是分散自治，集中式的 EMS 将会被分散、灵活、开放的分布式 EMS 取代，逐步形成一种分布-集中式的混合控制结构，而 AGC 作为 EMS 的核心组成部分，也必须顺应趋势进行相应的策略和结构改革。

6.4.2 多智能体一致性算法研究现状

所谓一致性，是指在多智能体网络中，每个智能体按照一定的控制规则进行某种特定信息的交互，相互作用后，最终网络中所有智能体的某些关键信息或状态达成一致。1986 年，Renolds 首次在模拟多智能体集体行为中发现了三个著名的启发式规则：①群体集中；②防止碰撞；③速度匹配。Viseck 等对此三个规则进行了数学建模，模型主要关心群体运动方向的一致性，Olfati-Saber 等利用图论和稳定性理论，建立了多智能体网络一致性的完整理论框架，Ren 研究了在动态作用拓扑结构下的多智能体一致性。通过十余年的共同努力，多智能体一致性理论在编队、蜂群、聚集和同步等自然问题的研究上获得重要突破，结构相同的同构多智能体一致性、收敛性及其线性控制策略的研究日趋完善。近来包含引导群体趋于最终目标的领导者和跟随者的多智能体主从一致性也受到广泛关注：Hu 在考虑时变时延的基础上，研究了固定网络和切换网络拓扑的主从网络的一致性问题，Leonard 将协作图和势能函数结合起来分析主从多智能体网络的一致性、收敛性，关治洪、孙凤兰等研究了领导者对多智能体网络有限时间一致性的影响，Consolini 研究了非完整性移动机器人的主从编队控制。

　　鲁棒性是多智能体网络的一个重要性能指标[16]，多智能体一致性算法的鲁棒性研究主要集中在通信时延、噪声、数据包丢失等方面。通信时延是影响多智能体稳定性的一个关键因素，在多智能体网络中，自然会产生时延，如智能体通信通道阻塞、相互作用不对称等，在信息传输速度有限的媒介中都会出现时延。集值 Lyapunov 方法和频域方法被用于研究时滞相依的无向通信网络一致性问题，Olfatidui 证明了多智能体网络所能承受的最大时延与网络拓扑的关系。智能体在运行的过程中，白噪声和外部干扰使得通信网络存在噪声，可运用凸优化算法来实现含通信噪声多智能体系统的鲁棒收敛至初态均值，常采用时变衰减因子来处理。通信网络中数据包丢失会引起智能体之间的连接拓扑发生变化，其过程可以用马尔可夫模型刻画，对于一阶一致性多智能体系统，只要保证其拓扑结构连通则可以确保该系统达到渐进一致。

6.4.3　基于等微增率的一致性算法

1. 图论基础

　　一个图 G 是指一个二元组 (V_G, E_G)，其中，非空有限集 $V_G = \{v_1, v_2, \cdots, v_n\}$ 为顶点集；顶点集 V_G 中无序或有序的元素偶对 $e_k = (v_i, v_j)$ 组成的集合 E_G 为边集。若 e_k 为无序元素偶对，则图 G 称为无向图；若 e_k 为有序元素偶对，则图 G 称为有向图。显然，无向图可以看作特殊的有向图。一个不包含自环和多重边的图称为简单图。

　　设 $G = (V, E)$ 是含有 n 个顶点的图，矩阵 A 为 G 的邻接矩阵，其中 a_{ij} 为邻接矩阵 A 中的第 i 行、第 j 列元素。对于无权重的无向简单图，矩阵 A 是对称的，且对角元素中 a_{ij} 为 0。此外，拉普拉斯矩阵 $L = [l_{ij}]$：

$$l_{ij} = \begin{cases} -a_{ij}, & j \neq i \\ \sum\limits_{j=1, j\neq i}^{n} a_{ij}, & i = j \end{cases} \tag{6-9}$$

2. 离散时间系统一阶一致性

设 $x_i[k]$ 为智能体 i 在 k 时刻的某一状态，如电压、频率、发电成本等物理特性。通常认为在离散时间系统中，当且仅当对任意 i、j 都有 $x_i[k] = x_j[k]$ 时，多智能体系统达到了一致性状态。考虑实际系统中通信传输数据通常具有一定时间间隔，故采用离散时间一阶一致性算法进行研究。对于无领导者的通信系统，可由图 6-25 表示，其离散时间一阶一致性算法可描述为

$$x_i[k+1] = \sum_{j=1}^{n} d_{ij} x_j[k], \quad i = 1, 2, \cdots, n \tag{6-10}$$

式中，d_{ij} 为行随机矩阵 D 中的元素。对于有虚拟领导的通信系统，可由图 6-26 表示，其离散时间一阶一致性算法的更新公式为

$$x_i[k+1] = \sum_{j=1}^{n} d_{ij} x_j[k] + \varepsilon g(x[k]) \tag{6-11}$$

式中，ε 为一个正实数，它反映一致性算法的收敛性能，称为收敛系数；$\varepsilon g(x[k])$ 称为一致性网络的输入偏差，为其他智能体达成一致性提供参考方向。其他智能体的更新规则与无领导者一致性算法相同。

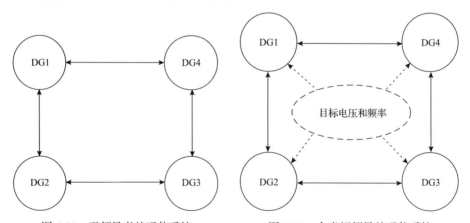

图 6-25　无领导者的通信系统　　　　图 6-26　含虚拟领导的通信系统

3. 智能配电网等微增率一致性算法

经济调度常用的发电成本可近似地用一个二次函数来表示：

$$C_i(P_{Gi}) = a_i P_{Gi}^2 + b_i P_{Gi} + c_i \tag{6-12}$$

式中，P_{Gi}为第i台机组的出力；C_i为第i台机组的发电成本；a_i、b_i、c_i分别为第i台机组发电成本的各次系数。

因此，AGC功率分配后各台机组的发电成本将发生改变，为

$$C_i(P_{Gi,ac}) = C_i(P_{Gi,plan} + \Delta P_{Gi}) = \alpha_i P_{Gi}^2 + \beta_i P_{Gi} + \gamma_i \tag{6-13}$$

式中，$P_{Gi,ac}$为第i台机组的实际发电功率；$P_{Gi,plan}$为第i台机组的计划发电功率；ΔP_{Gi}为第i台机组的AGC调节功率；α_i、β_i、γ_i分别为考虑发生功率扰动后第i台机组发电成本的各次动态系数，其中$\alpha_i = a_i$；$\beta_i = 2a_i P_{Gi,plan} + b_i$；$\gamma_i = a_i P_{Gi,plan}^2 + b_i P_{Gi,plan} + c_i$。

对于含有n台AGC机组的系统而言，AGC的调节目标可以描述为

$$\min C_{total} = \sum_{i=1}^{n}(\alpha_i P_{Gi}^2 + \beta_i P_{Gi} + \gamma_i)$$

$$\text{s.t.} \qquad \Delta P_{\Sigma} - \sum_{i=1}^{n}\Delta P_{Gi} = 0 \tag{6-14}$$

$$\Delta P_{Gi}^{min} \leqslant \Delta P_{Gi} \leqslant \Delta P_{Gi}^{max}$$

式中，C_{total}为发电实际总成本，本书把C_{total}取为AGC功率分配的总功率指令；ΔP_{Σ}为AGC跟踪的总功率指令；ΔP_{Gi}^{min}和ΔP_{Gi}^{max}为机组i的最小和最大可调容量。

根据等微增率准则，当每个机组的发电成本对其AGC调节功率的偏微分导数相等时，C_{total}可达到最小值，即

$$\frac{dC_1(P_{G1,ac})}{d\Delta P_{G1}} = \frac{dC_2(P_{G2,ac})}{d\Delta P_{G2}} = \cdots = \frac{dC_n(P_{Gn,ac})}{d\Delta P_{Gn}} = \lambda \tag{6-15}$$

式中，λ为发电成本微增率。因此，本书选取λ为多智能体网络的一致性变量，由式(6-15)可知λ计算如下：

$$\lambda_i = 2\alpha_i \Delta P_{Gi} + \beta_i \tag{6-16}$$

式中，λ_i为第i台机组的发电成本微增率。所以，根据式(6-16)，可以将有领导者的等微增率一致性算法表述为

$$\lambda_i[k+1] = \sum_{j=1}^{n} d_{ij}\lambda_j[k] + \varepsilon\Delta P_{err}, \quad i = 1, 2, \cdots, n \tag{6-17}$$

式中，ΔP_{err}为AGC总功率指令与所有机组的总调节功率的差值。

6.4.4　基于多智能体一致性的下垂控制策略

一般地，微电网可工作在并网和离网两种模式下。正常运行时，微电网与大电网连接，DG 工作在最大功率点跟踪状态。由于 DG 容量较小，系统动态特性由大电网主导。当主网发生故障而使得微电网从主网断开时，微电网工作在离网模式。此时，DG 需改变运行模式并向重要负荷提供持续的电能；DG 和储能需协调运行实现微电网中有功功率和无功功率平衡，维持系统频率和电压稳定。因此，DG 的一致性协调控制在微电网的运行控制中具有非常重要的意义。

在传统下垂控制中，虽然 DG 仅需要采集端口电压和频率，不需要进行相互通信，但不能与其他 DG 协调完成系统级的目标。在电力系统中，由于能量管理系统的需要，通信网络是必然存在的。针对这一特点，可以以 DG 间的局部通信为基础，应用一致性控制使得 DG 协调合作来完成系统级目标，并以传统下垂控制中有功分配和电压/频率的调节特性为基础，使得 DG 在满足下垂控制特性要求的同时，保持系统频率和电压稳定在目标值。

传统下垂控制如式(6-18)所示，相应的控制框图如图 6-27 所示，其中 δ 为相角，LPF 为低通滤波器，ω_c 为滤波器截止角频率。

$$\begin{cases} \omega_i = \omega_{0i} - m_i P_i \\ U_{\mathrm{d}i} = U_{0i} - n_{\mathrm{a}i} Q_i \\ U_{\mathrm{q}i} = 0 \end{cases} \tag{6-18}$$

式中，ω_{0i} 和 U_{0i} 分别用于控制角频率和电压的初值，在传统下垂控制中为常量，在小信号稳定性分析中常被忽略；ω_i 为角频率；$U_{\mathrm{d}i}$、$U_{\mathrm{q}i}$ 为直轴、交轴电压；m_i、$n_{\mathrm{a}i}$ 为下垂系数。而改进下垂策略主要通过控制其他电气量或增加辅助控制量来改善系统性能。

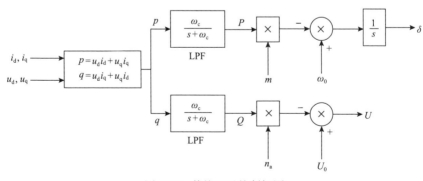

图 6-27　传统下垂控制框图

对式(6-18)求导可得

$$\dot{\omega}_i = \dot{\omega}_{0i} - m_i \dot{P}_i = x_{\omega i}$$
$$\dot{U}_i = \dot{U}_{0i} - n_{ai} \dot{Q}_i = x_{Ui} \tag{6-19}$$

式中，$x_{\omega i}$ 和 x_{Ui} 分别为频率和电压的一阶微分，再次求导可得

$$\dot{x}_{\omega i} = u_{c\omega i}$$
$$\dot{x}_{Ui} = u_{cUi} \tag{6-20}$$

式(6-19)和式(6-20)共同构成了微电网的二阶动态调节模型。对于式(6-19)所示的下垂控制，DG 间的有功功率分配需满足式(6-21)所示的分配特性。

$$m_1 P_1 = m_2 P_2 = \cdots = m_n P_n \tag{6-21}$$

式中，n 为智能体的个数。

类似于频率和电压的模型，对式(6-21)连续 2 次求导得有功功率的控制模型为

$$m_i \dot{P}_i = x_{Pi}$$
$$\dot{x}_{Pi} = u_{cPi} \tag{6-22}$$

由上述模型可知，合理调整 $u_{c\omega i}$、u_{cUi} 和 u_{cPi}，并控制 $x_{\omega i}$、x_{Ui} 和 x_{Pi} 为 0，修正 ω_i 和 U_i 可使得系统的频率和电压运行在额定值。

在基于多智能体的系统中，由于不同地区、不同设备对下垂控制的方式并没有统一的要求和控制方法(如在高压电网和低压电网中各有着不同的下垂控制标准)，所以引入多智能体对下垂控制进行分布式控制很有必要。结合 6.4.3 节内对通信系统拓扑的描述，本节对有功功率控制、有功-频率下垂控制和无功-电压下垂控制进行一致性控制策略描述。

1. 有功功率控制

由于 DG 的有功功率随负荷的变化而改变，因而不存在固定的目标值。假设 t_d 为通信系统中的延时，采用无领导者的一致性实现对 DG 有功功率的一致性控制，控制函数具体如式(6-23)所示。

$$u_{cPi} = u_{cP\alpha i} + u_{cP\beta i} \tag{6-23}$$

式中，$u_{cP\alpha i}$ 和 $u_{cP\beta i}$ 为两个相互独立的部分，前者的主要作用是控制所有的 DG 的有功下垂系数的乘积 mP 相等，后者的主要作用是控制其微分量相等，k_{P1} 和 k_{P2} 是一致性协议中的控制参数，且 $k_{P1} > 0$，式(6-23)的具体展开如式(6-24)所示：

$$u_{cP\alpha i} = -k_{P1} \sum_{j=1, j\neq i}^{n} (a_{ij} \Delta m P_{ij})$$

$$u_{cP\beta i} = \sum_{i=1, i\neq j}^{n} (a_{ij} \mathrm{sign}(x_{Pji}) \mid x_{Pji} \mid^{k_{P2}}) \tag{6-24}$$

$$\Delta m P_{ij} = m P_i(t) - m P_j(t - t_{\mathrm{d}})$$

$$x_{Pji} = x_{Pj}(t - t_{\mathrm{d}}) - x_{Pi}(t)$$

式中, a_{ij} 为邻接矩阵元素, 表示节点 j 通往节点 i 的边的权重, 为 0 时表示两个智能体之间无信息交互。

结合式(6-22)所示的有功调节模型, 可获得有功功率调节的平衡点:

$$m_i P_i(t) = m_j P_j(t - t_{\mathrm{d}})$$

$$m_i \dot{P}_i(t) = m_j \dot{P}_j(t - t_{\mathrm{d}}) \tag{6-25}$$

当系统稳定运行时, 有功的一阶和二阶导数均为 0, 即 DG 的输出功率为常数。应用 Lyapunov 直接法分析系统的渐进稳定性, 根据 Lyapunov 直接法原理可以知道, 若存在能量函数 $V(x)$ 满足以下 4 个要求则系统渐进稳定。

(1) $V(0) = 0$。

(2) 当 $x \neq 0$ 时, 存在 $V(x) > 0$。

(3) 当 $\|x\| \to \infty$ 时, 存在 $V(x) \to \infty$。

(4) 对于所有的 $x \neq 0$, $\dot{V}(x) < 0$。

针对式(6-22)和式(6-23)构成的系统, 可选用式(6-26)所示的能量函数:

$$V(x) = \frac{1}{2} \sum_{i=1}^{n} x_{Pi}^2 + \frac{1}{2} \sum_{i=1}^{n} \sum_{j=1, j\neq i}^{n} (k_{P1} a_{ij} (\Delta m P_{ij})^2) \tag{6-26}$$

进一步分析其导数:

$$\dot{V}(x) = \sum_{i=1}^{n} x_{Pi} u_{cPi} + \sum_{i=1}^{n} \sum_{j=1, j\neq i}^{n} (k_{P1} a_{ij} \Delta m P_{ij} m \dot{P}_{ij}) \tag{6-27}$$

将式(6-24)的控制函数代入式(6-27)得

$$\dot{V}(x) = \sum_{i=1}^{n} x_{Pi} \sum_{j=1, j\neq i}^{n} [-k_{P1} a_{ij} \Delta m P_{ij} + a_{ij} \mathrm{sign}(x_{Pji}) \mid x_{Pji} \mid^{k_{P2}}] + \sum_{i=1}^{n} \sum_{j=1, j\neq i}^{n} (k_{P1} a_{ij} \Delta m P_{ij} x_{Pij})$$

$$\tag{6-28}$$

式(6-28)中有

$$\sum_{i=1}^{n} x_{Pi} \sum_{j=1,j\neq i}^{n} (k_{P1}a_{ij}\Delta mP_{ij}) = \sum_{i=1}^{n} \sum_{j=1,j\neq i}^{n} (k_{P1}a_{ij}\Delta mP_{ij}x_{Pij}) \tag{6-29}$$

因此，$\dot{V}(x)$ 可简化为

$$\dot{V}(x) = \sum_{i=1}^{n} \sum_{j=1,j\neq i}^{n} [a_{ij}x_{Pji}\,\mathrm{sign}(x_{Pji})\,|\,x_{Pji}\,|^{k_{P2}}] \tag{6-30}$$

故对所有的 $x \neq 0$，$\dot{V}(x) < 0$ 恒成立，即在式(6-24)所示的一致性协议作用下，系统是渐进稳定的。

2. 有功-频率下垂控制

本部分主要分析通过 ω_i 的自适应调节修正系统频率偏差。在电力系统中，系统频率的控制目标为预先设定的额定值，即在稳定运行状态下，所有 DG 保持额定频率运行。本书应用含虚拟领导的一致性实现频率的自适应控制。控制方程如式(6-31)所示。

$$u_{c\omega i} = u_{c\omega\alpha i} + u_{c\omega\beta i} + u_{c\omega\gamma i} \tag{6-31}$$

式中，$u_{c\omega\alpha i}$、$u_{c\omega\beta i}$ 和 $u_{c\omega\gamma i}$ 表示一致性控制中的 3 个子控制分量，其中前两个控制分量的作用与式(6-23)类似，第三部分主要用于控制 DG 的频率和虚拟领导相同。

$k_{\omega1}$、$k_{\omega2}$ 和 $k_{\omega3}$ 为一致性协议中的控制参数，且 $k_{\omega1} > 0$，$k_{\omega3} > 0$。在频率控制中，由于虚拟领导中的额定频率是提前设定的，因而可忽略虚拟领导与 DG 间的通信延时。式(6-31)的具体展开式如式(6-32)所示：

$$\begin{aligned}
u_{c\omega\alpha i} &= -k_{\omega1} \sum_{j=1,j\neq i}^{n} (a_{ij}\omega_{ij}) \\
u_{c\omega\beta i} &= \sum_{i=1,i\neq j}^{n} (a_{ij}\mathrm{sign}(x_{\omega ji})\,|\,x_{\omega ji}\,|^{k_{\omega2}}) \\
u_{c\omega\gamma i} &= k_{\omega3}[-k_{\omega1}\omega_{iL} + \mathrm{sign}(x_{\omega ji})\,|\,x_{\omega ji}\,|^{k_{\omega2}}] \\
\omega_{ij} &= \omega_i(t) - \omega_j(t-t_{\mathrm{d}}) \\
\omega_{iL} &= \omega_i - \omega_L \\
x_{\omega ji} &= x_{\omega j}(t-t_{\mathrm{d}}) - x_{\omega i}(t) \\
x_{\omega Li} &= x_{\omega L} - x_{\omega i}
\end{aligned} \tag{6-32}$$

式中，下标 L 表示含控制目标的虚拟领导，可以是中央控制器。

类似于有功功率的分析，一致性协议作用下的平衡点为

$$
\begin{aligned}
\omega_i(t) &= \omega_j(t - t_{\mathrm{d}}) = \omega_{\mathrm{N}} \\
\dot{\omega}_i(t) &= \dot{\omega}_j(t - t_{\mathrm{d}}) = 0
\end{aligned}
\tag{6-33}
$$

式 (6-34) 表明，稳定状态下，各 DG 输出电压的频率为系统的额定频率 ω_{N}，即系统频率控制的目标。

同样，选定式 (6-34) 所示的能量函数分析系统的稳定性：

$$
V(x) = \frac{1}{2}\sum_{i=1}^{n} x_{\omega i\mathrm{L}}^2 + \frac{1}{2}\sum_{i=1}^{n}\sum_{j=1, j \neq i}^{n} [k_{\omega 1} a_{ij}(\omega_{ij})^2] + \sum_{i=1}^{n} [k_{\omega 1} k_{\omega 3}(\omega_{i\mathrm{L}})^2]
\tag{6-34}
$$

同理，经过求导和化简的分析后，可得

$$
\dot{V}(x) = \sum_{i=1}^{n} \hat{x}_{\omega i} \sum_{j=1, j \neq i}^{n} [a_{ij}\, \mathrm{sign}(\hat{x}_{\omega ji})\,|\,\hat{x}_{\omega ji}\,|^{k_{\omega 2}}] + k_{\omega 3}\sum_{i=1}^{n} [\hat{x}_{\omega i}\, \mathrm{sign}(-\hat{x}_{\omega i})\,|-\hat{x}_{\omega i}\,|^{k_{\omega 2}}]
\tag{6-35}
$$

式中，$\hat{x}_{\omega i} = x_{\omega i} - x_{\omega\mathrm{L}}$。综上可知，式 (6-34) 所示的能量函数满足用 Lyapunov 直接法分析系统渐进稳定性的所有要求，因而在式 (6-32) 所示的一致性协议作用下，系统是渐进稳定的。

因此，频率的自适应下垂控制框图如图 6-28 所示。

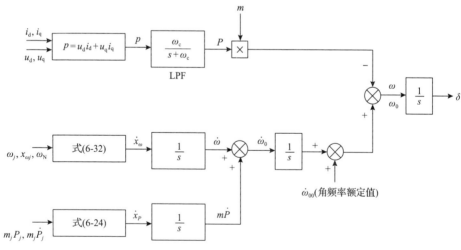

图 6-28　频率自适应下垂控制框图

3. 无功-电压下垂控制

在传统下垂控制中，由于线路电阻和各节点电压的不同，DG 的无功功率不

满足特定的关系。通过自适应下垂控制使得 DG 的节点电压维持在额定值，以保证负荷的电能质量；在额定电压已知的情况下，电压的自适应下垂控制类似于频率，u_{cU} 可用式(6-32)所示的一致性协议获得，式(6-32)中的频率(ω)用电压(U)替换即可。

类似于频率控制，可得如式(6-36)所示的无功-电压的自适应下垂控制，其控制框图如图 6-29 所示。

$$U_{0i} = \int \left(\int u_{cUi} \mathrm{d}t \right) \mathrm{d}t + U_{0i0} \tag{6-36}$$

式中，U_{0i0} 为 U_{0i} 的初始值，为加快稳定速度，可设置为额定电压。

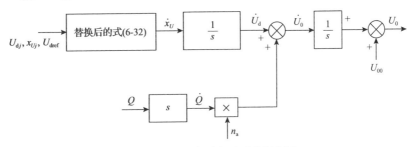

图 6-29　电压自适应下垂控制框图

U_{dj} 为直轴电压，x_{Uj} 为其一阶微分；U_{dref} 为参考值

4. 扰动下的控制特性

在实际微电网中，控制器中的采集、传输数据精度和通信失误等扰动可能影响 DG 的控制精度甚至稳定性。以频率调节为例，分析考虑扰动的控制特性。

设 $\delta_{\omega j}$ 和 $\delta_{x\omega j}$ 分别表示智能体 i 受到智能体 j 的频率及其导数中的扰动，则如式(6-32)所示的一致性方程需要进行修正，即

$$\begin{aligned}
\hat{\omega}_{ij} &= \omega_i(t) - [\omega_j(t - t_\mathrm{d}) + \delta_{\omega j}] \\
\hat{x}_{\omega ji} &= x_{\omega j}(t - t_\mathrm{d}) + \delta_{x\omega j} - x_{\omega i}(t)
\end{aligned} \tag{6-37}$$

系统平衡点为

$$\begin{aligned}
\omega_i(t) &= \omega_j(t - t_\mathrm{d}) + \delta_{\omega j} = \omega_\mathrm{N} \\
\omega_{\omega i}(t) &= x_{\omega j}(t - t_\mathrm{d}) + \delta_{x\omega j} = 0
\end{aligned} \tag{6-38}$$

由式(6-38)可知，稳定状态下，DG_i 以虚拟领导的频率运行，即智能体 i 的控制目标基本不受传输信息中扰动的影响，具有较强的鲁棒性。在稳定性分析中，用含扰动量的 $\hat{\omega}_{ij}$ 和 $\hat{x}_{\omega ji}$ 代替 ω_{ij} 和 $x_{\omega ji}$ 同样可得式(6-35)所示的结果，即在通信

扰动的情况下，系统仍然是渐进稳定的。

参 考 文 献

[1] 苏玲, 周翔, 季良, 等. 微电网控制策略综述[J]. 华东电力, 2014(11): 2249-2253.

[2] 张华. 微型电网孤岛检测方法的研究[D]. 沈阳: 东北大学, 2012.

[3] 刘廷建, 唐世虎. 微电网结构与控制模式分析[J]. 变频器世界, 2014(4): 61-64.

[4] 赵耀民. 双层母线直流微电网协调控制策略研究[D]. 太原: 太原理工大学, 2016.

[5] Chai R, Zhang B, Dou J. Improved DC voltage margin control method for DC grid based on VSCs[C]//2015 IEEE 15th International Conference on Environment and Electrical Engineering (EEEIC), New York, 2015: 1683-1687.

[6] 陈海荣, 徐政. 适用于VSC-MTDC系统的直流电压控制策略[J]. 电力系统自动化, 2006(19): 32-37.

[7] Takatsuji Y, Susuki Y, Hikihara T. Hybrid controller for safe microgrid operation[J]. Nonlinear Theory and Its Applications, 2011, 2(3): 347-362.

[8] 丁广乾. 含分布式电源的微电网电能质量控制技术研究[D]. 济南: 山东大学, 2016.

[9] 张颖媛. 微电网系统的运行优化与能量管理研究[D]. 合肥: 合肥工业大学, 2011.

[10] 黎金英, 艾欣, 邓玉辉. 微电网的分层控制研究[J]. 现代电力, 2014, 31(5): 1-6.

[11] 邢小文, 张辉, 支娜, 等. 基于DBS的直流微电网控制策略仿真[J]. 电力系统及其自动化学报, 2014, 26(11): 23-27.

[12] Liu F, Duan S, Liu F, et al. A variable step size INC MPPT method for PV system[J]. IEEE Transactions on Industrial Electronics, 2008, 55(7): 2622-2628.

[13] 刘金琨, 尔联洁. 多智能体技术应用综述[J]. 控制与决策, 2001(2): 136-140.

[14] Rao A S, Georgeff M P. Modeling rational agents within a BDI-architecture[J]. International Journal of Environmental Studies, 1991, 91: 473-484.

[15] 张泽宇. 基于多智能体一致性协同理论的智能配电网自动发电控制方法[D]. 广州: 华南理工大学, 2016.

[16] 高扬, 艾芊, 郝然, 等. 交直流混合电网的多智能体自律分散控制[J]. 电网技术, 2017, 41(4): 1158-1164.

第7章 人工智能在智能调控中的应用

本章介绍人工智能在能源互联网智能调控中的应用，主要包括机器学习（支持向量机、分类回归树算法等）、深度强化学习在态势感知、市场竞价、能量管理、暂态稳定分析与控制等方面的应用，以及用于多区域互联网协调运行的群智能算法。

7.1 机 器 学 习

利用机器学习方法，根据给定的训练样本，可求出某系统输入与输出之间的依赖关系，对未知输出做出尽可能准确的预测。一般可表示为变量 y 与 x 存在一定的未知依赖关系，即遵循某一未知的联合分布概率 $F(x,y)$，机器学习的目的就是根据 n 个独立同分布学习样本 $(x_i, y_i), i=1,\cdots,n, x \in \mathbb{R}^d$，$d$ 为维数，从一组函数 $\{f(x,\omega)\}$（$\{f(x,\omega)\}$ 为预测函数集，可以表示任何函数集）中求出一个最优函数 $f(x,\omega_0)$，使得在对未知样本进行函数估计时最小化期望风险。

$$\min R(\omega) = \int L(y, f(x,\omega)) \mathrm{d}F(x,y) \tag{7-1}$$

式中，ω 为函数的广义参数；$F(x,y)$ 为样本的联合分布概率；$L(y, f(x,\omega))$ 为用 $f(x,\omega)$ 对 y 进行估计的损失函数。学习问题不同损失函数不同，机器学习算法常用于解决分类问题、回归问题、概率密度估计问题。

在分类（模式识别）问题中，输出 y 是类别标号，有两种等效方式 $y = \{0,1\}$ 或 $\{1,-1\}$。定义损失函数为

$$L(y, f(x,\omega)) = \begin{cases} 0, & y = f(x,\omega) \\ 1, & y \neq f(x,\omega) \end{cases} \tag{7-2}$$

分类问题的目标是使风险最小即贝叶斯决策错误率最小。

在回归问题中，y 是连续变化的，损失函数定义为

$$L(y, f(x,\omega)) = (y - f(x,\omega))^2 \tag{7-3}$$

即采用最小平方误差准则。

在概率密度估计问题中，根据训练样本来确定 x 的概率密度，记待估计的概率密度函数为 $p(x,\omega)$，损失函数定义为

$$L(p(x,\omega)) = -\lg p(x,\omega) \tag{7-4}$$

根据数据训练方式,机器学习问题的研究可以分为以下四类。

(1)监督学习:需要对输入的训练样本数据进行人工标记来指导训练过程,监督学习又可以大致分为分类问题和回归问题。

(2)无监督学习:训练样本数据没有标注,典型问题是聚类分析、关联规则学习等问题。

(3)半监督学习:训练样本数据中一部分有标签、另一部分没有标签,用已标记的数据训练分类器模型,学习数据的内在结构联系,也能对数据进行预测,对应的机器学习算法有自训练(self-training)、直推学习(transductive learning)、生成式模型(generative model)等。

(4)强化学习:以环境的奖/惩信号对模型进行反馈,实现环境与训练模型的交互,动态指导模型的训练过程,常用的强化学习方法有 Q-Learning、融合神经网络和 Q-Learning 的深度 Q 网络(deep Q network,DQN)。

7.1.1　支持向量机

1. 支持向量机多分类问题

1)支持向量机基本模型

支持向量机(support vector machine, SVM)是 20 世纪 90 年代中期发展起来的基于统计学习理论的一种机器学习方法,通过寻求结构化风险最小来提高学习机的泛化能力,实现经验风险和置信范围的最小化,从而在统计样本量较少的情况下获得良好的统计规律。支持向量机是按监督学习方式对数据进行二元分类的广义线性分类器,它的目的是寻找一个超平面来对样本进行分割,分割的原则是间隔最大化,最终转化为一个凸二次规划问题来求解,其决策边界是对学习样本求解的最大边距超平面。

给定训练样本集 $D = \{(x_1,y_1),(x_2,y_2),\cdots,(x_m,y_m)\}, y_i \in \{-1,+1\}$,在样本空间中找到一个划分超平面,将不同类别的样本分开。在样本空间中,划分超平面可通过如下线性方程来描述:

$$w^{\mathrm{T}}x + b = 0 \tag{7-5}$$

式中,$w = (w_1,w_2,\cdots,w_d)$ 为法向量,决定了划分超平面的方向;b 为位移项,决定了超平面与原点之间的距离。划分超平面可由法向量 w 和位移 b 确定,样本空间中任一点 x 到超平面 (w,b) 的距离可写为

$$r = \frac{\left|w^{\mathrm{T}}x + b\right|}{\|w\|} \tag{7-6}$$

假设超平面 (w,b) 能将训练样本正确分类，即对 $(x_i, y_i) \in D$，若 $y_i = 1$，则有 $w^{\mathrm{T}}x_i + b > 0$；若 $y_i = -1$，则有

$$w^{\mathrm{T}}x_i + b < 0 \tag{7-7}$$

令

$$\begin{cases} w^{\mathrm{T}}x_i + b \geqslant 1, & y_i = 1 \\ w^{\mathrm{T}}x_i + b \leqslant -1, & y_i = -1 \end{cases} \tag{7-8}$$

如图 7-1 所示，距离超平面最近的这几个训练样本使式(7-8)等号成立，它们被称为支持向量，两个异类支持向量到超平面的距离之和为

$$\gamma = \frac{2}{\|w\|} \tag{7-9}$$

它们被称为间隔。

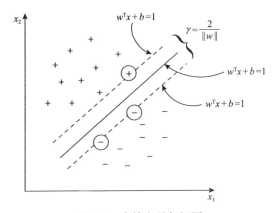

图 7-1　支持向量与间隔

划分超平面就是要找到满足式(7-8)的约束参数 w 和 b，使得 γ 最大，即

$$\max_{w,b} \frac{2}{\|w\|} \tag{7-10}$$

$$\mathrm{s.t.} \, y_i(w^{\mathrm{T}}x_i + b) \geqslant 1, \quad i = 1, 2, \cdots, m$$

为了最大化间隔 γ，则需要最大化 $\|w\|^{-1}$，即最小化 $\|w\|^2$，式(7-10)可改写为

$$\min_{w,b} \frac{1}{2}\|w\|^2 \tag{7-11}$$

$$\mathrm{s.t.} \, y_i(w^{\mathrm{T}}x_i + b) \geqslant 1, \quad i = 1, 2, \cdots, m$$

上述为支持向量机的基本型[1]。

2)支持向量机在静态安全分析中的应用

支持向量机最初用于解决二分类问题,但静态安全分析是一个多分类问题,电力系统的静态安全状态可以分为五种:安全正常状态(A)、不安全正常状态(B)、持久性紧急状态(C)、稳定性紧急状态(D)以及恢复状态(E),需要构建多个SVM分类器来构建多层次的聚类。将一系列的二元分类器构建成组合二元分类器是一种常用的实现多分类支持向量机算法的做法。文献[2]提出了一种介于偏二叉树和完全二叉树之间的近似完全二叉树支持向量机(approximate complete binary tree support vector machine,ACBT-SVM)算法,并将它应用于电力系统静态安全评估中。

基于二叉树的支持向量机(binary tree SVM,BT-SVM)将所有的类分成两个子类,再依次循环对每个子类进行划分,最终 K 类样本需要构造 $K-1$ 个二元 SVM[3]。二叉树支持向量机按照结构分类可分成两种算法:基于偏二叉树结构的算法和基于完全二叉树结构的算法。半对半(half against half,HAH)算法是一种基于完全二叉树结构的算法,采用折半的思想建立 SVM 分类器组合,以提高运行速度。K 类 HAH 算法思想是:分别计算 K 类样本和其他样本之间的欧几里得距离,距离最小的样本最为接近,根据此准则,将 K 类样本分成两个子集,每个子集都是比较相似的类,再不断地使用递归分别对两个子集二分,最终把每个类别分开。

HAH 支持向量机算法的步骤(假设样本为 K 类):

(1)先求出每一个类和其他的类之间的欧几里得距离。

(2)合并其中欧几里得距离最小的两个类为类 a,计算类 a 与其他类之间的欧几里得距离。

(3)把与类 a 欧几里得距离最大的类 b 找出来。

(4)当 $K>2$ 时,分别对类 a 和类 b 重复第 2 步,即不断地寻找与类 a 和类 b 欧几里得距离最小的类并与之合并,直到其他所有的类都被类 a 和类 b 完全聚合,所有类此时都被分在类 a 或类 b 中。

(5)当 $K>2$ 时,分别对类 a 和类 b 重复执行第 2~4 步的操作,即不断对两个大类进行二分类直至每个类都能被完全分开。

根据以上的算法步骤,可以实现 HAH-SVM 算法。

通过对电力系统的离线模拟可以得到表征系统行为的样本数据,机器学习算法基于这些样本数据进行。这些样本数据可分为训练集数据和测试集数据,其中训练集数据用于确定安全评估的结构,测试集数据用于测试这些生成的安全状态的结构。训练集数据涉及整个需求空间,包括每时、每天、每周的变化。电力系统静态安全分析的流程图如图 7-2 所示。

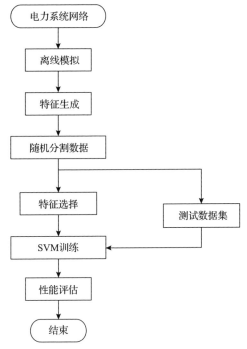

图 7-2　电力系统静态安全分析流程图

　　HAH 聚类算法适用于所有类型出现概率相同以及样本特征比较均衡的情况。但电力系统静态安全分析领域的实际样本分布有其特殊性，类 A 安全正常状态类样本总数最多，五种基本类型样本分布不均衡，每个聚类中心之间的距离也不相等，为了最优化分类边界、提高分类准确度，设计支持向量机分类器结构的时候必须考虑实际样本的分布特点。二叉树结构充分考虑了电力系统静态安全样本的实际分布，首先设计了一个支持向量机分类器确定类 A，然后用 HAH 算法对剩下的四类样本进行分类，这样可以避免各个聚类的特征交错在一起，有效地提高了识别率。

　　基于近似完全二叉树支持向量机（ACBT-SVM）算法的步骤如下。

　　(1)采用径向基函数计算类与类之间的距离：

$$d(x_a, x_b) = \left\| \phi(x_a) - \phi(x_b) \right\|_2 = (k(x_a, x_a) - 2k(x_a, x_b) + k(x_b, x_b))^{\frac{1}{2}} \tag{7-12}$$

$$k(x_a, x_b) = \exp\left(-\frac{\left\| x_a - x_b \right\|^2}{\sigma^2} \right) \tag{7-13}$$

式中，x_a 为类 A 的样本，x_b 为类 B 的样本；k 为类的总数；σ 为自由参数；$\phi(\cdot)$ 为径向基函数。

　　(2)计算每个类与其他类之间的最短距离：类 A 和类 B 中最近的两个样本之

间的距离作为类 A 和类 B 的最短距离，用 $d_{ij}(i,j=1,2,\cdots,k)$ 表示：

$$d_{ij} = \min\left\{\left\|\phi(x_{\mathrm{a}})-\phi(x_{\mathrm{b}})\right\|_2, x_{\mathrm{a}}\in\mathrm{A}, x_{\mathrm{b}}\in\mathrm{B}\right\} \tag{7-14}$$

式中，$d_{ii}=0$，$d_{ij}=d_{ji}$。

(3)分别对每一类与其他的 $k-1$ 个类间的距离按照从小到大的顺序排列并编号。以第 i 类为例，将它与其他类的距离值 $d_{ij}(j=1,2,\cdots,k,j\neq i)$ 按照从小到大的顺序排列为：$l_i^1 \le l_i^2 \le \cdots \le l_i^{k-1}$。

(4)首先根据 $l_i^1(i=1,2,\cdots,k)$ 的值按从大到小的顺序对相应的类别排序，如果有两类的 l_i^1 相等，则比较它们的 l_i^2，如果类 i 和类 j 具有相等的 $l_i^1,l_i^2,\cdots,l_i^{k-1}$，则按照它们的类别号的大小排列，即类别号小的类排在类别号大的类的前面。由此可以得到最终的所有类别的排列顺序：$n_1,n_2,\cdots,n_k$。

(5)根据所有类别标号的排列顺序 $(n_1,n_2,\cdots,n_k)$ 可以生成如图 7-3 所示的结构的二叉树。

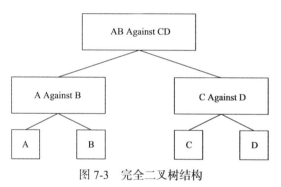

图 7-3 完全二叉树结构

(6)根据第 5 步生成的二叉树，利用二分类 SVM 算法构造二叉树内每一个节点的最优超平面，可以得到基于近似完全二叉树结构的 SVM 分类器模型，如图 7-4 所示。

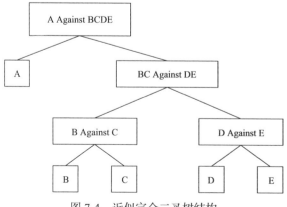

图 7-4 近似完全二叉树结构

2. 支持向量回归算法

1）支持向量回归算法[4]简介

支持向量回归（support vector regression，SVR）的基本思想是设 t 时刻有输入和输出样本集：$z = \{(x_1, y_1), (x_2, y_2), \cdots, (x_m, y_m)\}$，式中 x 是输入量，y 是输出量。通过支持向量机训练出一个函数 $f(x)$，使该函数求出的每个输入样本的输出值和输入样本对应的目标值相差不超过误差 ε，这相当于以 $f(x)$ 为中心，构建了一个宽度为 2ε 的间隔带，若训练样本落入此间隔带内，则预测正确。

通过函数将支持向量非线性回归情况下的输入样本映射至希尔伯特空间，在该空间中样本是线性的，这样就可以应用线性回归的训练方法，然后引入核函数代替特征样本中样本之间的点积，即

$$k(x_i, x) = \langle \Phi(x_i), \Phi(x) \rangle \tag{7-15}$$

式中，$\Phi(x)$ 为输入空间到希尔伯特空间的映射；x、x_i 为不同样本。在非线性情况下，分类超平面为

$$w \cdot \Phi(x) + b = 0 \tag{7-16}$$

最优分类超平面问题可描述为

$$\min_{w,b} J = \frac{1}{2} w^{\mathrm{T}} w$$

$$\text{s.t.} \begin{cases} y_i - \langle w, x_i \rangle - b \leqslant \varepsilon, & i = 1, \cdots, t \\ \langle w, x_i \rangle + b - y_i \leqslant \varepsilon, & i = 1, \cdots, t \end{cases} \tag{7-17}$$

式中，t 为时刻值。

最小化目标函数意味着使样本与分类曲线或曲面的间隔极大化，以回归训练优化误差为约束优化问题的约束条件，为使优化问题确定有解，引入松弛变量 ξ 和 ξ^*，优化问题转化为

$$\min_{w,b} J = \frac{1}{2} \|w\|^2 + c \sum_{i=1}^{l} (\xi_i + \xi_i^*)$$

$$\text{s.t.} \begin{cases} y_i - \langle w, x_i \rangle - b \leqslant \varepsilon + \xi_i \\ \langle w, x_i \rangle + b - y_i \leqslant \varepsilon + \xi_i^* \\ \xi_i \geqslant 0, \ \xi_i^* \geqslant 0 \end{cases} \tag{7-18}$$

式中，$c > 0$ 为惩罚系数；ε 为允许误差。

经验风险由不敏感损失函数来度量，不敏感损失函数$|\xi|_\varepsilon$为

$$|\xi|_\varepsilon = \begin{cases} 0, & |\xi| \leqslant \varepsilon \\ |\xi| - \varepsilon, & |\xi| > \varepsilon \end{cases} \tag{7-19}$$

为解决以上凸二次优化问题，引入拉格朗日乘子$\alpha_i \geqslant 0$、$\alpha_i^* \geqslant 0$、$\eta_i \geqslant 0$、$\eta_i^* \geqslant 0$，$i = 1, \cdots, l$，l为拉格朗日项次数，式(7-18)的拉格朗日函数为

$$\begin{aligned} L = &\frac{1}{2}\|w\|^2 + c\sum_{i=1}^{l}(\xi_i + \xi_i^*) - \sum_{i=1}^{l}\alpha_i(\varepsilon + \xi_i - y_i + \langle w, x_i \rangle + b) \\ &- \sum_{i=1}^{l}\alpha_i^*(\varepsilon + \xi_i + y_i - \langle w, x_i \rangle - b) - \sum_{i=1}^{l}(\eta_i\xi_i + \eta_i^*\xi_i^*) \end{aligned} \tag{7-20}$$

得到对偶问题：

$$\max_{\alpha, \alpha^*} \min_{w, b, \xi, \xi^*} L = -\frac{1}{2}\sum_{i,j=1}^{l}(\alpha_i - \alpha_i^*)(\alpha_j - \alpha_j^*)\langle x_i, x_j \rangle - \varepsilon\sum_{i=1}^{l}(\alpha_i + \alpha_i^*) + \sum_{i=1}^{l}y_i(\alpha_i - \alpha_i^*)$$

$$\text{s.t} \begin{cases} \sum_{i=1}^{l}(\alpha_i, \alpha_i^*) = 0 \\ \alpha_i - \alpha_i^* \in [0, C] \end{cases}$$

$$\tag{7-21}$$

式中，C为惩罚系数。

引入核函数，常用的核函数$k(x_i, x)$如下。

(1)多项式函数：

$$k(x_i, x) = (x_i \cdot x + 1)^d \tag{7-22}$$

式中，d为系数。

(2)径向基函数：

$$k(x_i, x) = \exp(-\|x - x_i\|^2 / 2\sigma^2) \tag{7-23}$$

(3)感知器：

$$k(x_i, x) = \tanh(\beta x_i \cdot x + b) \tag{7-24}$$

式中，β为系数。

解式(7-21)得

$$\begin{cases} w = \sum_{i=1}^{l}(\alpha_i - \alpha_i^*)\phi(x_i) \\ f(x) = \sum_{i=1}^{l}(\alpha_i - \alpha_i^*)k(x_i, x) + b \end{cases} \tag{7-25}$$

阈值 b 可通过式(7-26)计算得到：

$$b = \text{average} \left| \varepsilon \, \text{sgn}(\alpha_i - \alpha_i^*) + y_i - \sum_{i=1}^{l} (\alpha_i - \alpha_i^*) \, k(x_i, x) \right| \tag{7-26}$$

2) 基于 SVR 算法的负荷预测

电力系统负荷预测是指从电力负荷本身的变化情况以及系统的运行特性、增容决策、自然条件与社会影响等诸多因素的影响规律出发，通过对历史数据的分析和研究，探索事物之间的内在联系和发展规律，研究或利用一套处理系统过去与未来负荷的数学方法，在满足一定精度要求的条件下，确定未来某特定时刻的负荷数据，对电力需求做出预先的估计[5]。精确的负荷预测能增强电力系统运行的安全性和可靠性。价格竞争机制引入电力系统形成电力市场后，对短期负荷预测的精度和速度提出了更高的要求[6]。文献[7]将支持向量回归算法应用于负荷预测，为调度人员决策提供参考。

电力系统短期负荷预测可用支持向量回归算法解决，通过样本集获取尽可能接近实际值的预测值，式(7-21)优化问题的解为预测模型的参数，预测值可以通过训练好的向量 $\alpha_i - \alpha_i^*$ 和新增样本 x_{i+1} 计算得到：

$$\tilde{f}(x_{i+1}) = \sum_{i=1}^{l} (\alpha_i - \alpha_i^*) \, k(x_{i+1}, x) + b \tag{7-27}$$

负荷预测的核心是根据预测对象的历史数据建立相应的数学模型描述其发展规律。SVR 算法能较好地解决小样本、非线性、高维数和局部极小点等实际问题，可以用来建立较为完备的负荷预测模型。应用 SVR 算法进行负荷预测，具有精度高、速度快等优点。历史数据的数量和质量影响着负荷预测模型的性能，通过训练样本对其进行训练，然后用训练好的网络进行负荷预测，而预测模型的精度和泛化能力极易受样本输入变量的影响，输入变量的选择问题成为负荷预测数据预处理的关键。

电力系统短期负荷预测是一个多变量因素影响下的预测问题，可以被看成函数回归问题。预测负荷值 y 为函数输出值，影响负荷的因素如历史负荷、时间条件、气象条件、社会经济发展等信息作为函数输入值 x。主成分分析技术(principal component analysis，PCA)是一种利用线性变换进行数据降维、简化数据集的数据处理技术。PCA 一方面可以压缩样本空间，提高预测的效率，另一方面也可以消除变量间的相关性导致的预测模型泛化能力的降低，从而有效改善模型的预测精度。

将以下数据作为样本输入量：

(1) 预测日之前的 7 天每日日最大负荷数据 $L = \{l_1, l_2, l_3, l_4, l_5, l_6, l_7\}$；

(2) 预测日的日平均气温 T；

(3) 预测日的周属性 $W = (1,2,3,4,5,6,7)$，1～7 分别对应周一至周日；

(4) 预测日的节日属性 $F = (1,0)$，其中 1 代表重大节日。

输入样本为 10 维向量 $\{l_1, l_2, l_3, l_4, l_5, l_6, l_7, T, W, F\}$，在训练模型之前先对样本进行平滑和归一化处理，避免较大范围变化的数据淹没较小范围变化的数据，还可以降低计算困难度，核函数的选择对负荷预测的精度影响很大，选择网格搜索算法和交叉验证法对核函数中的宽度参数 σ^2 和惩罚系数 c 进行选择，以提高计算的效率。

具体的负荷预测步骤及预测结果评判标准：

(1) 将样本数据进行归一化处理，构建 SVM 训练样本集；

(2) 根据训练样本集建立式 (7-21) 的目标函数；

(3) 将允许误差 ε、惩罚系数 c 和核函数中的宽度参数 σ^2 代入式 (7-21)，并求解 α、α_i^* 并将其代入式 (7-27)，用预测样本对次日日最大负荷进行预测；

(4) 预测完成后，将次日负荷的真实数据视为已知数据，依次完成全月的负荷预测，采用平均相对误差作为预测效果评判依据来验证算法的有效性：

$$e_{\mathrm{MAPE}} = \frac{1}{n}\sum_{i=1}^{n}\left|\frac{A(i)-F(i)}{A(i)}\right|\times 100\% \tag{7-28}$$

式中，$A(i)$ 和 $F(i)$ 分别为实际值和预测负荷值；n 为数据点数。

7.1.2　决策树

1. 决策树概述

决策树 (decision tree) 是一种机器学习方法，被广泛应用于分类、规则提取以及预测等领域。决策树以信息熵等参量为标准，依据特征属性把数据分成若干个分支，其中每个数据元组分支都有共同的类别属性，自顶向下构造一颗熵值下降最快的树，到终端节点处熵值降为 0。决策树具有可读性、分类速度快的优点，是一种有监督学习。决策树呈树形结构，在分类问题中，表示基于特征对实例进行分类的过程。学习时，利用训练数据，根据损失函数最小化的原则建立决策树模型；预测时，对新的数据，利用决策模型进行分类[8]。

决策树算法有很多种，其中比较有代表性的有 C4.5、CART、CHAID 等算法。

(1) C4.5 是在 ID3 算法的基础上进一步优化，以信息增益率为决策属性。

(2) CHAID 前身是 AID，按照卡方检验的显著性进行多元列联表的自动判断分组，可以处理非线性和高关联度的数据，CHAID 只能处理类别型输入变量，需要先将连续型变量进行离散处理。

（3）CART 根据特征属性进行二元分裂，将当前样本分为两个子样本集，即每个非叶子节点有两个分支，最终得到二叉树形的决策树，分割标准用的是基尼系数。

决策树的构造过程一般分为 3 个部分，分别是特征选择、决策树生成和决策树裁剪。

（1）特征选择。从多种特征中选择一个特征作为当前节点生成分支的标准，不同算法有不同的量化评估方法，但分类准则是以某特征对数据集划分之后，数据子集的属性纯度比前数据集更高。ID3 以信息增益作为选择特征、C4.5 以信息增益比作为选择特征、CART 以基尼指数作为选择特征等。

（2）决策树生成。根据选择的特征评估标准，将数据集划分成纯度更高的数据子集，从上至下递归地生成子节点，直到数据集不可分。

（3）决策树裁剪。决策树容易过拟合，一般需要剪枝来缩小树的结构规模、缓解过拟合，剪枝过程就是利用测试样本集数据对决策树的划分规则进行验证，如果分支的准确度太低，就剪除此分支。

决策树分支的最优划分属性影响着决策树模型性能，好的属性选择标准使得决策树的分支节点所包含的样本尽可能属于同一类别，节点的纯度较高。算法不同所依据的划分标准也不同，以下是几种常用的属性选择标准。

1）信息增益[9]

信息熵常用于度量样本集合纯度，假定当前样本集合 D 中第 k 类样本所占比例为 $p_k(k=1,2,\cdots,m)$，定义 D 的信息熵为

$$\mathrm{Ent}(D) = -\sum_{k=1}^{m} p_k \log_2 p_k \tag{7-29}$$

式中，$\mathrm{Ent}(D)$ 的值越小，D 的纯度越高。

假定离散属性 a 有 n 个可能的取值 $\{a^1, a^2, \cdots, a^n\}$，若使用 a 对样本 D 进行划分，会产生 n 个分支节点，其中第 i 个分支节点包含了 D 中所有在属性 a 上取值为 a^i 的样本，记为 D^i。根据式(7-29)计算出 D^i 的信息熵，不同分支节点所包含的样本数不同，样本数越多则分支节点的影响越大，因此需要给分支节点赋予权重 $|D^i|/|D|$，属性 a 对样本集 D 进行划分所获得的信息增益为

$$\mathrm{Gain}(D,a) = \mathrm{Ent}(D) - \sum_{i=1}^{n} \frac{|D^i|}{|D|} \mathrm{Ent}(D^i) \tag{7-30}$$

使用属性 a 来进行划分所计算得到的信息增益越大，一般就意味着纯度提升

越大。

2) 增益率[9]

为减少信息增益偏好于可取数值数目较大的属性所造成的影响，C4.5 使用增益率作为最优划分属性，增益率定义为

$$\text{Gain\_ratio}(D,a) = \frac{\text{Gain}(D,a)}{\text{IV}(a)} \tag{7-31}$$

式中

$$\text{IV}(a) = -\sum_{i=1}^{n} \frac{|D^i|}{|D|} \log_2 \frac{|D^i|}{|D|} \tag{7-32}$$

3) 基尼系数[9]

CART 算法使用基尼系数作为划分属性，D 的纯度用基尼值定义为

$$\text{Gini}(D) = \sum_{k=1}^{m} \sum_{k' \neq k} p_k p_{k'} = 1 - \sum_{k=1}^{m} p_k^2 \tag{7-33}$$

式中，$\text{Gini}(D)$ 越小，代表数据集 D 的纯度越高。

属性 a 的基尼系数定义为

$$\text{Gini\_index}(D,a) = \sum_{i=1}^{n} \frac{|D^n|}{|D|} \text{Gini}(D^n) \tag{7-34}$$

定义 $a_* = \underset{a \in A}{\arg\min}\, \text{Gini\_index}(D,a)$，即在属性集合 A 中，使用基尼系数最小的属性作为最优划分属性。

2. 决策树算法在电力市场交易中的应用[10]

在区域电力市场中，省市电力公司参加月度省间双边交易，从省外售电方提供的一个或多个交易方案中选择符合本省特点的方案。当收益和风险（如售电方违约、后期电价涨跌）等影响决策的因素发生冲突时，如何权衡多种因素，从而确定双边交易的购电量是购电决策中一个重要的问题。

双边交易购电决策树主要包含决策点、方案枝、状态节点、概率枝和结果点五大要素，如果是多级决策问题，决策树的中间可以有多个决策点；方案枝表示备选方案；状态节点上方的数字表示该方案的期望收益；概率枝代表自然状态及其出现的概率；结果点是指不同方案在各种自然状态下的结果，需列出对应的收

益值。构建双边交易购电决策树过程中，首先需要判断影响购电决策的因素及其重要程度；其次按其重要程度的排序画决策树图，并标明每个分枝的具体意义；最后写出各层的收益率和概率，状态节点按期望收益的计算方法从右向左叠加收益率，得到决策点的收益率，在各方案枝中选择期望收益率最大的方案作为决策结果。

1）决策因素

将影响购电决策的主要因素按重要程度进行排序，越重要的因素排序越靠前。

(1)交易电量方案。购电决策者的缺电情况及购电成本空间为购电决策的基础。决策者需明确所缺电量的性质，即必购电量或所占总缺电量比例和弹性购电量的价格允许范围，如图 7-5 所示，Q_{min} 和 Q_{Tsh} 分别表示必购电量和所缺总电量，P_{CAP} 为弹性购电量价格上限，可由平均售电单价或边际售电单价决定。如果购电电价足够低，则存在购入电量超过所缺电量的可能性，此时，价格弹性变小。由此，交易电量成了购电决策方的首要决策因素。

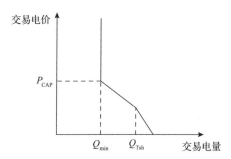

图 7-5　交易电价与交易电量的关系

(2)输电容量。购电方案中需考虑联络线输电容量限制。如果交易电量超过联络线输电容量，则交易无法实现。

(3)峰谷比及其交易电价。交易方案中峰谷比通常为 1，峰谷比大于 1 的交易电价较高，而纯低谷电的交易电价最低。决策者需根据实际情况选择合适的峰谷比交易方案，包括峰谷比及其交易电价。

(4)预计短期电力缺口。预计的短期电力缺口也会影响购电决策的损益结果。如果交易方案为峰谷比大于 1 的交易电量，短期电力缺口很可能得到很大改善；而购买纯低谷电时，短期电力缺口的情况并未有所改善。

(5)后期电价走势。购电决策者需对未来的电价走势有所评判，并考虑其对购电方案的影响。如果预测电价上涨，电力公司倾向选择交易量较多的方案；反之，电力公司将倾向购买少量电，在电价下跌后补足缺额。

(6)超额电量的处理。在交易电量大于实际缺电总额时，电力公司需考虑如何处理多余电量。其一是卖出多余电量，视电价而定；其二是削减本省出力，但会增加省内发电企业的不满意度。

(7)售电方违约情况。当售电方发生违约行为不能按交易协议来发电时，购电方需通过其他途径以更高的价格补充这部分缺失的电能。决策者需参考售电方的历史违约情况以及本次交易的来电性质，水电往往比传统的火电机组更易造成违约。

(8)节能政策紧迫性。节能政策紧迫性纳入决策因素的原因是政府会考核省市电力公司的节能指标，因此该因素对时间节点比较敏感，越到年底，该因素也越受重视。

(9)省内发电企业及其他省市公司满意度。省间购电交易会对省内发电企业和其他省市电力公司产生影响。省间购电量越大，电力市场上的富余容量可能会因交易而越小，造成外省电力公司的需求无法满足，同时，省内发电企业的发电小时数越少，还有可能削减发电量，因此不满意度越高。

2)双边交易购电决策树

构建双边交易购电决策树，如图 7-6 所示，大写字母代表各决策因素层。以分枝 4 交易方案 B4 为例说明双边交易购电决策树的构建。

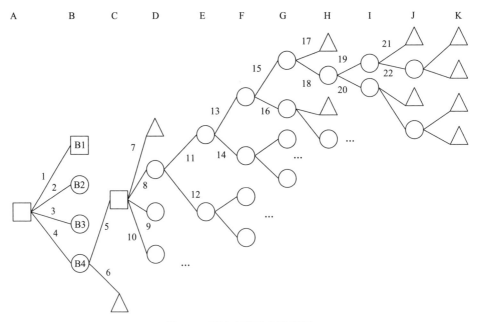

图 7-6　双边交易购电决策树

第 7 章 人工智能在智能调控中的应用
· 311 ·

A 层为总决策点，B 层到 K 层分别对应决策因素(1)～(9)。表 7-1 列出了各分枝代表的具体意义。

表 7-1 决策树分枝的意义

分枝	意义	分枝	意义	分枝	意义	分枝	意义
1	交易电量与必购电量持平	7	电价>弹性购电价格上限	13	后期电价涨	19	本省节能政策紧迫
2	交易电量比必购电量略高	8	峰谷比 $\lambda>1$ 时的电价 P_λ	14	后期电价跌	20	本省节能政策不紧迫
3	交易电量与所缺电量持平	9	峰谷比 $\lambda=1$ 时的电价 P_λ	15	卖出多余电量	21	本省发电企业不满意
4	交易电量远大于所缺电量	10	纯低谷电价 P_λ	16	削减本省电力	22	本省发电企业满意
5	输电容量≥交易电量	11	短期电力缺口少	17	售电方违约	23	其他省市电力公司不满意
6	输电容量<交易电量	12	短期电力缺口多	18	售电方不违约	24	其他省市电力公司满意

3)决策树的最优方案选取

(1)节点收益计算和概率枝的概率预估。C 层只判断符合约束条件与否，无收益。后续概率枝的概率与联络线富余输电容量及交易电量有关。

D 层收益率 E_p 表示电力公司售电给用户的基础收益率，表达式为

$$E_p = \frac{P_s - P_\lambda}{P_\lambda} \qquad (7\text{-}35)$$

式中，P_s 为单位销售电价；P_λ 为单位购电价，对应 $\lambda>1$、$\lambda=1$ 和纯低谷电三种交易方案。

C 层为决策点，分枝 7～10 为方案枝，无概率。

E 层收益率 ΔE_{sh} 表示短期电力有缺口时的损失，是短期电力缺口 ΔQ_{sh} 的函数关系式：

$$\Delta E_{sh} = \frac{\Delta P_{sh}\Delta Q_{sh}}{P_\lambda Q_{sh}} \qquad (7\text{-}36)$$

式中，ΔP_{sh} 为本次交易与短期市场中购得电力的单价之差；Q_{sh} 为交易前的短期电力缺口预估。短期电力缺口的概率与预估的本省电力缺口有关。

F 层收益率 ΔE_{pt} 表示电价涨跌对购电方造成的影响：

$$\Delta E_{pt} = \frac{\Delta P_t}{P_\lambda} \tag{7-37}$$

式中，ΔP_t 为未来的预测电价与目前电价的差值。

未来电价涨跌概率由煤价和负荷水平等主导。G 层收益率 ΔE_{pr} 表示多余电量对购电方造成的影响：

$$\Delta E_{pr} = \frac{\Delta p_r \Delta Q_r}{P_\lambda Q} \tag{7-38}$$

式中，Δp_r 为相对较高的售出电价与交易电价的差值，削减本省出力则亏损；ΔQ_r 为多余电量，卖出多余电量则盈利；Q 为电量。卖出多余电量的概率与电力市场上的富余容量以及总需求有关。

H 层收益率 ΔE_d 表示售电方违约对本省造成的损失：

$$\Delta E_d = \frac{\Delta P_d}{P_\lambda} \tag{7-39}$$

式中，ΔP_d 为交易电价和由于售电方违约而通过其他途径购电的费用之间的差价。售电方违约的概率主要与来电性质和售电方历史违约率有关，水电相对于火电违约概率更大。

I 层收益率 ΔE_{en} 指政府节能指标的考核情况，用单位国内生产总值能耗表示：

$$\Delta E_{en} = -\frac{Q_T}{\text{GDP}} \tag{7-40}$$

式中，Q_T 为本省月发电量；GDP 为本省月国内生产总值。政府在年底考核节能指标时节能政策紧迫的概率高。

J 层收益率 ΔE_g 用与省内发电企业 i 的历史平均交易量 $\overline{Q}_i$ 的偏差来度量，不到 $\pm 20\%$ 的偏差则不计。

$$\Delta E_g = \sum_i \left(w_i \cdot \frac{Q_i - \overline{Q}_i}{Q_i} \right) \tag{7-41}$$

式中，Q_i 为与省内发电企业 i 的本月交易量；w_i 为对发电企业 i 的重视度，$\sum_i w_i = 1$。

式 (7-41) 结果的正负对应满意和不满意。本省购电量越大，省内发电企业因利益受影响，不满意的概率越大；但如果本省节能政策紧迫，省内发电企业不满意的概率就会下降。

K 层收益率 ΔE_c 与 J 层收益率类似，把售电的其他省市 j 视作发电企业，用与历史平均交易量 $\bar{Q}_j$ 的偏差来度量；但同时考虑同为缺电省的其他省市 k 的需求以及市场上的富余。

$$\Delta E_c = \sum_j \left(w_j \cdot \frac{Q_j - \bar{Q}_j}{\bar{Q}_j} \right) + \sum_k \left(w_k \cdot \frac{Q_{kd}}{Q_{Tr} - Q} \right) \tag{7-42}$$

式中，Q_j 为与售电省市 j 的本月交易量；Q_{kd} 为其他购电省市 k 的需求；Q_{Tr} 为电力市场总富余容量；w_j 和 w_k 为对省市 j 和 k 的重视度，$\sum_j w_j + \sum_k w_k = 1$，本省购电量越大，导致其他购电省市不能购足电，且售电省市利益受限，不满意的概率就较大。

(2)单级决策和多级决策。单级决策是用于判断单一交易方案是否可行的决策问题。对于售电方提供的某一确定电量，通过比较 D 层各点收益率，选择最优的峰谷比，决策树仅为 B 层中某一点的展开。多级决策用于多交易方案的决策问题，通过比较 D 层各点收益率及 B 层各点收益率，选择最优的峰谷比及电量交易方案，A 层存在一个决策点，B 层或 C 层分别存在一个决策点。由于交易电量等于必购电量时，不考虑输电容量限制，即没有 C 层，所以 B1 为决策点，而其他交易方案用于决策峰谷比的决策点在 C 层。

7.2　深度强化学习

7.2.1　概述

深度学习(deep learning，DL)的基本思想是通过多层的网络结构和非线性变换，组合低层特征，形成抽象的、易于区分的高层表示，以发现数据的分布式特征。因此，深度学习侧重于对事物的感知与表达。强化学习(reinforcement learning，RL)[12, 13]作为机器学习领域的另一个研究热点，已经广泛应用于工业控制、仿真模拟、优化与调度、多智能体博弈等领域。强化学习的基本思想是通过最大化智能体从环境中获取的累计奖赏值，以学习到完成目标的最优策略[14]。因此，强化学习方法更加侧重于学习解决问题的策略。

然而，能源网络中的现实场景任务通常具有较高的复杂性，且高级量测技术的发展推动了能源大数据体量的增长，需要利用深度学习技术来自动学习大规模输入数据的抽象表征，并以此表征为依据进行自我激励的强化学习，优化解决问题的策略。人类社会中诸多复杂现实场景的需求推动了这种深度学习与强化学习的结合形态发展，谷歌的人工智能研究团队 DeepMind 创新性地将具有感知能力的深度学习和具有决策能力的强化学习相结合，形成了人工智能领域新的研究热点，即深度强化学习。此后，在很多挑战性领域中，DeepMind 团队构造并实现了人类专家级别的智能体。这些智能体对自身知识的构建和学习都直接来自原始输入信息，无须任何的人工编码和领域知识。因此，深度强化学习是一种端对端(end-to-end)的感知与控制系统，具有很强的通用性，其学习过程可以描述如下：

(1)在每个时刻，智能体与环境交互得到一个高维度的观察，并利用深度学习方法来感知观察，从而得到具体的状态特征表示；

(2)基于预期回报来评价各个动作的价值函数，并通过某种策略将当前状态映射为相应的动作输出；

(3)环境对该动作进行响应，并得到下一个观察。

通过不断循环以上过程，最终可以得到实现设定目标的最优策略。这种深度强化学习的基本原理框架如图 7-7 所示。

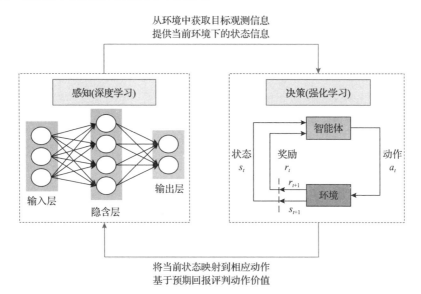

图 7-7 深度强化学习基本原理框架

目前，在区域能源互联网智能调控领域，深度强化学习技术在需求响应、能源市场竞价、多主体博弈互动、可控资源调度控制、电网紧急控制策略研究等方面得到应用，使得区域能源互联网的管理与控制向着可靠化、精准化、最优化的方向发展。本节将对深度强化学习的相关算法理论、在能源网络领域的应用方法等研究现状进行详细的阐述。

7.2.2　深度强化学习理论基础

1. 深度学习

深度学习的概念源于人工神经网络(artificial neural network，ANN)。DL 模型通常由多层非线性运算单元组合构成，其将较低层的输出作为下一层的输入，通过这种方式自动地从大量训练数据中学习到抽象的特征表示，从而发现数据的分布式特征。其中，含有多层隐含层的多层感知机(multi-layer perception，MLP)是深度学习模型的一种典型结构。与浅层网络相比，传统的多隐含层网络模型具有更好的特征表达能力，但是由于计算能力不足、训练数据缺乏、梯度弥散等无法取得突破性进展。直至 2006 年，Hinton 等提出了一种训练深度神经网络的基本准则，即先用非监督学习对网络逐层进行贪婪的预训练，再用监督学习对整个网络进行微调。这种预训练方式为深度神经网络提供了较为理想的初始化参数，降低了网络的优化难度，使得深度神经网络的研究迎来了转机。此后，堆栈式自编码器(stacked auto-encoder，SAE)、受限玻尔兹曼机(restricted Boltzmann machine，RBM)、深度信念网络(deep belief network，DBN)、循环神经网络(RNN)、卷积神经网络(convolutional neural network，CNN)等深度学习模型被相继提出，深度神经网络正朝着深层化、模块化的方向发展。深度学习结合强化学习应用于电网中时，较常采用的深度学习模型包括深度卷积神经网络、长短期记忆网络等。

2. 强化学习

强化学习是一种从环境状态映射到动作的学习，学习目标是使得智能体在与环境的交互过程中获取最大的累积奖赏。马尔可夫决策过程(Markov decision process，MDP)可以用来对强化学习问题进行建模，即系统下一时刻的状态仅与当前时刻的状态有关，而与前序状态无关。通常，可将 MDP 定义为一个四元数组 (S, A, ρ, f)。

(1) S 为所有环境状态的集合，$s_t \in S$ 表示智能体在 t 时刻所处的状态。

(2) A 为智能体可执行动作的集合，$a_t \in A$ 表示智能体在 t 时刻所采取的动作。

(3) $\rho: S \times A \to R$ 为奖赏函数，$r_t \sim \rho(s_t, a_t)$ 表示智能体在状态 s_t 执行动作 a_t 获得的立即奖赏值。

(4) $f: S \times A \times S \to [0,1]$ 为状态转移概率分布函数，$s_{t+1} \sim f(s_t, a_t)$ 表示智能体在状态 s_t 执行动作 a_t 转移到下一状态 s_{t+1} 的概率。

图 7-8 所示为马尔可夫决策过程的流程图，当智能体处于初始状态 s_0 时，执行动作 a_0 后以概率 P_0 转移到状态 s_1，根据 a_0 和 s_1 利用奖赏函数获取立即奖励值 r_1。

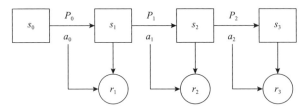

图 7-8　马尔可夫决策过程流程图

在强化学习中，策略 $\pi:S\rightarrow A$ 是状态空间到动作空间的一个映射，表示为智能体根据状态选择动作，执行该动作并以概率转移到下一状态，同时接收来自环境反馈的奖赏，假设未来每个时间步所获的立即奖赏都必须乘以一个折扣因子，则从 t 时刻开始到 T 时刻情节结束时，奖赏之和定义为

$$R_{\mathrm{t}} = \sum_{t'=t}^{T} \gamma^{t'-t} r_{t'} \qquad (7\text{-}43)$$

式中，$\gamma \in [0,1]$，用来权衡未来奖赏对累积奖赏的影响。

状态动作值函数 $Q^{\pi}(s,a)$ 指的是在当前状态 s 下执行动作 a，并一直遵循策略 π 到情节结束，这一过程中智能体所获的累积回报，表示为

$$Q^{\pi}(s,a) = \mathbb{E}[R_{\mathrm{t}} \mid s_t = s, a_t = a, \pi] \qquad (7\text{-}44)$$

对于所有的状态动作对，若一个策略 π^* 的期望回报大于或等于其他所有策略的期望回报，那么称该策略 π^* 为最优策略。最优策略可能不唯一，但它们共享一个状态动作值函数：

$$Q^*(s,a) = \max_{\pi} \mathbb{E}[R_{\mathrm{t}} \mid s_t = s, a_t = a, \pi] \qquad (7\text{-}45)$$

式 (7-45) 被称为最优状态动作值函数，且最优状态动作值函数遵循贝尔曼最优方程 (Bellman optimality equation)，即

$$Q^*(s,a) = \mathbb{E}_{s'\sim S}[r + \gamma \max_{a'} Q_i(s',a') \mid s,a] \qquad (7\text{-}46)$$

在传统的强化学习中，一般通过迭代贝尔曼方程来求解 Q 值函数：

$$Q_{i+1}(s,a) = \mathbb{E}_{s'\sim S}[r + \gamma \max_{a'} Q_i(s',a') \mid s,a] \qquad (7\text{-}47)$$

式中，当 $i\rightarrow\infty$ 时，$Q_i \rightarrow Q^*$，即通过不断的迭代会使状态动作值函数最终收敛，从而得到最优策略：$\arg\max_{a\in A} Q^*(s,a)$。然而，对于实际问题来说，通过迭代式 (7-47) 求解最优策略显然是不可行的，因为在较大的状态空间下,迭代贝尔曼方程求解 Q 值

函数的方法计算代价过大。针对该问题，强化学习算法通常使用线性函数逼近器来近似表示状态动作值函数，即 $Q(s,a \mid \theta) \approx Q^*(s,a)$，$\theta$ 为线性函数参数。此外，也可以采用深度神经网络等非线性函数逼近器去近似地表示值函数或策略。然而，将强化学习和深度学习相结合可能会出现算法不稳定等问题，这限制了深度强化学习的发展与应用。

3. 深度强化学习的起步

深度强化学习(DRL)兴起之前已经开展了一些前期工作，但由于训练数据和计算能力的欠缺，这些工作仅利用深度神经网络对高维度输入数据降维，以便于传统的强化学习算法对其进行处理。Riedmiller[15]最先使用一个多层感知器来近似表示 Q 值函数，并提出了神经拟合 Q 迭代(neural fitted Q iteration，NFQ)算法。Lange 和 Riedmiller[16]结合深度学习模型和强化学习方法，提出了一种深度自动编码器(deep auto-encoder，DAE)模型。然而 DAE 只适用于以视觉感知为输入信号且状态空间维度较小的控制问题。Abtahi 和 Fasel[17]用深度信念网络作为传统 RL 中的函数逼近器，极大地提高了智能体的学习效率，并成功地应用于车牌图像字符分割任务中。Lange 等[18]又进一步提出了深度拟合 Q 学习算法(deep fitted Q-Learning，DFQ)，并将该算法应用于车辆控制中。Koutnik 等[19]将神经演化(neural evolution，NE)方法与 RL 算法相结合，并将其应用于一款视频赛车游戏中，实现了对赛车的自动驾驶。

4. 深度 Q 网络

深度强化学习包含基于值函数、基于策略梯度等方法。其中，最经典的一种是 Mnih 等[20, 21]提出的深度 Q 网络模型，该网络将卷积神经网络和传统强化学习中的 Q 学习算法相结合，可应用于处理基于视觉感知等高维数据感知的控制任务，是 DRL 领域的开创性工作。

DQN 模型的输入是距离当前时刻最近的几组数据，该输入经过 3 个卷积层和 2 个全连接层的非线性变换，最终在输出层产生每个动作的 Q 值。图 7-9 表示 DQN 的模型架构。

DQN 的训练流程如图 7-10 所示。为缓解非线性网络表示值函数时出现的不稳定等问题，DQN 主要对传统的 Q 学习算法做了 3 处改进。

(1)DQN 在训练过程中使用经验回放机制(experience replay)，在线处理得到的转移样本 $e_t = (s_t, a_t, r_t, s_{t+1})$。在每个时间步 t，将智能体与环境交互得到的转移样本存储到回放记忆单元 $D = \{e_1, \cdots, e_t\}$ 中。训练时，每次从 D 中随机抽取小批量的转移样本，并使用随机梯度下降(stochastic gradient descent，SGD)算法更新网

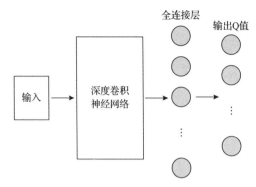

图 7-9　DQN 的模型结构

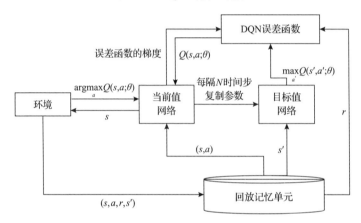

图 7-10　DQN 的训练流程

络参数 θ。在训练深度网络时，通常要求样本之间是相互独立的。这种随机采样的方式大大降低了样本之间的关联性，从而提升了算法的稳定性。

(2) DQN 除了使用深度卷积网络近似表示当前的值函数之外，还单独使用了另外一个网络来产生目标 Q 值。具体地，$Q(s,a\,|\,\theta_i)$ 表示当前值网络的输出，用来评估当前状态动作对的值函数；$Q(s,a\,|\,\theta_i^-)$ 表示目标值网络的输出，一般采用 $Y_i = r + \gamma \max_{a'} Q(s',a'\,|\,\theta_i^-)$ 近似表示值函数的优化目标，即目标 Q 值。当前值网络的参数 θ 是实时更新的，每经过 N 轮迭代，将当前值网络的参数复制给目标值网络。通过最小化当前 Q 值和目标 Q 值之间的均方误差来更新网络参数。误差函数为

$$L(\theta_i) = \mathbb{E}_{s,a,r,s'}[(Y_i - Q(s,a\,|\,\theta_i))^2] \tag{7-48}$$

对参数 θ_i 求偏导，得到以下梯度：

$$\nabla_{\theta_i} L(\theta_i) = \mathbb{E}_{s,a,r,s'}[(Y_i - Q(s,a\,|\,\theta_i))\nabla_{\theta_i} Q(s,a\,|\,\theta_i)] \tag{7-49}$$

引入目标值网络后，在一段时间内目标 Q 值是保持不变的，一定程度上降低了当前 Q 值和目标 Q 值之间的相关性，提升了算法的稳定性。

(3)DQN 将奖赏值和误差项缩小到有限的区间内，保证了 Q 值和梯度值都处于合理的范围内，提高了算法的稳定性。在解决多类 DRL 任务时，DQN 使用了同一套网络模型、参数设置和训练算法，这充分说明 DQN 方法具有很强的适应性和通用性。

5. DQN 的改进算法

在 DQN 算法训练过程中，同一网络利用相同的 Q 值选择动作和评估动作，这样对 Q 值会产生过估计而导致最终结果不准确，导致很难获得最优解。van Hasselt 等[22]基于双 Q 学习算法(double Q-Learning)[23]，提出了深度双 Q 网络(deep double Q-network，DDQN)算法。在 DDQN 中，不直接采用目标网络生成 Q 值，而是在主网络计算最大 Q 值选择动作，然后从目标网络计算目标 Q 值。DDQN 目标网络 Q 值计算公式如下：

$$Q_t^{\text{Double Q}} = r_{t+1} + \gamma Q_{\text{target}}(s_{t+1}, \arg\max_a Q_{\text{main}}(s_{t+1}, a; \omega_t); \omega_t^-) \tag{7-50}$$

式中，Q_{target} 为目标网络 Q 值；Q_{main} 为主网络 Q 值；γ 为学习系数，可以控制目标网络向主网络学习的速率，一般可以设置为 $\gamma = 0.01$。每次迭代实际 Q 值以系数 γ 学习目标 Q 值，目标 Q 值与实际 Q 值的差值控制在很小范围内，防止差值过大造成迭代过程发生跳跃，模型的过估计问题得以缓解，收敛速度也得以提高。

在评估 Q 值过程中，有时需同时考虑动作带来的回报和环境因素，文献[24]提出一种竞争方法将 Q 值函数分为两部分，一部分为环境本身的评估价值 $V(s_t)$，另一部分为动作带来的额外价值 $A(a_t)$：

$$Q(s_t, a_t) = V(s_t) + A(a_t) \tag{7-51}$$

竞争方法将 Q 值函数分为环境信息回报和动作回报，使得学习的目标更为明确。

6. 其他相关研究工作

除了关于 DQN 和策略梯度方法的研究外，人们对深度强化学习的算法及模型架构还做了许多相关研究。其中，比较著名的包括异步优势行动者评论家(A3C)算法[24]。A3C 算法是由 Mnih 等于 2016 年提出的，该算法是深度强化学习算法的集大成者，融合了之前几乎所有的深度强化学习算法。A3C 算法采取了不同的 actor-learners 并行探索环境的方法，每个 actor-learners 独自探索并在线更新全局策略参数。利用这种方法，可以不再依赖经验池来存储历史经验，极大地缩短了训练的时间。

此外，人们还从其他角度对深度强化学习的算法及模型架构进行了研究。Jaderberg 等提出了无监督辅助强化学习(unsupervised reinforcement and auxiliary learning, UN-REAL)算法，通过训练多个辅助任务来改进算法，极大地提高了算法的性能[25]；Finn 等[26]对逆向深度强化学习进行了研究；Oh 等[27]提出了一种基于记忆的深度强化学习模型。此外，Kulkarni 等[28]、Houthooft 等[29]、Fernández 等[30]、Bellemare[31]、Schaul 等[32]也从不同角度对深度强化学习的算法及模型架构进行了研究，并取得了引人关注的成果。本节主要聚焦 DQN 在需求响应、能量调度管理以及电网暂态稳定分析与控制决策中的应用。

7.2.3　需求响应中的应用

需求响应能够提高区域能源网的灵活性，根据国际能源署(International Energy Agency，IEA)的评估，需求响应潜力通常约占峰值需求的 15%，且未来需求响应潜力可能呈现不断增长的趋势，需求响应的发展前景极为广阔[33]。为了充分挖掘需求侧资源的响应潜力，需求响应需要向着多元化、精细化、可靠化的方向发展。目前，需求响应的实施主要面临两个难题：其一是用户响应行为的识别与预测；其二是需求响应业务的最优决策。由于需求侧资源具有分布式、不确定性等特点，高维度多样化的需求侧用户数据增加了针对不同用户相应行为的识别与预测的困难度，而深度学习拥有强大的处理高维度数据、挖掘潜在信息的能力，故可以利用深度学习识别用户在需求响应中的响应行为；未来，需求响应业务面临着更加复杂多变及多业务交叉的外部环境，需在用户用能行为分析的基础上，充分考虑各方博弈行为进行综合决策，从而有效地聚合需求侧资源，释放其响应潜力。深度强化学习能够通过深度学习网络自动学习大规模输入数据的抽象表征，并以此表征为依据进行自我激励的强化学习，对外部环境不断探索，从而寻找出最优的实施策略。将深度强化学习应用于需求响应，可形成一套完整的感知决策体系，有效推动需求响应朝着更可靠、更精细的方向发展[34, 35]。

深度强化学习在需求响应中拥有较好的应用前景，具体如何应用，需要构建一套完善的实施框架以及实施流程。由于需求响应用户具有数量庞大、用能及其响应特性多变的特点，且用户的用能行为还受到多方环境因素的影响，数量庞大的用户给售电商带来了巨大的运算压力，因此，可以将单用户行为感知计算任务下放至本地，充分利用用户侧智能终端的算力，减小售电商的运算压力，提高需求响应计算效率。进而，售电商收集各个用户上传的数据，通过云服务提供商提供的算力进行模型搭建与运算。

文献[36]提出了一种基于深度强化学习的需求响应边缘-云计算实施架构，其架构图如图 7-11 所示。本地需求响应终端在用户侧采集不同负荷的用电情况，建立 LSTM 网络对不同用户的用电行为进行感知和推演，当售电商发出激励信号至用户侧时，用户可根据激励信号及外界环境情况等信息，推演出用户的响应量及其响应概率，并上传信息至云端；在云端，售电商根据用户反馈的响应信息，结合外部环境实时状态，对用户群的用电行为及响应特性进行学习与整合，进而通过深度强化学习进行最优决策的选择。

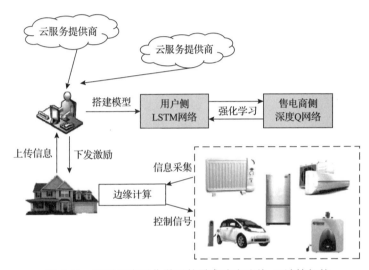

图 7-11　基于深度强化学习的需求响应边缘-云计算架构

深度强化学习通过在环境中不断试错训练深度 Q 网络从而进行最优策略选择，为了构建一套完整的试错系统，需要搭建一个能够模拟用户响应行为的虚拟环境支撑算法的训练平台。根据深度学习的算法特点以及用户实际响应行为的特点，文献[36]以用户侧边缘智能设备为支撑，在用户侧构建基于 LSTM 网络的用户虚拟响应网络，用以预测用户用电行为并将已有的用户响应经验公式作为用户实际响应情况的近似值来验证 LSTM 网络对于用户相应行为的学习效果。基于深度强化学习的需求响应架构如图 7-12 所示。

需求响应售电商在感知用户响应行为的基础上，通过强化学习单元选择执行策略。其中，深度 Q 网络的构建是强化学习算法的核心内容之一，此处，动作的 Q 值用售电商的收益来表示，从而保证用户的响应精度在合理的范围之内。进而，需求响应售电商将分为两步来执行策略：①选择目标用户；②下发与该目标用户相匹配的激励。考虑到简单罗列此两步动作的动作空间过于庞大，使得深度 Q 网络的权值难以训练，故需将单次需求响应业务分解为多步。售电商每次选择一个

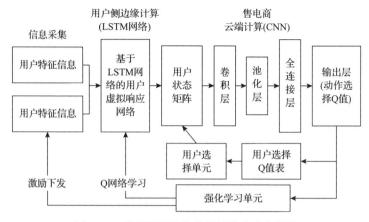

图 7-12　基于深度强化学习的需求响应架构

用户，对其下发激励直至该用户的响应量与目标量匹配或全体用户均已达到最大响应量。由于实际情况下，用户数量较多，采用全连接的深度神经网络所需训练的权值过多，且需求响应中许多用户表现出相似的响应特性，因此可以采用卷积神经网络的思想减少待训练的权值数量，降低训练的复杂程度，以提高学习效率。

利用卷积神经网络将用户状态映射到激励选择奖励值后，建立用户选择 Q' 网络，售电商每次利用 ε-greedy 的方式根据用户选择 Q' 网络选择目标用户，进而针对该用户训练基于卷积神经网络的激励选择动作的 Q 网络，此后，将所有动作中 Q 值的最大值赋予用户选择 Q' 网络，作为选择该用户得到的奖励。基于强化学习的需求响应系统流程如图 7-13 所示。

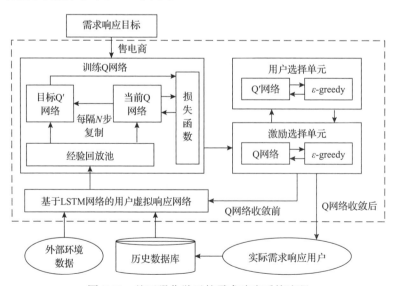

图 7-13　基于强化学习的需求响应系统流程

构建深度 Q 网络后，针对需求响应业务的实际需求，形成一套完整的深度强化学习流程。售电商通过参与电力市场的业务确定每一次需求响应的目标，进而根据该目标对 Q 网络进行训练，其内部的 Q 网络实质为状态到动作奖励值的映射，具体可以定位为售电商的收益增量。售电商通过聚合小用户参与市场的不同业务，需要完成的任务量为 C，能够从市场中获取利润 P，下发至第 i 个用户的激励为 I_i，用户的响应量为 R_i，则每个动作的奖励值 r_i 可表示为

$$r_i = \frac{P}{C} R_i - I_i \tag{7-52}$$

在每次需求响应业务开展时，售电商首先根据采集的当前外部环境数据及历史状态数据，对不同用户的响应网络进行训练，针对每一个用户形成一个具有较高置信度的用户响应网络，其中，可以通过选择状态值来表征用户在每一次需求响应业务中是否被选中参与激励的优化（0 表示未选中，1 表示已选择）且限制下一次选择的权限。值得注意的是，深度学习要求样本独立，但 Q 学习算法得到的样本前后存在关联，为了打破这一关联，引入经验回放机制，通过存储-随机采样的方式消除样本的前后关联[37]。进而根据该次需求响应业务的目标进行强化学习，得出最优的激励策略。定义强化学习损失函数由当前 Q 网络以及目标 Q 网络的差值构造所得，即

$$L(\theta_i) = (r_{ss'}^a + \gamma \max Q(s', a'; \theta_i^-) - Q(s, a; \theta_i))^2 \tag{7-53}$$

式中，s 为当前状态；a 为在状态 s 下所执行的动作；s' 为执行动作 a 后的下一个状态；a' 为状态 s' 下回报最高的动作；$r_{ss'}^a$ 为在状态 s 下，执行动作 a 后，状态转移到 s' 所获得的奖励；γ 为折扣因子；θ_i^- 为目标动作价值函数网络 $\hat{Q}$ 的权值；θ_i 为动作价值函数网络 Q 的权值；$r_{ss'}^a + \gamma \max Q(s', a'; \theta_i^-)$ 为计算出的目标 Q 网络执行动作 a 之后的最大奖励值；$Q(s, a; \theta_i)$ 为当前 Q 网络执行动作 a 之后的奖励值。

电力市场环境下，售电商参与电量现货市场、辅助服务市场及容量市场时，对其优化策略有实时性要求。但深度强化学习存在模型训练耗时长的问题，因此，售电商可以采用日前-实时相结合的方式：日前状态下，构建用户虚拟响应网络，训练至 Q 网络收敛；在实时状态下，仅需根据已训练收敛的 Q 网络优化得出激励数据即可，对于计算能力的要求可以降低，从而能够满足较高的实时性要求（通常为分钟级甚至秒级）。

7.2.4 能量调度管理中的应用

针对能源网络中的能量管理和优化控制的问题，已经有多种不同算法。主要

方法包括经典优化方法、基于规划的方法、启发式算法等，这些算法能够解决区域能源网中的许多问题，但也分别存在着一定程度的不足。随着人工智能技术的兴起，深度强化学习的研究越来越深入，也越来越多地被应用于电力系统能量调度管理领域中。深度强化学习能够利用综合能源系统中的大量数据，根据不同的运行要求和优化目标，给出相应的控制方案和优化策略，既可以处理大规模数据，又能够实时进行决策。与经典优化方法相比，深度强化学习方法不需要依赖明确的目标函数进行实时决策，且可处理更大规模的数据量；与基于规划的方法相比，深度强化学习方法的训练不需要从头更新所有决策状态，而能够实现基于当前状态的决策，具有实时性且能够实现在线决策；与启发式算法相比，充分训练后的深度强化学习能够更加稳定地达到收敛结果，且结果受输入数据的影响较小，故深度强化学习方法具有较好的鲁棒性与稳定性。因此，深度强化学习目前已经成为区域能源网能量调度管理领域的一个研究热点。

目前，国内外越来越多学者将强化学习应用于电力系统能量调度管理方面。其中，文献[38]采用强化学习算法使电源、分布式存储系统和用户在互相没有先验信息的情况下能够达到纳什均衡。文献[39]和[40]采用强化学习算法选择储能系统的时序行为以提高储能系统和风机的效率。文献[41]～[43]基于半马尔可夫决策过程的多步$Q(\lambda)$学习算法求解复杂电网多目标最优潮流问题，该算法无须对最优潮流数学模型进行辅助处理，不依赖于对象模型，其内部各智能体使用标准的多步$Q(\lambda)$算法独立承担各分区子系统的学习任务，通过统一协作从而形成整体意义上的最优解，为解决复杂电网多目标最优潮流问题提供了一种新的可行、有效的方法。文献[44]～[46]构造了一个基于强化学习算法的优化微电网平准化度电成本(levelized cost of energy，LCOE)的长短期电能管理方案，从规划和运行的角度进行优化。文献[47]构造了包括蓄电池和全钒液流电池(vanadium redox battery，VRB)的微电网储能系统，采用强化学习算法控制充放电策略。文献[48]采用深度强化学习算法根据微电网高维数据在线计算能量优化策略，实时反馈和控制以提高电能的使用效率。文献[49]构建了针对微电网复合储能系统的深度强化学习方法，考虑了不同季节、天气、时刻的影响对蓄电池和储氢装置充放电状态进行实时优化控制，从而提高了可再生能源的利用率。文献[50]将微电网储能调度问题描述为马尔可夫决策过程(MDP)，引入深度 Q 值强化学习机制，利用智能体不断与微电网调度环境交互获得最优的储能调度策略；并通过深度 Q 值强化学习构建储能调度策略求解。

1. 典型系统模型和场景构建

以典型微电网模型为例，采用深度强化学习方法解决储能调度问题。该典型微电网由光伏发电系统、储能电池、负荷和控制装置等组成，并通过公共连接点接入主电网，如图 7-14 所示[53]。

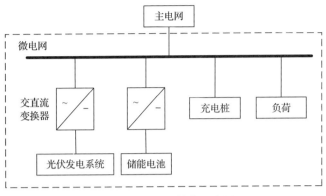

图 7-14　微电网结构示意图

微电网系统中各主要部分模型如下。

1) 光伏发电系统

假设 p_t^{irra} 为太阳能电池板接收到的太阳能辐射功率，η^{PV} 为光伏发电的转化效率，p_t^{PV} 为光伏发电输出的最大功率，则有

$$p_t^{\mathrm{PV}} = p_t^{\mathrm{irra}} \times \eta^{\mathrm{PV}} \tag{7-54}$$

2) 储能电池

储能调度策略需要在满足物理约束的条件下，优化储能的充放电时间和充放电电量，从而保证储能系统的安全性和可靠性。

本书建立的电池模型考虑的物理约束条件包括电池电量约束和电池充放电速率约束。其中，电池电量 s_t^{B} 存在一定的物理限制，电池电量状态控制在某一范围内并结合具体的能量优化控制要求进行调整，能够延长电池使用寿命。假设电池电量最大值为 $s_{\max}^{\mathrm{B}}$ 最小值为 $s_{\min}^{\mathrm{B}}$，则电池电量约束可表示为

$$s_{\min}^{\mathrm{B}} \leqslant s_t^{\mathrm{B}} \leqslant s_{\max}^{\mathrm{B}} \tag{7-55}$$

基于对电池使用寿命、电量和经济性的考虑，电池的充放电速率存在约束，充放电速率不能过高或过低，因此本书假设充放电速率固定，这同时有助于简化模型。

采用动态模型表示电池模型，其中储能电池电量状态以式 (7-56) 表示。电池的运行模式包括充电、放电和闲置三种状态。该模型显示了在每个时间步长下电池的电量状态：

$$s_{t+1}^{B} = \begin{cases} s_t^{B} + \eta p_t^{B} \Delta t, & a_t = a_d \\ s_t^{B} + \dfrac{p_t^{B} \Delta t}{\zeta}, & a_t = a_c \\ s_t^{B}, & \text{其他} \end{cases} \tag{7-56}$$

式中，t 为当前时间点；Δt 为时间粒度；a_d 为放电动作；a_c 为充电动作；a_t 为 t 时刻的动作；$p_t^{B} > 0$ 为充电量，$p_t^{B} < 0$ 为放电量；η 为放电效率；ζ 为充电效率。

3) 负荷

负荷是系统消耗电能的部分，由于微电网中负荷总量小，受随机因素影响较大，负荷曲线随着时间具有明显的波动性。负荷值 p_t^{load} 由负荷预测得到。

4) 调度模型

在满足功率平衡和储能设备约束条件下，该微电网调度模型通过与主电网进行功率交换获取最大运行效益。微电网运行效益计算公式如下：

$$c(S_t, a_t) = a_t^{buy} p_t^{grid} + a_t^{sell} p_t^{grid} \tag{7-57}$$

式中，S_t 为 t 时刻的电量；a_t^{buy} 为微电网当前小时内从主电网购电的价格；a_t^{sell} 为微电网当前小时内向主电网售电的价格；$p_t^{grid} > 0$ 为微电网当前小时内从主电网购买的电量，$p_t^{grid} < 0$ 为微电网当前小时内向主电网售出的电量，p_t^{grid} 的值取决于电池充放电动作和电池荷电水平。

电网功率平衡可表示为

$$p_t^{grid} = p_t^{load} - p_t^{pro} + p_t^{B} \tag{7-58}$$

式中，p_t^{load}、p_t^{pro}、p_t^{B} 分别为 t 时刻负荷功率、光伏发电功率、电池充放电量。

2. 深度强化学习寻优过程

状态空间参数包括电池电量 s_t^{B}、负荷功率 p_t^{load}、光伏发电功率 p_t^{pro} 以及对未来一天光伏发电功率和负荷的预测 $p_t^{pro\_next}$、$p_t^{load\_next}$，即

$$S : \{ s_t^{B}, p_t^{pro}, p_t^{load}, p_t^{pro\_next}, p_t^{load\_next} \} \tag{7-59}$$

动作空间包括电池实时动作 a_t^{B}，即

$$A : \left\{ a_t^{B} \right\}, \ a_t^{B} \in \{-1.2, 0, 1.2\} \tag{7-60}$$

其中，动作具体包括充电、放电和无操作 3 种状态，$a_t^{B} = -1.2$ 表示电池全速

率放电，$a_t^B = 0$ 表示电池保持闲置，$a_t^B = 1.2$ 表示电池全速率充电。

通过奖励函数可立即得到动作和环境的优劣评估值。在奖励评估过程中，本书综合考虑了动作奖励和环境本身奖励的影响，使得学习目标更加明确。基于环境状态集中动作空间的分布，电池在任何时间 t 时只会采取一个动作，充电和放电不会同时发生。因此，在满足电池 SOC 约束条件下，奖励函数设定为

$$r_t^*(a_t) = \begin{cases} k_d p_t^B \Delta t, & a_t = a_d, SOC_{min} < SOC < SOC_{max} \\ -nk_d, & a_t = a_d, SOC \leqslant SOC_{min} \\ k_c p_t^B \Delta t, & a_t = a_c, SOC_{min} < SOC < SOC_{max} \\ -nk_c, & a_t = a_c, SOC \geqslant SOC_{max} \\ 0, & 其他 \end{cases} \tag{7-61}$$

$$r_t(a_t) = \begin{cases} r_t^*(a_t) - a_t^{buy} p_t^{grid}, & p_t^{grid} \geqslant 0 \\ r_t^*(a_t) + a_t^{sell} p_t^{grid}, & p_t^{grid} < 0 \end{cases} \tag{7-62}$$

式中，k_d 为放电奖励因子；k_c 为充电奖励因子；SOC_{min} 为最小电池电量消耗量水平；SOC_{max} 为最大电池电量水平；n 为惩罚因子。

竞争方法将奖励函数分为环境信息奖励和动作奖励两部分，从而学习目标更加明确。

即时奖励模型针对一个时间点信息做出评价，无法说明整体策略的好坏。因此，需要定义状态-动作值函数来表征策略对于状态的长期效果。

$$Q_h(s, a) = E_h \left[\sum_{t=0}^{T-1} \gamma^t r_t \mid s_t = s, \ a_t = a \right] \tag{7-63}$$

式中，Q_h 为状态-动作值函数；E_h 为期望值；T 为调度周期。

值函数是强化学习的学习目标，选择的最优策略是基于最大 Q 值的策略：

$$h^*(a|s) = \arg\max_{a \in A} Q^*(s, a) \tag{7-64}$$

在学习过程中，状态向量 S 中 p_t^{load}、p_t^{pro} 序列输入卷积神经网络，p_t^{load}、p_t^{pro} 序列分别经过 LSTM 网络得到 $p_t^{load\_next}$、$p_t^{pro\_next}$ 与卷积神经网络输出结果以及 s_t^B 同时输入全连接层，最后在输出层得到逼近的 Q 值。获取 Q 值后，智能体采用 ε-greedy 策略，即有 $1-\varepsilon$ 的概率选择策略 $h^*(a|s)$，同时产生随机动作的概率为同时更新状态空间并计算新的 Q 值，直至实验结束，强化学习网络可采用 DQN、DDQN 等。

7.2.5 电网暂态稳定分析与控制决策

随着电力系统的发展，新能源渗透率不断提高，电网结构日趋复杂。传统的电网暂态稳定分析控制技术与电网高速发展带来的新型稳定性问题之间的矛盾日益凸显。不少研究建立了电网的物理仿真模型，然而，物理仿真模型较难对电网不确定性因素进行建模分析，同时基于物理特性的建模方式受限于有限的计算资源，对于复杂电网的建模计算困难，不能够全面考虑多种因素，因此，传统基于电网物理机理的分析方法已经不能够满足电网分析控制的需求，亟须寻求新的解决方法。

电网紧急状态下的控制手段包括切机切负荷、低频减载(under frequency load shedding，UFLS)和低压减载(under voltage load shedding，UVLS)。电网处于紧急状态时，电网整体仍保持完整性，部分电网模型约束条件被破坏。电网部分元件参数超过额定值，部分母线电压或者负荷超过额定值，电网可能失去稳定性。传统研究方法从电网物理特性出发分析切机切负荷最佳地点和控制策略，但是，物理模型有较强的局限性，对于电网结构的变化和新型元素适应性不强，不能够满足电网发展的需求。电网仿真计算是电网运行控制的重要工具，由于电网结构的复杂化和仿真计算本身的弱点，因此仿真过程影响因素较多，数学模型复杂，仿真计算结果不能满足实际需求。因此，考虑运用数据驱动方法替换过程仿真，应用数据驱动方法分析运行环境信息，直接得到控制策略，从而避免仿真过程模型简化和不确定性因素对电网控制效果的影响。

数据驱动方法分析电网运行环境信息后，需要根据不同运行方式和电网运行状态迅速给出控制方案。目前，数据驱动方法已经在电网尝试应用，对于电网控制策略这一复杂决策问题，考虑将人工智能方法引入决策控制中，从电网运行环境中提取有效信息，再结合环境信息和电网运行方式确定控制方式，实现决策控制。深度强化学习是人工智能具体实现的一大载体，可用于学习电网环境信息，并给出控制决策方案。

电网是一种实时非线性系统，各元件的关联十分紧密，周边环境和元件状态都影响电网的安全运行。对于电网切机决策控制问题，需从电网运行信息和环境信息入手，选取有效特征，提取其中的有效信息，从而得到紧急状态下电网应采取的切机策略。

发电机二阶方程可表示为

$$\begin{cases} T_J \dfrac{d\omega_*}{dt} = \dfrac{P_{m^*} - P_{e^*}}{\omega_*} - D(\omega_* - 1) \\ \dfrac{d\delta}{dt} = \omega_0(\omega_* - 1) \end{cases} \tag{7-65}$$

式中，D 为阻尼系数；$P_{\mathrm{m}*}$、$P_{\mathrm{e}*}$ 分别为机械转矩和电磁转矩标幺值；T_J 为发电机惯性时间常数；ω_0、ω_* 分别为发电机转速的基准值和标幺值；δ 为发电机功角。

电网发生扰动导致失稳时，机械转矩和电磁转矩的平衡被打破，发电机转子加速运转，电网控制策略不能消纳不平衡能量。因此从电网角度看是电网中不平衡能量不能被及时消纳导致电网失稳。基于以上讨论，考虑将发电机电磁功率和发电机机械功率作为样本数据的组成部分。

当电网发生故障时，故障切除时间对于电网的稳定运行有重要的影响。将电网正常运行与故障切除时刻的有功、无功、电压差值作为电网环境信息：

$$\begin{cases} \Delta P = P_0 - P_t \\ \Delta Q = Q_0 - Q_t \\ \Delta U = U_0 - U_t \end{cases} \tag{7-66}$$

式中，P_t、Q_t、U_t 分别为 t 时刻的有功、无功和电压值；P_0、Q_0、U_0 分别为初始时刻的有功、无功和电压值。

电网平衡是一种动态平衡，考虑将功角、发电机速度偏差和电压作为评价动作前后电网运行状态的重要指标。为使结果具有可比性，并提高算法性能，需要将数据按属性分类并归一化，最后存储处理后的数据，形成样本数据集。

构造样本数据集后，需要分析数据集以进行特征选择，从而支撑控制决策。本书探讨的深度强化学习方法具有较强的自主性，能够通过深度学习模型进行数据前期处理与特征提取，并将深度神经网络特征选取结果作为强化学习的输入信息，进而利用强化学习不断调整策略，以求达到期望回报。

在特征选取方面：从物理分析角度看，电网运行特征可认为是与电网运行直接相关的物理量，如电压、功角、相角、频率等物理量；从数据驱动角度看，电网运行特征可认为是数据本征值的某种表达形式，如随机矩阵理论中线性特征值统计量和中心极限定理可较好地表征样本数据的本征值分布[51]。文献[52]考虑到数据的方差可表征物理系统能量，因此采用随机矩阵中心极限定理(central limit theorem, CLT)计算数据方差作为动作执行的回报值。考虑电网动作前后的物理特性，采用发电机速度偏差数据作为回报值计算的数据源。电网正常运行时，发电机速度偏差均匀分布于零值附近，期望值近似为零。电网处于紧急状态并采取切机动作，动作有效则发电机速度偏差减小，数据波动能量也相应减小。基于上述讨论，构造回报值函数为发电机速度偏差数据的方差，如式(7-67)所示，量化一段时间内的数据波动能量，从而为强化学习模型提供学习目标。

$$V_{SC} = \frac{1}{2\pi} \int_{a_-}^{a_+} \int_{a_-}^{a_+} \left(\frac{\Delta\varphi}{\Delta\lambda}\right)^2 \frac{\left[4c - (\lambda_1 - a_m)(\lambda_2 - a_m)\right] d\lambda_1 d\lambda_2}{\sqrt{4c - (\lambda_1 - a_m)^2}\sqrt{4c - (\lambda_2 - a_m)^2}}$$

$$+ \frac{K_4}{4c\pi} \left[\int_{a_-}^{a_+} \varphi(u) \frac{(\mu - a_m)}{\sqrt{4c - (\mu - a_m)^2}} d\mu\right]^2 \tag{7-67}$$

式中，测试函数 $\varphi(\cdot)$ 满足 $\|\varphi\|_{\frac{3}{2}+\varepsilon} \leqslant \infty (\varepsilon > 0)$，$\Delta\varphi = \varphi(\lambda_1) - \varphi(\lambda_2)$，$\Delta\lambda = \lambda_1 - \lambda_2$；$K_4 = \mathbb{E}(X_4) - 3$ 为随机矩阵 X 的 4 阶累积量，满足 $a_\pm = (1 \pm \sqrt{c})^2$，$a_m = (a_+ + a_-)/2$。由随机矩阵中心极限定理，$\hat{S} = 1/N \cdot XX^H \in \mathbb{C}^{N \times N}$ 为复平面协方差矩阵，当 $N, T \to \infty, N/T = c \in (0,1]$ 时，$\mathcal{N}_N^0[\varphi]$ 收敛于高斯分布，期望 $\mu = 0$，方差为式 (7-67)。

为了避免 Q 值估计过高给计算结果带来不确定性，可以结合 7.2.2 节中的 DDQN 和竞争 Q 网络构建算法模型。竞争 Q 网络考虑将回报值划分为环境回报值和动作回报值，结合电网运行特性，将电网环境数据分为运行环境数据和动作信息数据。运行环境数据主要包括发电机功率信息，动作信息数据主要包括电压、功角和发电机速度偏差等信息。基于以上讨论，发电机速度偏差的方差可以在一定程度上反映控制策略的优劣，因此将发电机速度偏差的方差作为回报，式 (7-50) 作为回报函数。强化学习过程中，Q-Learning 网络将不断修正网络参数，使得网络计算的 Q 值不断接近回报值。

文献[53]提出了一种基于深度强化学习的电网切机控制策略，其决策控制逻辑图如图 7-15 所示。首先，通过数据预处理将输入信息分为运行环境数据和动作信息数据。强化学习算法采用竞争 Q 网络和双重 Q 网络相结合的方式。竞争 Q 网络将回报值分为运行环境回报值和动作回报值，两部分输入信息不同。双重 Q 网络负责选择动作，并对动作效果做出评价。深度学习部分采用深度卷积神经网络，设置其模型框架前部分卷积核学习运行环境数据，其余卷积核学习动作信息数据。最终得到的回报值可以由式 (7-51) 计算，其中运行环境数据回报值 $V(s_t)$ 采用多个输出求平均值的方式计算。这种模式下可提高训练效率，更重要的是可以为相同条件下的控制策略比较提供统一的标准环境，使结果更具有合理性。另外，不同运行方式下运行环境数据会发生相应变化，竞争 Q 网络可针对不同运行方式得到不同环境回报值 $V(s_t)$，增强模型的泛化能力，提升算法性能。

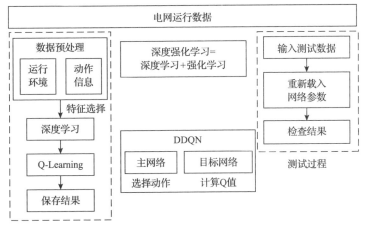

图 7-15　电网切机决策控制逻辑

7.3　群智能算法

20 世纪中期，研究人员利用数学方式对生物生理行为或进化规律等生物特征进行研究，得出了大量仿生学算法，如神经网络、遗传算法、免疫算法等，进而对生物群体社会行为或进化特征进行数学研究和模拟，出现了基于生物群体智能研究的群智能算法[54]。群智能算法的概念来源于对蚂蚁、蜜蜂、鸟类等典型的社会性生物的自组织行为，如筑巢、觅食、迁徙等的观察。单独个体的能力是有限的且随机性较大，而群体之间可通过合作完成复杂任务。算法的复杂度随问题复杂性的增加也逐步增加，群智能算法可以把复杂问题的求解分散为群体中单个个体的简单工作，多个个体可以同时并行完成任务并合作来实现整体智能[55]。

根据 Kennedy 教授的定义：群体智能是指一系列较为简单的、处理信息的结构单元在交互过程中的问题的能力[56]。在群体智能算法中，群体智能具有无集中控制点、良好的自组织能力和自适应能力等特征。多个无智能主体之间通过协同合作和有序组织，从而表现出单个个体不具有的群体智能行为求解能力[57]，具有鲁棒性、灵活性和经济性等优势[58]。群智能算法可以依靠计算机的强大计算能力和概率搜索算法实施，其主要优点总结如下。

(1)整个群体不存在集中控制点，控制是分布式的，不会因个体的故障影响整个问题的求解，确保了系统具有更好的鲁棒性。

(2)群体中的每个个体都能够改变环境，这是个体之间间接通信的一种方式，群体间以非直接的信息交流方式进行信息的传输与合作，确保了系统的扩展性，因而随着个体数目的增加，通信开销增幅较小，具有较好的可扩充性。

(3)群体中个体遵循简单单一的行为规则，因此每个个体的感知能力有限，当个体的数量增加时，对于新增加个体的学习能力要求很低，由于单个个体的执行时间也比较短，实现比较方便，具有简单性的特点。

(4)群体具有自组织性，因为群体表现出来的复杂行为是通过简单个体的交互过程突显出来的智能。

(5)并行分布式算法模型，可充分利用多处理器，这样的分布模式更适用于网络环境下的工作状态。

(6)对问题的连续性无特殊要求[59]。

群体智能算法在人工智能、经济金融、工业生产等多个热点领域和交叉学科都有广泛应用。群体智能算法是基于群体行为对给定的目标进行寻优的启发式搜索算法，其寻优过程体现了随机、并行和分布式等特点。每个智能个体的大小和功能应根据所求解的问题而定，即使在合理的寻优进程中，单个个体动态也不能保证在每个时刻具有最佳的寻优收敛特征，其智能寻优方式的实现是通过整个智能群体的总体优化特征来体现的[60]。

群体智能算法的主要思想是：模仿自然界中的生物或非生物中某个种群所有个体之间相互协同合作去解决某个问题的过程(如生物捕食的过程)。有受鱼群觅食行为启发的鱼群优化算法，有受蜜蜂群体行为启发的蜂群优化算法，有受动物捕食搜索行为启发的捕食搜索算法，其中受蚂蚁觅食行为启发的蚁群优化(ant colony optimization, ACO)算法和受鸟类群体行为启发的粒子群优化算法(particle swarm optimization, PSO)是群体智能算法中的代表[61, 62]。

7.3.1　蚁群优化算法

蚁群在寻找食物的过程中总能找到一条由蚁巢到食物源的最短路径，蚂蚁依靠个体之间的信息传递和相互协作以及个体与环境之间的信息传递确定从蚁巢到食物源的最短路径。蚂蚁在行进路径上分泌出挥发性化学物质，这种化学物质被称作信息素，蚂蚁倾向朝着该信息素浓度高的方向移动并沿途又留下这种信息素，使其浓度进一步加强。在一段时间后，较短路径上的信息素就会远超较长路径上的信息素，最终直至所有蚂蚁都选择最短的路径为止。因此蚁群的集体行为表现出一种信息正反馈现象：某一条路径上通过的蚂蚁越多，则后来蚂蚁选择该路径的概率就越大。蚂蚁通过个体之间的信息交互来搜索目标[63]，受蚁群群体行为的启发，1991 年由意大利学者 Dorigo M 等在第一届欧洲人工生命会议(European conference on artificial life, ECAL)上最早提出蚁群算法的基本模型。

采用简化模型来说明蚁群的路径搜索原理和机制，假设真实蚁群系统搜索食物时的路线如图 7-16 所示，有两条路从蚁巢到达食物源，图中 A 是蚁巢，E 是食物源，AE 之间有障碍物，蚁群可经路径 A-BCD-E 和路径 A-BHD-E 从蚁巢到达食物源，两条路径分别具有 4 和 6 个单位长度，蚂蚁在单位时间内移动一个单位长度。开始时所有路径上没有任何信息素。

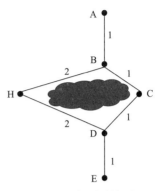

图 7-16　蚁群路线图

在 t=0 时刻，有 20 只蚂蚁从蚁巢出发移动到 A，它们以相同概率选择左侧或右侧道路，因此平均有 10 只蚂蚁走左侧，10 只蚂蚁走右侧。

在 t=4 时刻，第一组到达 E 的 10 只蚂蚁将折回走。

在 t=5 时刻，两组蚂蚁将在 D 点相遇。此时 HD 上的信息素数量和 CD 上相同，因为各有 10 只蚂蚁选择了相应的路径，从而返回的蚂蚁中有 5 只选择 HD 而另外 5 只选择 CD。

在 t=8 时刻，前 5 只蚂蚁将返回到蚁巢，而 HD、HB、CD 上各有 5 只蚂蚁。

在 t=9 时刻，前 5 只蚂蚁又再次回到 B 并且再次面对往左还是往右的选择。

这时，BC 上的轨迹数是 20 而 BH 上是 15，因此将有较多数的蚂蚁选择往 BC 方向，从而增强了该路径的信息素。随着此过程的继续，两条道路上的信息素数量的差距将会越来越大，直到绝大多数蚂蚁都选择最短的路线。正是由于一条道路要比另外一条道路短，因此，在相同的时间内，相对较短的路线会有更多的机会被选择。

1. 蚁群优化算法的基本原理

蚁群优化（ACO）算法属于一种优化组合算法。蚁群优化算法的过程包含适应阶段和协作阶段。各个备选的解由累积的信息改变自身的状态和结构，这一过程称为适应阶段；各个备选的解之间不断共享和交流信息，以求得更优秀的解，这一过程称为协作阶段。ACO 算法可以不受网络的初始结构影响，搜索寻优的效率较高，具备良好的适应性[64]。协作是 ACO 算法设计中的关键要素：主要部分是把计算资源分配到一群相对简单的智能体人工蚂蚁上，这些人工蚂蚁之间通过媒介进行简单通信。蚁群优化算法既可以解决静态的组合优化问题，又可以解决动态的组合优化问题。静态的组合优化问题是指在问题定义时，问题的特征一旦给定，这些特征在问题的求解过程中就不会发生改变。动态的组合优化问题由函数定义，函数中的变量值会随着系统的动态特性而改变[65]。

2. ACO 算法在电力系统中的应用

ACO 算法在电力系统中得到了广泛的应用，主要涉及以下几个方面。

1) 经济负荷分配问题

经济负荷分配是在满足电力系统运行约束条件基础上最小化发电成本，对于提高电力系统运行的经济性和可靠性都具有重要的意义，是电力系统中一类典型的优化问题。由于电力系统本质上具有高维、非线性且约束条件多的特点，因此计算较为复杂。用传统的优化方法解决这类问题往往得不到满意的结果，特别在系统规模较大时更是如此。将蚁群优化算法应用于求解电力系统的经济负荷问题，在提供最优解的同时，还可以提供次优解供选择，并且容易实现并行计算[66]。

2) 机组最优投入问题

机组最优投入问题是寻求整个周期内各个负荷水平下机组的最优组合方式及开停机计划，使运行费用为最小，这实际上也是任务调度问题，具有很大的经济效益。该问题是一个高维数、非凸的、离散的、非线性的优化问题，很难找出理论上的最优解，使用蚁群优化算法来求解该问题可取得较好的效果。首先，利用状态、决策及路径概念把机组最优投入问题转换为类似于旅行商问题的模式，并灵活地处理各种约束以用 ACO 算法来求解。利用 ACO 算法中 tabu 表的特殊作用来满足旋转备用和机组最小启停时间约束，减少了搜索状态数和转移路径，指导蚂蚁的搜索进程，提高了优化效率[67]。

3) 电力系统无功优化问题

电力系统在满足无功负荷需求和电压水平要求的前提下，利用各种调压措施，如设置合理的无功补偿点和最佳补偿容量，进行无功优化使电力系统在安全经济的状态下运行。电力系统无功优化具有非线性、多变量、多约束、多目标的特点，带免疫的蚁群优化算法通过对连续的控制变量进行编码，实现了蚁群算法在函数优化问题上的应用，可以有效进行电力系统的无功优化[68]。

4) 配电网规划问题

配电网规划涉及新建变电站和馈线段建设时间、建设地点和容量大小的最优选择，以满足未来负荷增长的需求，同时服从变电站容量、馈线段容量、电压降落、辐射状网络结构以及可靠性要求等约束。由于涉及许多变量和约束，配电网规划是一个非常复杂的大规模组合优化问题。传统的数学规划方法能够从理论上保证规划方案的最优性，但是不适合用于大规模配电网规划问题。ACO 算法是非常适宜于解决大规模复杂问题的有效启发式优化算法，即适用于求解大规模的组合优化问题[69]。

上述问题存在维数多、局部最优和约束条件及目标函数不易处理等特点，随着系统规模的增大，可能出现组合爆炸现象，有的还属于典型的非凸多峰问题，除了全局最优解外，一般还存在若干局部最优解，因此用传统的优化方法解决这类问题时往往得不到满意的结果，特别在系统规模较大时更是如此。蚁群优化算法具有适用于组合优化问题的优势，在电力系统中已初步显示出其可行性和有效性[69]。

3. 改进蚁群算法在电网规划中的应用

电网规划需要综合考虑经济性和可靠性的问题，是一个多目标的优化问题。近年来，一些智能优化算法被用于解决多目标优化问题，如非支配遗传算法、多目标进化算法及多智能体方法等，这些方法取得了一定的效果，但还存在收敛性较差、计算速度较慢等缺点。文献[70]提出一种改进的多目标蚁群算法，用于解决综合考虑电网投资和运行成本及缺电损失成本的电网规划问题。

1) 电网规划问题的数学描述

(1) 目标函数。传统电网规划问题的数学模型主要考虑经济性目标，其目标函数[71]一般为

$$\min f_1 = k_1 \sum_{j \in \Omega_1} c_j x_j + k_2 \sum_{j \in \Omega} r_j P_j^2 \tag{7-68}$$

式中，第一部分为设备投资成本，k_1 为资金回收系数，$k_1 = r(1+r)^n / \left[r(1+r)^n - 1 \right]$，$r$ 为利率，n 为年数，c_j 为支路 j 中扩展 1 回新建线路的投资费用，x_j 为支路 j 中新建线路回数，Ω_1 为待选新建线路集合；第二部分为网损费用，k_2 为年网损费用系数，$k_2 = C_{ost} \tau / u^2$，C_{ost} 为网损电价，τ 为最大负荷损耗时间，u 为系统额定电压，r_j 为支路 j 的电阻，P_j 为正常情况下支路 j 输送的有功功率，Ω 为网络中已有线路和新建线路的集合。

电网规划的可靠性目标通常转化为经济形式，以缺电成本为代表的可靠性目标函数[72-74]为

$$\min f_2 = \left(\sum_{l \in S_{LD}} P_l T_l \sum_{i=1}^{L_n} I_{IEAR_i} \right) E_{EENS_{i,l}} \tag{7-69}$$

式中，S_{LD} 为系统的负荷水平集合；P_l、T_l 分别为第 l 种负荷水平的概率和负荷持续时间；L_n 为负荷节点数；I_{IEAR_i} 为节点 i 的缺电损失评价率；$E_{EENS_{i,l}}$ 为第 l 种负荷水平下节点 i 的电量不足期望值。

$$E_{\mathrm{EENS}_{i,l}} = \sum_{q \in F} L_{q,l} \prod_{s \in h} P_{qs} \prod_{t \in H} (1 - P_{qt}) \tag{7-70}$$

其中，F 为系统故障事件集合；H、h 分别为发生故障 q 时正常设备和故障设备集合；P_{qs}、P_{qt} 为故障 q 下设备 s、t 的故障停运率；$L_{q,l}$ 为发生故障 q 时系统的切负荷量。

(2)约束条件：

$$0 \leqslant x_j \leqslant x_{j\max}, \quad x_j \in \mathbb{N}, j \in \Omega_1 \tag{7-71}$$

$$U_{i\min} \leqslant U_i \leqslant U_{i\max}, \quad i \in \mathbb{N} \tag{7-72}$$

$$P_j \leqslant \overline{P}_j \tag{7-73}$$

$$P_j' \leqslant \overline{P}_j \tag{7-74}$$

式中，$x_{j\max}$ 为架线回数最大值；$\mathbb{N}$ 为非负整数集；U_i 为节点电压；$U_{i\min}$、$U_{i\max}$ 为节点电压最小、最大值；P_j、P_j' 为正常运行和 $N-1$ 校验时支路 j 的潮流相量；$\overline{P}_j$ 为支路 j 潮流容量限值相量。

式(7-73)、式(7-74)是网络运行的约束条件，包括正常运行时和 $N-1$ 校验时不过负荷。为避免算法在初始阶段陷入瘫痪，本书采用罚函数的方法处理潮流约束，即在违反正常运行和 $N-1$ 校验潮流约束时分别为经济性目标赋一大值。

(3)多目标优化问题的解。多目标优化问题需要同时优化多个目标函数，但这些目标函数有可能是互相冲突的，很难存在一个最优解使得所有目标函数同时达到最优，而是存在一组非支配解，称为 Pareto 最优解集[75]。电网规划问题的经济性目标和可靠性目标是矛盾的，这也就意味着多目标电网规划问题的解是一组 Pareto 最优解。传统的单目标优化方法得到的解只是 Pareto 最优解集中的一个非支配解，甚至无法保证所得解是全局非支配解，因此需要一种新的多目标智能优化方法来求得 Pareto 最优解集。

2)基于改进多目标蚁群算法的电网规划

(1)Pareto 蚁群算法。Pareto 蚁群算法本质上是一种多目标单种群蚁群算法，各条路径上对应经济性目标和可靠性目标分别有一个信息素，用信息素向量 τ_i^1、τ_i^2 表示。在每只蚂蚁构造解的开始阶段随机确定经济性目标的权重 $p_1(0 \leqslant p_1 \leqslant 1)$，可靠性目标的权重 $p_2 = 1 - p_1$。

Pareto 蚁群算法的核心思想是用信息素加权和 $p_1\tau_i^1 + p_2\tau_i^2$ 代替单目标蚁群算法中的单一信息素向量 τ_i。p_1 的随机性使信息素向量 τ_i^1、τ_i^2 在寻优过程中概率相同，确保了二者所代表的经济性目标和可靠性目标地位相同。寻优过程中，针对各个目标分别进行信息素局部更新和全局更新，使蚂蚁朝着经济性和可靠性目标各自的最优方向优化，每一次迭代得到的非支配解保存到 Pareto 最优解集中，从而使算法尽可能达到二者同时最优。

(2)用改进的快速排序方法构造 Pareto 最优解集。多目标蚁群算法是通过构造优化问题的非支配集并使非支配集不断逼近真正的 Pareto 最优边界来实现的。算法的收敛过程，就是通过在每一次迭代时构造当前蚁群的非支配集，并通过最优个体保留机制(构造并保留当前非支配解)，使非支配集一步一步地逼近真正的 Pareto 最优边界。算法的每一次迭代都要构造一次非支配集，因此构造非支配集的效率将直接影响算法的运行效率。改进的快速排序方法可以有效提高效率并减少慢速链带来的问题[76]。

Pareto 最优解集中的解之间是相互不被支配的，这个关系称为不相关，快速排序方法引入了一个新的关系：如果解 $x \succ y$ 或者 x 和 y 是不相关的，则称 $x \succ_d y$。改进快速排序的思路是将非支配解集从原始解集中分类出来。每次先选第一个解 x 作为比较对象，按照关系 " $\succ_d$ " 与其他解进行比较判断，以第一个支配 x 或者和 x 不相关的解 y 作为第二个比较对象，经一轮排序后，比 x 和 y 小的解全部排除掉，如果 x 和 y 不被所有这些解所支配，则并入 Pareto 最优解集，否则一起排除掉。如此进行下一轮排序，直至原始解集为空集。

(3)用聚类分析保持 Pareto 最优解集的分布性。多目标蚁群算法本质上是一种仿生学方法，需要制定合适的生存规则来维持种群的多样性和分布性，而文献[77]提出的 Pareto 最优解集的量化评价标准之一就是分布性。保持解分布性的方法很多，如小生境技术、信息熵、网格以及聚类分析等。根据多目标电网规划解的特点，采用基于层次凝聚距离的聚类算法[78]以实现 Pareto 前沿的均匀分布。

凝聚的层次聚类方法是一种按照自底向上的策略来聚类个体的方法，初始时把 N 个解分别当作一个子类，然后通过计算解之间的相似度，逐步将具有最大相似度的个体聚集到同一类中，直至满足终止条件。算法的实现过程如下。

步骤 1：初始化聚类 C ，使 C 中每个子集包含非支配集 S 的一个解：$C = \bigcup_i \{\{i\}\}$, $i \in S$ 。

步骤 2：计算任意 2 个聚类之间解的平均距离：

$$d(c_1, c_2) = \frac{1}{m_1 m_2} \sum_{x \in c_1, y \in c_2} \|x - y\|, \quad c_1, c_2 \in C \tag{7-75}$$

式中， m_1 、 m_2 为聚类 c_1 、 c_2 的大小； $\|x - y\|$ 为解 x 和 y 之间的距离，采用目标空间的欧几里得距离。

步骤 3：在当前 C 中选取新的具有最小距离的 2 个聚类，将其合并成 1 个聚类。

步骤 4：如果 C 中聚类的数量小于设定的数 M ，则转步骤 6，否则转步骤 5。

步骤 5：计算新合并聚类与 C 中其他聚类之间的平均距离，并转步骤 3。

步骤 6：针对每个聚类，选取有代表性的解组成新的非支配集 S 。这里有代表性的解是指每个聚类的核，核在该聚类中与其他解具有最小距离。

(4) 算法参数的改进。为了避免算法陷入局部最优甚至不收敛，以及提高算法的全局收敛速度，参考单目标蚁群算法的一些改进思路[79, 80]，结合电网规划问题的实际特点对 Pareto 蚁群算法的参数设置做一些改进。

在电网规划中，每当一只蚂蚁完成一次搜索时，按式 (7-76) 进行信息素强度的局部更新：

$$\tau^k(i, j) = (1 - \rho_0) \cdot \tau^k(i, j) + \rho_0 \cdot \Delta \tau^k(i, j) \tag{7-76}$$

式中，ρ_0 为常数，$0 < \rho_0 < 1$ ；$\Delta \tau^1(i, j) = l_1 / f_1(m)$ ，$\Delta \tau^2(i, j) = l_2 / f_2(m)$ ，l_1、l_2 为常数，$f_1(m)$、$f_2(m)$ 分别为第 m 只蚂蚁选择的规划方案按式 (7-68)、式 (7-69) 所得的目标函数值。

所有蚂蚁均完成一次检索时，对于当前最优方案上的线路，按式 (7-77) 进行全局信息素更新；对其他线路，按式 (7-78) 进行全局信息素更新。

$$\tau^k(i, j) = (1 - \rho_1) \cdot \tau^k(i, j) + \rho_1 \cdot \Delta \tau^k(i, j) \tag{7-77}$$

$$\tau^k(i, j) = (1 - \rho_1) \cdot \tau^k(i, j) \tag{7-78}$$

式中，ρ_1 为常数，$0 < \rho_1 < 1$ ；$\Delta \tau^1(i, j) = g_1 / \min(f_1)$ ，$\Delta \tau^2(i, j) = g_2 / \min(f_2)$ ，g_1、g_2 为常数，$\min(f_1)$、$\min(f_2)$ 分别为当前 Pareto 前沿中目标函数 f_1、f_2 的最小值。

Pareto 蚁群算法采用固定的参数控制蚂蚁信息素的局部更新和全局更新，但由于这些参数决定着信息素浓度增长的速度，l 和 g 的值过大，信息素浓度会增长过快，算法容易陷入局部非支配解；l 和 g 的值过小，信息素浓度会增长过慢，算法可能难以收敛。设置理想的参数值是很有必要的，较为合理的方法是分阶段设置不同的数值。在算法初期，参数值设置得小一些，使蚂蚁的搜索空间扩大；算法后期，参数值设置得大一些，加快算法全局收敛速度。参数具体设置为

$$l = \begin{cases} l_{\text{low}}, & 0 \leqslant n < N_1 \\ l_{\text{mid}}, & N_1 \leqslant n < N_2 \\ l_{\text{high}}, & N_2 \leqslant n \leqslant N \end{cases} \tag{7-79}$$

$$g = \begin{cases} g_{\text{low}}, & 0 \leqslant n < N_1 \\ g_{\text{mid}}, & N_1 \leqslant n < N_2 \\ g_{\text{high}}, & N_2 \leqslant n \leqslant N \end{cases} \tag{7-80}$$

式中，n 为迭代轮次；N 为算法总的迭代次数；N_1、N_2 的选取使 3 阶段迭代次数相同；l 和 g 的值需要根据具体电网规划问题适当选取。

ρ_0、ρ_1 的取值对算法的影响具有双重性：取值较小时，各线路上的信息素挥发较慢，使蚂蚁的搜索空间扩大，算法陷入局部非支配的可能性减小，但收敛性降低；取值较大时，未被选中线路上的信息素量迅速衰减，使搜索空间减小，算法陷入局部非支配的可能性加大，而算法的收敛性提高。

Pareto 蚁群算法中 ρ_0、ρ_1 均设为常数，这对于调节全局搜索能力和收敛能力的矛盾是不合适的。由于电网规划的目的是得到全局非支配解，全局搜索能力是主要的，较快的收敛速度是次要的，所以 ρ_0 可以设为一个较小的常数，以保证算法的全局搜索能力。未被选中的线路进行信息素全局更新时只有挥发的部分而没有增加的部分，算法的性能对 ρ_1 的取值相当敏感。因此，ρ_1 的取值应随着迭代次数的增加而适当增加，以使得算法在初期有较强的全局搜索能力，而在后期又有比较理想的收敛速度。ρ_1 的动态自适应调节函数为

$$\rho_1 = \rho_{1\_\text{ini}} + \rho_{1\_\text{ini}} n / (10N) \tag{7-81}$$

式中，ρ_{1_ini} 为 ρ_1 的初值；N 为算法总的迭代次数。

(5) 改进多目标蚁群算法在电网规划中的实现。电网规划中改进多目标蚁群算法的主要步骤如下。

步骤 1：根据网络可扩建线路走廊数 l 确定蚂蚁的个数 m，初始化各线路上的信息素向量为 τ_0，定义一个大小为 M 的存储空间保存 Pareto 最优解。

步骤 2：随机确定经济性目标的权重 p_1 为随机数，可靠性目标的权重 $p_2 = 1 - p_1$，计算各线路上的信息素加权和。

步骤 3：利用 Pareto 蚁群算法的伪随机比例规则选择各线路走廊的扩建回路数，经过 l 步得到一个解。

步骤 4：判断所得解是否满足约束条件，如果满足则按照式(7-68)、式(7-69)计算所得解对应的各目标函数值 f_1、f_2，否则根据该方案所违反的约束条件给予惩罚值，将该解及其目标函数值保存在非支配集中。

步骤 5：根据式(7-76)、式(7-79)及所得的 f_1、f_2 进行信息素的局部更新。

步骤 6：判断是否所有蚂蚁都已经完成一次检索，如果是则采用改进的快速排序方法构造 Pareto 最优解集，然后转步骤 7，否则直接转步骤 2。

步骤 7：如果 Pareto 最优解的个数超过设定的数 M ，则利用基于层次凝聚距离的聚类算法实现 Pareto 前沿的均匀分布。

步骤 8：利用式 (7-77) ~式 (7-80) 进行信息素的全局更新。

步骤 9：判断是否满足最大迭代次数，如果满足则算法结束，否则转步骤 2。

规划问题主要分为寻优求解过程和决策过程。与单目标电网规划存在一个明确的全局最优解不同，多目标电网规划的 Pareto 最优解集往往是很多个解，通过改进多目标蚁群算法求得 Pareto 最优解集后，需要选择一个 Pareto 最优解作为最终的规划方案。采用缺电成本作为可靠性目标本质上已经转化为经济形式，而规划的最终目的是使得投资成本、网损费用、维护费用及缺电损失最小（即总成本最小），故采用经济性成本和可靠性成本之和最小作为综合目标评判所得的 Pareto 最优解。

7.3.2　粒子群优化算法

粒子群优化算法 (PSO) 由美国社会心理学家 James Kennedy 和电气工程师 Russell Eberhart 在 1995 年国际神经网络会议共同提出。PSO 算法源于对鸟群群体运动行为的研究。鸟群在觅食过程中，既有分散又有群集的特点。对于鸟群来说，在它们寻找食源的迁徙过程中，总有那么一只鸟对食源的大致方向具有较好的洞察力，即拥有较好的食源信息。鸟群间信息的实时传递最终使得鸟群涌向食源，并在食源处群集。相应地，在 PSO 算法中，解群相当于鸟群，一地到另一地的迁徙相当于解群的进化，"好的信息"相当于解群每代进化中的最优解，食源相当于全局最优解[81]。

粒子群优化算法是通过个体之间的协作来完成最优解的寻找。将无质量、无体积的粒子作为个体，并为每个粒子规定简单的行为规则，然后通过迭代找到最优解。在每一次迭代中，粒子通过跟踪两个极值来更新自己。第一个极值就是粒子本身从初始到当前迭代次数搜索所找到的最优解，称为个体极值；另一个极值是整个种群目前找到的最优解，这个极值是全局极值。另外，也可以不用整个种群而只是用粒子群中一部分的极值，就是局部极值[82]。

1. 基本 PSO 算法[83]

基本 PSO 算法描述为有一个 D 维的搜索空间，若干没有重量和体积的粒子 (particle) 随机分布在搜索空间中，每个粒子都有两个值：速度向量和位置，粒子的位置值表示一个可能解；粒子在解空间里以速度向量的方向运动，每一次迭代完成，粒子都会飞行一段距离产生一个新的位置，粒子通过适应度函数判断个体最优位置和群体最优位置，并依此决定新的速度向量，继续调整自己的位置直到位置最好[84]。

粒子状态可以表示为初始值已设定的 D 维搜索空间，粒子群数量为 N，则

第 i 个粒子的位置信息 $x_i = (x_{i1}, x_{i2}, \cdots, x_{iD}), 1 \leqslant i \leqslant N$；

第 i 个粒子的速度信息 $v_i = (v_{i1}, v_{i2}, \cdots, v_{iD}), 1 \leqslant i \leqslant N$；

第 i 个粒子当前个体最优位置，即个体最优解信息 $P_i = (P_{i1}, P_{i2}, \cdots, P_{iD})$，$1 \leqslant i \leqslant N$，或表示为 pbesti，初始化时为随机点的当前位置；当前群体最优位置，即全局最优解位置是依据适应度函数得到的最优解粒子位置信息 $P_g = (P_{g1}, P_{g2}, \cdots, P_{gD})$，$1 \leqslant g \leqslant N$，或表示为 gbest，初始化时为初始点比较最优适应度值得到的点位置。

基本 PSO 算法方程为

$$v_{id}(t+1) = v_{id}(t) + c_1 \cdot r_1 \cdot (P_{id}(t) - x_{id}(t)) + c_2 \cdot r_2 \cdot (P_{gd}(t) - x_{id}(t)) \tag{7-82}$$

$$x_{id}(t+1) = v_{id}(t+1) + x_{id}(t) \tag{7-83}$$

式中，$1 \leqslant i \leqslant N$，$1 \leqslant d \leqslant D$；$t$ 为迭代次数；c_1、c_2 为决定速度变化向量值的学习因子，c_1 的作用是影响粒子向个体最优解靠近，c_2 的作用是影响粒子向全局最优解靠近；r_1、r_2 为两个随机数，为了避免粒子在搜索过程中飞出搜索空间，随机数范围在[0,1]，这样运动速度限制在一定的范围内，即 $v_{id} \in [-v_{max}, v_{max}]$，就保证了粒子的位置在搜索的空间中，即 $x_{id} \in [-x_{max}, x_{max}]$。

基本 PSO 算法的粒子速度更新公式式(7-82)由三部分组成：粒子速度；粒子个体认知部分；粒子社会认知部分。在这三部分的共同作用下，粒子不断调整自己的位置，寻找最优解。每一个粒子都有一个速度和位置，这个位置的目标函数是已知的。对式(7-82)做如下分析：

(1) 当 $c_1 = c_2 = 0$ 时，粒子个体认知与社会认知能力都不具备，粒子以初始速度匀速飞行，直到搜索空间的边界，在这种情况下，找到最优解的概率很低；

(2) 当 $c_1 = 0$、c_2 不为 0 时，粒子不具备个体认知能力，这样社会认知能力起了主导作用，粒子在全局信息的主导下有可能朝种群所遇到的最优解变化，这种情况下粒子收敛速度快，但是对于复杂问题容易陷入局部最优状态；

(3) 当 c_1 不为 0、$c_2 = 0$ 时，粒子不具备社会认知能力，由个体认知能力主导，粒子在自己的局域范围内寻找最优解，完全不考虑群体的整体经验，PSO 算法变成了一种多起点的随机搜索，搜索效率很低；

(4) 当 $v_{id}(t) = 0$ 时，如果粒子 i 开始就在全局最优解位置，则它保持静止，而其他粒子在不断向自身个体最优值 pbesti 和全局最优值 gbest 的加权中心运动，直到到达粒子 i 所在的全局最优点。如果开始时没有粒子在全局最优点，则粒子在搜索时的动力不足，收敛速度会很慢，甚至发散。

在实际应用中，为了保证粒子搜索时个体经验和群体经验可以相互影响，通常将 c_1、c_2 的权重设为相等，保证了算法在局部搜索和全局搜索能力方面的兼顾，但是在实际应用中需要在全局和局部搜索之间达到不同的平衡[85]。

2. 基本粒子群优化算法设计原则

1) 稳定性原则

稳定性对于一个算法非常重要，在粒子群优化算法的设计过程中需要能够解决范围较广的问题，还能够控制解的波动范围。

2) 适用性原则

结合问题的目标要求和已知条件，寻找一个能够与问题相吻合的粒子群优化算法是解决问题的重要原则。

3) 收敛性原则

在寻找最优解的过程中，粒子群优化算法可以通过评价最优解是否满足条件来确定本次优化的有效性。粒子群优化算法的收敛性是寻优过程能否以概率为 1 的收敛速度和精度来得到问题的最优解[86]。

3. 粒子群优化算法在微电网的多目标优化配置中的应用

智能电网是未来电网规划和建设的方向，其能够监控、优化内部互联元件的运行，有效满足用户安全、可靠和多样化的供电需求[87]。配电和用电的智能化是智能电网研究的重点。智能化的配电网要求配电网从传统的被动式配电网向主动式配电网转变，该类配电网必须适应大规模分布式发电单元的接入，实现由馈线等注入点单向供电模式向大量使用受端分布式发电设备的多电源多点供电模式转变。研究表明[88,89]，将分布式发电单元连接成微电网并接入配电网，能够更好地发挥分布式电源的特点，有利于配电网安全稳定运行，提高供电质量。微电网的网络结构是实现主动式配电网的有效方式，开发和延伸微电网的概念能够促进 DG 与可再生能源的大规模接入，使传统电网向智能电网过渡[90,91]。微电网是由微型电源和负荷按照一定的网络结构共同组成的系统。微电网既可以与大电网并网运行，也可以在孤岛方式下独立自主地运行。微电网中的微型电源主要包括风力发电机、太阳能光伏电池、燃料电池、微型燃气轮机等分布式发电单元，将 DG 连接成微电网是未来电力系统的发展趋势之一，也是智能配电网的重要组成部分。

微电网在配电网中的优化布置与定容问题是智能电网发展面临的重要问题，为此同时考虑了有功网损和电压改善程度 2 个重要指标，将微电网接入智能配电网的配置问题转化为同时含有连续变量(微电网的接入容量)和离散变量(微电网的接入位置)的多目标非线性优化问题，并结合具有量子行为的粒子群优化算法和二进制粒子群优化算法进行求解。该方法可对微电网在规划阶段的选址和定容提供参考，改善系统电压分布，增强系统稳定性。

1)数学模型

(1)目标函数。微电网接入配电网的选址和定容需要考虑接入后对配电网电能质量、经济效益和可靠性等方面的影响。同时，还应该考虑配电网本身的一些限制，如线路传输功率等，并剔除某些不适合接入微电网的位置[91]。在电能质量方面考虑电压改善指标；在经济性方面考虑网损改善率。

微电网接入配电网之后，可以对配电网的电压起到支撑作用，改善电网的电压分布，维持母线电压在可接受范围内。定义电网电压改善率指标为微电网接入后的系统电压指标与未接入微电网时的系统电压指标的比值。假设系统节点 i 的电压幅值为 U_i，节点 i 的负荷为 L_i，k_i 为各节点的权重因子，N 为系统节点数，k_i 应满足

$$\sum_{i=1}^{N} k_i = 1 \tag{7-84}$$

对于整个系统，定义电压指标[92]为

$$I_{ui} = \sum_{i=1}^{N} U_i L_i k_i \tag{7-85}$$

考虑到微电网接入后对系统电压分布的影响，定义电压改善指标为

$$I_{ubi} = I_{uiv} / I_{uiwo} \tag{7-86}$$

式中，I_{uiv}、I_{uiwo} 分别为接入微电网和未接入微电网时的 I_{ui}。

通过分析电压改善指标，即可确定微电网接入微电网对系统电压分布的影响程度。另外，可以通过控制各个节点的权重因子，将节点设置不同的重要程度。负荷节点越重要，权重因子越大。网损主要与系统的支路电阻和节点电压有关，适当接入微电网可以有效改变系统电压的分布，从而降低系统网损。定义网损改善率指标为

$$I_{plbk} = P_{lwo} / P_{lwk} \tag{7-87}$$

式中，P_{lwo}、P_{lwk} 分别为未接入微电网和按照第 k 种配置方案接入微电网后的系统网损。网损改善率指标能有效反映微电网接入前后系统有功网损的变化，可用来评估微电网接入的经济效益。节点电压改善率的最小值为 $I_{ubmink} = \min(I_{ubi})$，

微电网接入配电网的优化选址和定容问题的目标函数为

$$f = \max(I_{\text{ubmin}k} + I_{\text{plb}k}) \tag{7-88}$$

(2)约束函数。微电网的接入位置和接入容量对系统的经济性、沿线电压分布、线路网损等都有较大影响。本书将该问题等效为一个具有等式约束和不等式约束的非线性优化问题，具体数学模型如下：

$$\min f(x) \quad \text{s.t.} \begin{cases} h(x) = 0 \\ g_1(x) \leqslant g(x) \leqslant g_u(x) \end{cases} \tag{7-89}$$

式中，$f(x)$ 为目标函数；$g(x)$ 为不等式约束，分为变量不等式和函数不等式；$g_u(x)$、$g_1(x)$ 分别为不等式约束的上、下限；$h(x)$ 为等式约束。

等式约束为节点潮流方程，具体内容如下：

$$\begin{cases} P_{\text{f}i} + P_{\text{M}i} - U_i \sum_{j=1}^{N} U_j (G_{ij} \cos\delta_{ij} + B_{ij} \sin\delta_{ij}) = 0 \\ Q_{\text{f}i} + Q_{\text{M}i} - U_i \sum_{j=1}^{N} U_j (G_{ij} \sin\delta_{ij} - B_{ij} \cos\delta_{ij}) = 0 \end{cases} \tag{7-90}$$

式中，$P_{\text{f}i}$、$Q_{\text{f}i}$ 分别为上级电网联络馈线向节点 i 传输的有功和无功；$P_{\text{M}i}$、$Q_{\text{M}i}$ 分别为接入的微电网向节点 i 传输的有功和无功；U_i 为节点 i 的电压；G_{ij}、B_{ij} 分别为节点 i、j 之间的电导和电纳；δ_{ij} 为节点 i、j 之间的电压相位差。

微电网的接入必然引起馈线中传输的有功、无功发生变化，因此，必须考虑微电网接入对线路负载能力和配电网潮流的影响。根据配电网电压分布的要求，节点电压要在一定范围内变化；线路有一定的热稳定极限，故线路上流过的功率不能大于限值；鉴于微电网中 DG 的出力有一定范围，微电网向配电网输送的功率或者配电网向微电网倒送的功率也应该有一定限制。具体不等式约束为

$$\begin{cases} \underline{P}_{\text{M}k} \leqslant P_{\text{M}k} \leqslant \overline{P}_{\text{M}k}, & k = 0, \cdots, N_{\text{M}} \\ \underline{Q}_{\text{M}k} \leqslant Q_{\text{M}k} \leqslant \overline{Q}_{\text{M}k}, & k = 0, \cdots, N_{\text{M}} \\ \underline{U}_i \leqslant U_i \leqslant \overline{U}_i, & i = 0, \cdots, N_{\text{L}} \\ \underline{P}_{ij} \leqslant P_{ij} \leqslant \overline{P}_{ij}, & i = 0, \cdots, N_{\text{b}} \end{cases} \tag{7-91}$$

式中，$P_{\text{M}k}$、$Q_{\text{M}k}$ 分别为第 k 个微电网输出的有功功率和无功功率；$\overline{P}_{\text{M}k}(\overline{Q}_{\text{M}k})$、$\underline{P}_{\text{M}k}(\underline{Q}_{\text{M}k})$ 分别为 $P_{\text{M}k}(Q_{\text{M}k})$ 的上、下限值；N_{M} 为接入配电网的微电网数目；U_i 为节点 i 的电压；N_{L} 为节点数；$\overline{U}_i$、$\underline{U}_i$ 为 U_i 的上、下限值；P_{ij} 为节点 i 与 j 间线路的传输功率；$\overline{P}_{ij}$、$\underline{P}_{ij}$ 为 P_{ij} 的上、下限值；N_{b} 为支路数。

本书中约束条件通过罚函数进行处理，构成扩展的目标函数：

$$F(x) = f(x) + l_1 g(x) + l_2 h(x) \qquad (7\text{-}92)$$

式中，l_1、l_2为惩罚因子。由式(7-92)可知，本书求解多目标函数的极大值，对于无法满足约束条件的粒子，l_1、l_2应取较小的负值，使其适应度变得极小，在之后的进化中该粒子会以极大的概率被淘汰。

2) 模型求解

(1) 具有量子行为的粒子群优化算法。微电网接入智能配电网的选址可以抽象为含离散变量的二进制数学模型，而接入的微电网定容为含有连续变量的优化问题。先对接入位置进行优化再对接入容量优化或者反之，均无法得到最佳方案，为此，本书同时对微电网的接入位置和容量进行优化，具有量子行为的粒子群优化(quantum behaved particle swarm optimization，QPSO)算法负责对连续变量进行优化，而二进制粒子群优化(binary particle swarm optimization，BPSO)算法用于对离散变量的优化。

QPSO 算法中，每个粒子均具有量子行为[93]。根据量子力学的原理，在量子系统中，粒子可以以某一概率出现在搜索空间中的任意一个位置，其运行轨道并不确定。由于 QPSO 算法中的粒子可以以某个概率出现在整个可行解空间中的任何位置，增强了粒子的搜索能力，粒子完全有可能到达传统 PSO 算法中无法覆盖的更优位置，因而具有更好的全局最优性。在 D 维搜索空间中，有 M 个粒子，其中第 i 个粒子的位置为 $x_i = [x_{i1}, x_{i2}, \cdots, x_{iD}]$，$i = 1, 2, \cdots, M$。第 i 个粒子搜索到的最优位置为 $p_i = [p_{i1}, p_{i2}, \cdots, p_{iD}]$，整个粒子群搜索到的最优位置为 $p_g = [p_{g1}, p_{g2}, \cdots, p_{gD}]$。QPSO 算法中粒子位置的更新方法为

$$\begin{cases} p = \dfrac{r_1 p_{id} + r_2 p_{gd}}{r_1 + r_2} \\ L = \beta \left| p - x_{id}(t) \right| \\ x_{id}(t+1) = p \pm L \ln \dfrac{1}{u} \end{cases} \qquad (7\text{-}93)$$

式中，p 为势中心点；r_1、r_2 为介于 0 和 1 之间的随机数；$d = 1, 2, \cdots, D$，为当前搜索维度；L 为量子力学中 Delta 势井的特征长度；β 为收缩因子，调节 β 可控制粒子的能量，进而调节粒子速度，从而影响算法的收敛速度；t 为当前迭代次数；u 为介于 0 和 1 之间的随机数，通过其来调整公式中的正负符号，当 u 大于0.5 时取正号，否则取负号。

(2) BPSO 算法。BPSO 算法中对粒子速度不做限制，设在 D 维搜索空间中，

有 M 个粒子，第 i 个粒子的速度为 $v_{id}=(v_{i1},v_{i2},\cdots,v_{iD})$，其更新方法为

$$v_{id}(t+1)=wv_{id}(t)+c_1r[p_{id}-x_{id}(t)]+c_2r_2[p_{gd}-x_{id}(t)],\quad i=1,2,\cdots,M;d=1,2,\cdots,D$$

$$(7\text{-}94)$$

式中，w 为非负数，称为惯性因子，用于使粒子保持运动惯性，使其有扩展搜索空间的趋势；c_1、c_2 为学习因子，为非负数。

粒子 i 位置 $x_i=[x_{i1},x_{i2},\cdots,x_{iD}]$ 的更新公式为

$$\begin{cases}x_{id}(t+1)=1,& r<S(v_{id}(t))\\ x_{id}(t+1)=0,& r\geqslant S(v_{id}(t))\end{cases}\tag{7-95}$$

$$S(x)=\begin{cases}0.98,& x\geqslant V_{\max}\\ -0.98,& x\leqslant -V_{\max}\\ \dfrac{1}{1+\mathrm{e}^{-x}},& -V_{\max}<x<V_{\max}\end{cases}\tag{7-96}$$

式中，r 为 $[0,1]$ 的随机数；t 为当前迭代次数；$V_{\max}$ 为粒子的最大速度。

(3)算法流程。算法具体流程如下。

步骤 1：初始化。粒子群中第 i 个粒子的优化向量 $X_i=[M_{ci},P_{Mi},Q_{Mi}]$。$M_{ci}$ 为微电网的接入位置向量，其中元素为二进制数，0 表示该位置不宜接入微电网，1 表示适宜接入微电网，元素数量取决于可供选择的接入位置的数量；Q_{Mi}、P_{Mi} 分别为微电网向配电网传送的有功、无功功率向量，元素数量由接入配电网的微电网数量决定。读取配电网和微电网数据并设置权重系数和算法参数，如粒子种群规模、量子力学中 Delta 势井特征长度、收缩因子、惯性因子、学习因子和速度权重等。

步骤 2：产生初始粒子群。根据编码规则，对粒子群的位置和速度进行随机初始化。

步骤 3：计算适应值。根据式(7-88)计算每个粒子的适应值。

步骤 4：更新个体极值。将每个粒子 X_i 的适应值与其所经历过的最好位置 p_i 的适应值进行比较，如果更好，则将其作为粒子个体历史最优值，用当前位置更新个体历史最好位置。

步骤 5：更新群体极值。将每个粒子的适应值与所有粒子经历过的最好位置 p_g 的适应值做比较，如果较好，则将其作为当前所有粒子的最好位置 p_g。

步骤 6：更新粒子信息。分布式发电单元的出力为连续变量，代表连续变量的粒子信息应根据式(7-93)更新；微电网接入位置用一组二进制数代表，为离散变量，代表离散变量的粒子信息应根据式(7-95)更新。

步骤 7：计算更新后的每个粒子的适应值并与其之前所经历过的最好位置 p_i 的适应值进行比较，如果更好，则将其作为粒子个体历史最优值，用当前位置更新个体历史最好位置；将每个粒子的适应值与所有粒子经历过的最好位置 p_g 的适应值作比较，如果较好，则将其作为当前所有粒子的最好位置 p_g。

步骤 8：输出结果。判断算法终止条件(设定一个足够好的适应值，同时还要设定最大迭代次数)，若满足则计算停止，否则返回步骤 6 直至运算结束，取最后产生的种群中适应度最佳的粒子作为最优解输出。

3) 算例分析

算例采用如图 7-17 所示的典型三馈线配电网系统。算例中的线路和负荷的原始参数可以参见文献[92]。假设需要接入 3 个微电网，各节点电压权重相等。

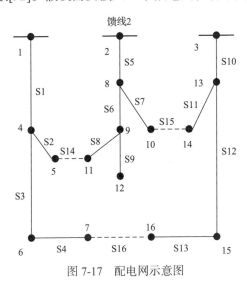

图 7-17　配电网示意图

设 BPSO 算法的最大迭代次数为 100，$c_1 = c_2 = 2.0$，QPSO 算法的最大迭代次数为 100，$\beta = 2.0$。经过多目标优化，求解本节建立的数学模型。根据 M_{ci} 可判定微电网应该在 11、12 和 16 节点接入；根据 Q_{Mi}、P_{Mi} 可得 3 个微电网向配电网输送的功率分别为 $S_{M11} = (6.0911 + j8.0646)\text{MV} \cdot \text{A}$；$S_{M12} = (10.9440 + j1.4909)\text{MV} \cdot \text{A}$；$S_{M12} = (7.774 + j5.1212)\text{MV} \cdot \text{A}$。

接入微电网前后的电压指标及网损见表 7-2。

表 7-2　接入微电网前后的电压指标及网损

情况	微电网接入点	电压指标/p.u.	有功网损/ MW
未接入微电网	无	0.0211	0.64
接入微电网	11、12、16	0.0221	0.13

由表 7-2 可知，接入微电网之后系统的有功网损比之前大幅降低，节点电压指标由 0.0211p.u.升至 0.0221p.u.，有功网损由 0.64MW 降至 0.13MW，I_{ubi} =1.0474，I_{plbk} =4.9231。

实际的微电网容量为

$$S = S_{MO} + S_L + \varepsilon \qquad (7\text{-}97)$$

式中，S_{MO} 为微电网向配电网输送的容量；S_L 为微电网网内的负荷容量；ε 为裕度。

接入微电网前后各节点电压如表 7-3 所示。由表 7-3 可知，原系统电压较低的节点的电压得到明显改善，如节点 12 的电压由 0.9855p.u.提高 1.0500p.u.，节点 9 的电压由 0.9913p.u.提高到 1.0456p.u.。

表 7-3　节点电压

节点	未接微电网时的电压/p.u.	接入微电网时的电压/p.u.	节点	未接入微电网时的电压/p.u.	接入微电网时的电压/p.u.
1	1.0400	1.0400	9	0.9913	1.0456
2	1.0081	1.0500	10	1.0015	1.0436
3	1.0271	1.0500	11	1.0001	1.0500
4	1.0155	1.0418	12	0.9855	1.0500
5	1.0037	1.0465	13	1.0113	1.0470
6	1.0078	1.0429	14	1.0041	1.0441
7	1.0066	1.0436	15	1.0073	1.0485
8	0.9973	1.0443	16	1.0062	1.0500

由以上分析可知，采用本节方法确定的微电网接入配电网位置和容量后，可有效改善系统的运行条件，提高系统电压的运行水平，提高系统的稳定性和经济效益。

<h2 align="center">参 考 文 献</h2>

[1] 周志华. 机器学习[M]. 北京: 清华大学出版社, 2016.

[2] 朱志慧. 基于 BT-SVM 的电力系统静态安全评估研究[D]. 南京: 南京邮电大学, 2012.

[3] Takahashi F, Abe S. Decision-tree-based multiclass support vector machines[C]//Proceedings of the 9th International Conference on Neural Information Processing, Singapore, 2002: 1418-1422.

[4] 冷北雪. 基于支持向量机的电力系统短期负荷预测[D]. 成都: 西南交通大学, 2010.

[5] 关颖. 支持向量机在电力系统短期负荷预测中的应用[D]. 天津: 天津大学, 2006.

[6] 谷奕龙. 基于决策树的电力系统电压稳定性评估的研究[D]. 大庆: 东北石油大学, 2016.

[7] 李元诚, 方廷健, 于尔铿. 短期负荷预测的支持向量机方法研究[J]. 中国电机工程学报, 2003, 23(6): 55-59.

[8] 胡乐宜, 杨立兵, 宋依群, 等. 基于决策树的双边交易购电策略分析[J]. 华东电力, 2012(10): 22-26.

[9] Lecun Y, Bengio Y, Hinton G. Deep learning[J]. Nature, 2015, 521(7553): 436.

[10] Schmidhuber J. Deep learning in neural networks: An overview[J]. Neural Networks, 2015, 61: 85-117.

[11] 王涛, 孙志鹏, 崔青, 等. 基于分类决策树算法的电力变压器故障诊断研究[J]. 电气技术, 2019, 20(11): 16-19.

[12] Kaelbling L P, Littman M L, Moore A W. Reinforcement learning: An introduction[J]. IEEE Transactions on Neural Networks, 2005, 16(1): 285-286.

[13] Dayan P, Balleine B W. Reward, motivation, and reinforcement learning[J]. Neuron, 2002, 36(2): 285-298.

[14] 刘全, 翟建伟, 章宗长, 等. 深度强化学习综述[J]. 计算机学报, 2018, 41(1): 1-27.

[15] Riedmiller M. Neural fitted Q iteration-first experiences with a data efficient neural reinforcement learning method[C]//European Conference on Machine Learning, Berlin, 2005: 317-328.

[16] Lange S, Riedmiller M. Deep auto-encoder neural networks in reinforcement learning[C]//The 2010 International Joint Conference on Neural Networks(IJCNN), Barcelona, 2010: 1-8.

[17] Abtahi F, Fasel I. Deep belief nets as function approximators for reinforcement learning[J]. Frontiers in Computational Neuroscience, 2011, 5(1): 112-131.

[18] Lange S, Riedmiller M, Voigtländer A. Autonomous reinforcement learning on raw visual input data in a real world application[C]//The 2012 International Joint Conference on Neural Networks(IJCNN), Brisbane, 2012: 1-8.

[19] Koutnik J, Schmidhuber J, Gomez F. Online evolution of deep convolutional network for vision-based reinforcement learning[C]//International Conference on Simulation of Adaptive Behavior, Castellón, 2014: 260-269.

[20] Mnih V, Kavukcuoglu K, Silver D, et al. Playing Atari with deep reinforcement learning[C]//Proceedings of the Workshops at the 26th Neural Information Processing Systems 2013, Lake Tahoe, 2013: 201-220.

[21] Mnih V, Kavukcuoglu K, Silver D, et al. Human-level control through deep reinforcement learning[J]. Nature, 2015, 5l8(7540): 529-533.

[22] van Hasselt H, Guez A, Silver D. Deep reinforcement learning with double Q-learning[C]//Proceedings of the AAAI Conference on Artificial Intelligence, Phoenix, 2016: 2094-2100.

[23] van Hasselt H. Double Q-learning[C]//Proceedings of the Advances in Neural Information Processing Systems, Vancouver, 2010: 2613-2621.

[24] Mnih V, Badia A P, Mirza M, et al. Asynchronous methods for deep reinforcement learning[C]//International Conference on Machine Learning, New York, 2016: 1928-1937.

[25] Jaderberg M, Mnih V, Czarnecki W M, et al. Reinforcement learning with unsupervised auxiliary tasks[J]. arXiv preprint arXiv: 1611.05397, 2016.

[26] Finn C, Levine S, Abbeel P. Guided cost learning: Deep inverse optimal control via policy optimization[C]// International Conference on Machine Learning, New York, 2016: 49-58.

[27] Oh J, Chockalingam V, Lee H. Control of memory, active perception, and action in minecraft[C]//International Conference on Machine Learning, New York, 2016: 2790-2799.

[28] Kulkarni T D, Narasimhan K, Saeedi A, et al. Hierarchical deep reinforcement learning: Integrating temporal abstraction and intrinsic motivation[J]. Advances in Neural Information Processing Systems, 2016, 29: 3675-3683.

[29] Houthooft R, Chen X, Duan Y, et al. VIME: Variational information maximizing exploration[J]. arXiv preprint arXiv:1605.09674, 2016.

[30] Fernández F, Veloso M M. Probabilistic policy reuse in a reinforcement learning agent[C]//Proceedings of the International Joint Conference on Autonomous Agents and Multiagent Systems, Istanbul, 2015: 720-727.

[31] Bellemare M, Srinivasan S, Ostrovski G, et al. Unifying count-based exploration and intrinsic motivation[C]// Proceedings of the Conference on Neural Information Processing Systems, Barcelona, 2016: 1471-1479.

[32] Schaul T, Horgan D, Gregor K, et al. Universal value function approximators[C]//Proceedings of the 32nd International Conference on Machine Learning, Lugano, 2015: 1312-1320.

[33] van Hasselt H, Guez A, Silver D. Deep reinforcement learning with double q-learning[C]//Proceedings of the AAAI Conference on Artificial Intelligence, Phoenix, 2016: 2094-2100.

[34] Wang Z Y, Schaul T, Hessel M, et al. Dueling network architectures for deep reinforcement learning[C]// Proceedings of the 33rd International Conference on International Conference on Machine Learning, New York, 2016: 1995-2003.

[35] 郝然, 艾芊, 姜子卿. 区域综合能源系统多主体非完全信息下的双层博弈策略[J]. 电力系统自动化, 2018, 42(4): 8.

[36] 沈运帷, 李扬, 高赐威, 等. 需求响应在电力辅助服务市场中的应用[J]. 电力系统自动化, 2017(22): 157-167.

[37] 黄开艺, 艾芊, 张宇帆, 等. 基于能源细胞-组织架构的区域能源网需求响应研究挑战与展望[J]. 电网技术, 2019, 43(9): 3149-3160.

[38] 肖斐, 艾芊. 基于模型预测控制的微电网多时间尺度需求响应资源优化调度[J]. 电力自动化设备, 2018, 38(5): 184-190.

[39] 孙毅, 刘迪, 李彬, 等. 深度强化学习在需求响应中的应用[J]. 电力系统自动化, 2019, 43(5): 500-511.

[40] Mnih V, Kavukcuoglu K, Silver D, et al. Human-level control through deep reinforcement learning[J]. Nature, 2015, 518(7540): 529-533.

[41] Mocanu E, Mocanu D C, Nguyen P H, et al. On-line building energy optimization using deep reinforcement learning[J]. IEEE Transactions on Smart Grid, 2018, 10(4): 3698-3708.

[42] 张自东, 邱才明, 张东霞, 等. 基于深度强化学习的微电网复合储能协调控制方法[J]. 电网技术, 2019(6): 1914-1921.

[43] Foruzan E, Soh L K, Asgarpoor S. Reinforcement learning approach for optimal distributed energy management in a microgrid[J]. IEEE Transactions on Power Systems, 2018, 33(5): 5749-5758.

[44] Kuznetsova E, Li Y F, Ruiz C, et al. Reinforcement learning for microgrid energy management[J]. Energy, 2013, 59: 133-146.

[45] Leo R, Milton R S, Sibi S. Reinforcement learning for optimal energy management of a solar microgrid[C]//2014 IEEE Global Humanitarian Technology Conference-South Asia Satellite(GHTC-SAS), Trivandrum, 2014: 183-188.

[46] Aittahar S, François-Lavet V, Lodeweyckx S, et al. Imitative learning for online planning in microgrids[C]// International Workshop on Data Analytics for Renewable Energy Integration, Porto, 2015: 1-15.

[47] François-Lavet V, Gemine Q, Ernst D, et al. Towards the minimization of the levelized energy costs of microgrids using both long-term and short-term storage devices[J]. Smart Grid: Networking, Data Management, and Business Models, 2016: 295-319.

[48] François-Lavet V, Taralla D, Ernst D, et al. Deep reinforcement learning solutions for energy microgrids management[C]//European Workshop on Reinforcement Learning(EWRL 2016), 2016.

[49] Qiu X, Nguyen T A, Crow M L. Heterogeneous energy storage optimization for microgrids[J]. IEEE Transactions on Smart Grid, 2015, 7(3): 1453-1461.

[50] 张孝顺, 郑理民, 余涛. 基于多步回溯 $Q(\lambda)$ 学习的电网多目标最优碳流算法[J]. 电力系统自动化, 2014(17): 118-123.

[51] 余涛, 刘靖, 胡细兵. 基于分布式多步回溯 $Q(\lambda)$ 学习的复杂电网最优潮流算法[J]. 电工技术学报, 2014, 27(4): 185-192.

[52] 余涛, 胡细兵, 刘靖. 基于多步回溯 $Q(\lambda)$ 学习算法的多目标最优潮流计算[J]. 华南理工大学学报(自然科学版), 2010(10): 139-145.

[53] 王亚东, 崔承刚, 钱申晟, 等. 基于深度强化学习的微电网储能调度策略研究[J]. 可再生能源, 2019, 37(8): 1220-1228.

[54] He X, Chu L, Qiu R C, et al. A novel data-driven situation awareness approach for future grids-Using large random matrices for big data modeling[J]. IEEE Access, 2018, 6: 13855-13865.

[55] 刘威, 张东霞, 王新迎, 等. 基于深度强化学习的电网紧急控制策略研究[J]. 中国电机工程学报, 2018, 38(1): 109-119.

[56] 盛歆漪. 粒子群优化算法及其应用研究[D]. 无锡: 江南大学, 2015.

[57] Kennedy J, Kennedy J F, Eberhart R C. Swarm Intelligence[M]. Amsterdam: Morgan Kaufmann, 2001.

[58] 马伟. 基于群体智能算法的聚类分析研究[D]. 无锡: 江南大学, 2015.

[59] 方伟. 群体智能算法及其在数字滤波器优化设计中的研究[D]. 无锡: 江南大学, 2008.

[60] 汪镭, 康琦, 吴启迪. 群体智能算法总体模式的形式化研究[J]. 信息与控制, 2004(6): 55-58, 63.

[61] 汪定伟, 王俊伟, 王洪峰, 等. 智能优化方法[M]. 北京: 高等教育出版社, 2007.

[62] 纪震, 廖惠莲, 吴清华. 粒子群算法及应用[M]. 北京: 科学出版社, 2009.

[63] 高尚. 蚁群算法理论、应用及其与其他算法的混合[D]. 南京: 南京理工大学, 2005.

[64] 王涛. 基于粒子群蚁群优化算法的配电网络重构研究[D]. 长沙: 长沙理工大学, 2013.

[65] 张燕. 蚁群优化算法[D]. 兰州: 西北师范大学, 2009.

[66] 侯云鹤, 熊信艮, 吴耀武, 等. 基于广义蚁群法的电力系统经济负荷分配[J]. 中国电机工程学报, 2003, 23(3): 59-64.

[67] 郝晋, 石立宝, 周家启, 等. 基于蚁群优化算法的机组最优投入[J]. 电网技术, 2002, 26(11): 26-31.

[68] 谭松柏, 谭剑, 黄亮, 等. 带免疫的蚁群算法用于电力系统无功优化[J]. 广东电力, 2012, 25(1): 92-96.

[69] 胡斌, 顾洁, 王衍东. 基于蚁群最优的配电网网架规划方法[J]. 电力系统保护与控制, 2005, 33(21): 54-57.

[70] 王晨力. 基于蚁群优化算法的电力负荷聚类和输电线故障识别研究[D]. 天津: 天津大学, 2006.

[71] 符杨, 孟令合, 胡荣, 等. 改进多目标蚁群算法在电网规划中的应用[J]. 电网技术, 2009(18): 63-68.

[72] 王锡凡. 电力系统优化规划[M]. 北京: 水利电力出版社, 1990.

[73] 程浩忠, 张焰. 电力网络规划的方法和应用[M]. 上海: 上海科学技术出版社, 2002.

[74] 张焰. 电网规划中的模糊可靠性评估方法[J]. 中国电机工程学报, 2000, 20(11): 77-80.

[75] 曹世光, 柳焯, 于尔铿. 缺电成本与可靠性规划的研究[J]. 电网技术, 1997, 21(9): 52-54.

[76] Pareto V C D. Economic Politique: Volume I and II [M]. Paris: Hachette, 1897.

[77] 郑金华. 多目标进化算法及其应用[M]. 北京: 科学出版社, 2007.

[78] Zitzler E K, Deb L T. Comparison of multiobjective evolutionaryalgorithms: Empirical results[J]. Evolutionary Computation, 2000, 8(2): 173-195.

[79] Margaret H D. 数据挖掘教程[M]. 郭崇慧, 译. 北京: 清华大学出版社, 2005.

[80] 段海滨, 王道波. 蚁群算法的全局收敛性研究及改进[J]. 系统工程与电子技术, 2004, 26(10): 1506-1509.

[81] 张良, 孙成龙, 蔡国伟, 等. 基于 PSO 算法的电动汽车有序充放电两阶段优化策略[J]. 中国电机工程学报, 2022, 42(5): 15.

[82] 杨志鹏, 朱丽莉, 袁华. 粒子群优化算法研究与发展[J]. 计算机工程与科学, 2007(6): 65-68.

[83] Sun J, Feng B, Xu W B. Particle swarm optimization with particles having quantum behavior[C]//Congress on Evolutionary Computation, Portland, 2004.

[84] Ozcan E, Mohan C K. Particle swarm optimization: Surfing the waves[C]//Proceedings of the 1999 Congress on Evolutionary Computation-CEC99（Cat. No. 99TH8406）, Washington, 1999: 1939-1944.

[85] 邱鹏光. 基于群智能算法对微电网经济调度的研究[D]. 北京: 华北电力大学, 2013.

[86] 余贻鑫, 栾文鹏. 智能电网述评[J]. 中国电机工程学报, 2009, 29（34）: 1-8.

[87] 刘杨华, 吴政球, 涂有庆. 分布式发电及其并网技术综述[J]. 电网技术, 2008, 32（15）: 71-76.

[88] 梁有伟, 胡志坚, 陈允平. 分布式发电及其在电力系统中的应用研究综述[J]. 电网技术, 2003, 27（12）: 71-75.

[89] 肖世杰. 构建中国智能电网技术思考[J]. 电力系统自动化, 2009, 32（9）: 1-5.

[90] 陈树勇, 宋书芳, 李兰欣, 等. 智能电网技术综述[J]. 电网技术, 2009, 33（7）: 1-7.

[91] Chiradeja P, Ramakumar R. An approach to quantify the technical benefits of distributed generation[J]. IEEE Transactions on Energy Conversion, 2004, 19（4）: 764-773.

[92] Civanlar S, Grainger J J. Distribution feeder reconfiguration for loss reduction[J]. IEEE Transactions on Power Delivery, 1988, 3（3）: 1217-1223.

[93] Civanlar S, Grainger J J, Yin H, et al. Distribution feederreconfiguration for loss reduction[J]. IEEE Transactions on Power Delivery, 1988, 3（7）: 1217-1223.

第8章　能源互联网未来发展趋势

未来能源行业将发展成多种能源有机整合、集成互补的能源体系，由此会带来能源发展方式和产业模式的创新与转变，包括积极推广合同能源管理和综合能源服务等运营模式，推动信息技术与能源产业深度融合，增强能源供需互动能力，构建多种能源的生产、输送、使用和存储协调发展与集成互补的智慧能源体系。多能互补与集成优化将推动能源清洁生产和就近消纳，减少弃风、弃光、弃水，提供多元化定制能源服务，提升能源系统综合效率，这对于建设清洁低碳、安全高效的现代能源体系具有深远的战略意义和重要的现实意义。"十三五"以来，国家重点研发计划"智能电网技术与装备"专项中的多个重大研究任务，重点关注了多种能源系统整合互动的研究。各类能源存在特性差异，能源生产与消费之间也具有复杂的耦合关系，这对多能系统的规划、调控、评估和商业运营等提出了新的挑战。在能源系统源-网-荷-储纵向优化的基础上，通过能源耦合关系对多种供能系统进行横向协调优化，是多能互补、集成优化能源系统的关键内容。其目标是通过多能协同供应和能源综合梯级利用，提高能源系统效率，促进分布式能源就地消纳，提升能源供需友好互动能力。本章将从现有示范工程、高新技术的应用、未来形态与发展趋势三个部分对能源互联网的未来发展趋势进行分析。

8.1　现有示范工程

8.1.1　关于推进多能互补集成优化示范工程建设的实施意见

1. 建设意义

多能互补集成优化示范工程主要有两种模式：一是面向终端用户电、热、冷、气等多种用能需求，因地制宜、统筹开发、互补利用传统能源和新能源，优化布局建设一体化集成供能基础设施，通过天然气热电冷三联供、分布式可再生能源和能源智能微电网等方式，实现多能协同供应和能源综合梯级利用；二是利用大型综合能源基地的风能、太阳能、水能、煤炭、天然气等资源组合优势，推进风光水火储多能互补系统建设运行。建设多能互补集成优化示范工程是构建"互联网+"智慧能源系统的重要任务之一，有利于提高能源供需协调能力，推动能源清洁生产和就近消纳，减少弃风、弃光、弃水限电，促进可再生能源消纳，是提高能源系统综合效率的重要抓手，对于建设清洁低碳、安全高效的现代能源体系具有重要的现实意义和深远的战略意义。

2. 主要任务

1) 终端一体化集成供能系统

在新城镇、新产业园区、新建大型公用设施(机场、车站、医院、学校等)、商务区和海岛地区等新增用能区域,加强终端供能系统统筹规划和一体化建设,因地制宜实施传统能源与风能、太阳能、地热能、生物质能等能源的协同开发利用,优化布局电力、燃气、热力、供冷、供水管廊等基础设施,通过天然气热电冷三联供、分布式可再生能源和能源智能微电网等方式实现多能互补和协同供应,为用户提供高效智能的能源供应和相关增值服务,同时实施能源需求侧管理,推动能源就地清洁生产和就近消纳,提高能源综合利用效率。在既有产业园区、大型公共建筑、居民小区等集中用能区域,实施供能系统能源综合梯级利用改造,推广应用上述供能模式,同时加强余热、余压以及工业副产品、生活垃圾等能源资源的回收和综合利用。

2) 风光水火储多能互补系统

在青海、甘肃、宁夏、内蒙古、四川、云南、贵州等地区,利用大型综合能源基地的风能、太阳能、水能、煤炭、天然气等资源组合优势,充分发挥流域梯级水电站、具有灵活调节性能的火电机组的调峰能力,建立配套电力调度、市场交易和价格机制,开展风光水火储多能互补系统一体化运行,提高电力输出功率的稳定性,提升电力系统消纳风电、光伏发电等间歇性可再生能源的能力和综合效益。

3) 建设目标

2016 年 7 月 4 日,国家发展改革委联合国家能源局发布了《关于推进多能互补集成优化示范工程建设的实施意见》,文件要求:"十三五"期间,建成国家级终端一体化集成供能示范工程 20 项以上,国家级风光水火储多能互补示范工程 3 项以上;到 2020 年,各省(区、市)新建产业园区采用终端一体化集成供能系统的比例达到 50%左右,既有产业园区实施能源综合梯级利用改造的比例达到 30%左右;国家级风光水火储多能互补示范工程弃风率控制在 5%以内,弃光率控制在 3%以内。

4) 建设原则及方式

(1) 统筹优化,提高效率。终端一体化集成供能系统以综合能源效率最大化、热、电、冷等负荷就地平衡调节、供能经济合理、具有市场竞争力为主要目标,统筹优化系统配置,年平均化石能源转换效率应高于 70%。风光水火储多能互补系统以优化存量为主,着重解决区域弃风、弃光、弃水问题;对具备风光水火储多能互补系统建设条件的地区，新建项目优先采用该模式。

(2)机制创新，科技支撑。创新多能互补集成优化示范工程政策环境、体制机制和商业模式，符合条件的示范项目优先执行国家有关灵活价格政策、激励政策和改革举措。推动产学研结合，加强系统集成、优化运行等相关技术研发，推动技术进步和装备制造能力升级。示范项目应优先采用自主技术装备，对于自主化水平高的项目优先审批和安排。

(3)试点先行，逐步推广。积极推进终端一体化集成供能示范工程、能源基地风光水火储多能互补示范工程建设，将产业示范与管理体制、市场建设、价格机制等改革试点工作相结合，探索有利于推动多能互补集成优化示范工程大规模发展的有效模式，在试点基础上积极推广应用。

5) 政策措施

(1)实施新的价格机制。落实《中共中央　国务院关于推进价格机制改革的若干意见》，按照"管住中间、放开两头"的总体思路，推进电力、天然气等能源价格改革，促进市场主体多元化竞争，建立主要由市场决定能源价格的机制。针对终端一体化集成供能示范工程，在能源价格市场化机制形成前，按照市场化改革方向，推行有利于提高系统效率的电价、热价、气价等新的价格形成机制。实施峰谷价格、季节价格、可中断价格、高可靠性价格、两部制价格等科学价格制度，推广落实气、电价格联动等价格机制，引导电力、天然气用户主动参与需求侧管理。具体价格政策及水平由国家及地方价格主管部门按权限确定。针对风光水火储多能互补示范工程，统筹市场形成价格与政府模拟市场定价两种手段，加快推进电力和天然气现货市场、电力辅助服务市场建设，完善调峰、调频、备用等辅助服务价格市场化机制。在市场化价格形成前，实施有利于发挥各类型电源调节性能的电价、气价及辅助服务价格机制。

(2)加大政策扶持力度。经国家认定的多能互补集成优化示范项目优先使用国家能源规划确定的各省(区、市)火电装机容量、可再生能源发展规模及补贴等总量指标额度。风光水火储多能互补示范项目就地消纳后的富余电量，可优先参与跨省区电力输送消纳。符合条件的多能互补集成优化示范工程项目将作为能源领域投资的重点对象。符合条件的项目可按程序申请可再生电价附加补贴，各省(区、市)可结合当地实际情况，通过初投资补贴或贴息、开设专项债券等方式给予相关项目具体支持政策。

(3)创新管理体制和商业模式。积极支持采取政府和社会资本合作的模式建设多能互补集成优化示范工程。结合电力、油气体制改革工作，创新终端一体化集成供能系统管理和运行模式，开展售电业务放开改革。国家能源局会同有关部门完善电(气、热)网接入、并网运行等技术标准和规范，统筹协调用能、供能、电(气、热)网等各方利益，解决终端一体化集成供能系统并网和余电、余热上网问题。相关电网、气网、热力管网等企业负责提供便捷、及时、无障碍接入上网和应急备用服务，实施公平调度。创新终端一体化集成供能系统商业模式，鼓励采取电网、燃气、热力公司控股或参股等方式组建综合能源服务公司从事市场化供能、售电等业务，积极推行合同能源管理、综合节能服务等市场化机制。加快构建基于互联网的智慧用能信息化服务平台，为用户提供开放共享、灵活智能的综合能源供应及增值服务。

6) 实施机制

(1) 统筹规划布局。国家发展改革委、国家能源局在国家能源规划中明确多能互补集成优化示范工程建设任务，并将相关国家级示范项目纳入规划。各省(区、市)能源主管部门应在省级能源规划中明确本地区的建设目标和任务，针对本省(区、市)新城镇、新建产业园区等新增用能区域，组织相关地方能源、城建等有关部门研究制定区域供用能系统综合规划，加强与城市、土地等相关规划衔接，通过市场化招标等方式优选投资主体，统筹安排供用能基础设施建设。具有全国示范意义的重点项目，可由省级能源主管部门报国家发展改革委、国家能源局备案，国家发展改革委、国家能源局组织有资质的第三方机构进行审核认定，向社会统一公告。

(2) 加强组织协调。国家发展改革委、国家能源局会同有关部门推进和指导多能互补集成优化示范工程的实施，组织制定相关政策和示范工程评价标准，协调政策落实中的重大问题。各省(区、市)能源主管部门应研究制定多能互补集成优化示范工程实施方案，负责省(区、市)示范项目的组织协调和监督管理，优化和简化项目核准程序，协调解决项目实施过程中的问题，及时向有关部门报告执行中出现的问题及政策建议，确保示范项目建设进度、质量和示范效果。

(3) 强化事中事后监管。国家能源局派出机构应加强对多能互补集成优化示范工程的事中事后监管，针对规划编制和实施、项目核准、价格财税扶持政策、并网和调度运行等情况出具监管意见，推动多能互补集成优化示范工程有效实施。

8.1.2 国内首批能源互联网示范项目工程

为落实《关于推进"互联网+"智慧能源发展的指导意见》(发改能源〔2016〕392 号)、《国家能源局关于组织实施"互联网+"智慧能源(能源互联网)示范项目的通知》(国能科技〔2016〕200 号)等，"互联网+"智慧能源(能源互联网)示范项目的申报和评选确定了首批示范项目。

(1) 首批"互联网+"智慧能源(能源互联网)示范项目中城市能源互联网综合示范项目 12 个、园区能源互联网综合示范项目 12 个、其他及跨地区多能协同示范项目 5 个、基于电动汽车的能源互联网示范项目 6 个、基于灵活性资源的能源互联网示范项目 2 个、基于绿色能源灵活交易的能源互联网示范项目 3 个、基于行业融合的能源互联网示范项目 4 个、能源大数据与第三方服务示范项目 8 个、智能化能源基础设施示范项目 3 个(表 8-1)。

表 8-1　首批"互联网+"智慧能源(能源互联网)示范项目情况

序号	项目名称	申请单位
1	北京延庆能源互联网综合示范区	中关村科技园区延庆园管理委员会
2	能源互联网试点示范园区	苏州工业园区管理委员会
3	厦门火炬开发区"一区多园""互联网+"智慧能源+智能制造产业融合试点示范	厦门国家火炬高技术产业开发区管委会
4	京能海淀北部新区能源互联网示范工程	京能首都能源互联网项目管理办公室(北京能源集团有限责任公司)
5	崇明能源互联网综合示范项目	上海市崇明区发展和改革委员会、国家城市能源计量中心(上海)、上汽集团(上海安悦节能技术有限公司)等
6	浙江嘉兴城市能源互联网综合试点示范项目	国网浙江省电力公司、浙江省海宁市人民政府
7	天府新区能源互联网示范项目	四川省电力公司等
8	合肥新站高新区综合能源管理"互联网+"智慧能源示范项目	常州天合光能有限公司
9	面向特大城市电网能源互联网示范项目	广州供电局有限公司
10	城市综合智慧能源供应服务体系	上海电力股份有限公司
11	临港区域能源互联网综合示范项目	上海电气集团中央研究院、临港集团
12	山西科创城能源互联网综合试点示范项目(一期)	国网山西省电力公司太原供电公司
13	北京经济技术开发区(路南区)能源互联网综合试点示范	北京中民智中能源科技有限公司
14	呈贡信息产业园能源互联网综合示范项目	昆明售电有限公司
15	华润电力泰兴虹桥工业园区"互联网+"智慧能源示范项目	华润电力投资有限公司江苏分公司
16	中宁县基于灵活性资源的能源互联网试点示范	宁夏中宁工业园区能源管理服务有限公司
17	北京经济技术开发区北京经开产业园"互联网+"智慧能源项目	北京经开投资开发股份有限公司
18	产业园区互联网+智慧电源系统应用示范	江苏天工工具有限公司
19	内蒙古蒙西高新技术工业园区能源互联网示范基地	内蒙古智慧蒙西能源管理服务有限公司
20	无为高沟电缆基地智能微电网"互联网+"智慧能源示范项目	新疆金风科技股份有限公司

序号	项目名称	申请单位
21	井冈山经济技术开发区园区能源互联网示范项目	井冈山经济技术开发区管委会
22	绿色云计算中心智慧能源示范项目	吕梁市军民融合协同创新研究院
23	上海国际旅游度假区"互联网+"智慧能源(能源互联网)工程	国网上海市电力公司浦东供电公司
24	基于"互联网+"智慧新能源的多种能源互补型智能电站项目	河南省鑫贞德有机农业股份有限公司
25	支持能源消费革命的城市-园区双级"互联网+"智慧能源示范项目	广东电网有限责任公司
26	延长石油1GW风光气氢牧能源互联网示范项目	陕西延长石油(集团)有限责任公司
27	湖州长兴新能源小镇"源网荷储售"一体化能源互联网示范项目	浙江浙能长兴发电有限公司、超威电源有限公司、浙江省长兴县人民政府画溪街道办事处
28	珠海(国家)高新技术产业开发区"互联网+小镇"智慧能源示范项目	珠海派诺科技股份有限公司等
29	海南省三沙市永兴岛"互联网+"智慧能源示范项目	海南天能电力有限公司
30	承德市公共交通枢纽能源互联网示范项目	北京东润环能投资有限公司(北京东润环能科技股份有限公司)
31	基于智能云调度的电动汽车能源互联网示范项目	成都雅骏新能源汽车科技股份有限公司等
32	青海省新能源汽车充电设施与分时租赁创新示范工程	青海百能汇通新能源科技有限公司等
33	电动汽车能源互联网及运营模式创新(常州地区)项目	万帮充电设备有限公司
34	芜湖、淮南、池州电动汽车全自助分时租赁"互联网+"智能能源示范项目	安徽易开汽车运营股份有限公司(芜湖恒天易开软件科技股份有限公司)
35	西咸新区基于低碳智慧公共交通体系的能源互联网建设项目	陕西西咸新区发展集团有限公司
36	江苏大规模源网荷友好互动系统示范工程	国网江苏省电力公司
37	风光氢储互补型智能微电网示范项目	西安交通大学等
38	基于绿色能源灵活交易的智慧分布式微电网云平台试点示范项目	厦门科华恒盛股份有限公司
39	基于绿色数据中心能源灵活交易的能源互联网试点示范	互联慧智张家口能源发展有限公司

序号	项目名称	申请单位
40	基于多种能源的电力实时交易平台试点项目	国网甘肃电力公司等
41	张北县"互联网+智慧能源"示范项目	张北禾润能源有限公司等
42	"互联网+"在智能供热系统中的应用研究及工程示范	中国华电集团公司等
43	广西钦州渔光风储"互联网+"智慧能源示范项目	钦州通威惠金新能源有限公司
44	合肥高新区分布式能源灵活交易"互联网+"智慧能源示范项目	阳光电源股份有限公司
45	基于电力大数据的能源公共服务建设与应用工程	全球能源互联网研究院等
46	长沙市天然气全产业链电商服务平台	好买气电子商务有限公司
47	中国石油电子商务平台	中国石油规划总院等
48	广州市能源管理与辅助决策平台示范项目	广州市发展改革委
49	智慧用能及增值服务项目	深圳市科陆电子科技股份有限公司
50	贵州省能源大数据管理云平台	贵州黔信数据有限公司
51	基于云南能源大数据的智慧能源行业融合应用平台	云南能源投资集团有限公司
52	基于省级电网企业全业务数据中心的能源互联网智慧用能示范	国网辽宁省电力有限公司
53	特大型能源化工基地"互联网+"智慧能源示范项目	中国平煤神马能源化工集团有限责任公司
54	基于智慧能源的绿色数据中心关键技术及应用	宁波世纪互联信息技术有限公司
55	连云港经济技术开发区能源互联网试点示范项目	连云港林洋新能源有限公司(连云港经济技术开发区)

(2)项目实施单位应科学编制实施方案、合理选择运作方式,严格遵循项目基本建设程序,建设内容应符合相应行业管理要求,保质保量推进示范项目建设。首批示范项目原则上应于 2017 年 8 月底前开工,并于 2018 年底前建成。对于未能按时开工或建成的项目,应及时向省级能源主管部门提出延期申请,对无故延期或不申报延期的予以取消。

(3)省级能源主管部门应做好本地区示范项目的组织协调和监督管理工作,优化和简化项目核准程序,提供一站式服务,及时跟踪项目进展情况,协助解决项目实施中的问题，并及时向有关单位报告，确保示范项目建设进度和质量。项目建成后，项目单位应及时向省级能源主管部门提出验收申请，省级能源主管部门委托第三方专业机构验收通过后，组织编制项目验收报告，并上报国家能源局。

(4)国家能源局、国家能源局派出能源监管机构和省级能源主管部门将组织社会各界专业力量对示范项目进行综合评议并持续辅导，共同保证项目示范引领作用的充分发挥。对于发生重大变化或后期运行不符合示范项目技术、经济要求的，应责令项目单位限期整改，整改后仍不符合要求的，不再作为示范项目推广，不再享受相关政策。

(5)省级能源主管部门应组织有关分布式能源、电网、气网、热力管网企业做好示范项目配套工程建设规划，适时开展配套工程建设。研究制定示范项目并网运行方案，实现"公平、开放、无歧视"接入，实施公平调度。积极协调示范项目与农业、工业、交通、市政、商业、体育、教育等不同行业的交叉融合问题。

(6)省级能源主管部门可结合本地实际制定和协调支持示范项目建设和运行的土地、价格、市场、资金、税费、科技、人才等方面的政策措施，协调政策落实中的重大问题。将示范项目同步纳入电力、油气等专项改革试点工作中，优先执行国家有关能源灵活价格政策、激励政策和改革措施。示范项目优先使用国家能源规划所确定的各省(区、市)火电装机容量、可再生能源配额、碳交易配额、可再生能源补贴等指标额度。

8.1.3　国外相关研究和实践

瑞士联邦理工学院的 Geidl 等在文献[1]中首次给出了能量枢纽的概念，其概念和模型应用到欧盟的 EPIC-HUB 项目中。作为多种能源和负荷需求的能源转换单元，能量枢纽可为不同场景下的能源输入输出提供接口，并量化表征系统能量转化关系，通过管理多种能源的消费与供应的转化关系，实现能源间的综合优化。英国曼彻斯特大学最先基于当地综合能源系统开发了电、热、气系统与用户交互的平台，该平台整合了用能模式、节能策略和需求响应 3 个功能。欧盟资助的智能电网综合研究计划 ELECTRA 致力于 2030 年实现高比例可再生能源系统的协同运行，利用自治网元实现分布式多能源互联。德国亚琛工业大学与德国联邦经济部和环境部通过需求管理实现了智能电表 Smart Watts 项目[2]和 E-energy 项目[3]，旨在实现能量流、信息流与资金流的高度融合，推动能量服务的电子商务化，其成果在德国朗根费尔德成功落地。欧盟确立了其 2050 年电力生产无碳化发展目标并发布了欧盟电网计划新版路线图，致力于融合各国能源系统构建跨欧洲的高效能源系统[4]。日本早在 2010 年就成立了日本智能社区联盟，致力于智能社区技术的研究与覆盖全国的综合能源系统示范。

8.1.4　基于多智能体系统的能源互联网示范项目

　　未来的能源互联网中，需要通过智能体技术，实现电力系统、智能交通网络、网络运营商、分布式设备和用户等的即时协作，更方便灵活地消纳清洁能源。世界范围内已有一些能源互联网的示范项目。欧洲的电力匹配城市(power matching city)计划是一个新能源利用示范项目，以电力匹配器(power matcher)作为多智能体，利用电力交易市场，以智能方式实现供能和热电需求的协调互联，能够无缝连接分布式发电与需求响应。所有分布式电源设备均被视为智能体并由一个集中智能体聚合，每个智能体在给定区间出价并进行统一，拍卖智能体收集出价信息并寻找均衡价格，之后发送至参与出价的智能体并控制智能体的行为。

　　欧盟 FENIX 项目的目的在于将分布式电源整合入大型电厂并进行分级管理，优化分布式电源在电网中的灵活运行。采用多智能体系统为各种设备提供分布式电源的实时状态及参数，由系统智能体进行整合并传送给虚拟电厂控制智能体，之后通过市场接口将发电资源接入市场，通过广义虚拟电厂的发电调度及反馈，实现实时发电调度。虽然我国能源互联网的示范工程也蓬勃兴起，但总体上仍处于起步阶段。北京延庆能源互联网综合示范区是国内首批区域能源互联网示范项目，项目建立了基于 4 层架构的能源互联网模型，如图 8-1 所示，在能源生产与消费层构建柔性负荷管理系统实现区域能源优化配置，在能源传输层构建主动配电网作为能源路由器，在能源管理层研究分层分区的多源协同优化并建

图 8-1　基于多智能体系统的四层能源互联网架构

立基于综合能源的大数据管理平台,在运营模式层对能源互联网的商业模式进行探讨。项目支持高渗透率新能源发电的充分消纳和综合利用,实现"区域自治,全局优化"。

崇明能源互联网综合示范项目能够进一步优化能源结构,提高风、光等清洁能源的接入比重和利用水平,对低碳化国际生态岛的实现起支撑作用。在输配协调运行研究中,基于多智能体技术建立主动配电网的多级能源协调运行的分层控制模型,通过空间、时间尺度上的协调,实现配电网整体高效运行。引入虚拟电厂与智能体以实现源-网两级负荷协调控制,参与者可以根据自己的智能体对其发用电计划进行调整。

8.2　高新技术的应用

8.2.1　多能互补集成优化关键技术

多能互补集成优化关键技术如图 8-2 所示。其中建模理论在第 2 章已有详细的阐述,本节不再赘述。

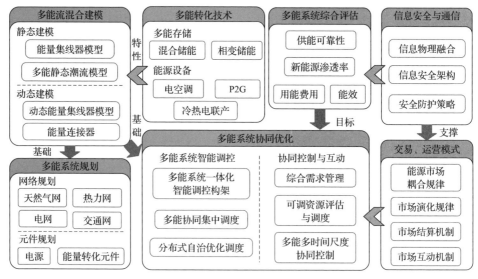

图 8-2　多能互补集成优化关键技术

1. 多能系统规划

区域级多能系统的规划在多种能流负荷长期预测的基础上,既需要考虑 CCHP 机组、P2G 装置等能量转化装置的选址、定容,也需要规划相应的电、气、热网。规划主问题是对综合能源系统进行拓扑结构的优化,子问题是根据规划区内部冷、热、电、气负荷预测值和已有的多能流供能网络，依据典型日优化调度策略对 CCHP 机组、P2G 装置和燃气锅炉等供能设备进行选址、定容，并适当配置储热、蓄冷、储气和储电等设备。子问题设备配置方法确定后，根据运行调度结果对配套的配电网、天然气网进行混合潮流校验，如果不满足校验条件则需适当扩建线路、管道。对于多能互补的协同规划，规划场景构建与预测较传统电力系统更加复杂。文献[5]建立多阶段下多能流源、网及能量转化元件的联合规划模型，并通过混合潮流计算校验规划方案的安全性和可行性。文献[6]构建了包含 CCHP 机组和 P2G 装置的综合能源系统的非线性模型并进行线性化处理，以该模型为基础对系统进行优化规划，同时对规划方案的可靠性和电转气厂站消纳可再生能源的效益进行了评估。文献[7]采用两阶段规划模型，在第一阶段，采用多目标遗传算法进行系统的结构优化；在第二阶段，用混合整数规划方法求解系统最优运行问题。另外，随着能源交易服务方式的改革，调度和日前市场中负荷预测、燃料费用等不确定性因素带来的风险也越来越多地考虑在规划中。

通过综合政策、市场等重要信息，构建基于数据分析的规划场景，依据源荷互补特性划分互动集群，基于分解协调思想实现互动集群和互济网络的协同优化规划。在各场景中，通过冷、热、电负荷需求和不确定性分析用能需求的时空分布，考虑多能流潮流和系统及能量转换能力，优化规划多能源网和能量转换元件。

综上，现阶段多能互补规划已经形成一套较为成熟的规划方法。然而，相关研究的规划对象多集中于源网荷，较少涉及多种储能的配置方法。并且，在不确定性分析、多时间常数系统建模、多能源系统可靠性分析及能源市场的影响等方面还有待进一步研究。

2. 多能系统智能调控

从系统的角度看，耦合不同的能量载体相对于常规的解耦能量供应系统显示出许多潜在的优点，冗余的能流路径提供一定程度的自由度为多能系统智能调控提供了空间。按调控主体分类，综合能源系统智能调控又可分为园区和用户多能流智能调控。

1) 园区多能流智能调控

园区调度中心通过能量系统互联互通，改善不同能源在不同供需背景下的时空不平衡，实现降低系统用能成本、提高用能效率及增强系统供能可靠性的目标。同时，这也使得协同优化问题的规模和求解难度不断提高，设计易于实施且优化效果明显的运行策略一直是国内外的研究热点。多能互补的协同优化调度是多能系统规划和市场互动博弈的基础。通过多个系统的协同合作，实现区域系统的经济和能效目标，并促进区域新能源的大规模消纳。相反地，在系统的耦合取得互补增益的同时，故障后的影响范围和影响程度也会扩大，特别是对于不同时间尺度的系统来说，很容易发生连锁故障，因而对园区系统安全调控提出了新要求，电力系统在线安全分析和控制比较成熟，而对热、冷、天然气及多能流故障交互影响的研究相对薄弱。

2）用户多能流智能调控

用户侧的分布式电源、储能设备将在需求响应下得到更广泛的应用，冷、热、电、气多种能源形式在用能端的交叉耦合也将更为紧密，为用户参与综合能源系统智能调控提供物质基础。"以用户为中心"的概念被越来越多地应用于系统建设中，未来的综合能源系统能流传输不再是由供能服务商到用户的单向流动，能源用户也由单一的消费者转变为能源消费者和服务商，传统能源系统中供给者、消费者的概念被淡化，取而代之的是综合能源系统供需双侧的智能交互。文献[8]通过对家用电器运行特性的分析建立混合能源协同控制的智能家庭能源优化控制模型；文献[9]考虑电热不同的时间尺度，研究了分时电价下用户电、热、冷、气的优化问题及能流耦合对负荷峰值的影响；文献[10]对楼宇多能系统用户最优调度和评估方法进行了深入研究。然而，以上大部分的用户多能流智能调控研究单纯从自身的利益出发，未充分考虑与多能系统的交互，且主要面向稳态问题。

3. 多能系统协同控制与互动

1）多能系统协同控制

随着能源系统向着分布式的方向发展，多智能体系统的控制框架越来越多地应用到多能互补控制架构，如图 8-3 所示。结合"弱中心化"的思想，在能源细胞-

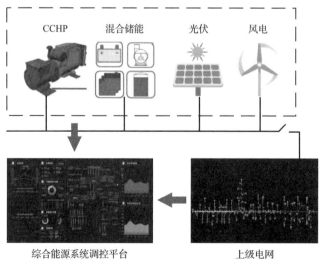

图 8-3　基于多智能体系统的多能互补控制框图

——物理连接；　◀━━　数据交互

组织体系中，未来的电网被划分为许多被定义为由源、荷、储互联组合而成的细胞，每个细胞在一定的电气或地理边界范围内都具有自治性，通过和邻近个体的通信，一致性协调不同能源系统分布式个体，最终完成多能系统的稳定和精确控制。

现阶段，电力系统源-网-荷-储纵向的协同控制的研究较为领先，但多能系统间的横向协同控制方法的研究还处于起步阶段，多种能源设备调节速度的差异导致其难以有机配合。需要根据多能流动态特性和相互作用，进而提出最佳时间尺度配合的智能调控方法。

2) 考虑用能替代的综合需求响应

多能系统用户参与需求响应时，响应手段不仅限于传统电能的削减和在时间上的平移，还在传统需求响应调度的基础上，将用户对冷、热、电等多种能源的需求纳入广义需求侧资源的范畴中。另外，用能替代正逐渐成为综合需求响应的一个重要方式，能量的替代使用可降低用户侧的用能成本，在满足用能需求的前提下响应各个能源系统的调度期望，可观的响应收益为用户响应行为提供充足的驱动力。

多能系统中能量转化设备运营商也可参与需求响应，考虑多种能源在价格、转化方法、需求特性上的异质性以及能源转化设备(如冷电热联产系统、电制冷设备)的运行和调节特性，能源转化设备运营商可调整 EH 的调度参数，可建立基于多能互补的广义需求响应互动优化模型，一方面可以提高多能需求响应能量并降低响应的随机性；另一方面也可从中获得辅助服务收益。目前，基于能源服务运营商和能源转化设备的需求响应的研究还在起步阶段。

综上，多能互补广义需求响应方案设计见图8-4。

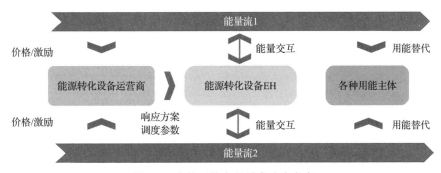

图 8-4 多能互补广义需求响应方案

4. 多能系统综合评估

作为系统规划与运行的基础，多能系统综合评估研究对多能系统智能化和实用化具有重要意义。建立不同能流的工作特性及各种能源间的耦合关联模型是多能系统综合评估的关键。多能系统综合评估体系需满足的条件：①适应高渗透新能源规模化利用的趋势，对新能源随机性建立概率模型并定量分析；②准确描述高低能源品质的差异；③评估算法必须与其运行模式有良好的适应性，做到准确模拟、快速评估。基于以上原则，文献[11]建立了计及风电和光伏出力随机性的微电网停运模型，提出了两步状态采样、区域划分和最小路径搜索等技术的蒙特卡罗模拟可靠性评估方法，较好地描述了可再生能源随机特性对系统可靠性的影响；文献[12]对比了不同类别指标、不同热力指标对综合能源系统园区多能联供、能量梯级利用的评估效果；对于综合评估的算法实现，文献[13]提出将动态权重函数、二维惩罚函数、突变决策理论和自组织特征映射网络用于多能系统评估；文献[14]通过多智能体的通信、分析、博弈及决策设计多能流优化策略，并结合时序蒙特卡罗法的动态过程仿真进行可靠性评估。综上所述，多能系统可靠性和性能指标体系和算法研究相对成熟，但是缺乏对耦合系统连锁故障、需求响应和市场交易不确定性等风险的研究，随着系统集成程度和市场化水平的提高，更多更复杂的关系和不确定性势必会增强系统面临的风险。

5. 多能系统信息安全

能量流与信息流的高度融合是未来多能系统的主流发展方向，在大数据、互联网及人工智能等技术快速发展的背景下，分布式调度通信方式不断成为研究的热点，然而其在网络和通信安全上还存在很大问题，2015年末网络黑客攻击造成乌克兰大停电就是该问题的一个佐证。

随着物理系统的融合，能源系统信息安全与通信逐渐抛弃了传统单点化、孤立式的构架，向着立体化、全局式的智能防护和分布式分层通信的体系发展，相应地，国外信息安全研究人员提出了"木桶理论"。另外，由于多能互补集成优化系统覆盖面广，大数据、云平台逐渐显露出其在跨区域、跨平台能源互联系统的优势，然而也不可避免地引入了安全风险。基于虚拟化技术的信息安全通信与传统信息系统有所区别，数据云、主站和子站的通信结构均发生了改变，文献[15]提出一种"云+端+边界"的安全体系，是一种新的云计算架构方式。数据云可协调多个安全模块之间的互动，涌现群集智能并提高信息系统安全防护水平。然而由于互联网带来的信息安全风险，国内暂时缺乏相关工程实践，该部分研究尚停留在理论阶段。

多能系统信息间的耦合一方面提高了系统的量测冗余，如图8-5所示，在一定程度上提高了系统的可观测性；另一方面，信息系统间的耦合也使得能源系统信息安全关联性较强，需要考虑信息攻击引起多个能源系统连锁故障的情况。因此，多能系统信息安全与通信的安全有别于传统的网络信息安全，需进行多链条、多层次全面的安全防护。

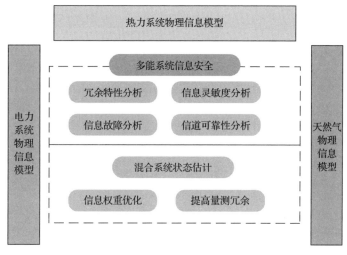

图 8-5 多能系统信息安全问题

多能系统信息灵敏度分析中，其影响范围不仅局限于单一能源系统，还特别需要重点考虑耦合信息节点受到攻击的情况。但是信息耦合也增加了量测冗余，通过多能流混合系统状态估计可辨识出错误信息来源，在一定程度上提高了信息安全性。另外，不同信息平台的融合使得其不同信道的可靠性也不同，优化冗余通信信息的权重可以较好地规避信息安全风险。

目前，对于电力系统物理信息模型安全评估和风险控制的研究较多，而对于其他能源信息系统特别是多种能源信息融合的研究较少，缺少多能信息互补的安全评估方法，尚没有形成成熟的多能流信息安全风险控制方法。

6. 能源交易、综合能源服务及商业运营模式

传统的能源系统由电力公司、燃气公司、热力公司等不同能源主体各自独立规划、建设、运行和管理，完成某一种能源从生产到传输销售的所有过程，其市场相对独立且封闭。为真正实现能源的梯级利用，不可避免地需要推动能源交易服务的体制改革，赋予不同能源符合其能源品味的商品属性。文献[16]提出一系列的市场化改革和发展建议，以期构建优良的能源市场环境促进能源互联网不同层级接入的公平竞争。文献[17]提出了一种以能源路由器为硬件基础的分布式能源交易模式，能够自动实现分布式电源、电动汽车和负荷能源的即插即用。在能源市场分析方面，越来越多的市场建模和定量分析方法被设计出来以描述能源交易行为和市场供需关系，多能源市场分析方法分类见图 8-6。分析模型可概括为两

类：自底向上模型和自顶向下模型。自顶向下模型采用宏观经济学方法侧重于市场过程的总体表征而不是具体的技术指导，其主要缺点是该模型参照的历史参数有时效性且无法分析策略变化的灵敏度，只能提供整体经济政策指导；而自底向上模型是技术层面的基于政策的能源市场构成的分析，根据功能差异又可分为优化模型和仿真模型。

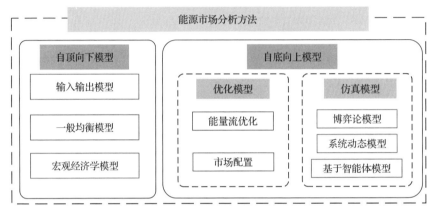

图 8-6　多能源市场分析方法分类

多能系统能源交易与商业运营的参与主体主要包括综合能量管理中心、综合能源服务商、各类用户、电动汽车、新能源系统、储能设备、CCHP 机组等。各类主体在互动框架中扮演着不同的角色，新型的综合能源服务公司直接面向用户或增量能源市场，业务范围涵盖多种不同品位的能源销售。用户根据自身的用电特性、风险偏好和响应潜力，响应电价信息和管理中心发布的中断信息，调整自身负荷计划，从而达到柔性互动的目标。然而主体众多，不同的用户利益诉求不同，其参与互动的目标也有所差异，因此一个能够吸引用户参加的健全的交易运营机制，应在一定程度上满足各个主体的利益诉求，一种典型的多能服务交易机制设计方案如图 8-7 所示。

综上，整合能源交易市场，兼顾各方利益的收益分摊机制，可增强多能互补的经济驱动力，推动综合能源系统可持续发展。目前，单一电力系统的市场机制研究较为成熟，而多能市场互补交易和收益分配研究基本处于空白状态。

8.2.2　基于多智能体系统的能源互联网关键技术

1. 能源互联网平台体系

在能源互联网中需要对系统设计规划、协调运行、金融服务进行管理，目前已建立了相关平台体系。

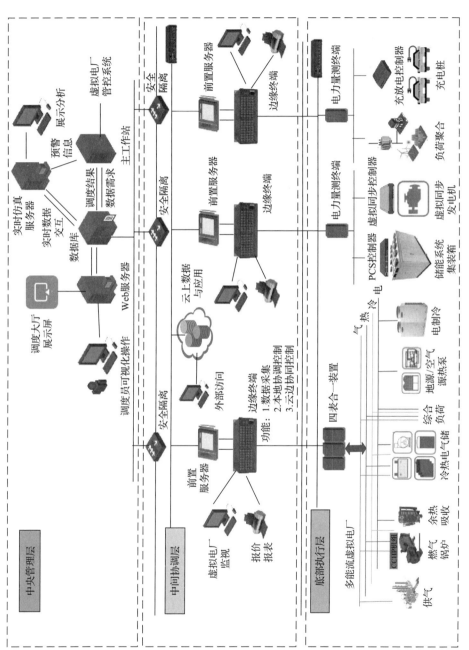

图8-7　多能服务交易机制设计方法

（1）电网配用电规划管理平台。充分利用 SCADA、地理信息系统、用电信息管理系统等系统采集的数据，根据电网中的冷、热、电联合规划，实现中长期负荷预测、机组选址定容、配电线路设计和规划方案调整等功能。国外电网规划应用的软件有 PowerStation、PSAPAC 等，国内主要有 PSASP 和 BPA，但在支持多用户协同工作、扩展性等方面存在不足。北京电力经济技术研究院设计开发了主配电网规划辅助管理平台，将能实现电网规划滚动编修和项目储备等功能。

（2）区域能源网能量管理系统。通常采用分层控制结构，依据设备运行数据和能效控制策略，实现区域级的供需互动、能源调度、能耗实时监测等功能。西门子、霍尼韦尔（Honeywell）等公司针对能源管理方面均提出了相应的能效管理系统，爱迪生联合电气（Con Edison）公司将储能管理系统应用在纽约小范围虚拟电厂项目中，通过远程数据监控，预测和优化当地发电功率，并对电价曲线进行研究，解决经济性问题的同时提高电网可靠性。我国智慧能源管理系统（SEMS）在家居、工商业楼宇能效管理方面已有一些应用，通过楼宇之间的能源互动，形成城市能源综合系统（EIS）。

（3）综合能量管理系统。支持多能协同与多元互动，通过对直控分布式能源和各分布式控制系统协调调度，实现广域范围发电侧、用电侧的综合能源管理，并考虑电、气、热、交通等多种能源形式。远景能源公司通过收购资产管理软件公司 BazeField，将能源互联网平台扩大至美国、欧洲和中国。

（4）金融服务平台。将 P2P（peer-to-peer）与能源互联网结合，形成 EIS-P2P 金融平台。①采用互联网借贷的形式，通过为新能源企业提供中短期融资服务，缓解可再生能源项目建设初期的资金压力。绿能宝公司（SPI）采用此种模式为数百个分布式光伏项目提供了融资支持。②参考 Powershop、Opower 等售电公司商业模式，实现交易平台的搭建。

以上平台体系均采用了分层分布式控制模式，与多智能体系统控制结构一致，因此在 EIS 的发展中，多智能体系统（MAS）体系结构有着较好的应用前景。下面对 MAS 进行详细介绍。

2. 多智能体系统框架研究

1）多智能体系统简介

MAS 是分布式人工智能研究的前沿领域。MAS 包含 2 个及以上的智能体，每个智能体都是典型的知识实体，具有以下特点：自主性、社会能力、反应性、目标导向及主动性。每个智能体都能够计划并制定适当的决策，通过 TCP/IP 与其他智能体交换数据，以及对环境做出反应，用于实现复杂系统的建模及仿真。

相比经典的人工智能，MAS 更多地考虑了智能体的社会能力，包括与其他参与方通信、合作、达成一致的能力。MAS 能充分发挥智能体的自主性，通过智能体之间以及智能体与系统间的交互、协调以及能量优化管理，实现群体妥协解。在"互联网+"的推动下，互联网的快速发展为 MAS 中各智能体之间的通信和协调提供了一个开放的基础环境和实现工具。

2)基于 MAS 的 EIS 分层控制框架

MAS 支持分布式应用，根据面向对象的方法构建多层次、多元化的智能体，是一个协调的智能系统。目前研究人员对于 MAS 的框架已展开研究。在 EIS 中建立基于 MAS 的分层控制结构，如图 8-8 所示。

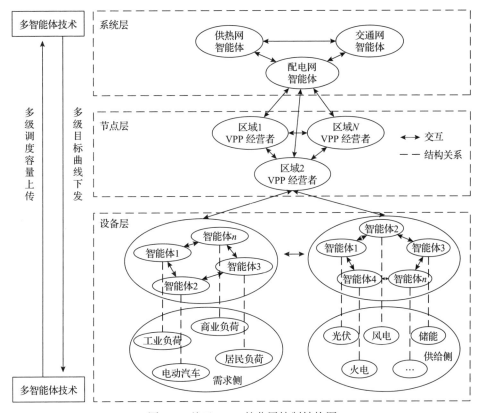

图 8-8　基于 MAS 的分层控制结构图

在空间尺度上采用系统层、节点层、设备层 3 级联动分层控制策略。自上而下将多级目标曲线层层下发，自下而上将多级调度容量层层上传，以实现全网多级能源协调优化控制，满足可再生能源的消纳。

在设备层，每个设备智能体都应具有出力预测、数据处理和与上级智能体之间通信的能力。根据分布式能源(distributed energy resource, DER)的不同特点，对应智能体的功能也不尽相同。例如，风机智能体应具有电能质量、无功补偿、风速预测、风机 MPPT、风轮叶片控制等功能，光伏智能体应具有太阳能 MPPT、并网控制等功能。在设备层根据可调度资源自身的特点，将发电、用电等不同的利益主体作为智能体并制定相对合适的控制策略，如在经济运行中尽量使风电、光伏处于 MPPT 模式，或出于全网安全稳定的考虑对各智能体电压进行控制，以实现需求侧工业、商业、居民等负荷智能体的互动和供需侧互动，并能响应节点层下发的控制指令，实现不同层级间的互动。

在节点层，每个区域智能体可以看作一个 VPP，负责协调区域内部智能体之间的功率平衡或进行能量管理。根据底层智能体信息以及系统层的指令，优先实现区域内的能量自治或电压控制等目标，各区域之间也可以进行互动。

系统层的配电网智能体负责配电网内的微电网或 VPP 之间的宏观调控，以及 VPP 和配电网之间的协调处理，实现全局优化调度，并负责全网安全约束校验。系统层还包括供热网智能体、交通网智能体等，通过多能源网络对等互联及能源转化，可以实现 EIS 中的广域能源共享。

3. 多智能体系统在能源互联网中的应用

1) 在协调优化中的应用

随着清洁能源渗透率的快速提升，就地消纳通常以较高的经济成本、污染排放为代价平抑波动，因此，需要适当安排电力调度新型策略。EIS 中的分布式协调优化逐渐从局部消纳向广域互联转变。广域范围内的风能、光能等清洁能源的时空互补性已得到国内外学者的广泛关注。应结合不同能源和用能在时域上的差异性，对储能与可控负荷等设备进行有效调控，充分发挥调峰潜力，平抑间歇性清洁能源的随机波动，实现高渗透率分布式可再生能源的充分消纳，同时降低当地电网负荷峰谷差，提高配电网运行效率。

在研究广域范围清洁能源接入时，常采用分层优化的 MAS 构建广义 VPP（GVPP），为区域能源网中各种成员的有机结合、和谐高效运行提供一种解决方案。分层控制研究框架已在本节第二部分中给出。文献[18]以风电和热电联产机组为例，建立了基于 MAS 的 VPP 内部可再生能源发电效率最大化的控制模型。文献[19]提出一种基于分布式对偶梯度算法的分布式优化调度方法，通过交换相邻 DER 的有限信息实现 VPP 中地理分散的 DER 的个体决策协调。从理论上讲，这种基于 MAS 的分布式算法与集中调度有同样的全局收敛性能。

由于 EIS 中多种能源形式之间的强耦合关系，清洁能源的消纳不应局限在电力系统中，可以结合天然气、供热系统等进行多系统的协调运行，提高清洁能源的消纳水平。多系统协调运行是 EIS 研究中的重要课题。从优化的角度来看，多系统协调运行的本质是将离散的子空间优化问题转化为一个全空间的优化问题，不仅存在来自各个子空间的不确定性，不确定性间也可能存在复杂的相关性，适合采用 MAS 进行研究。

在电网与天然气网络协调运行中，天然气资源丰富、清洁高效，能够与清洁能源的间歇性相协调。国内外学者对气电协调已展开相关研究。文献[20]和[21]提出了气电协调规划方案。

在电网与供热网协调运行中，以热电联产系统为纽带，根据智能体反馈的电力网、热力网状态信息，通过 MAS 优化资源配置，提高系统的整体能效。目前研究中多关注热电耦合运行和以风能为代表的清洁能源供热技术，我国也出台了一系列政策积极推动三北地区的风电清洁供暖技术发展。在未来 EIS 的大时空范围优化运行中，要计及供热延时、传输损耗等因素，构建更为精细化的热电网络模型。

在电网与交通网协调运行中，《全球新能源发展报告2015》预测2020年移动能源产品市场规模将达到 4.7 万亿元。移动能源的大规模发展，使得电力系统的潮流时空分布特性趋于复杂，电网面临新的挑战。近年来，随着电池技术的成熟和成本的下降，电动汽车作为一种特殊的用电设备，已在各国得到大力发展。目前的研究多将电动汽车作为移动式储能参与到电力系统调度与控制中，通常引入 MAS 和博弈论方法研究电动汽车的充放电行为。文献[22]运用 MAS 分层架构建立了电动汽车充放电协调控制机制，在此基础上，文献[23]引入客户满意度对充电站定价策略进行求解，文献[24]将交通网络智能体作为环境主体，考虑了充电站电价、距离和拥挤程度等因素。未来应更多地考虑交通系统实际地理分布、交通网络流量及电动汽车个体行为随机分散等情况，充分协调电力系统和交通系统，实现 EIS 的稳定高效运行。

2) 在运行控制中的应用

EIS 中大量清洁能源和电动汽车、储能等非线性多元化负荷的接入，将对电网的电压、频率等诸多动态特性产生影响，电网电能质量降低，大规模突发事件和停电的风险增大。这需要一种更加智能化的控制手段。应用多智能体控制模型，由专门的智能体收集分布式发电及负荷目前的状态，考虑环境波动和负荷需求波动以及波动时间延迟的影响，通过对智能体自身行为的控制和智能体间的协作，准确反映电网动态特性，实现清洁分布式能源的信息化、智能化控制。

MAS 在 EIS 运行控制方面已有一定的研究。文献[25]给出了一种基于状态的 MAS 建模方法，综合考虑了技术特性、合适的风速、仿真温度、热能服务、能源消费水平等约束条件。文献[26]研究了 EIS 中基于 MAS 的一致性协调控制，提出在 EIS 和微电网之间安装协调控制器保持电压相角和幅值的一致性，同时保证功率共享并最大限度地减少循环电流，将 EIS 作为支持微电网运行的旋转储备系统。MAS 的自主性及沟通能力也较多地应用在解决电力系统供电恢复中。文献[27]提出基于平均一致性定理的负荷恢复新算法。

在 EIS 环境下,能源供应侧的集中调度和分布式控制的结合是一个新的思路。文献[28]提出在互联电力系统中断和故障中的一种新的动态团队形成机制,兼顾集中式控制与分布式控制的优点,以提高基于 MAS 的电力管理系统的性能。

3)在电力市场运营中的应用

电力市场运营必须考虑电力系统的物理约束、市场运行规则和金融问题。电力市场涉及广泛的地理区域,具有分布式的性质。目前电力市场中已有一些聚合形式,如发电机聚合、负载聚合、负载服务实体等。当参与者需要决策时,要考虑到足够的模拟仿真能力和决策支持工具的可用性。

EIS 使广义需求侧响应参与到系统调控中,在不影响用户生活质量的情况下,将传统的被动负荷看作额外资源以平衡发电侧的波动因子,有效缓解电力供需矛盾,丰富电网调度模式。文献[29]综述了 MAS 在需求响应中的应用,文献[30]提出了分散市场的时间平移负荷的复合竞标模型,有利于供需实时平衡。文献[31]设计包含多种类型电力终端用户的负荷智能体,考虑调度成本和其他负荷智能体的不完全信息,建立基于 MAS 的电网互动调度模型,以实现电力公司和负荷智能体的双赢,但并没有对参与需求响应资源的不确定性进行深入研究。大规模风、光等清洁能源参与电力市场时,将给电网带来更多不确定性,且电力市场各参与方之间的非合作特性难以直接通过集中优化求解。根据前文阐述的 MAS 的特征,通过 MAS 协调电力市场多利益主体,能够改变清洁能源发电在电力市场中缺乏优势的被动局面。文献[32]以微电网利益最大及微电网内部成本最优为目标构建了基于 MAS 的电力市场多微电网竞价体系。通过 MAS 与博弈论相结合的方法,对电力市场中的智能体是否尽力投入以及合作联盟的稳定性等问题进行研究。文献[33]基于合作博弈理论提出群微电网合作模式下的经济调度机制,以各微电网运行成本为目标函数,应用 MAS 形成微电网联盟并完成联盟内部的直接售购电,从而有效提高群微电网整体的经济效益。文献[34]在基于 MAS 的智能配电网动态博弈框架下,考虑清洁能源随机性,建立了智能配电网两阶段快速调度决策子模型和微电网动态博弈子模型,对清洁能源投入运行产生了积极作用。

4. 能源互联网中构建多智能体系统的关键技术问题

1)多智能体系统的开发平台与通信

一个开放的 MAS 体系结构不限制编程语言,与计算机硬件具有无关性,允许智能体商之间灵活可靠地进行信息交流,并提供用于特定智能体或者特定服务的相关机制。MAS 中常用的通信方式有:消息传递、方案传递、黑板模式等,在基于 EIS 的 MAS 中应采用多种方式相结合的方法对数据信息进行优化处理。

智能体间的通信需要利用标准化的通信语言 ACL 传递智能体信息和数据,实现智能体与环境及其他智能体的协调、合作和竞争等活动,甚至实现多个 MAS

间的通信。然而目前没有一个通用的标准化 ACL，主流 ACL 为知识查询操纵语言（KQML）和 FIPA-ACL 通信语言。基于 KQML 的 MAS 开发环境有 JATLite、Jackal 等，FIPA-ACL 的支持系统有 JADE、ZEUS 等，这些仿真平台大多数采用 Java 语言实现。JADE 是近年来较为主流的应用平台，是由 TILAB 公司开发的用于开发 MAS 和遵循 FIPA 标准的智能体软件开发框架。JADE 为用户定义了智能体基类，只需要增加附加模块用以扩展，就能实现多种功能的智能体类，使得 MAS 各个环节的开发得到简化。

在仿真平台中，可以通过现有的智能体模型，如人工神经网络、机器学习、遗传算法等模型，类推电力系统中分布式电源的行为规律模型，并进行仿真验证，再由此探究整个电力系统的调度策略。

2) 先进的信息技术

在 EIS 理念下，为满足大规模新能源的运输和安全消纳，需要先进的信息技术作为支撑，以实现信息获取及高效处理。先进信息技术由智能感知、云计算和大数据分析技术等构成。云计算技术通过集中管理资源和服务，在互联网上提供托管服务，能够便捷地按需共享硬件、软件、数据库及所有资源，提供给云用户使用并实现灵活、可扩展的服务。采用云计算技术，能够在一定程度上提高 MAS 对系统中繁多数据的处理能力，提高多服务器配置的整体效益。大数据分析技术从繁杂的数据中挖掘有用的信息，能够分析需求侧用户的行为和规律，深入洞察用户用能偏好及消费模式，结合趋势预测等技术，实现区域用能数据和清洁能源产能数据的精细化预测，建立新能源发电与周边环境的相关关系模型，并采用合适的预测精度评估方法，制定合理的发电及调度计划，形成优化的机组出力组合，能够实现规模较大的新能源系统的优化管理并降低系统运行风险。

3) 网架结构支撑

EIS 涉及海量的能量流和信息流，在考虑信息处理的同时，也要考虑物理实体的传输能力，需要实际地理位置及通信网架结构的配合，使基于 MAS 的方法在实际工程中更具应用性。目前在高压直流（high voltage direct current, HVDC）输电技术、柔性直流输电技术、多端直流输电技术等方面已展开了一系列研究。基于直流电网的"多点对一点"网架结构，可以实现我国偏远地区大规模陆上清洁能源及海上清洁能源的可靠接入。采取 HVDC 输电技术将能源送往中东部负荷中心区域，实现清洁能源的跨区域输送，在促进清洁能源消纳的同时可以提高系统的安全可靠性。

4) 分布式即插即用

分布式即插即用通过一定手段满足设备随机接入和退出而无须重新设计，能够使 DER 更靠近负荷从而有效利用能源，无须变电站或电缆等复杂的配电系统支持。能够实现系统平滑控制并保证敏感负荷上的电压稳定，是 EIS 的关键技术之一。分布式即插即用接口包括硬件与软件两个方面。

硬件方面，通过电力电子接口将 DER 接入电力系统，并对接入的电压和频率进行控制(图 8-9)。电力电子接口主要有四大模块：输入电源转换模块、逆变模块、输出接口模块和控制器模块。由于各微型电源并网方式不尽相同，如风力发电采用直接并网方式，光伏发电、燃料电池采用 DC/AC 逆变并网，即插即用电力电子接口应当支持各种符合相应电气标准的 DER 的接入，是标准化、高度集成化、模块化的电子互联技术。当新的设备或系统接入 EIS 时，可以被自动感知和识别，进而可以自动管理，也可以随时断开，有很好的灵活性和扩展性。

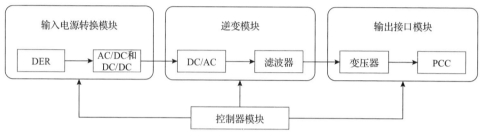

图 8-9　即插即用接口硬件结构体系

软件方面，为实现即插即用，多采用分层控制技术，根据功能分为 3 层控制结构：系统控制层、应用控制层和硬件控制层(图 8-10)。系统控制层负责整个系统的监控和最高级别的控制，主要任务是响应用户的命令、协调转换器之间的性能，以及执行监控系统的任务等；应用控制层负责对控制信息进行计算，如电流控制回路、电压控制回路、功率控制等；硬件控制层是硬件级的控制器，根据应用控制层接收到的控制信息，产生 PWM 脉冲来控制开关操作，监控集成电力电子模块的状态，并进行快速保护。通过构建层面间的标准化接口，不同供应商的设备智能体可以进行沟通和协作。

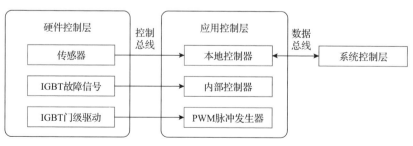

图 8-10　即插即用接口软件结构体系

8.2.3　虚拟电厂技术

能源互联网的目的是在现代电力系统中实现大范围清洁能源的稳定和经济性利用。由于能源互联网中包含大量的分布式设备，协调和优化问题将是一个高维数的非线性问题，很难利用传统的集中式优化方法求解，需要对分层优化和分布式优化策略进行考虑。将能源互联网的优化问题看成一个多区域的协调问题，在每个区域设置一个智能体机构，用来协调内部的分布式设备。区域级的协调机构可以是微电网或 VPP。其中，微电网的控制目标主要是 DG 就地控制，有一定的区域性限制，相比之下，VPP 的地理限制更小，运行更加灵活。VPP 通过先进的信息与通信技术(information and communication technology，ICT)，能够聚合分布式电源、可控负荷和储能单元等分布式能源，实现广域范围的能源互联与共享。相比于受地理和固定资源限制的微电网，VPP 不改变分布式电源的并网方式，无须对电网进行改造而能够聚合分布式能源对公网稳定输电。通过利用多个成员间的时空互补特性，实现对间歇性 DER 随机性的消纳，提高网络的整体稳定性和VPP 参与电力市场时的竞争力。

1. 内部优化运行

从优化目标来看，VPP 内部的调度控制以单目标优化为主，目标大多为 VPP最小成本、VPP 最大化利益、用户用电补偿成本最小化或者内部资源利用率最大[35]。有时考虑多个目标的综合优化，建立 VPP 基于优先级满意度的多目标优化调度模型[36]。通过优化 VPP 内各发电机组出力，实现对区域内用户的安全可靠供电。

在对风力、光伏发电等不可控分布式电源的管理中，通常引入至少一个储能系统或可控发电单元、可控负荷等可以辅助调节的单元，来平抑出力波动，降低不确定性的影响。其中，可控发电单元可以是微型热电联产单元、燃料电池、小型火电厂等；储能装置可为蓄电池、抽水蓄能单元、电动汽车等。

在引入可控发电单元方面，文献[37]提出了一种 VPP 的在线协调方案，通过VPP 集中控制小型热电联产机组和风力发电机组的运行，分离回收风力发电中的失衡容量和发电成本，获得可观的经济效益。文献[38]考虑了风电最大出力的不确定性，对多风场最大出力的联合概率分布进行构造，建立了包含 2 个风电场及可调机组的 VPP 随机优化模型，对风电不确定性的改善、市场竞争和风力发电技术的发展提出了建议。

考虑储能单元或者移动式的电动汽车来调节 VPP 出力方面，文献[39]考虑了包含风力发电和电动汽车的 VPP，以数目迅速增加的电动汽车作为储能设备来克服风力不确定性。文献[40]分析储能系统的引入对风电消纳的促进作用,表明通过扩大消纳空间,降低了风电的弃风水平,储能系统的接入有助于改善系统负荷的昼夜分布状况,进一步扩大风电在夜间的消纳比例。文献[41]考虑了风力发电和储能系统的以收益最大为目标的 VPP 联合优化,将储能系统作为独立的 DER 参与发电,模型考虑了风电场的全生命周期成本,给出了电池损耗费用的计算。最终得到 VPP 比之常规风储运行及风电场单独运行收益更高,在此基础上,还讨论了参与调峰和调频服务时的 VPP 优化模型。

考虑需求侧的调节方面,可以通过柔性负荷的调整,对间歇性能源产生的不确定性问题进行补偿。文献[42]研究了柔性负荷"多级协调、逐级细化"的多尺度响应模型,考虑了四种不同时间尺度的情况,实现风电波动性的平抑,以及备用容量的降低。

另外,由于 DER 可能属于不同的参与者,因此有必要将博弈论思想及多智能体技术应用到 VPP 内机组的出力分配中,从而使得 VPP 内部 DER 均衡收益。文献[43]采用了多智能体系统,基于严格的评分规则,设计了一种新的付费机制,鼓励各级可再生 DER 整合成合作型的 VPP,这个机制基于合适的评分规则和概率预测。文献[44]和[45]从联盟博弈角度进行了 VPP 协同建模,表明合作将产生更大收益。文献[46]建立了一个分布式环境中的动态联盟模型,并分析逐次增加价值时联盟离散化的效用情况。评估系统的效率时,关注高效设备的均匀分布,实现满足内随机场景所需的功能稳定的配置。文献[47]从联盟博弈角度进行了 VPP 协同建模,以风能聚合进行详细论述,研究多风电场合作的经济价值,通过合作的风险分摊可以使集体利益增加,但文中仅考虑了所有 VPP 接入单一总线的情况。

2. 参与电力市场

在 VPP 参与电力市场时,多将每个 VPP 作为电力市场中的独立个体,研究市场环境下的优化运行和控制策略。VPP 整合区域内的 DER,可等同于一个参与电网优化调度的常规电厂。电网公司按报价购买 VPP 提供的电能,并对 VPP 购买的电量收取费用[48]。

在多个 VPP 协同运行方面,文献[49]考虑多个商业型 VPP 以合作的形式参与电力市场,通过联合竞标获得收益,并对收益的分配分摊与奖惩机制进行了探讨。文献[50]研究了三个 VPP 的协同运行与竞价问题,VPP 内部以最小成本为目标进行优化,多个 VPP 之间采用重复博弈策略,以实现 VPP 之间的利益均衡。

在 VPP 与配电网协调运行方面,文献[51]基于配电网分时电价机制,提出了一种 VPP 日前调度优化策略,用可控的分布式电源来平衡风、光的波动性,并考虑将蓄电池作为 VPP 的缓冲电源，在不同峰谷电价时段，通过调度蓄电池，使系统可以在峰值负荷时放电、谷值负荷时充电。文献[52]以最大收益为目标，考虑日前市场电力价格和电力零售价格，综合考虑了 VPP 与电力市场的电能交易和内部能量分配，合理安排蓄电池的充放电及可控负荷的投切，考虑了 VPP 生产者和消费者的双重特性。文献[53]采用随机规划的方法处理电价的不确定性，采用鲁棒优化来处理风电不确定性，建立电力市场环境下的 VPP 鲁棒随机竞标模型。文献[54]建立基于机会约束规划的 VPP 经济调度模型，以最大化经济效益为目标，利用机会约束规划处理多随机变量，将风险指标量化，探讨了 VPP 运行过程中经济性和风险性之间的平衡关系。

在 VPP 双层优化调度方面，文献[55]考虑风机出力和电价的不确定性，研究 VPP 双层优化调度策略，分析了 VPP 在电力市场环境下的经济调度与安全调度。文献[56]建立了 VPP 的 Stackelberg 动态博弈模型，考虑 VPP 电价竞标和电量竞标两个阶段的主从关系，协调 VPP 内部分布式电源，制定 VPP 交易电价和调度计划。文献[57]提出了电力供应商和用户针对需求侧管理的双层博弈模型，上层多个供应商之间用非合作博弈刻画，下层供应商与用户之间用演化博弈刻画，但其中考虑的博弈参与者均为有电量剩余的微电网，且作为价格接受者参与竞价，缺乏对有电量缺额的微电网的考虑。

8.2.4　分布式信息管理区块链技术

区块链最先的应用是在货币、经济和市场领域，由于区块链最核心的优势是其透明、去中心化等特点保证了不同主体之间能够相互信任，进而极大地降低了重塑或者维护信任的成本，于是应用的领域不断得到延拓。区块链技术也在能源互联网领域，通过促进多形式能源、各参与主体的协同，以及信息与物理系统的进一步融合，用于实现交易的多元化和低成本化。

区块链是由区块有序链接起来形成的一种数据结构，其中区块是指数据的集合，相关信息和记录都包括在里面，是形成区块链的基本单元。区块链网络是一个 P2P 网络，即点到点网络。网络中的每个节点地位对等，可同时作为客户端和服务器端，同时每个节点保存了整个区块链中的全部数据信息。区块链采用非对称加密算法解决网络之间用户的信任问题。

区块链技术的特点与能源互联网的理念在一定程度上具有相似性，都体现了去中心化的思想、自治协同性、智能化合约化的趋势，都能促进建立市场化与金融化平台。因此国内外已有少数公司开始探索并实践区块链技术在能源互联网中的应用。目前信息物理系统安全、虚拟发电资源交易，以及去中心化的多能源系统协同 3 个典型场景是区块链技术在能源互联网中的具体应用。

在未来能源互联网中，保障信息物理系统的安全存在一系列的挑战与技术需求，区块链去中心化的本质有助于解决信息物理系统中面临的部分安全问题。具体而言，可将区块链作为能源互联网中信息系统的底层。在感知执行层上，每个传感器都有自己固定的私钥，网络中，只有得到授权的节点才能获取其他节点和传感器的公钥，因此攻击者如果没有公钥将无法解密网络中传输的数据。在数据传输层上，系统中的节点链接成网状结构，使得数据通路存在冗余。即使攻击者阻断了网络拓扑中的部分数据通路，信息仍然可通过其他数据通路进行传输。在应用控制层上，区块链系统中所有用户的个人信息具有绝对隐私，因此也不存在隐私泄露问题。

随着能源互联网的发展，通过虚拟电厂广泛聚合分布式能源、需求响应、分布式储能等进行集中管理、统一调度，进而实现不同虚拟发电资源的协同是实现分布式能源消纳的重要途径，区块链能够为虚拟发电资源的交易提供成本低廉、公开透明的系统平台。首先，基于区块链系统建立虚拟发电厂信息平台和虚拟发电资源市场交易平台，虚拟发电厂与虚拟发电资源可以在信息平台上进行双向选择。其次，每个虚拟发电资源对整个能源系统的贡献率即工作量大小的认证是公开透明的，能够进行合理的计量和认证，激发用户、分布式能源等参与到虚拟发电资源的运作中去。最后，在区块链市场交易平台中，虚拟电厂之间以及虚拟电厂和普通用户之间的交易，可以以智能合约的形式达成长期购电协议，也可以在交易平台上进行实时买卖。每当虚拟发电资源确定加入某虚拟电厂中时，虚拟电厂与分布式能源签署有关利益分配的智能合约，一旦智能合约实现的条件达成，区块链系统将自动执行合约，完成虚拟电厂中的利益分配。

多能源系统融合是能源互联网的重要特征，传统能源系统中电力、热力、燃气等能源系统均处于各自分立运行的状态，而未来能源互联网中，各能源系统在生产、转换、储备、运输、调度、控制、管理、使用等环节紧密融合与协同优化，形成有机的整体。区块链能够为多能源系统提供一个去中心化的系统平台，采用区块链记录不同能源系统的实时生产信息及其成本，存在跨能源类型的市场时，可记录多个能源系统之间的交易及其价格信息，在此基础上实时生成各地区各类能源的边际价格(如节点电价、节点气价、节点热价)。区块链使多个能源系统之上不需存在统一的机构进行调度管控，通过边际价格将不同能源系统以及不同地区的能源供求关系信息在多个能源系统中进行共享，不同能源系统可以通过区块链中的边际价格信息对自身系统的运行进行优化，或通过签署智能合约，根据边际价格信息执行自动调度指令，并且根据边际价格信息进行能量费用结算。区块链通过价格信息搭建了不同能源系统之间进行沟通及协同的桥梁，同时区块链分布式账本的存储方式能够保证节点价格信息的真实可靠不易被篡改进而具有公正性。

8.3　未来形态与发展趋势

8.3.1　能源细胞-组织视角下的能源互联网

随着多种能源系统向着分布式和互补式的方向发展，综合能源系统呈现出范围广、集群分布和个体自治的特点。每个在一定区域内具有一定自治特性的能源系统均可与相邻的能源系统交互，组成大的能源互联网。同时，一些综合能源系统在利益驱动下自主聚合为集生产、传输、交易为一体的综合能源系统，更深层次地实现多能互补，平抑新能源波动，并由此获得合作收益。因此，基于能源细胞-组织的视角适用于描述未来区域能源网的构建形态。

1. 能源细胞的市场性讨论

类似于微电网，每一个能源细胞实际上都倾向最大化自己的利益，但是由于能源细胞是一个相对独立于传统电力系统的能量实体,能源细胞和供电公司之间、多个细胞之间会产生一定的利益冲突，所以对能源细胞的市场化行为研究是必不可少的。目前对能源互联网市场模型的研究和搭建已有了初步进展：文献[58]以美国电力市场为例，提出了如图 8-11 所示的新型能源互联网电力市场框架。从图 8-11 可以看出，相较于传统电力市场，新型能源互联网电力市场强调了能源

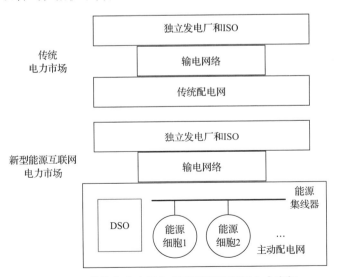

图 8-11　传统电力市场与新型能源互联网电力市场

细胞和 DSO(distribution system operator)或者 DISCO(distribution company)的作用,并在配电网加入了能源细胞和能源集线器用于进行多能量交互。

作为独立的能量主体,一个细胞必然要和其他细胞竞争,在这种情况下,能源互联网中的供电网络(包括独立发电厂、ISO 等)将不同于在传统电力市场中所扮演的角色,如图 8-11 所示。

发电厂或者发电设备可以不仅仅在供电网络中出现,当分布式电源遇到随机输入或输出时,需要每次更新相应的稀疏网络矩阵,使得该系统在经济运行中的情况更加复杂。在这种情况下,供电公司为了投资建设能源互联网基础设施和增加盈利,不可仅仅通过单渠道地售卖电能而获取利润。另外,由文献[59]可知,能源互联网市场中的交易主体不同于从前的单一能源,且在这个市场中不再存在寡头垄断现象,分布式主体间的博弈变得更加复杂,故对能源互联网结构的设计更加依赖于市场主体结构和客体结构,也依赖于交易对象的能源利用情况。所以,明确能源互联网的细胞-组织结构将有利于对网络最优经济运行的研究。

2. 细胞-组织视角下的能源互联网

本书从扩展现有电网的视角把能源互联网的互联架构分为 3 类(设微电网 2 为新接入的细胞)。

(1)微电网 2 接入微电网 1 的内部,扩展的结果便是获得一个更大的微电网 1′(或更大的细胞)。

(2)微电网 2 通过 PCC 或能源路由器接入有微电网 1 接入的同区域配电网的母线,扩展的结果便是获得更大的多微电网系统(或更大的组织)。

(3)微电网 2 通过 PCC 连入大电网,扩展的结果是能源互联网中组织的数量增加,其中微电网 2 便单独形成一个新加入的组织,该组织可以按照(1)中方法继续扩展。

以上 3 种结构的示意如图 8-12 所示,其中 MG2、MG2′和 MG2″分别对应上述 3 种情况中的微电网 2,ADG1 和 ADG2 为区域配电网。这几种结构的多样性也正表明了 SoS 的多样性,具体采取何种结构还需要经过规划和评估后做出决定。

虽然目前对传统电力系统的研究已近乎成熟,但能源互联网的建设不是一蹴而就的,能源互联网不仅是能源领域的革命,更是用户侧的技术革命。在这种大前提下,明确能源主体和用户主体对象的必要性便凸显出来了。所以明确能源互联网中什么是细胞,什么是组织,细胞和组织分别能完成什么功能、有什么相互联系等问题,便是本节重点提出的研究建议。除此之外,由于能源的多样化,如何在日前和实时市场上实现多种能源的最优分配和联合出清依然是设计能源路由器和能源集线器的一大难点。所以综合上述问题,未来的研究还应着手将交通网络安全模型和电力信息网络模型相融合,研究计及边界条件和信息网络模型的能源网络潮流计算,并加深对结合细胞-组织架构的能源互联网的认识。

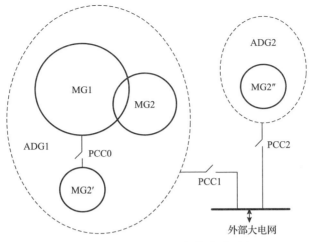

图 8-12　细胞-组织互联架构分类示意

8.3.2　多能分布式优化研究的挑战与展望

能源互联网的多能分布式优化问题涉及的领域十分广泛，需要多智能体、信息物理融合、智能能源管理等理论的应用和信息通信、电力电子、新型储能、能源转换等先进技术的支撑。在能源互联网的研究热潮中，新的理念与思路不断涌现，如何选取合适的运行控制体系和机制、如何实现多能流分布式优化调控、如何设计适应能源互联网的商业运营模式，成为未来的主要研究方向。

1. 分布式运行控制体系

目前在电力系统中广泛应用的先分层后分区的运行控制体系从电能传输与利用的角度将整个电网主要分为输电和配电两层。但由于在能源互联网中间歇性分布式可再生能源的渗透率大幅提升，电力系统呈现出源-网-荷-储深度融合的特点，同时不同能源的耦合互补也使得多能源系统具有调度灵活性、多样性，导致能源传输环节的控制作用被大大削弱。因此，有必要将分层分布式控制架构结合智能电网细胞-组织体系"弱中心化"的思想构建能源互联网运行与控制新体系，将能源互联网分成若干个结构较为简单的能源自治区域(Cell)，区内集中自治，区间分散协调，从而实现全局的优化运行。每个能源子网并不是单一的供能侧或用能侧，而是可以包含能源生产、传输、分配、使用等各个环节，结合开放系统互连模型(open system interconnection/ reference model，OSI/RM)按功能划分不同的层次结构，如图 8-13 所示。该体系可以在不改变现有能源系统网架结构和地理边界的情况下实现能源互联网的群体智能化，具有良好的发展前景，是下一步研究需要关注的重点。

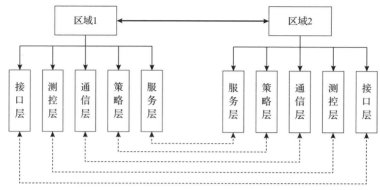

图 8-13　基于细胞-组织体系的功能分层结构

实线为物理连接；虚线为信息连接

2. 多能流分布式优化调控

目前，分布式优化调控研究多集中于主动配电网层面或互联微电网系统，对于包含多能量枢纽的多能源系统涉及较少，尤其是考虑到能源互联网多能流耦合、多时空尺度、多智能体控制的运行方式，需要对现有的分布式优化策略进行改进和创新。首先，由于不同能源系统的量测精度差异，需要研究稀疏通信网络下的分布式状态估计算法，满足各能流耦合环节信息交互的快速性与可靠性要求。在此基础上，针对不同能流系统响应时间的差异以及动态过程的相互影响，需要提出多优化周期的分布式多能流调控模型，研究多重优化模型下不同分布式优化算法的适用性问题，并考虑针对可再生能源出力等不确定性的模型预测控制。此外，在人工智能兴起的大背景下，未来能源互联网应是能源调控方式与人类行为紧密耦合的信息-物理-社会融合系统，如何利用调度机器人群体的平行机器学习实现多能源系统的分布调控将是具有前瞻性和开创性的研究课题。

3. 能源市场去中心化交易模式

在能源互联网分式运行体系下，电网调度中心的主导地位将逐渐弱化，需要对供能、用能、储能及中间商等交易实体采用基于分散化决策和 Pareto 最优的微平衡交易模式。但由于目前还未建立起协同多能源系统的跨平台商业模式和激励相容机制，如何利用区块链技术协同自治、去中心化、合约执行自动化及可追溯性的特点构建高效透明、广泛参与和全面信任的金融交易体系，形成面向分布式交易主体的可交易能源系统是实现能源互联网信息-物理-社会系统与金融体系之间立体化融合的关键。然而我国区块链技术在能源互联网中的发展还处于理想化的场景分析阶段，面临计算能力不足、网络信息安全保障不充分、智能合约责任主体不明确等技术瓶颈，同时缺乏相应的政策约束与监管体系，需要结合能源互联网基础设施建设与改造进程探索分阶段的能源市场化发展策略，丰富去中心化交易模式的理论基础与工程实证。

8.3.3 基于多智能体系统的能源互联网建设前景展望

EIS 是智能电网的进一步深化和发展，是区别于传统能源电力模式的全新思维模式，对于实现节能减排、能源多元化发展具有重要意义。然而随着我国清洁能源渗透率增大，目前的电力系统将面临很大的挑战。MAS 作为一种高度并行的分布式处理系统，是一种有效的解决手段。

(1)电网规划方面。我国电力系统规划不够合理，存在分布式电源规划不协调、电源规划区域发电总量过剩等问题，不利于源-网-荷-储全局兼顾，并造成清洁能源浪费。MAS 中，智能体本身是可分配的，与自身所处环境没有固定的联系，每个节点均可与周围节点进行信息交互与信息共享。通过 MAS 搭建开放的平台对各组件进行建模、控制及最优供电组合，能够模拟不同规划方案的实际运行效果，提供最优规划方案，加强电网的可扩展性和开发性。

(2)协调运行方面。我国清洁能源的大量接入以及能源负荷不均衡，导致弃风、弃光问题严重。通过 MAS 实现系统分层分区控制，结合先进信息技术与协调控制技术，实现 DER 的即插即用。在满足安全约束条件下，利用智能体的协同性、社会能力实现与配电网及其他跨区域智能体之间的协调控制，实现清洁能源就近消纳及跨省区交易，充分挖掘电能消纳潜力。

(3)市场运行方面。在 EIS 实际应用中，参与者可能由不同的实体负责运营，有不同的优化目标。MAS 不强迫使用统一的方法而让步于整个系统，每个智能体都能用相对最合适的方法解决特定问题。MAS 中，通过实现个体理性和集体理性，使加入联盟的智能体相比单独工作得到更多的效用，实现整个系统的动态稳定和优化。

(4)供需双侧随机性方面。利用 MAS 研究用户行为实现 EIS 中能源生产和消费的双向即时协作，增强清洁能源的消纳能力。电动汽车作为 EIS 中典型的移动储能元件，运用 MAS 研究用户的充电行为相对真实地反映其充电行为规律。

MAS 是实现 EIS 的重要结构框架与技术支持，能够推动新能源电力的发展。但是 MAS 在实际的应用中仍有一些问题需要深入讨论。

(1)在运行控制方面。现有分布式协调中有关功率精确控制和系统稳定性的问题还没有一个全面的解决方案。大量具有随机性的 DER 的接入，导致迫切需要更具有鲁棒性的控制结构，并对通信可靠性提出更高要求。另外，由于通信拓扑结构更加复杂多变，需要很大的通信和计算成本。此外，分布式设备及主网的数据采集和传输延迟也会造成通信压力。目前仅开展了短期或超短期时间机制下的协调控制。随着信息技术的发展，研究准实时协调控制技术，实现多能源的实时交互，以最大化消纳清洁能源，可以作为未来的研究方向。

（2）在参与电力市场方面。MAS 能对参与电力市场的 DER 进行管理，实现多利益主体的协调，这对我国电力市场体制完善有重要的促进作用。但由于电力交易市场中的电价不确定性，需要研究更合适的 MAS 调度模式，以适应动态变化的电力环境，平衡风、光等功率波动并实现潜在的需求侧响应。另外，通过政府的引导和鼓励政策，更多地考虑用户的主观意愿，提高用户主动参与需求响应的积极性，或由管理人员借助终端平台进行重点盯防并安排人员进行现场检查工作，提高工商业用户的自觉性，对用户行为进行适当合理的控制，在实现错峰的同时，防止在低电价时段带来新的负荷高峰。

8.3.4　能源互联网数字孪生及其应用

能源互联网数字孪生是充分利用能源互联网的物理模型、先进计量基础设施的在线量测数据、能源互联网的历史运行数据，并集成电气、流体、热力、计算机、通信、气候、经济等多学科知识进行的多物理量、多时空尺度、多概率的仿真过程，通过在虚拟空间中完成对能源互联网的映射，反映能源互联网的全生命周期过程。

能源互联网数字孪生具有几大关键技术环节，即对物理系统的量测感知、数字空间建模、仿真分析决策，而以上几个环节又离不开云计算环境的支撑。量测感知是对能源互联网物理实体进行分析控制的前提，需要在物理系统中布置众多传感器，并且还需解决与数据量测、传输、处理、存储、搜索相关的一系列技术问题。考虑到电力系统以及以电力系统为核心的能源互联网，其规划、建设、运行和控制的时间常数跨度非常大，可以通过不同类型的数学模型反映物理实体不同时间尺度和空间尺度的特征，能源互联网模型的形式并不仅仅局限于描述实体对象物理规律的数学方程，也可以包括基于量测数据构建的统计相关性模型。云计算环境是物理系统和数字空间的桥梁。在云计算环境中，可以利用已经掌握的能源互联网物理规律和传感器量测数据，再借助大数据分析和高性能仿真技术，实现对能源互联网的数字建模和仿真模拟，计算结果可实时反馈至物理系统，传感器数据同样可实时传递给数字镜像以实现同步。

数字孪生可以提升能源互联网的监控水平，发现系统运行的异常环节，有助于实现基于能源互联网状态的精准运维。基于数字孪生的能源互联网监控基本思路是：实时量测电、气、热(冷)等子系统的状态并实时传递给能源互联网的数字孪生。能源互联网的数字孪生可以开展模型参数校准和设备异常感知，因此基于数字孪生的能源互联网监控的本质技术问题是量测数据与仿真模拟数据的对比。

参 考 文 献

[1] Geidl M, Koeppel G, Favreperrod P, et al. Energy hubs for the future[J]. IEEE Power & Energy Magazine, 2007, 5(1): 24-30.

[2] Liu X, Jenkins N, Wu J, et al. Combined analysis of electricity and heat networks[J]. Energy Procedia, 2014, 61: 155-159.

[3] Federation of German(BDI). Internet of energy: ICT for energy markets of the future. BDI publication No.439[R]. Berlin: Federation of German Industries, 2008.

[4] Koeppel G A. Reliability considerations of future energy systems: Multi-carrier systems and the effect of energy storage[D]. Zurich: Swiss Federal Institute of Technology, 2007.

[5] 黄国日, 刘伟佳, 文福拴, 等. 具有电转气装置的电-气混联综合能源系统的协同规划[J]. 电力建设, 2016(9): 1-13.

[6] Guo L, Liu W, Cai J, et al. A two-stage optimal planning and design method for combined cooling, heat and power microgrid system[J]. Energy Conversion and Management, 2013, 74: 433-445.

[7] Barati F, Seifi H, Sepasian M S, et al. Multi-period integrated framework of generation, transmission, and natural gas grid expansion planning for large-scale systems[J]. IEEE Transactions on Power Systems, 2014, 30(5): 2527-2537.

[8] Pan Z, Guo Q, Sun H. Impacts of optimization interval on home energy scheduling for thermostatically controlled appliances[J]. CSEE Journal of Power & Energy Systems, 2015, 1(2): 90-100.

[9] 徐建军, 王保娥, 闫丽梅, 等. 混合能源协同控制的智能家庭能源优化控制策略[J]. 电工技术学报, 2017, 32(12): 214-223.

[10] Li M, Mu H, Li N, et al. Optimal option of natural-gas district distributed energy systems for various buildings[J]. Energy and Buildings, 2014, 75: 70-83.

[11] Bie Z, Zhang P, Li G, et al. Reliability evaluation of active distribution systems including microgrids[J]. IEEE Transactions on Power Systems, 2012, 27(4): 2342-2350.

[12] 薛屹洵, 郭庆来, 孙宏斌, 等. 面向多能协同园区的能源综合利用率指标[J]. 电力自动化设备, 2017, 37(6): 117-123.

[13] 付学谦, 孙宏斌, 郭庆来, 等. 能源互联网供能质量综合评估[J]. 电力自动化设备, 2016, 36(10): 1-7.

[14] Li G, Bie Z, Kou Y, et al. Reliability evaluation of integrated energy systems based on smart agent communication[J]. Applied Energy, 2016, 167: 397-406.

[15] Shamala P, Ahmad R, Yusoff M. A conceptual framework of info structure for information security risk assessment (ISRA)[J]. Journal of Information Security and Applications, 2013, 18(1): 45-52.

[16] 李芙蓉. 适应综合能源局域网的市场化改革方案(英文)[J]. 中国电机工程学报, 2015, 35(14): 3693-3698.

[17] 田兵, 雷金勇, 许爱东, 等. 基于能源路由器的能源互联网结构及能源交易模式[J]. 南方电网技术, 2016, 10(8): 11-16.

[18] 季阳. 基于多代理系统的虚拟发电厂技术及其在智能电网中的应用研究[D]. 上海: 上海交通大学, 2011.

[19] Yang H M, Zhao D X, Dong J H, et al. Distributed optimal dispatch of virtual power plant via limited communication[J]. IEEE Transactions on Power Systems, 2013, 28(3): 3511-3512.

[20] Saldarriaga C A, Hincapie R A, Salazar H. A holistic approach for planning natural gas and electricity distribution networks[J]. IEEE Transactions on Power Systems, 2013, 28(4): 4052-4063.

[21] Unsihuay-Vila C, Marangon-Lima J W, de Souza A C Z, et al. A model to long-term, multiarea, multistage, and integrated expansion planning of electricity and natural gas systems[J]. IEEE Transactions on Power Systems, 2010, 25(2): 1154-1168.

[22] 陈静鹏, 艾芊. 基于多代理系统的电动汽车充电行为研究[J]. 电器与能效管理技术, 2015(14): 41-46.

[23] Divényi D, Dan A M. Agent-based modeling of distributed generation in power system control[J]. IEEE Transactions on Sustainable Energy, 2013, 4(4): 886-893.

[24] Sun Q, Han R, Zhang H, et al. A multiagent-based consensus algorithm for distributed coordinated control of distributed generators in the energy internet[J]. IEEE Transactions on Smart Grid, 2015, 6(6): 3006-3019.

[25] Xu Y, Liu W. Novel multiagent based load restoration algorithm for microgrids[J]. IEEE Transactions on Smart Grid, 2011, 2(1): 152-161.

[26] Ren F, Zhang M, Soetanto D, et al. Conceptual design of a multi-agent system for interconnected power systems restoration[J]. IEEE Transactions on Power Systems, 2012, 27(2): 732-740.

[27] Li H A, Nair N K C. Multi-agent systems and demand response: A systematic review[C]//2015 Australasian Universities Power Engineering Conference(AUPEC), Wollongon, 2015.

[28] Babar M, Nguyen P H, Cuk V, et al. Complex bid model and strategy for dispatchable loads in real time market-based demand response[C]// IEEE Pes Innovative Smart Grid Technologies Conference Europe, Istanbul, 2014.

[29] 王珂, 刘建涛, 姚建国, 等. 基于多代理技术的需求响应互动调度模型[J]. 电力系统自动化, 2014, 38(13): 121-127.

[30] 艾芊, 章健. 基于多代理系统的微电网竞价优化策略[J]. 电网技术, 2010(2): 52-57.

[31] Ni J, Ai Q. Economic power transaction using coalitional game strategy in micro-grids[J]. IET Generation, Transmission & Distribution, 2016, 10(1): 10-18.

[32] 赵媛媛, 艾芊, 余志文, 等. 考虑多种因素评估的微电网优化调度[J]. 电力系统保护与控制, 2014(23): 23-30.

[33] 江润洲, 邱晓燕, 李丹. 基于多代理的多微网智能配电网动态博弈模型[J]. 电网技术, 2014, 38(12): 3321-3327.

[34] 龚锦霞. 含分布式能源的电网协调优化调度[D]. 上海: 上海交通大学, 2014.

[35] Houwing M, Papaefthymiou G, Heijnen P W, et al. Balancing wind power with virtual power plants of micro-CHPs[C]//PowerTech, 2009 IEEE Bucharest, Bucharest, 2009: 1-7.

[36] 易德鑫. 计及风电出力不确定性的虚拟电厂随机优化调度[D]. 长沙: 长沙理工大学, 2013.

[37] Vasirani M, Kota R, Cavalcante R L G, et al. An agent-based approach to virtual power plants of wind power generators and electric vehicles[J]. IEEE Transactions on Smart Grid, 2013, 4(3): 1314-1322.

[38] 宋艺航, 欧鹏, 谭忠富. 计及储能系统的跨区域风电消纳模型[J]. 陕西电力, 2015, 43(1): 15-19.

[39] 闫涛, 渠展展, 惠东, 等. 含规模化电池储能系统的商业型虚拟电厂经济性分析[J]. 电力系统自动化, 2014, 38(17): 98-104.

[40] 杨胜春, 刘建涛, 姚建国, 等. 多时间尺度协调的柔性负荷互动响应调度模型与策略[J]. 中国电机工程学报, 2014, 34(22): 3664-3673.

[41] Robu V, Kota R, Chalkiadakis G, et al. Cooperative virtual power plant formation using scoring rules[C]// Proceedings of the 11th International Conference on Autonomous Agents and Multiagent Systems-Volume 3. International Foundation for Autonomous Agents and Multiagent Systems, Richland, 2012: 1165-1166.

[42] Mihailescu R C, Vasirani M, Ossowski S. Dynamic coalition formation and adaptation for virtual power stations in smart grids[C]//Proc. of the 2nd Int. Workshop on Agent Technologies for Energy Systems, 2011: 85-88.

[43] Baeyens E, Bitar E Y, Khargonekar P P, et al. Coalitional aggregation of wind power[J]. IEEE Transactions on Power Systems, 2013, 28(4): 3774-3784.

[44] 艾欣, 许佳佳. 基于互动调度的微网与配电网协调运行模式研究[J]. 电力系统保护与控制, 2013, 41(1): 143-149.

[45] 胡殿刚, 刘毅然, 王坤宇, 等. 多商业型虚拟发电厂联合竞标及分配策略[J]. 电网技术, 2016, 40(5): 1550-1557.

[46] Wang Y, Ai X, Tan Z, et al. Interactive dispatch modes and bidding strategy of multiple virtual power plants based on demand response and game theory[J]. IEEE Transactions on Smart Grid, 2016, 7(1): 510-519.

[47] 冯其芝, 喻洁, 李扬, 等. 考虑分时电价的虚拟发电厂调度策略[J]. 电力需求侧管理, 2014, 16(4): 1-5.

[48] 朱赫, 许傲然, 张柳, 等. 虚拟电厂的最优能量调度模型研究[J]. 电气应用, 2015(7): 39-43.

[49] 余爽, 卫志农, 孙国强, 等. 考虑不确定性因素的虚拟电厂竞标模型[J]. 电力系统自动化, 2014, 38(22): 43-49.

[50] 范松丽, 艾芊, 贺兴. 基于机会约束规划的虚拟电厂调度风险分析[J]. 中国电机工程学报, 2015, 35(16): 4025-4034.

[51] 臧海祥, 余爽, 卫志农, 等. 计及安全约束的虚拟电厂两层优化调度[J]. 电力自动化设备, 2016, 36(8): 96-102.

[52] 方燕琼, 甘霖, 艾芊, 等. 基于主从博弈的虚拟电厂双层竞标策略[J]. 电力系统自动化, 2017, 41(14): 61-69.

[53] Chai B, Chen J, Yang Z, et al. Demand response management with multiple utility companies: A two-level game approach[J]. IEEE Transactions on Smart Grid, 2014, 5(2): 722-731.

[54] Su W C, Huang A Q. 美国的能源互联网与电力市场[J]. 科学通报, 2016, 61(11): 73-84.

[55] 刘凡, 别朝红, 刘诗雨, 等. 能源互联网市场体系设计、交易机制和关键问题[J]. 电力系统自动化, 2018, 42(13): 108-117.

[56] 程浩原, 艾芊, 高扬, 等. 关于细胞-组织视角的能源互联网分布式自治系统形态特征的讨论[J]. 全球能源互联网, 2019, 2(5): 466-475.

[57] 殷爽睿, 艾芊, 曾顺奇, 等. 能源互联网多能分布式优化研究挑战与展望[J]. 电网技术, 2018, 42(5): 1359-1369.

[58] 艾芊, 刘思源, 吴任博, 等. 能源互联网中多代理系统研究现状与前景分析[J]. 高电压技术, 2016, 42(9): 2697-2706.

[59] 艾芊, 郝然. 多能互补、集成优化能源系统关键技术及挑战[J]. 电力系统自动化, 2018, 42(4): 2-10, 46.